Becoming
Steve Jobs

Becoming Steve Jobs

COMMENT UN ARRIVISTE IMPÉTUEUX
EST DEVENU UN LEADER VISIONNAIRE

Brent Schlender ET **Rick Tetzeli**

Traduit de l'anglais (États-Unis)
par Sabine Porte

Note des auteurs

Pour *Devenir Steve Jobs*, nous avons passé trois ans à effectuer des recherches, des interviews, à enquêter, écrire et peaufiner ensemble notre manuscrit. Cela étant, dans le récit que vous vous apprêtez à lire, nous avons décidé par simple commodité de laisser Brent endosser le rôle du narrateur et de recourir d'un bout à l'autre à la première personne du singulier. C'est Brent qui a côtoyé Steve Jobs durant vingt-cinq ans et il était donc plus facile de narrer ce récit à la première personne.

À Lorna, qui m'a bien des fois sauvé la vie.
— *BS*

À Mari, pour toujours.
« Il est rare que l'on rencontre quelqu'un qui soit à la fois une vraie amie et un bon écrivain. »
— *RT*

Sommaire

Prologue

« Vous êtes nouveau, ici ? » Tels ont été les premiers mots qu'il m'a adressés. (Vingt-cinq ans plus tard, les derniers seraient : « Je suis désolé. ») Déjà, il avait inversé les rôles. C'était pourtant moi le journaliste. Celui qui était censé poser les questions.

On m'avait prévenu que ce serait particulièrement difficile de solliciter Steve Jobs. La veille au soir, j'avais pris une bière avec mes nouveaux confrères de l'agence du *Wall Street Journal* à San Francisco qui m'avaient conseillé de mettre un gilet pare-balles pour cette première rencontre. L'un d'eux m'avait laissé entendre en plaisantant à demi qu'interroger Steve Jobs relevait davantage du combat que de l'interview. C'était en avril 1986 et au *Journal*, Steve Jobs était déjà une légende. Au bureau, on racontait qu'il avait réglé son compte à un journaliste de la maison en lui posant une simple question : « Est-ce que vous comprenez un mot à notre discussion ? »

Des gilets pare-balles, j'en avais porté suffisamment lorsque j'étais reporter en Amérique centrale, au début des années 1980. J'avais passé la majeure partie de mon temps au Salvador et au Nicaragua à interviewer toutes sortes de gens, des chauffeurs de camion travaillant dans les zones de conflit aux conseillers militaires américains, en passant par les *commandantes* des Contras dans leur repaire et les présidents dans leur palais. Lors d'autres missions, j'avais rencontré d'excentriques milliardaires comme T. Boone Pickens, H. Ross Perot et Li Ka-shing, des lauréats du prix Nobel tels que Jack Kilby, des rock stars et des icônes du cinéma, des polygames dissidents et même des grands-mères de criminels en puissance. Je n'étais pas du genre à me laisser intimider. Et pourtant, j'ai passé les vingt-cinq minutes de route entre chez moi, à San Mateo, en Californie, et le siège de NeXT Computer à Palo Alto, à me tracasser en me demandant de quelle façon aborder cette interview avec Steve Jobs.

Le malaise que j'éprouvais était en partie dû au fait que, pour la première fois de ma carrière de journaliste, je rendais visite à un grand dirigeant d'entreprise qui était plus jeune que moi. J'avais trente-deux ans, Jobs en avait trente et un et c'était déjà, avec Bill Gates, une célébrité saluée dans le monde entier pour avoir créé l'industrie de l'ordinateur personnel. Bien avant que l'incroyable essor d'Internet ne produise chaque semaine son lot de petits génies, Jobs était la véritable superstar du high-tech, le vrai, l'authentique, avec à son actif une réussite exceptionnelle. Les circuits imprimés qu'il avait assemblés avec Stephen « Steve » Wozniak dans un garage de Los Altos avaient donné naissance à une société pesant 1 milliard de dollars. Le potentiel de l'ordinateur personnel paraissait illimité et, en tant que cofondateur d'Apple Computer, Steve Jobs incarnait à lui seul toutes ces perspectives d'avenir. Mais en septembre 1985, il avait été forcé de démissionner, peu après avoir annoncé au conseil d'administration qu'il était en train de persuader des collaborateurs clés d'Apple de le suivre dans une nouvelle société destinée à concevoir des « stations de travail ». Fascinés, les médias avaient consciencieusement disséqué son départ et *Fortune* et *Newsweek* avaient même consacré leur couverture à la sordide saga.

Depuis son lancement, six mois plus tôt, quasiment aucune information n'avait filtré sur la nouvelle start-up, d'autant qu'Apple avait engagé des poursuites pour tenter d'empêcher Steve Jobs d'embaucher ses employés, même si elle avait fini par jeter l'éponge. Et d'après le responsable de l'agence de communication de Jobs qui avait appelé mon patron au *Wall Street Journal*, Steve était aujourd'hui disposé à accorder une poignée d'interviews à quelques grandes publications économiques et financières. Il s'apprêtait à lancer le tourbillon médiatique qui révélerait en détail ce que concoctait NeXT. Malgré toute ma fascination, je restais sur mes gardes : je ne voulais pas succomber au charme du charismatique M. Jobs.

Lorsqu'on descend vers le sud jusqu'à Palo Alto, le trajet retrace à lui seul l'histoire de la Silicon Valley. De San Mateo, on prend la Route 92 pour rejoindre l'Interstate 280, une autoroute qui contourne le lac de San Andreas et les deux retenues de Crystal Springs, qui alimentent San Francisco en eau potable acheminée de la Sierra Nevada ; on passe devant Sand Hill Road, à Menlo Park, où se concentrent les sociétés de capital-risque à l'opulence tranquille, puis le SLAC, l'accélérateur linéaire de particules de Stanford, long de plus de 3 kilomètres, qui croise l'autoroute en dessinant une longue entaille dans le paysage, devant le Stanford Dish, le radiotélescope de l'université, les vaches Herefords à tête blanche et les chênes somptueux qui peuplent les prés situés derrière le campus. Avec l'hiver et les pluies du printemps, les prairies avaient perdu leur aspect desséché pour prendre l'espace de quelques semaines des allures de green de golf, parsemé de carrés de fleurs sauvages orange, violettes et jaunes. J'étais arrivé depuis si peu de temps dans la région de San Francisco que j'ignorais encore que la route n'était jamais aussi belle qu'en cette saison-là.

Je devais sortir à Page Mill Road, où était situé le siège de Hewlett-Packard, d'Alza, pionnier des biotechnologies, de « facilitateurs » de la Silicon Valley, comme Andersen Consulting (aujourd'hui rebaptisé Accenture) ou du cabinet juridique Wilson Sonsini Goodrich & Rosati. Mais, tout d'abord, on traverse le Stanford Research Park et ses rangées de laboratoires de recherche et développement entourés de grands espaces verts qui dépendent de l'université. Le célèbre Palo Alto Research Center (PARC) de Xerox, où Steve Jobs avait vu pour la première fois un ordinateur avec une souris, une interface graphique et un écran « bitmap », s'y trouve. C'est là qu'il avait choisi d'implanter le siège de NeXT.

Une jeune femme d'Allison Thomas Associates, l'agence de communication de NeXT, m'a escorté dans la simple structure de béton et de verre d'un étage qui abritait les bureaux jusqu'à une petite salle de conférences donnant sur un parking à moitié vide et pas grand-chose d'autre. Steve m'y attendait. Il m'a salué d'un signe de tête, a congédié l'attachée de presse et sans même me laisser le temps de m'asseoir, m'a posé cette première question.

Je ne savais pas trop s'il s'attendait à ce que je réponde par monosyllabes ou s'il était réellement curieux d'apprendre qui j'étais et d'où je venais. J'ai opté pour la seconde solution et entrepris d'énumérer les endroits et les entreprises auxquels j'avais consacré des articles pour le *Wall Street Journal*. À la fin de mes études à l'université du Kansas, je m'étais installé à Dallas pour travailler au *Journal* où je rédigeais des papiers sur l'aviation, les compagnies aériennes et l'électronique, car Texas Instruments et RadioShack, des fabriquants et distributeurs de produits et de composants électroniques, y étaient basés. J'avais acquis une certaine notoriété grâce au portrait que j'avais fait de John Hinckley, le fils privilégié d'un magnat texan du pétrole, qui avait tiré sur le président Reagan en 1981.

« En quelle année êtes-vous sorti du lycée ? m'a-t-il lancé.

— En 1972, lui ai-je répondu. Et j'ai passé sept ans à l'université, mais je n'ai jamais fini mon master.

— J'ai quitté le lycée la même année, a-t-il repris. On doit avoir à peu près le même âge. » (J'ai découvert par la suite qu'il avait sauté une année.)

Je lui ai alors expliqué que j'avais passé deux ans en Amérique centrale, et deux autres à Hong Kong, à écrire des articles et faire des reportages pour le *Journal* sur des questions géopolitiques, puis un an à Los Angeles, avant de décrocher enfin le poste dont je rêvais à San

Francisco. Je commençais à avoir le vague sentiment d'être soumis à un entretien d'embauche.

« Bon, vous connaissez quelque chose à l'informatique ? m'a-t-il de nouveau interrompu. Les journalistes de la presse nationale ne pigent rien à l'informatique, a-t-il ajouté en secouant la tête avec un air de condescendance savamment étudié. Le dernier qui a pondu un article sur moi dans le *Wall Street Journal* ne savait même pas faire la différence entre mémoire système et disquette ! »

Cette fois, j'étais plus à l'aise. « À l'origine, j'ai fait des études de lettres, mais j'ai programmé des jeux basiques et conçu des bases de données relationnelles à l'université. » Il a levé les yeux au ciel. « J'ai travaillé de nuit pendant deux ans comme opérateur chargé de traiter les transactions journalières de quatre banques sur un mini-ordinateur NCR. » À présent, il regardait par la baie vitrée. « Et j'ai acheté un IBM PC dès qu'il a été commercialisé. Chez Businessland. À Dallas. Son numéro de série commençait par huit zéros. Et j'ai commencé par installer CP/M. Et je n'ai installé MS-DOS qu'au moment où je l'ai revendu, avant de partir à Hong Kong, parce que l'acheteur me le demandait. »

En m'entendant mentionner ces premiers systèmes d'exploitation et le produit d'un concurrent, il a dressé l'oreille. « Pourquoi ne pas avoir choisi un Apple II ? » m'a-t-il demandé.

Bonne question, mais franchement… pourquoi je laissais ce type m'interroger ?

« Je n'en ai jamais eu, ai-je avoué, mais en arrivant ici, j'ai demandé au *Journal* de m'acheter un Fat Mac. » J'avais convaincu les pontes de New York que pour écrire sur Apple, il valait mieux que je me familiarise avec leurs derniers produits. « Je m'en sers depuis deux semaines et jusqu'ici, je trouve ça mieux qu'un PC. »

J'avais percé la cuirasse. « Attendez de voir ce qu'on va produire, m'a-t-il dit. Vous serez bon pour vous débarrasser de votre Fat Mac. » On en était enfin là où Steve voulait en arriver depuis le début, le but même de l'interview, le moment où il s'apprêtait à m'expliquer comment il allait surpasser l'entreprise qu'il avait fondée et triompher de tous ceux, notamment John Sculley, le CEO[1] d'Apple, qui l'avait banni du royaume.

À présent, il acceptait que je lui pose des questions, auxquelles, toutefois, il ne répondait pas toujours directement. J'étais curieux de savoir, par exemple, pourquoi les locaux étaient si étrangement déserts. Allaient-ils réellement assembler des ordinateurs sur place ? Les lieux ne ressemblaient guère à un site de production. Avait-il les capitaux nécessaires pour couvrir toute l'opération ou avait-il trouvé des investisseurs ? Il avait vendu toutes ses parts d'Apple, sauf une, mais cela ne suffisait pas à financer une entreprise aussi ambitieuse. Parfois, il déviait dans une direction totalement inattendue. Tout en parlant, il buvait de l'eau bouillante servie dans une chope à bière. Il m'a expliqué qu'un jour, il n'avait plus de thé et s'était aperçu qu'il aimait également l'eau chaude. « Ça calme de la même manière », a-t-il dit.

Il a fini par ramener la conversation au sujet qui l'intéressait : l'enseignement supérieur avait besoin d'ordinateurs plus performants que seul NeXT était à même de produire. La société travaillait en étroite collaboration avec Stanford et Carnegie Mellon – deux universités dotées de départements informatiques réputés. « Ce seront nos premiers clients. »

En dépit de ses réponses évasives et de sa détermination à se conformer à un message unique, Jobs avait un charisme évident. Il dégageait une telle assurance que je buvais ses paroles. Il s'exprimait en phrases soigneusement formulées, même lorsqu'il répondait à une question inopinée. Vingt-cinq ans plus tard, lors de la cérémonie de commémoration, Laurene, sa veuve, témoignerait du sens aigu de l'esthétique qu'il possédait dès son plus jeune âge. La confiance qu'il avait dans son jugement et la sûreté de son goût se reflétaient dans ses réponses. Elles se manifestaient également par le fait qu'il me soumettait bel et bien à un interrogatoire, me mettait à l'épreuve pour vérifier que je « captais » l'ampleur de ce qu'il avait réalisé jusque-là et la nature de

---

1. CEO (*chief executive officer*) : équivalent français du P.-D.G. (Président-directeur général), personne la plus haut placée d'une entreprise, qui la dirige.

ses projets chez NeXT. Je devais comprendre par la suite que Steve voulait s'assurer que tout ce l'on écrivait sur lui et son travail était à la hauteur du niveau d'excellence qu'il s'imposait. Il s'estimait sans doute capable de faire mieux que quiconque dans n'importe quel domaine, ce qui agaçait ses employeurs, évidemment.

L'interview a duré quarante-cinq minutes. Le plan d'action de NeXT en était encore au stade de l'ébauche, symptôme révélateur des ennuis que l'entreprise allait connaître au cours des années suivantes. Cependant, il y avait un sujet qui lui tenait particulièrement à cœur : le logo de NeXT. Il m'a donné une luxueuse brochure expliquant l'évolution de l'emblème élégant conçu par Paul Rand. Celui-ci avait même créé la brochure de papier crème bouffant dont les pages imprimées en relief étaient séparées par de coûteux feuillets transparents, décrivant étape par étape comment il avait choisi une image qui juxtaposait de « multiples langages visuels ». Le logo était un simple cube portant le nom de NeXT en « vermillon sur fond rose cerise et vert, et jaune sur fond noir (les couleurs les plus tranchées qui soient) » et « placé en équilibre selon un angle de vingt-huit degrés », était-il précisé. À cette époque, Rand était un des plus grands graphistes américains ; il était célèbre pour avoir imaginé l'identité visuelle de marques telles qu'IBM, ABC Television, UPS et Westinghouse. Pour cette brochure et cette unique esquisse de logo qui était à prendre ou à laisser, Steve Jobs avait allègrement déboursé 100 000 dollars. Bien que révélatrice de son désir de perfection, cette tendance à la prodigalité allait le desservir chez NeXT.

———

À L'ISSUE DE cette première rencontre, je n'ai pas écrit d'article. Le luxueux logo d'une entreprise qui n'en était qu'à ses balbutiements ne méritait pas que l'on y consacre une colonne dans un journal, et ce quel que soit son commanditaire ou son créateur. (D'autant qu'à l'époque, le *Wall Street Journal* ne publiait jamais de photos ; en fait, il n'utilisait jamais de couleur. Et même si j'avais voulu écrire sur le dernier joujou de Steve, les lecteurs du *Journal* qui ne s'intéressaient guère au design dans ces années-là n'auraient pas pu saisir sa beauté aussi subtile qu'irréaliste.)

En m'abstenant d'écrire un article, je venais de tirer la première salve des vingt-cinq ans de négociations qui devaient marquer nos relations. Comme souvent entre les journalistes et leurs sources, il y avait une raison essentielle pour laquelle nous souhaitions nous rencontrer, Steve et moi : chacun avait besoin de l'autre. Je pouvais lui offrir la une du *Wall Street Journal*, et par la suite la couverture de *Fortune* ; il avait une histoire qui intéressait mes lecteurs et que je voulais être le premier à raconter, et mieux que personne.

Généralement, il voulait que j'écrive un article sur un de ses derniers produits ; mes lecteurs, eux, s'intéressaient autant, si ce n'est davantage, à lui. Il voulait souligner toutes les merveilles du produit, le génie et la beauté de ses créations ; je voulais voir les coulisses de sa société et étudier l'évolution de sa compétitivité. Telle était le plus souvent la nature tacite de nos rapports : une transaction grâce à laquelle nous espérions convaincre l'autre de conclure un accord avantageux. Avec Steve, c'était souvent une sorte de partie de cartes où j'avais par moments l'impression de jouer au bridge avec un partenaire, et à d'autres celle d'être le pigeon de l'affaire. Le plus souvent, j'avais le sentiment qu'il avait une longueur d'avance – à tort ou à raison.

Bien que le *Journal* n'ait pas fait paraître d'article à l'époque, Steve avait dit à Cathy Cook, une ancienne de la Silicon Valley qui travaillait alors pour Allison Thomas, que l'interview s'était bien passée et que j'étais « plutôt sympa ». De temps en temps, il demandait à Cathy de m'inviter à venir chez NeXT pour m'informer des dernières nouveautés. Honnêtement, il n'y avait pas vraiment matière à reportage, du moins pour le *Wall Street Journal* – je n'ai écrit mon premier grand article sur NeXT qu'en 1988 lorsque Steve a dévoilé sa première station de travail. Mais ces visites étaient toujours intéressantes et stimulantes.

Un jour, il m'a fait venir pour se vanter d'avoir persuadé Ross Perot d'investir 20 millions de dollars dans NeXT. À première vue, ils formaient un couple pour le moins curieux : Ross Perot, vétéran de la Navy et patriote exalté, coupe en brosse, collet monté, finançant l'ancien hippie végétarien et réfractaire au déodorant, qui préférait encore marcher pieds nus. Et pourtant, je connaissais suffisamment Steve désormais pour comprendre qu'en réalité, Perot était en quelque sorte son alter ego : c'étaient tous deux des autodidactes excentriques et idéalistes. Je lui ai dit qu'il fallait absolument qu'il rende visite à Perot dans ses bureaux d'Electronic Data Systems (EDS), à Dallas, ne serait-ce que pour découvrir sa collection hallucinante de statuettes d'aigles et les rangées de drapeaux américains qui bordaient l'allée du siège de la multinationale. Steve a ri en levant les yeux au ciel, visiblement amusé : « Je connais ça. » Il m'a demandé si je le trouvais cinglé d'avoir de la sympathie pour Perot. « Comment ne pas avoir ne serait-ce qu'un peu de sympathie pour Perot quand on l'a rencontré ? », m'a-t-il demandé. Ce à quoi j'ai répondu : « Il est drôle. » Steve a acquiescé en pouffant de rire, avant d'ajouter : « Sérieusement, je crois qu'il a beaucoup à nous apprendre. »

Au fil du temps, le fait d'avoir plus ou moins le même âge a cessé d'être un obstacle et nous a rapprochés. Nous avions vécu tous les deux des rites de passage similaires à l'adolescence. Je pourrais en dire de même au sujet de Bill Gates, à qui j'ai consacré de nombreux articles, mais contrairement à Steve et moi, il n'était pas issu d'un milieu ouvrier ni de l'enseignement public. Nous avions tous les trois évité de justesse d'être enrôlés pour le Vietnam, la conscription[1] avait été abolie quelques mois à peine avant que nous ayons dix-huit ans. Cependant, nous étions Steve et moi, plus que Bill, de purs produits de la génération pacifiste, *peace and love*, « *turn on/tune in* », pour reprendre le slogan de Timothy Leary, « s'ouvrir à soi, s'ouvrir au monde ».

Nous étions dingues de musique, accros aux gadgets, et nous ne reculions devant aucune idée, aucune expérience, aussi étranges

---

1. Fait, pour les jeunes de dix-huit à vingt-cinq ans, d'être enrôlé dans l'armée de façon obligatoire pour servir en temps de guerre.

soient-elles. Steve était un enfant adopté et il nous arrivait d'en parler, mais l'environnement social et politique – et le bain high-tech – dans lequel nous avions été l'un et l'autre plongés dès la fin de l'adolescence semblait avoir exercé une influence plus importante sur son développement intellectuel et culturel que cet aspect de son histoire.

Les premiers temps, Steve avait une raison majeure de cultiver notre relation. Dans l'univers en perpétuel changement de l'informatique de la fin des années 1980, il était crucial de susciter une attente fébrile autour de sa prochaine grande innovation, pour attirer les clients et les investisseurs potentiels, d'autant qu'il aurait cruellement besoin de ces derniers, car il allait mettre cinq ans à produire une machine opérationnelle. Toute sa vie, Steve a été intimement convaincu de l'importance stratégique de la couverture médiatique ; ce n'est qu'un aspect de ce que Regis McKenna, le mentor qui a peut-être joué le plus grand rôle à ses débuts, appelle « le talent inné de Steve pour le marketing ». « À vingt-deux ans déjà, raconte-t-il, il avait de l'intuition. Il comprenait ce qui faisait la valeur de Sony, d'Intel. C'était le type d'image qu'il souhaitait donner à ce qu'il allait créer. »

Sachant qu'Apple figurait au nombre des entreprises que j'étais chargé de couvrir pour le *Wall Street Journal* et par la suite pour *Fortune*, Steve m'appelait de temps à autre de façon apparemment inopinée pour me proposer des « renseignements » qu'il tenait d'anciens collègues restés là-bas, ou me faire part de ce qu'il pensait de l'interminable feuilleton des luttes de pouvoir qui se jouaient au sein de son ancienne société de Cupertino. Au fil des années, je me suis aperçu que ses descriptions du chaos qui régnait à Apple au début des années 1990 étaient fidèles à la réalité, mais également que ses coups de fil ne devaient rien au hasard. Steve avait systématiquement une idée derrière la tête : parfois il espérait glaner des informations sur un concurrent, d'autres fois il avait un produit qu'il souhaitait me soumettre, ou encore il m'en voulait au sujet d'un de mes papiers. Dans ces cas-là, il lui arrivait de pratiquer la dissimulation. Un jour, dans les années 1990, après son retour dans la société qu'il avait cofondée, je lui avais envoyé un mot pour lui dire que j'avais envie d'écrire un papier sur

Apple pour *Fortune*. Je m'étais absenté plusieurs mois après avoir subi une opération à cœur ouvert – il m'avait appelé à l'hôpital pour me souhaiter un bon rétablissement –, mais j'étais prêt à m'attaquer à un nouvel article. Il m'avait répondu par un mail laconique : « Brent, si je me souviens bien, vous avez publié un article assez méchant sur Apple et moi l'été dernier. Ça m'a beaucoup blessé. Pourquoi avoir écrit un papier si venimeux ? » Mais quelques mois plus tard, il avait fini par céder et accepté de collaborer à un nouvel article sur Apple qui devait faire la couverture du magazine.

Nous avons entretenu une longue et complexe relation, cependant enrichissante.

Lorsque je croisais Steve dans des réceptions ou des congrès, il me présentait à ses amis, ce qui était flatteur, étrange, sincère et en même temps totalement hypocrite. Durant la brève période où il a occupé à Palo Alto des bureaux proches de ceux de *Fortune*, il m'arrivait de tomber sur lui en ville et nous bavardions un moment de choses et d'autres. Un jour, je l'ai aidé à acheter un cadeau d'anniversaire pour sa femme Laurene. Je suis allé le voir chez lui à plusieurs reprises, chaque fois pour une raison professionnelle, mais il m'accueillait invariablement avec une simplicité que je n'ai rencontrée chez aucun autre chef d'entreprise. Et pourtant, les modalités de nos rapports ont toujours été d'une clarté absolue : j'étais journaliste, il était en même temps une source et un sujet. Il appréciait certains de mes articles ; d'autres, comme celui qui m'avait valu ce mail, le mettaient en rage. Notre relation était délimitée par mon indépendance et sa tendance à pratiquer la rétention d'informations.

Cette distance nécessaire s'est accrue durant les dernières années de sa vie. Nous sommes tous les deux tombés gravement malades au milieu des années 2000. On lui a diagnostiqué un cancer du pancréas en 2003, et en 2005, j'ai contracté lors d'un voyage en Amérique centrale une endocardite et une méningite qui m'ont plongé dans un état comateux pendant deux semaines et m'ont rendu presque sourd. Naturellement, il en savait bien plus sur mon état de santé que moi sur le sien. Cependant, il lui arrivait de révéler des détails : un jour, nous avons même comparé nos cicatrices d'opération, comme Quint (joué par Robert Shaw) et Hooper (Richard Dreyfuss) dans *Les Dents de la mer*. Il m'a rendu visite à deux reprises à l'hôpital de Stanford pendant mes semaines de convalescence, pour me saluer lorsqu'il venait effectuer ses bilans réguliers chez l'oncologue. Chaque fois, il me racontait des blagues horribles sur Bill Gates et me reprochait de ne pas avoir arrêté la cigarette alors qu'il me mettait en garde depuis des années. Steve adorait prodiguer aux autres des conseils sur leur vie privée.

———

APRÈS LA MORT de Steve, les analyses les plus fantaisistes se multiplièrent sous forme d'articles, de livres, de films et d'émissions de télévision. Elles ressuscitaient souvent de vieux stéréotypes datant de l'époque où la presse avait découvert le petit génie de Cupertino, dans les années 1980. En ce temps-là, Steve, qui était plus sensible aux flatteries des journalistes, se confiait facilement à eux et leur ouvrait les portes de sa société. Il était excessif et n'avait aucune rigueur. S'il avait le génie d'imaginer des produits novateurs, il était capable de manifester une méchanceté et une indifférence troublantes à l'égard de ses employés et de ses amis. Si bien que lorsqu'il limita l'accès de la presse et accepta de coopérer avec les journalistes uniquement lorsqu'il avait besoin de promouvoir ses produits, ce furent ces histoires de ses débuts chez Apple qui déterminèrent l'image que la plupart des gens avaient de sa personnalité et de ses idées. Cela explique peut-être que la couverture médiatique posthume reflète ces stéréotypes : Steve était un génie doué d'un sens inné du design, un chaman dont les pouvoirs de conteur pouvaient susciter un phénomène tout à la fois magique et maléfique appelé « champ de distorsion de la réalité » ; c'était un mégalo imbu de lui-même qui était tellement obsédé par sa quête de la perfection qu'il méprisait tout le monde, se croyait supérieur à tous, n'écoutait jamais les conseils et était toujours égal à lui-même, moitié génie, moitié salaud.

Rien de tout cela ne collait avec le personnage que j'avais connu et qui m'avait toujours semblé être un homme bien plus complexe, plus humain, plus sentimental et même plus intelligent que ces portraits ne le laissaient entendre. Quelques mois après sa mort, j'ai commencé à passer en revue les comptes rendus, les cassettes et les dossiers que j'avais accumulés pour mes articles. Il y avait toutes sortes de choses que j'avais oubliées : des notes prises sur le vif, des histoires qu'il m'avait racontées durant des interviews et dont je n'avais pas pu me servir car elles touchaient d'une manière ou d'une autre des sujets sensibles, des échanges de mails que nous avions eus et même des enregistrements que je n'avais jamais transcrits. Il y avait une copie qu'il m'avait faite d'une cassette qui lui avait été donnée par Yoko Ono, la veuve de John Lennon, contenant les diverses versions de « Strawberry Fields Forever » enregistrées durant les longues semaines où le morceau fut composé. Tout était stocké dans mon garage et à mesure que j'exhumais ces documents, affluaient de vieux souvenirs de Steve restés longtemps enfouis. Après avoir passé quelques semaines à éplucher ces reliques personnelles, je me suis dit que je ne pouvais pas me contenter de pester dans mon coin en voyant se cristalliser peu à peu une légende de Steve aussi monolithique ; je voulais donner de l'homme à qui j'avais consacré tant d'articles une vision plus exhaustive, une meilleure compréhension que je n'avais pu le faire de son vivant. Son histoire avait une dimension véritablement shakespearienne, faite d'arrogance, d'orgueil, d'intrigues, de méchants de service et d'incapables, de chances incroyables, de bonnes intentions et de conséquences imprévisibles. Les hauts et les bas s'étaient succédé à une telle vitesse qu'il était impossible de son vivant de décrire la trajectoire globale de sa réussite. À présent, je voulais voir avec le recul celui que j'avais suivi durant de longues années et qui se disait mon ami.

———

LORSQU'ON SE penche sur la carrière de Steve, une des premières questions que l'on peut se poser est la suivante : comment se fait-il qu'un patron si imprévisible, odieux, imprudent et malavisé qu'il avait été évincé de la société qu'il avait fondée, ait pu devenir le dirigeant vénéré qui avait ressuscité Apple, créé une série de produits novateurs emblématiques d'une nouvelle culture, fait de la marque l'entreprise la plus riche et la plus admirée au monde et changé la vie de milliards de gens de toutes classes et de toutes origines ? Le sujet n'avait jamais réellement intéressé Steve. Il se livrait facilement à l'introspection, mais n'aimait pas remuer le passé : « À quoi bon revenir sur le passé, m'avait-il écrit dans un mail. Je préfère penser à tout ce que l'avenir me réserve de beau. »

Pour répondre à cette question, il fallait montrer en quoi il avait changé, qui l'y avait incité, comment il avait mis son expérience en pratique pour créer des outils informatiques révolutionnaires. En étudiant mes vieux documents, je repensais sans cesse à ce que l'on a souvent appelé « sa traversée du désert », les douze ans qui séparent la première période durant laquelle il était à la tête d'Apple et son retour – de 1985 à 1997. On a tendance à négliger cette parenthèse. Les revers sont moins spectaculaires que les grands fiascos qui ont secoué Apple lors de ses premières années de gestion, et les succès évidemment moins flamboyants que ceux de la première décennie du XXIe siècle. C'était une époque trouble, complexe, qui n'avait pas de quoi défrayer la chronique, mais en réalité ce furent les années les plus décisives de sa carrière. C'est pendant ce moment qu'il apprit tout ce qui allait lui permettre de connaître une telle réussite, et qu'il commença à modérer et canaliser les excès de son comportement. Passer à côté de cette mutation, c'est tomber dans le piège de l'hagiographie. Nous avons autant à apprendre, si ce n'est davantage, des échecs, des voies prometteuses qui s'avèrent des impasses. Les qualités de vision, de compréhension, de patience et de sagesse qui prévalurent au cours des dix dernières années de la vie de Steve furent forgées au fil des épreuves qu'il connut durant cette phase de transition. Les échecs, les revers cuisants, les problèmes de communication, les décisions regrettables, l'importance accordée à de fausses valeurs – la boîte de Pandore de l'immaturité – étaient un passage obligé pour parvenir à la clarté, la modération, la réflexion et la constance qu'il devait manifester dans les dernières années.

Durant cette dizaine d'années passées en marge, malgré ses nombreuses erreurs, Steve était étonnamment parvenu à sauver les deux sociétés, NeXT et Pixar. L'héritage de la première devait assurer son avenir professionnel et le triomphe de la seconde allait garantir son aisance financière. Il avait tiré de son expérience à la tête des deux entreprises des enseignements qui, avec le recul, allaient déterminer l'avenir d'Apple et contribuer à façonner le monde dans lequel nous vivons. Steve était parfois intransigeant et ne se contentait jamais d'apprendre à la va-vite, mais il apprit. Déterminé, curieux d'esprit, en dépit même des épreuves qu'il pouvait traverser, il consacra toutes ces années à engranger de nouvelles connaissances, prenant à cœur tout ce qu'il glanait.

Il est impossible de travailler en vase clos. Le fait de se marier et de fonder une famille suscita chez Steve un changement profond qui eut une influence très bénéfique sur son œuvre. Au fil des ans, j'ai souvent eu un aperçu de sa vie privée et rencontré Laurene et ses enfants à plusieurs reprises. Mais je ne faisais pas partie du cercle des intimes de la famille. Quand j'ai commencé à évoquer ce livre, à la fin 2012, je me suis dit qu'il me serait difficile d'en savoir plus sur la vie personnelle de Steve. Attristés par sa mort et révoltés par certaines choses qui avaient été publiées après sa disparition, bon nombre de ses collègues et de ses amis intimes ont refusé dans un premier temps de me parler. Mais peu à peu, cela a évolué et ces conversations avec ses amis et ses collaborateurs les plus proches – dont les quatre seuls salariés d'Apple à avoir assisté aux obsèques qui se sont tenues dans l'intimité – ont révélé un aspect de Steve que je percevais d'instinct, sans toutefois le comprendre réellement, et qui n'**était jamais** évoqué dans ce que je pouvais lire à son sujet. Steve av**ait une** extraordinaire capacité à tout cloisonner. Ce talent lui permit, à son retour chez Apple, de maîtriser et contrôler les différentes composantes de cette entité complexe. Il lui servit également à rester concentré au milieu du tourbillon d'inquiétudes où l'avait plongé l'annonce de son cancer.

Il l'aida enfin à continuer à mener, en dehors du cadre professionnel, une vie riche de sens qu'il préservait de ceux qui ne faisaient pas partie du cercle de ses proches.

Naturellement, il était parfois difficile, même à la fin de sa vie. Pour certains, c'était un cauchemar de travailler avec lui. Il accordait une telle valeur à sa mission qu'à ses yeux, cela justifiait un comportement que beaucoup d'entre nous peuvent déplorer. Mais il savait être un ami fidèle et se montrer encourageant envers ceux qui venaient lui demander conseil. Il était capable d'une grande bonté et d'une réelle compassion, et c'était un père attentif et aimant. Il était intimement convaincu de l'importance du but qu'il s'était donné dans la vie et espérait que ses proches croyaient tout aussi profondément en ce qu'ils faisaient. Pour un homme qui « s'écartait tellement de la moyenne », pour reprendre l'expression de son ami et collaborateur Edwin Catmull, le président de Pixar, il était doué d'une sensibilité, d'une force et d'une faiblesse profondément humaines.

Ce qui m'a toujours plu dans le journalisme économique et financier et que j'ai appris de grands confrères avec lesquels j'ai eu l'occasion de collaborer, c'est que l'univers apparemment réglé de l'industrie comporte toujours un aspect humain. Je savais que c'était le cas de Steve du temps de son vivant : je n'ai jamais suivi d'entrepreneur plus passionné par les produits de sa société. Mais il m'a fallu écrire ce livre pour saisir à quel point la carrière professionnelle et la vie privée de Steve Jobs étaient imbriquées et s'influençaient mutuellement. Il est indispensable d'en prendre conscience si l'on veut comprendre comment Steve a pu devenir à la fois l'Edison, le Ford, le Disney et l'Elvis de notre génération. Et c'est tout l'intérêt de raconter comment il s'est réinventé.

———

À LA FIN de notre premier entretien, Steve m'a raccompagné dans les couloirs immaculés du siège de NeXT. Nous n'avons plus échangé un mot. Pour lui, notre conversation était terminée. Quand je suis sorti, il ne m'a même pas dit au revoir. Il s'est contenté de rester là, à regarder par la porte vitrée l'entrée du parking de Deer Creek Road, où une équipe d'ouvriers était occupée à installer le logo de NeXT en 3D. En reprenant le volant, j'ai vu qu'il n'avait pas bougé et qu'il contemplait encore son logo à 100 000 dollars. Il savait au fond de lui, comme il le dirait, qu'il s'apprêtait à frapper un grand coup. En réalité, évidemment, il n'avait aucune idée de ce qui l'attendait.

Chapitre 1
Steve Jobs au Garden of Allah

En 1979, par un froid après-midi de décembre, Steve Jobs se gara dans le parking du Garden of Allah, un centre de séminaire et de conférence situé sur le flanc du mont Tamalpais, dans le comté de Marin, au nord de San Francisco. Il était fatigué, énervé et en retard. La circulation était presque entièrement bouchée sur la 280 et la 101 en venant de Cupertino, dans la Silicon Valley, où était situé le siège d'Apple Computer, la société qu'il avait fondée, et de surcroît il venait d'endurer une réunion du conseil d'administration présidée par l'honorable Arthur Rock.

Rock et lui n'étaient pas souvent d'accord. Rock le traitait comme un enfant. L'investisseur aimait l'ordre, les procédures, il était persuadé que les entreprises high-tech obéissaient à un modèle précis de développement et souscrivait d'autant plus à ces principes qu'il les avait vus à l'œuvre, en particulier chez Intel, le grand fabricant de puces électroniques de Santa Clara qu'il avait financé depuis le début. Rock était peut-être le plus grand investisseur du secteur des nouvelles technologies de son temps, mais au départ, il était peu disposé à soutenir Apple, avant tout car il n'éprouvait aucune sympathie pour Steve et son associé, Steve Wozniak. Sa vision d'Apple était aux antipodes de celle de Jobs, qui y voyait une entreprise extraordinaire qui allait humaniser le domaine de l'informatique, et ce au sein d'une structure n'obéissant à aucun principe hiérarchique. Pour Rock, ce n'était qu'un investissement comme un autre. Loin d'y puiser de l'énergie, Steve sortait toujours découragé des conseils d'administration avec Rock. Il avait hâte de prendre la route du comté de Marin et de faire le long trajet en roulant pied au plancher, capote baissée, pour évacuer l'odeur de rance de ces discussions interminables.

Mais la région de la baie de San Francisco était noyée sous la pluie et le brouillard et il n'avait pas pu profiter de la route. Avec les chaussées glissantes, les encombrements étaient tels qu'il n'avait aucun plaisir à conduire sa Mercedes 450SL flambant neuve. Steve adorait sa voiture au même titre que sa platine Linn Sondek, le *must* des audiophiles, et ses tirages photos platine d'Ansel Adams. En fait, la Mercedes était l'exemple parfait de ce que devaient être selon lui les ordinateurs : puissants, élégants, intuitifs, efficaces, sans aucune perte. Mais cet après-midi-là, le mauvais temps et la circulation avaient eu le dernier mot. Et par conséquent, il était en retard à la première réunion de la fondation Seva crée par son ami le Dr Larry Brilliant, qui avait des airs de petit Bouddha en baskets. L'objectif de Seva était d'une grande ambition : il s'agissait d'éradiquer une forme particulière de cécité qui touchait des millions de gens.

Steve se gara et descendit de voiture. Avec sa silhouette élancée de 1,83 mètre pour 75 kilos, ses cheveux châtains qui lui arrivaient presque aux épaules et son regard pénétrant, il ne serait de toute façon pas passé inaperçu. Mais dans le costume trois-pièces qu'il avait mis pour le conseil d'administration, il avait particulièrement fière allure. Jobs n'était pas adepte du costume ; chez Apple, les employés s'habillaient comme ils le voulaient. Lui-même venait souvent pieds nus.

Le Garden of Allah était une pittoresque demeure bâtie en hauteur sur le massif verdoyant qui dominait la baie. Niché au milieu des séquoias et des cyprès, il mêlait le style Arts & Crafts de la côte Ouest à l'atmosphère d'un chalet suisse. La résidence avait été construite en 1916 pour un riche Californien du nom de Ralston Lovell White et depuis 1957, elle était gérée par l'United Church of Christ qui y accueillait des séminaires et des réunions. Steve coupa à travers la pelouse qui se trouvait au milieu de l'allée en forme de cœur, gravit les quelques marches qui menaient dans une large véranda et franchit le seuil.

Il suffisait de jeter un œil au groupe rassemblé autour de la table de conférence pour comprendre que ce n'était pas exactement une banale réunion paroissiale. D'un côté se trouvait Ram Dass, le yogi hindou d'origine juive, qui avait publié en 1971 un des livres de chevet de Steve, *Remember, ici et maintenant : Namasté !*, un célèbre guide de méditation, de yoga et de quête spirituelle. Près de lui, Bob Weir, le chanteur et guitariste des Grateful Dead – le groupe devait donner un concert de soutien à Seva, à l'Oakland Coliseum, le 26 décembre. Stephen Jones, un épidémiologiste de l'U.S. Center for Disease Control, y assistait également, ainsi que Nicole Grasset, la virologue franco-suisse. Brilliant et Jones avaient travaillé pour cette dernière en Inde et au Bangladesh dans le cadre du programme audacieux – et couronné de succès – de l'Organisation mondiale de la santé qui visait à éradiquer la variole.

Étaient également présents Wavy Gravy, l'histrion philosophe préféré de la contre-culture, accompagné de sa femme, aux côtés du Dr Govindappa Venkataswamy, fondateur de l'Aravind Eye Hospital en Inde, qui allait par la suite aider des millions de gens à recouvrer la vue grâce à une opération de la cataracte, qui était alors un fléau dans cette région du globe. Brilliant espérait parvenir à une victoire presque aussi spectaculaire que celle de l'éradication de la variole. Son objectif était que Seva puisse soutenir l'œuvre de Venkataswamy, qu'il surnommait le Dr V, en créant des camps de chirurgie ophtalmologie en Asie du Sud pour redonner la vue aux aveugles des régions rurales frappées par la pauvreté.

Steve reconnut certains des invités. Robert Friedland, qui l'avait convaincu de faire un pèlerinage en Inde en 1974, vint le saluer. Il aperçut également Weir ; c'était un admirateur des Grateful Dead, même s'il estimait que le groupe n'avait pas la profondeur émotionnelle et intellectuelle de Bob Dylan. Steve avait été invité à la réunion par Brilliant, qu'il avait rencontré en Inde, cinq ans auparavant. Après avoir lu un article de 1978 que lui avait envoyé Friedland, décrivant la réussite du programme contre la variole et évoquant les projets de Brilliant, Steve avait donné 5 000 dollars au médecin pour l'aider à lancer sa fondation.

C'était une brochette de talents aussi impressionnante qu'hétéroclite, hindous, bouddhistes, rockers et médecins, qui était rassemblée ce jour-là au Garden of Allah sous les auspices de l'United Church of Christ. Ce n'était guère un endroit pour un chef d'entreprise lambda, mais Steve aurait dû être dans son élément. Il méditait souvent. Il comprenait la quête d'épanouissement spirituel – il était même allé en Inde afin de suivre les enseignements du gourou de Brilliant, Neem Karoli Baba, également connu sous le nom de Maharaj Ji, qui était mort quelques jours avant son arrivée. Jobs était animé d'un profond désir de changer le monde, et non seulement de créer une banale entreprise. L'iconoclasme, le croisement de plusieurs disciplines, le sentiment d'humanité qui régnait dans la pièce représentaient tout ce à quoi aspirait Steve. Et cependant, curieusement, il ne se sentait pas à son aise.

Il y avait au moins une vingtaine de personnes qu'il ne connaissait pas dans la pièce, et les participants n'avaient pas suspendu les débats quand il s'était présenté. Il avait l'impression que beaucoup d'entre eux ne savaient même pas qui il était, ce qui était relativement étonnant, d'autant plus dans la baie de San Francisco. Apple était déjà une sorte de phénomène : la société vendait plus de trois mille ordinateurs par mois – alors qu'à la fin de 1977, elle n'en écoulait qu'environ soixante-dix. Aucune entreprise informatique n'avait connu un tel essor et Steve avait la certitude que l'année suivante, la croissance serait encore plus vertigineuse.

Il prit place et suivit la discussion. La décision de créer une fondation avait déjà été prise ; la question qui était débattue était de savoir comment faire connaître Seva, ses projets, et les hommes et les femmes chargés de les mettre en œuvre. Steve trouvait que la plupart des idées étaient d'une naïveté confondante. Les débats relevaient davantage d'une réunion de parents d'élèves ; à un moment, tous les participants, à l'exception de Steve, s'enflammèrent en pinaillant sur les détails d'une brochure qu'ils voulaient publier. Une brochure ? C'est tout ce que ces gens pouvaient inventer ? Ces soi-disant experts avaient peut-être accompli des progrès notables dans leur pays, mais de toute évidence, ici, ils n'étaient pas à la hauteur. À quoi bon caresser une belle et noble ambition si on était incapable d'expliquer avec conviction comment on comptait l'atteindre ? Ça tombait sous le sens.

Tandis que la discussion traînait en longueur, Steve se perdit dans ses pensées. « Il avait débarqué dans la peau du personnage qu'il endossait au conseil d'administration d'Apple, se rappelle Brilliant. Mais pour vaincre la cécité ou éradiquer la variole, les règles ne sont pas les mêmes. » De temps en temps, Steve prenait la parole, essentiellement pour démontrer d'un ton sarcastique que telle ou telle idée ne tenait pas la route. « Il devenait casse-pieds », ajoute Brilliant. Au bout d'un moment, Steve en eut assez. Il se leva.

« Écoutez, dit-il. Je m'y connais pas mal en marketing. On a vendu près de cent mille ordinateurs chez Apple Computer, alors qu'au départ, on était strictement inconnus. Seva est exactement dans la situation où se trouvait Apple il y a encore deux ans. La seule différence, c'est que vous êtes nuls en marketing. Alors, si vous voulez vraiment agir, si vous voulez vraiment changer les choses au lieu de végéter comme toutes ces organisations bénévoles dont personne n'a jamais entendu parler, vous devez embaucher un type comme Regis McKenna – c'est le roi du marketing. Je peux le faire venir, si vous voulez. Il vous faut ce qu'il y a de mieux. Ne vous contentez pas d'un pis-aller. »

Le silence se fit dans la pièce. « Qui est ce jeune homme ? » chuchota Venkataswamy à Brilliant. Tout autour de la table, quelques voix s'élevèrent pour s'insurger contre Steve. Il avait fait fort et réussi à transformer une simple discussion de groupe en bagarre généralisée, sans se soucier du fait que ces gens avaient contribué à éradiquer la variole, permettaient à des aveugles de recouvrer la vue en Inde ou négociaient des traités internationaux afin de pouvoir mener leur action dans de nombreux pays, parfois même en guerre. Des gens, en d'autres termes, qui s'y connaissaient en matière d'efficacité. Steve n'avait que faire de ce qu'ils avaient accompli. Les querelles, les contestations, les confrontations ne le dérangeaient pas ; aussi jeune soit-il, l'expérience lui avait prouvé que c'était la meilleure façon d'obtenir des résultats, de parvenir à des avancées majeures. Les débats étant de plus en plus houleux, Brilliant finit par intervenir. « Steve », lança-t-il une première fois, avant de hurler : « Steve ! »

Steve le regarda, manifestement agacé par cette interruption et impatient de reprendre la polémique.

« Écoute, lui dit Brilliant, nous sommes ravis que tu sois là, mais maintenant, il faut que tu arrêtes.

— Hors de question, répondit-il. Tu m'as demandé de vous venir en aide, et c'est bien ce que j'ai l'intention de faire. Vous voulez savoir comment agir ? Il faut appeler Regis McKenna. Je vais vous dire, Regis McKenna est…

— Steve ! cria de nouveau Brilliant. Arrête ! » Mais Steve refusait de se taire. Il voulait être entendu. Il recommença donc à argumenter en faisant les cent pas sur l'estrade comme s'il l'avait achetée avec sa donation de 5 000 dollars, en montrant du doigt les gens qu'il apostrophait comme pour ponctuer ses remarques. Et sous le regard ébahi des épidémiologistes, des médecins et de Bob Weir, Brilliant mit finalement un terme à son monologue. « Steve, dit-il à mi-voix en s'efforçant visiblement de réprimer sa colère. Il vaut mieux que tu t'en ailles. » Puis il fit sortir Steve de la salle de conférences.

Un quart d'heure plus tard, Friedland s'éclipsa. Il revint en hâte et s'approcha discrètement de Brilliant. « Tu devrais aller voir Steve, lui chuchota-t-il à l'oreille. Il est en train de pleurer dans le parking.

— Il est toujours là ? s'étonna Brilliant.

— Oui, et il pleure dans le parking. »

Brilliant qui présidait la réunion s'excusa et sortit précipitamment. Il trouva son jeune ami qui sanglotait, recroquevillé sur le volant de sa Mercedes décapotable, au beau milieu du parking. Il ne pleuvait plus et le brouillard commençait à tomber. Il avait baissé la capote. « Steve, dit Brilliant en se penchant par-dessus la portière pour réconforter le jeune chef d'entreprise de vingt-quatre ans. Ne t'en fais pas, Steve, ça va aller.

— Je suis désolé, je suis à bout de nerfs, répondit Steve. Je vis dans deux mondes à la fois.

— Ne t'en fais pas. Tu devrais revenir.

— Je vais y aller. J'ai dépassé les bornes, je le sais. Je voulais juste qu'ils m'écoutent.

— Ne t'en fais pas. Allez, reviens.

— Je vais aller m'excuser et puis je partirai », dit-il.

Et c'est ce qu'il fit.

———

CETTE PETITE ANECDOTE de l'hiver 1979 est une bonne entrée en matière pour raconter comment Steve Jobs parvint à transformer sa vie pour devenir un des dirigeants les plus visionnaires de notre époque. Ce jeune homme qui venait de saborder sa visite au Garden of Allah en cet après-midi de décembre était un tissu de contradictions. C'était le cofondateur d'une des start-up les plus florissantes de tous les temps, mais il ne voulait pas être considéré comme un homme d'affaires. Il pressait ses mentors de lui prodiguer des conseils, et détestait pourtant ceux au pouvoir. Il prenait de l'acide, marchait pieds nus, portait des jeans élimés et aimait bien l'idée de vivre en communauté, mais ce qu'il préférait, c'était rouler à toute allure sur l'autoroute au volant d'un beau coupé sport allemand. Il avait vaguement envie de soutenir des grandes causes, mais ne tolérait pas l'inefficacité de la plupart des associations caritatives. Il était impatient comme une puce et savait cependant que les seuls problèmes qui valaient la peine que l'on s'y attaque étaient ceux qui mettraient des années à être résolus. C'était un bouddhiste pratiquant et un capitaliste impénitent. C'était un insupportable donneur de leçons qui prenait à partie des gens infiniment plus sages et plus expérimentés que lui et pourtant, il avait parfaitement raison de critiquer leur ignorance fondamentale en matière de marketing. Il pouvait être d'une agressivité grossière et regretter sincèrement son attitude. Il était intransigeant mais avide d'apprendre. Il partait, puis revenait s'excuser. Le comportement odieux, irréfléchi, que Steve Jobs avait manifesté au Garden of Allah allait devenir indissociable du mythe qui l'entourerait. Mais il possédait aussi un côté plus tendre que l'on reconnaîtrait de moins en moins au fil des ans. Pour réellement comprendre Steve Jobs et l'incroyable chemin qu'il s'apprêtait à parcourir, la véritable métamorphose qu'il allait opérer au cours de sa vie extraordinaire, il faut reconnaître, accepter et tenter de concilier les deux aspects de sa personnalité.

C'était le dirigeant et l'icône de l'industrie de l'ordinateur personnel, et pourtant ce n'était encore qu'un gamin – il n'avait que vingt-quatre ans et peu d'expérience du monde de l'entreprise. Ses plus grandes forces étaient inextricablement liées à ses pires faiblesses. En 1979, ces défauts n'avaient pas encore entravé sa réussite.

Au cours des années qui suivirent, toutefois ce nœud de contradictions commença à se défaire. La force de son obstination devait donner naissance à l'ordinateur emblématique d'Apple, le Macintosh, lancé en 1984. Mais ses travers entraînèrent sa société dans le chaos et conduisirent à son éviction, tout juste un an plus tard. Sabotant les efforts entrepris pour créer un second ordinateur révolutionnaire chez NeXT, l'entreprise qu'il avait fondée juste après avoir quitté Apple. L'éloignant du cœur de l'industrie informatique au point d'en faire un *has been*, selon la formule accablante d'un de ses plus proches amis. Entachant si durablement sa réputation d'entrepreneur que le jour où, contre toute attente, il fut invité à réintégrer Apple en 1997, les commentateurs et même ses pairs jugèrent que le conseil d'administration était fou.

Mais c'est alors qu'il fit un des plus grands come-back de l'histoire économique, conduisant Apple à la création d'une série de produits extraordinaires qui déterminèrent une époque et firent d'un fabricant d'ordinateurs sur le déclin l'entreprise la plus riche et la plus admirée au monde. Ce revirement n'avait rien d'un miracle fortuit. Steve Jobs avait profité de son départ d'Apple pour apprendre à tirer profit de ses forces et atténuer un tant soit peu les faiblesses qui lui portaient préjudice. C'est un fait qui va à l'encontre des mythes répandus à son sujet. Aux yeux du public, c'était un savant tyrannique doté d'un talent exceptionnel pour dénicher des produits, doublé d'un type odieux, obstiné, sans aucun ami, aucune patience ni aucune morale ; il était mort comme il avait vécu – moitié génie, moitié salaud.

Le jeune homme immature du Garden of Allah n'aurait jamais pu faire renaître l'entreprise moribonde qu'il avait retrouvée en 1997, pas plus qu'il n'aurait pu mettre en œuvre la lente et complexe mutation de l'entreprise qui aboutit au succès spectaculaire qu'allait connaître la marque les dix dernières années de sa vie. Son évolution personnelle fut tout aussi compliquée. Je ne connais aucun homme d'affaires qui ait grandi, changé et mûri autant que Steve Jobs. Naturellement, les individus évoluent progressivement. Comme les « adultes » le découvrent au fil du temps, nous apprenons tout au long de notre vie à mieux tirer parti de nos talents et à surmonter nos faiblesses. C'est un processus d'évolution permanent. Et pourtant, nous ne changeons pas du tout au tout. À cet égard, Steve offre l'exemple éclatant d'un homme qui réussit de façon magistrale à mieux tirer parti de ses compétences et à estomper les aspects de sa personnalité qui nuisaient à celles-ci.

Ses défauts ne disparurent pas, pas plus qu'ils ne furent remplacés par d'autres qualités, mais il apprit à se maîtriser, à maîtriser ce mélange de talents et d'aspérités qui le caractérisait. La plupart du temps du moins. Pour comprendre comment Steve y parvint et de quelle façon cela aboutit à l'étonnant renouveau d'Apple par la suite, il faut se pencher sur les contradictions personnelles qui l'habitaient lors de sa visite au Garden of Allah en cet après-midi de décembre.

———

DÈS SON PLUS jeune âge, Steven Paul Jobs eut le sentiment que tout lui était dû, grâce à des parents qui lui transmirent la conviction qu'il était aussi exceptionnellement doué qu'ils le pensaient. Né le 24 février 1955 à San Francisco, Steve avait été confié à l'adoption par sa mère biologique, Joanne Schieble, une jeune étudiante de l'université de Wisconsin-Madison qui sortait avec un doctorant en sciences politiques syrien, Abdulfattah Jandali. Quand elle était tombée enceinte, Joanne était allée s'installer à San Francisco, mais Jandali était resté à Wisconsin. Paul et Clara Jobs, un couple sans enfant, adoptèrent Steve quelques jours après sa naissance. Lorsqu'il avait cinq ans, ils déménagèrent à Mountain View, à une quarantaine de kilomètres au sud de la ville, et adoptèrent peu après une petite fille qu'ils appelèrent Patty. En dépit de tous ceux qui rabâchent que son adoption constituait un « rejet » initial, expliquant le comportement irascible qu'il manifestait souvent, en particulier au début de sa carrière, Steve m'a souvent répété qu'il avait été aimé et choyé par Paul et Clara. « Il trouvait qu'il avait beaucoup de chance de les avoir eus comme parents », dit Laurene Powell Jobs, sa veuve.

Ni Paul ni Clara n'avaient suivi d'études supérieures, mais ils promirent à Joanne Schieble qu'ils enverraient à l'université le fils qu'ils venaient d'adopter. C'était un sacrifice financier considérable pour une famille modeste, et cet engagement laissait présager l'abnégation avec laquelle ils allaient accorder à leur seul fils tout ce dont il avait besoin. Steve était brillant ; il sauta la sixième et ses professeurs faillirent même lui faire sauter une autre classe. Bien qu'il eût un an d'avance, Steve s'ennuyait toujours en cours et socialement, se sentait rejeté. Il supplia ses parents de l'inscrire dans un meilleur établissement, malgré les frais que cela entraînait. Paul et Clara firent leurs cartons pour aller s'installer à Los Altos, une ville-dortoir relativement aisée qui avait surgi dans d'anciens vergers d'abricotiers situés aux abords des collines dominant San Francisco, à l'ouest. Leur nouveau quartier dépendait alors du secteur scolaire de Cupertino-Sunnyvale, un des meilleurs de Californie. Une fois là-bas, Steve s'épanouit à vue d'œil.

Paul et Clara lui donnèrent peut-être le sentiment que tout lui était dû, mais ils encouragèrent également chez lui un certain perfectionnisme, en lui inculquant en particulier la rigueur inhérente au véritable savoir-faire. Paul Jobs était un bricoleur dans l'âme qui passait ses week-ends à fabriquer des meubles ou à remettre des voitures en état et il apprit à son fils qu'il était primordial de savoir prendre son temps, veiller aux détails et prospecter sur le terrain pour chercher des pièces détachées à prix avantageux – il ne roulait pas sur l'or. « Il avait un établi dans son garage, raconta Steve lors d'une interview réalisée pour la Smithsonian Institution. Quand j'avais cinq ou six ans, il m'en a coupé un petit bout et m'a dit : "Voilà, tu as ton établi maintenant." Et puis il m'a donné des petits outils et m'a montré comment me servir d'un marteau et fabriquer des objets. » Vers la fin de sa vie, quand Steve me montrait un nouvel iPod ou un nouvel ordinateur, il racontait parfois que son père lui avait dit qu'il fallait consacrer autant de temps au-dessous d'un meuble de rangement qu'à sa finition, ou aux plaquettes de frein d'une Chevrolet Impala qu'à la peinture de la carrosserie. Steve avait un côté excessivement sentimental, qui ressortait lorsqu'il évoquait ces souvenirs de son père. Ils étaient d'autant plus émouvants que Steve Jobs attribuait à ce dernier le mérite d'avoir insufflé son sens de la perfection esthétique à un domaine – l'électronique numérique – qu'il n'avait jamais totalement compris.

Cette confiance en son talent et son goût de l'excellence formaient un mélange redoutablement efficace, particulièrement à l'époque et dans la région où il avait grandi. Pour les jeunes, l'atmosphère de la fin des années 1960 et du début des années 1970 dans ce qui ne s'appelait pas encore la Silicon Valley était extraordinaire. Les environs de Palo Alto et de San Jose s'urbanisaient à un rythme sans précédent, attirant des électroniciens, des chimistes, des ingénieurs en optique, des programmateurs informatiques et des physiciens de haut niveau

qui étaient séduits par les fabricants de semi-conducteurs, les entreprises d'électronique et les sociétés de télécommunications en plein
essor dans la région. À cette époque, le marché de l'électronique haut
de gamme, jusque-là centré sur les commandes gouvernementales et
militaires, avait évolué pour toucher les entreprises et les industries
américaines, accroissant de façon spectaculaire la clientèle potentielle
des nouvelles technologies de toutes sortes. Dans le quartier de Steve,
nombreux étaient les pères qui faisaient la navette tous les jours
pour aller travailler chez les géants émergents du high-tech tels que
Lockheed, Intel, Hewlett-Packard et Applied Materials.

Un enfant curieux d'esprit qui s'intéressait aux mathématiques et
à la science y avait plus de chance d'être sensible au développement
des technologies de pointe qu'ailleurs dans le pays. Les jeunes brico-
leurs commençaient à délaisser les bolides pour s'intéresser à l'électronique. Les geeks s'enivraient des fumées de soudage et échangeaient
des exemplaires écornés de *Popular Science* et *Popular Electronics*. Ils
se fabriquaient des transistors, des chaînes hi-fi, des stations radioamateur, des oscilloscopes, des fusées, des lasers et des bobines Tesla grâce
à des kits achetés par correspondance à des sociétés comme Edmund
Scientific, Heathkit, Estes Industries et RadioShack. Dans la Silicon
Valley, l'électronique n'était pas un simple passe-temps, c'était une
industrie en pleine expansion qui suscitait autant d'enthousiasme que
le rock.

Pour les enfants précoces comme Steve, le message implicite était
que l'on pouvait tout comprendre et, puisque tel était le cas, que l'on
pouvait donc tout construire. « On avait l'impression qu'on pouvait
fabriquer tout ce qu'on voyait dans l'univers autour de soi, m'a-t-il dit
un jour. Il n'y avait plus rien de mystérieux. On regardait un poste
de télévision et on se disait : "Je n'en ai jamais fabriqué, mais je pourrais. Il y en a un dans le catalogue Heathkit et j'ai déjà monté deux
modèles de chez eux, alors je pourrais monter celui-là." Il était clair
que ces objets avaient été créés par l'homme et n'étaient pas apparus
par miracle dans notre environnement sans que personne sache ce qu'il
y avait à l'intérieur. »

Il s'inscrivit à l'Explorers Club, un groupe de quinze jeunes qui se retrouvaient régulièrement sur le site de Hewlett-Packard, à Palo Alto, pour travailler sur des projets électroniques et suivre des cours donnés par des ingénieurs de la firme. C'est là que Steve a pu manipuler des ordinateurs pour la première fois. C'est également ce qui lui donna l'idée extravagante d'entrer en contact, de façon certes anecdotique mais passionnante, avec un des deux hommes célèbres pour avoir créé dans un simple garage la société HP, l'élément moteur du développement de la Silicon Valley. À quatorze ans, il avait en effet appelé Bill Hewlett à son domicile de Palo Alto pour lui demander des composants électroniques difficiles à se procurer pour son projet de l'Explorers Club. Il obtint gain de cause ; de toute évidence, il savait déjà se montrer convaincant. À bien des égards, Steve était le prototype parfait du jeune geek. Mais il était aussi passionné par l'étude des sciences humaines, subjugué par Shakespeare, Melville ou encore Bob Dylan. Avec ses parents, il savait se montrer éloquent et persuasif, et usait de ces mêmes talents avec ses amis, ses professeurs, ses mentors et plus tard les riches et les puissants. Dès le plus jeune âge, Steve avait compris instinctivement qu'avec les bons mots et une histoire bien ficelée, il pouvait capter l'attention de ses interlocuteurs pour obtenir ce qu'il voulait.

STEVE N'ÉTAIT PAS réellement la star de sa bande d'informaticiens en herbe. Mais en 1969, un de ses amis du nom de Bill Fernandez lui présenta une légende : Steve Wozniak, de Sunnydale, non loin de chez lui. Fils d'un ingénieur de Lockheed, « Woz » était lui-même un électronicien de talent. Et Steve s'avéra posséder un don inné pour encourager ce génie. Ce devait être la première grande collaboration de sa carrière.

Cérébral, timide, Woz avait beau avoir cinq ans de plus, il était loin de posséder l'assurance de Steve. Tout comme ce dernier, c'était son père et les autres pères du quartier qui lui avaient appris les rudiments de l'électronique. Mais il avait davantage creusé la question, dans le cadre de ses études comme en dehors, et s'était même fabriqué une calculatrice rudimentaire à partir de transistors, de résistances et de diodes quand il était encore tout jeune adolescent. En 1971, avant que le premier microprocesseur à puce unique ait été commercialisé, Woz avait conçu un circuit imprimé avec des puces et des composants électroniques qu'il avait appelé « Cream Soda Computer », en hommage à sa boisson préférée. Woz était devenu un concepteur d'informatique extraordinairement doué, doté d'une incroyable approche intuitive de l'électronique, doublée d'une imagination débordante pour la programmation de logiciel : il trouvait des raccourcis au niveau des circuits et des logiciels que les autres n'arrivaient même pas à envisager.

Steve n'avait pas le talent inné de Woz, mais il avait le désir foncier de mettre à la disposition du plus grand nombre des produits fabuleux. Cette caractéristique unique le séparait de tous les amateurs qui bricolaient des ordinateurs. Depuis le début, il avait une tendance naturelle à se glisser dans la peau d'un imprésario, pour convaincre les gens de poursuivre un objectif qu'il était souvent le seul à percevoir, puis travailler avec eux et les pousser à atteindre ce but. Cette aptitude se manifesta pour la première fois en 1972, lorsqu'il se lança avec Woz dans une improbable collaboration commerciale.

Avec l'aide de Steve, Woz développa la première « blue box » numérique, une machine capable de simuler les tonalités utilisées par les commutateurs du réseau téléphonique pour mettre en relation des téléphones partout dans le monde. Les amateurs de canular pouvaient mettre ce gadget à piles aussi malin qu'illicite sur le combiné de n'importe quel téléphone et leurrer les commutateurs des compagnies de téléphone pour passer des appels longue distance et même internationaux.

Woz se serait volontiers contenté de fabriquer le circuit et de le partager avec d'autres – comme il fut tenté de le faire lorsqu'il créa la carte mère au cœur de l'Apple I. Steve, cependant, lui proposa d'essayer de gagner un peu d'argent en vendant des machines totalement assemblées. Et c'est ainsi que, pendant que Woz peaufinait la conception du circuit, Steve rassembla le matériel nécessaire et fixa le prix des boîtiers terminés. Woz et lui empochèrent environ 6 000 dollars en vendant l'appareil 150 dollars pièce, principalement à des étudiants. Les deux jeunes gens sillonnaient les couloirs des résidences universitaires, frappant aux portes en demandant aux occupants si c'était bien la chambre de George – un George fictif censé être un expert en piratage téléphonique. Si leur interlocuteur paraissait intéressé, ils lui montraient ce que pouvait faire la blue box et réussissaient parfois à en vendre une. Toutefois, les affaires étaient inégales et quand ils décidèrent de prospecter ailleurs, ils se retrouvèrent en difficulté – les deux amis décidèrent de fermer boutique lorsqu'un soi-disant client braqua un pistolet sur Steve. Mais pour une première tentative, ce n'était pas mal.

———

CELA PEUT PARAÎTRE étrange d'évoquer la vie spirituelle de Steve comme une des grandes sources d'inspiration de sa carrière. Pourtant, dans sa jeunesse, Steve était sincèrement à la recherche d'une réalité plus profonde, d'un niveau de conscience sous-jacent. Il poursuivit cette quête non seulement au moyen des drogues psychédéliques mais également au travers de l'exploration religieuse. Cette sensibilité spirituelle contribua largement à enrichir un champ intellectuel d'une envergure peu commune, lui permettant par la suite d'envisager des possibilités – qu'il s'agisse de produits novateurs ou de modèles d'entreprise totalement réinventés – qui échappaient à la plupart des gens.

De la même manière que la Silicon Valley était un environnement idéal pour faire naître et encourager chez Steve un optimisme technologique, les années 1960 aiguisèrent la soif naturelle de vérités plus profondes que pouvait éprouver un adolescent curieux d'esprit. Comme tant d'autres jeunes de sa génération, Steve partagea les interrogations et les aspirations du mouvement de la contre-culture. C'était un enfant du baby-boom qui fit l'expérience des drogues, s'abreuva des paroles contestataires de musiciens comme Bob Dylan, les Beatles, les Grateful

Dead, The Band et Janis Joplin – et même des rêveries acoustiques révolutionnaires plus abstraites de Miles Davis – et se plongea dans les œuvres de penseurs spirituels qui étaient pour lui de véritables philosophes rois, comme Suzuki Roshi, Ram Dass et Paramahansa Yogananda. Les messages de l'époque étaient clairs : tout remettre en question, l'autorité en particulier, se livrer à des expériences, voyager, n'avoir peur de rien et s'efforcer de créer un monde meilleur.

Steve se lança quant à lui dans sa grande aventure dès la fin de ses études secondaires à Homestead High School, lorsqu'il quitta Cupertino pour rejoindre Reed College à Portland, dans l'Oregon. Très vite le jeune étudiant, toujours aussi forte tête, n'assista plus qu'aux cours qui le passionnaient et au bout d'un semestre, lâcha brusquement ses études sans même prévenir ses parents. Il passa le second semestre à suivre des cours en auditeur libre, dont un de calligraphie, dont il s'inspira par la suite, expliqua-t-il, pour proposer sur le Macintosh un large éventail de polices de caractères. Il continua à explorer la philosophie et la mystique asiatiques et prit de plus en plus fréquemment de l'acide, presque comme un sacrement religieux, parfois.

L'été suivant, après être retourné vivre chez ses parents, totalement fauché, il passa son temps à faire la navette entre Cupertino et l'Oregon pour travailler dans une pommeraie où vivait une communauté. Il finit par décrocher un poste de technicien chez Atari, la société de jeux vidéo lancée par Nolan Bushnell, le créateur de Pong. Il se révéla doué pour remettre en état les consoles qui étaient hors service et réussit à convaincre Bushnell de l'envoyer réparer des bornes d'arcade en Allemagne pour pouvoir payer son voyage en Inde, où il voulait rejoindre son copain Robert Friedland, le charismatique propriétaire de la pommeraie de l'Oregon.

C'était une forme de quête romantique d'une vie riche de sens, à une époque où ce type d'ambition faisait sourire. « Il faut remettre Steve dans le contexte, rappelle Larry Brilliant. Qu'est-ce qu'on cherchait tous ? Il y avait un véritable fossé des générations, en ce temps-là, un fossé bien plus marqué que celui qui existe aujourd'hui entre la droite et la gauche ou entre laïcité et intégrisme. Et même si les parents adoptifs de Steve le soutenaient de façon extraordinaire, il recevait des lettres de Robert Friedland et d'autres qui étaient allés en Inde en quête de paix et pensaient avoir trouvé des réponses. C'est ce que cherchait Steve. »

Steve s'envola pour l'Inde dans l'espoir affiché de rencontrer Maharaj Ji, le célèbre gourou qui avait tant inspiré Brilliant et d'autres pèlerins en quête de vérité. Mais Maharaj Ji mourut juste avant son arrivée, à la grande déception de Steve qui le regretta longtemps. Son séjour en Inde fut chaotique, confus, comme souvent pour ces jeunes partis pour des horizons plus vastes que ceux de leur enfance. Il assista à une fête religieuse à laquelle participaient dix millions de pèlerins. Il portait de longues tuniques flottantes, se nourrissait de plats étranges et se fit même raser la tête par un mystérieux gourou. Il attrapa la dysenterie. Il découvrit l'*Autobiographie d'un yogi* de Paramahansa Yogananda, qu'il relut souvent au cours de sa vie et qui fut distribué à tous ceux qui assistèrent à la réception après la cérémonie de commémoration organisée dans la chapelle de Stanford University, le 16 octobre 2011.

Au départ, raconte Larry Brilliant, « Steve avait vaguement dans l'idée de devenir *sadhu* ». La plupart des *sadhus* indiens vivent en ermites dans le dénuement pour se consacrer à la spiritualité. Mais de toute évidence, Steve était bien trop insatiable, trop fougueux, trop ambitieux pour ce style de vie. « Il adorait cette idée de renoncement », explique Brilliant. Mais lorsqu'il rentra aux États-Unis, il n'en éprouva pas pour autant de désillusion et ne se détourna pas totalement de la spiritualité orientale. Il décida de s'intéresser au bouddhisme, qui permet davantage de s'investir dans le monde que ne l'autorise l'ascèse hindoue. C'était un moyen d'allier sa quête d'éveil spirituel et son ambition de créer une entreprise proposant des produits qui changent le monde. L'idée ne pouvait que séduire le jeune homme qui s'efforçait de se réinventer, et continua à séduire celui qui fut toujours habité par un inépuisable questionnement intellectuel. Certains éléments du bouddhisme lui convenaient si bien qu'ils constituèrent le principe philosophique de ses choix de carrière – et le fondement de ses attentes esthétiques. C'est grâce, entre autres, au bouddhisme qu'il jugeait légitime d'exiger continuellement ce qu'il estimait être la « perfection », que ce soit des autres, des produits qu'il créait ou de lui-même.

Dans la philosophie bouddhiste, la vie est souvent comparée à un fleuve en perpétuel mouvement. Toute chose, tout individu est constamment en devenir. C'est une vision du monde où la quête de la perfection est un processus sans fin et un objectif qui n'est jamais atteint. Cette conception cadrait parfaitement avec l'intransigeance naturelle de Steve. Il avait spontanément tendance à anticiper, envisager de nouveaux produits, projeter ce qui viendrait après, imaginer les deux ou trois suivants. Pour lui, le champ des possibles était illimité, il ne se voyait pas atteindre un jour l'ultime perfection qui signerait l'aboutissement de son travail. Et si Steve évitait de trop s'analyser, il en allait de même dans sa vie : malgré une obstination et des partis pris parfois incompréhensibles, il ne cessait de s'adapter, de se fier à son intuition, d'apprendre, d'explorer de nouvelles voies. Il était en constant devenir.

Le monde extérieur avait souvent du mal à le percevoir et le bouddhisme de Steve laissait parfois perplexes certains de ses amis et de ses collaborateurs. « Il a toujours eu un côté mystique, qui ne collait pas vraiment avec tout le reste », note Mike Slade, un directeur marketing qui collabora avec Steve dans la seconde partie de sa carrière. Il médita régulièrement jusqu'à ce que Laurene et lui aient des enfants et qu'il n'ait plus une minute à lui. Il relut à plusieurs reprises *Esprit zen, esprit neuf* de Suzuki et évoqua souvent les points communs entre la spiritualité asiatique et sa vie professionnelle lors des conversations qu'il eut avec Larry Brilliant tout au long de sa vie. Pendant des années, il fit venir toutes les semaines dans son bureau un moine bouddhiste du nom de Kobun Chino Otogawa pour l'aider à mieux équilibrer sa vie spirituelle et ses objectifs commerciaux. Aucun de ceux qui ont bien connu Steve à la fin de sa vie ne dirait que c'était un « fervent » bouddhiste, mais il n'en demeure pas moins que cette discipline spirituelle eut une influence aussi profonde que subtile sur sa vie.

———

LORSQUE STEVE RENTRA aux États-Unis à l'automne 1974, il retrouva un poste chez Atari, où il fut chargé de résoudre les pannes de matériel pour la société pionnière – et mal gérée – de Nolan Bushnell. L'organisation était si floue, si bizarre que Steve réussissait à disparaître pendant une ou deux semaines pour aller cueillir des pommes dans le verger de Robert Friedland sans être renvoyé ni même que son absence soit remarquée. Pendant ce temps, Woz occupait chez Hewlett-Packard un poste sûr, bien payé mais qui n'avait rien de passionnant. Cela étant, quand on voyait la vie de Jobs, rien ne laissait soupçonner qu'il connaîtrait un jour une réussite exceptionnelle, que ce soit dans les affaires, dans l'informatique ou autre chose. Mais sans le savoir, Steve s'apprêtait à bâtir sa vie. En l'espace de trois ans, le jeune homme de dix-neuf ans, débraillé, à la dérive, allait devenir le cofondateur et chef d'une nouvelle entreprise américaine révolutionnaire.

Steve eut la chance de vivre à une époque qui était prête à accueillir un homme de son talent. C'était une période de bouleversements dans de nombreux domaines, et particulièrement dans le monde de l'informatique. Dans les années 1970, on se bornait à de grosses machines que l'on appelait ordinateurs centraux. C'étaient d'énormes systèmes informatiques qui remplissaient une pièce entière, vendus aux compagnies aériennes, aux banques, aux assureurs ou aux grandes universités. Le moindre résultat – le calcul d'une traite d'emprunt, par exemple – nécessitait au préalable une programmation d'une lourdeur effarante. C'est du moins l'impression qu'en avaient les étudiants en informatique à l'université, où la plupart d'entre nous ont pu pour la première fois avoir accès à un ordinateur central et lui faire faire quelque chose. Après avoir décidé de ce qu'on allait demander à la machine de résoudre, on écrivait à la main une série d'instructions ligne à ligne, étape par étape, en suivant exactement le processus logique de calcul ou la tâche analytique, dans un langage de programmation, type COBOL ou Fortran. Puis on tapait sur une console bruyante chaque ligne de programmation sur une carte perforée, de telle sorte que l'ordinateur puisse la « lire ». Après s'être minutieusement assuré que les cartes perforées étaient dans le bon ordre – les programmes simples pouvaient demander une douzaine de cartes retenues par un élastique, alors que les programmes les plus complexes en exigeaient parfois des quantités qui devaient être soigneusement stockées dans un carton spécial –, on confiait le paquet à un « pupitreur » qui le mettait en attente à la suite d'une dizaine d'autres qui devaient être transmis à l'ordinateur central. La machine finissait par cracher le résultat sur de larges feuilles à rayures blanches et vertes pliées en accordéon. Le plus souvent, il fallait rectifier le programme deux, trois, quatre, voire des douzaines de fois avant d'obtenir le résultat escompté.

Autrement dit, en 1975, l'ordinateur était tout sauf personnel. Concevoir des logiciels était un processus long et laborieux. Naturellement, ces gros ordinateurs coûteux et difficiles à entretenir étaient fabriqués et vendus par de grandes entreprises technologiques bureaucratiques. Depuis les années 1950, l'industrie informatique était toujours dominée par International Business Machines (IBM), qui vendait plus d'ordinateurs centraux que tous ses concurrents réunis. Dans les années 1960, ces outsiders étaient surnommés « les sept nains », mais au cours des années 1970, General Electric et RCA jetèrent l'éponge, laissant derrière eux un quarteron d'irréductibles baptisé cette fois le BUNCH – autrement dit la bande –, acronyme de Burroughs, Univac, NCR, Control Data Corporation et Honeywell. Digital Equipment Corporation (DEC) régnait sur le segment croissant de mini-ordinateurs un peu moins chers et moins puissants utilisés par les petites entreprises et les services des grands groupes.

Il y avait deux cas singuliers, aux deux extrêmes de la fourchette des prix. Côté haut de gamme, Cray Research, fondé en 1972, vendait des prétendus super-ordinateurs employés essentiellement pour la recherche scientifique et la modélisation mathématique. Leur prix était exorbitant, dépassant largement les 3 millions de dollars. Tout en bas de l'échelle, on trouvait Wang, qui avait été lancé au début des années 1970 et fabriquait une machine appelée « traitement de texte ». C'était ce qui se rapprochait le plus d'un ordinateur personnel, car il était destiné à être utilisé pour préparer des rapports et des courriers. L'industrie informatique était alors essentiellement située sur la côte Est. IBM avait son siège au nord de New York, dans une banlieue champêtre ; DEC et Wang étaient installés à Boston ; Burroughs avait son siège à Detroit, Univac à Philadelphie, NCR à Dayton (Ohio) et Cray, Honeywell et Control Data venaient tous de Minneapolis. Parmi les premiers grands fabricants d'ordinateurs, le seul à être établi dans la Silicon Valley était Hewlett-Packard, mais à l'origine, c'était une entreprise qui fabriquait des instruments d'expérience et de mesure scientifiques et des calculatrices.

Cette industrie a peu à voir avec l'univers du high-tech que nous connaissons aujourd'hui, entrepreneurial, innovant, basé sur des itérations rapides. C'était un secteur lourd, relativement similaire à celui des biens d'équipement. Il ne comptait que quelques centaines de clients potentiels, surtout des sociétés richissimes dont les exigences portaient davantage sur les performances et la fiabilité que sur le prix. Il n'était guère étonnant, par conséquent, que cette industrie se soit complaisamment murée dans sa tour d'ivoire.

En Californie, un grand nombre de passionnés qui devaient contribuer à révolutionner cette industrie formèrent un groupe baptisé le Homebrew Computer Club qui se retrouvait régulièrement. Leur première réunion eut lieu peu après la parution du numéro de janvier 1975 de *Popular Electronics*, dont la couverture était consacrée au « micro-ordinateur » Altair 8800. Gordon French, un ingénieur de la Silicon Valley, les accueillit dans son garage pour leur présenter un Altair qu'il avait assemblé avec un copain grâce à un kit qu'il s'était procuré pour 495 dollars auprès de Micro Instrumentation & Telemetry System (MITS). C'était une machine à l'allure insolite, de la taille d'un amplificateur de chaîne hi-fi, qui comportait en façade deux rangées d'interrupteurs et une série de voyants rouges. Le gros bloc ne pouvait pas faire grand-chose, mais c'était la preuve qu'il était possible de posséder un ordinateur à soi, que l'on puisse programmer vingt-quatre heures sur vingt-quatre si on le souhaitait, sans avoir à attendre ni à perforer des cartes. On sait que c'est peu après avoir lu l'article que Bill Gates lâcha ses études à Harvard pour lancer une petite société appelée Micro-soft[1] destinée à concevoir des langages de programmation de logiciel pour l'Altair.

Woz savait que la machine de MITS n'était guère plus évoluée que le Cream Soda Computer qu'il avait créé quatre ans auparavant, en 1971, où il avait dû avoir recours à des composants bien moins sophistiqués. Poussé par l'esprit de compétition du véritable geek, il ébaucha les plans d'un nouvel ordinateur qu'il voulait plus évolué, plus facile à programmer, contrôler et manier. Pour lui, manipuler des interrupteurs et compter les voyants lumineux revenaient à utiliser des signaux à bras et du morse. Pourquoi ne pas entrer directement des commandes et des valeurs de données avec un simple clavier de machine à écrire ? Et pourquoi ne pas s'arranger pour que le terminal projette sur un écran de télévision ce que l'on tapait, ainsi que les résultats ? Et tant qu'on y était, pourquoi ne pas brancher un magnétophone à cassettes pour enregistrer les programmes et les données ? L'Altair n'avait aucun de ces éléments susceptibles de rendre l'informatique bien moins intimidante et bien plus accessible. Tel était le défi auquel Woz s'attaqua. Au fond de lui, il avait le vague espoir que HP, son employeur, accepte de produire une version de son projet.

C'est alors qu'intervint Steve Jobs, l'opportuniste en herbe et apprenti imprésario. Il estimait que Woz n'avait pas besoin de HP. Steve savait que Woz était si exceptionnellement doué que l'ordinateur qu'il créerait ne pouvait qu'être bon marché, fiable et facile à programmer – au point que les autres membres du Homebrew pourraient bien en vouloir un.

Aussi, pendant que Woz peaufinait le projet, Steve Jobs passa l'automne et l'hiver 1975 et le début de 1976 à chercher des moyens

---

1. Au départ, le nom du partenariat entre Bill Gates et Paul Allen porte le nom de « Micro-soft ». Ce n'est que le 12 novembre 1975 que « Microsoft » est officiellement déposé.

de mettre leurs ressources en commun pour acheter les composants nécessaires à la fabrication d'un prototype opérationnel. Tous les quinze jours, ils apportaient la dernière version de l'ordinateur aux réunions du Homebrew pour présenter une ou deux nouveautés au public le plus exigeant de la ville. Steve persuada Woz qu'ils pouvaient se créer une clientèle parmi les membres du club en leur vendant les schémas et peut-être les circuits imprimés. Ces derniers n'auraient plus qu'à acheter et à assembler eux-mêmes les puces et les autres composants pour se fabriquer un ordinateur prêt à fonctionner. Afin de pouvoir payer un de leurs amis pour concevoir un « schéma de référence » pour les circuits imprimés, Steve vendit son cher combi Volkswagen et Woz se défit de sa précieuse calculatrice programmable HP-65. Après avoir dépensé 1 500 dollars pour concevoir le circuit imprimé et en faire fabriquer une douzaine en sous-traitance, Jobs et Wozniak rentrèrent dans leurs fonds et firent quelques bénéfices en les revendant 50 dollars à quelques membres du Homebrew, récoltant ainsi 30 dollars par circuit imprimé.

Ce n'était guère lucratif, mais c'était suffisant pour que les deux jeunes gens soient convaincus que ces micro-ordinateurs pouvaient tout changer. « On se disait que ça allait toucher tous les foyers du pays, expliqua Woz des années plus tard. C'était vrai, mais pas pour les raisons qu'on croyait. On pensait que tout le monde avait les compétences techniques pour s'en servir, écrire ses propres programmes et résoudre ses problèmes de cette façon. » Steve décida que leur nouvelle entreprise devait s'appeler Apple. Il existe différentes légendes sur l'origine de ce nom, mais quoi qu'il en soit, l'idée était brillante. Des années plus tard, Lee Clow, qui collabora longtemps avec Steve sur les campagnes publicitaires caractéristiques d'Apple, m'a raconté : « Je crois sincèrement qu'il avait l'intuition qu'ils allaient changer la vie des gens en leur offrant une technologie dont ils avaient besoin sans le savoir et qui n'aurait rien à voir avec tout ce qu'ils connaissaient. Il leur fallait donc quelque chose de convivial, accessible, sympathique. Il s'est inspiré de l'exemple de Sony – Sony s'appelait à l'origine Tokyo

Telecommunications Engineering Corporation et [son cofondateur] Akio Morita a déclaré qu'il leur fallait un nom bien plus accessible. »

De fait, le choix du nom Apple préfigure l'exubérance et l'originalité que Steve allait apporter à la création de ces nouvelles machines. C'était un nom qui évoquait tant de choses : le jardin d'Éden et l'humanité – partagée entre le bien et le mal – résultant de l'instant où Ève avait croqué dans le fruit défendu de l'arbre de la connaissance ; Johnny Appleseed, de son vrai nom John Chapman, le grand semeur d'abondance de la légende américaine, ainsi surnommé pour avoir planté des milliers de pépins de pomme dans une grande partie du Midwest ; les Beatles et leur label, Apple Records, ce qui ferait par la suite l'objet d'un litige ; Isaac Newton et la chute de la pomme qui avait fait naître une idée ; l'expression *American as apple pie*, autrement dit, typiquement américain ; la légende de Guillaume Tell qui sauva la vie de son fils et la sienne en tirant à l'arc sur une pomme posée sur la tête de son rejeton ; la santé, la fécondité et évidemment la nature. Apple n'avait rien d'un terme de geek, contrairement à Asus, Compaq, Control Data, Data General, DEC, IBM, Sperry Rand, Texas Instruments ou Wipro, pour ne citer qu'une poignée d'entreprises informatiques aux dénominations moins poétiques. Le nom évoquait l'image d'une société qui ferait souffler un vent d'humanisme et de créativité dans la science et l'ingénierie informatique – et ce fut le cas. Comme le suggère Clow, le choix d'Apple fut une remarquable décision intuitive. Steve avait une propension naturelle à se fier à son intuition ; c'est un trait commun aux meilleurs entrepreneurs, une nécessité pour qui veut gagner sa vie en développant des produits auxquels personne n'a jamais réellement pensé.

Naturellement, il arrivait que son intuition le trompe, comme le jour où il se prit de passion pour le premier logo d'Apple. C'était un dessin à l'encre, aussi détaillé qu'une gravure, d'Isaac Newton assis sous un pommier. L'image pouvait séduire un jeune étudiant en calligraphie, mais elle était bien trop ésotérique pour une entreprise qui ciblait le grand public. Le graphisme était de Ronald Wayne, un ancien ingénieur d'Atari que Steve avait recruté pour rejoindre l'équipe. Si jamais

Steve et Woz en venaient à un bras de fer, Wayne était censé jouer le rôle du sage chargé de les départager. Ils signèrent tous les trois une convention de partenariat, selon laquelle Steve et Woz recevaient chacun 45 % des parts, tandis que Wayne prenait les 10 % restants. Mais Wayne décréta rapidement qu'il n'était pas prêt à risquer son avenir pour ces deux néophytes. En juin 1976, il revendit ses parts pour la somme de 800 dollars à Jobs et Wozniak, qui commandèrent un nouveau logo l'année suivante. À l'instar de Pete Best, le premier batteur des Beatles, Wayne passa à côté de l'aventure de sa vie.

———

PEU APRÈS AVOIR déclaré la création de la société commerciale Apple en Californie, le 1ᵉʳ avril 1976, Steve et Woz se rendirent une fois de plus au Homebrew Computer Club pour présenter la version finale, totalement assemblée, de leur nouvel ordinateur. Woz avait relevé tous les défis. Sur une carte mère de 23 centimètres sur 39, il avait assemblé un microprocesseur, des puces de mémoire vive dynamique, un processeur, une alimentation et d'autres éléments, de telle sorte qu'en y reliant un écran et un clavier, on pouvait effectuer des tâches radicalement nouvelles : écrire des programmes informatiques sur sa propre machine, chez soi, sans dépendre d'un ordinateur central éloigné, et pour la première fois sur un ordinateur, taper ses commandes sur un clavier et les voir immédiatement apparaître sur un écran de télévision noir et blanc, ce qui permettait d'effectuer des modifications plus facilement qu'auparavant. Woz avait également écrit une version de BASIC, le langage de programmation le plus simple largement utilisé par les passionnés, adaptée au microprocesseur Motorola 6800 qui tenait lieu de cerveau à ce que Steve et lui appelaient désormais l'Apple I. Woz ne s'en rendait pas totalement compte, mais il avait créé le premier ordinateur personnel. Cependant, Steve mesurait la grandeur de l'exploit et le pouvoir de l'expression *ordinateur personnel* dans une industrie qui historiquement, n'avait jamais rien eu de personnel. C'est donc la formule qu'il employait chaque fois qu'on lui demandait de décrire l'invention de Woz.

Toutefois, la plupart des membres du club se montrèrent relativement sceptiques. Bon nombre d'entre eux étaient des bidouilleurs dans l'âme qui estimaient que le plaisir de l'informatique résidait en grande partie dans la conception et la fabrication de leur propre ordinateur. Leur club n'était pas baptisé le Homebrew, le « fait maison », pour rien. Mais avec l'Apple I, la seule chose à faire, c'était l'installer, relier un clavier et un écran, le brancher et l'allumer. D'autres se plaignirent que Steve bafouait l'esprit de leur communauté et la tradition qui avait toujours été la sienne de partager librement les idées, en leur demandant de payer pour une machine préassemblée.

Steve n'était pas du style à se conformer à la pensée unique. C'était un libre-penseur dont les idées allaient souvent à l'encontre des opinions répandues dans les communautés où il se trouvait. Les membres du Homebrew n'étaient pas de la même étoffe que lui. Si une poignée d'entre eux avait de réelles ambitions d'entrepreneurs et finirent par créer leur propre société de micro-ordinateurs, la plupart étaient exclusivement intéressés par les subtilités de l'informatique : trouver la méthode la plus efficace pour lier les puces de mémoire aux microprocesseurs, par exemple, ou inventer un moyen de se servir d'un ordinateur bas de gamme pour faire tourner les jeux auxquels ils jouaient sur l'ordinateur central de leur université. Steve aimait en savoir suffisamment pour maîtriser l'électronique et la conception des ordinateurs, et par la suite, il se vantait d'être doué pour la programmation. Mais déjà en 1975, les finesses de l'informatique ne le passionnaient guère en soi. En revanche, il était obnubilé par le devenir de cette extraordinaire technologie une fois qu'elle serait accessible à une multitude de gens.

Au fil des années, Steve devait bénéficier d'une chance parfois ahurissante, mais il lui arriva aussi de jouer d'une malchance extrême. Edwin Catmull, le président de Pixar, aime à dire que dans la mesure où le hasard nous échappe et peut nous exposer au meilleur comme au pire, peu importe qu'on y soit préparé ou non. Steve avait une forme d'hypersensibilité à son environnement, qui lui permettait de saisir au vol les occasions qui s'offraient. Aussi n'hésita-t-il pas une seconde lorsque Paul Terrell, le propriétaire du Byte Shop, le magasin d'informatique de Mountain View, non loin de là, les aborda à la fin de leur présentation pour leur dire qu'il était impressionné et voulait discuter affaires avec eux. Dès le lendemain, Steve emprunta une voiture pour aller au Byte Shop, la modeste petite boutique d'El Camino Real, la principale artère de la Silicon Valley. À son grand étonnement, Terrell lui annonça que si les deux Steve pouvaient lui livrer cinquante circuits imprimés assemblés avec toutes les puces soudées à une certaine date, il était prêt à les leur acheter 500 dollars l'unité, soit dix fois le prix que Steve et Woz demandaient aux membres du club pour les seuls circuits imprimés. Sans se laisser démonter, Steve lui promit allègrement de les lui livrer, alors que Woz et lui n'avaient pas les moyens de se payer les composants, ni la « surface de production », ni la « main-d'œuvre » nécessaire pour fabriquer quoi que ce soit. À compter de ce jour, l'opportunisme et le dynamisme de Steve allaient définir ses relations avec Woz. Woz, qui était de cinq ans son aîné, apprit à Steve la valeur intrinsèque du génie technique. Ses prouesses confortaient Steve dans l'idée qu'avec un prodige de la technologie à ses côtés, tout était possible. Mais leur collaboration fut souvent régie par la capacité qu'avait Steve de manipuler Woz, parfois à mauvais escient. En 1974, lorsqu'Atari avait entrepris de développer une nouvelle version du célèbre jeu Pong, Nolan Bushnell avait demandé à Steve de créer un prototype, en lui offrant une prime considérable s'il réussissait à diminuer le nombre de puces nécessaires à chaque circuit imprimé. Steve invita Woz à participer au projet en lui promettant de partager les bénéfices. Woz conçut un circuit plus économique encore que tout ce que Bushnell avait pu imaginer et par conséquent, Steve reçut une prime de 5 000 dollars qui venait s'ajouter au forfait de 700 dollars. Selon Woz, Steve ne lui reversa que 350 dollars au lieu des 2 850 dollars qu'il aurait dû gagner. Walter Isaacson, le biographe officiel de Steve, écrit que celui-ci niait avoir floué Woz. Mais il est vrai que Steve prenait parfois des libertés avec ses proches, et tout laisse à penser que l'accusation est fondée.

Cependant, comme plusieurs autres proches collaborateurs qui furent par la suite déçus par Steve, Woz admet qu'il n'aurait jamais connu une telle réussite sans lui. Terrell leur avait commandé pour 25 000 dollars de cartes mères, c'était 25 000 dollars de plus que ce Woz aurait imaginé pouvoir vendre. Les deux jeunes gens avaient créé une jolie petite affaire avec leur blue box, mais comparé à cela, ce n'était rien. Ils n'avaient jamais fabriqué quoi que ce soit en exemplaires multiples à une telle échelle, n'avaient jamais financé une entreprise dans les règles ni vendu un produit qui ait réellement de la valeur. Rien de tout cela ne dissuada Jobs. Il se chargea de régler les détails de la production. Il réquisitionna une chambre de la maison de ses parents en guise d'atelier. Il embaucha sa sœur adoptive Patty pour assembler et souder les semi-conducteurs et les autres composants à l'endroit marqué sur les circuits imprimés. Quand Terrell en commanda cinquante autres, le père de Steve dégagea du garage familial les quelques voitures qu'il retapait pour les revendre et Steve y installa l'atelier de production. Il enrôla Bill Fernandez, qui lui avait présenté Woz du temps où il était encore au lycée. Et il fit également venir d'autres jeunes du quartier pour accélérer la cadence. Il s'abonna à un service de standard téléphonique et prit une boîte postale. En d'autres termes, il fit le nécessaire.

Le garage abrita une petite chaîne de montage. Dans un coin, la sœur de Steve et certains de ses amis soudaient les composants. Woz avait son propre espace de travail à proximité, où il pouvait vérifier les cartes mères assemblées. À l'autre bout du garage, les circuits assemblés étaient exposés pendant des heures à des lampes à infrarouge pour tester leur durabilité. La mère de Steve répondait au téléphone. Tout le monde travaillait tard le soir, ainsi que le week-end. Et Steve était le plus concentré de tous. Il ne cessait de faire pression sur le reste de l'équipe. Au moindre problème, il prenait rapidement des mesures. Voyant par exemple que son ex-petite amie avait mal soudé quelques puces, il la chargea de tenir les comptes. Il avait un tempérament sanguin et n'hésitait pas à critiquer ouvertement le travail des membres de l'équipe. Dans son enfance, Steve n'avait jamais véritablement eu de raison de tempérer sa franchise. Et à cette occasion, il apprit sa première leçon de management : utilisé avec discernement, son caractère était un outil redoutable pour motiver ses troupes. C'est une habitude dont il allait avoir du mal à se départir.

Comme on pouvait s'y attendre, sous l'œil vigilant de Steve, l'équipe réussit à produire toutes les cartes mères qu'avait commandées Terrell. Cependant, la clientèle ne se bouscula pas – au total, il se vendit moins de deux cents Apple I. Mais cet été-là, dans le garage légendaire, ce fut la première fois que Steve s'associa à des équipiers pour puiser au plus profond d'eux-mêmes l'énergie de sortir presque par miracle un produit innovant qu'ils n'étaient pas même sûrs de pouvoir créer au départ. Il allait devenir coutumier de ce type d'exploit. Après un détour infructueux par l'université, un pèlerinage picaresque en Inde, quelques voyages hallucinatoires sous LSD et une sorte de stage chez Atari, Steve avait découvert sa véritable vocation. Et il était prêt à s'y consacrer corps et âme.

Chapitre 2
« Je ne voulais pas être chef d'entreprise »

Les neuf premières années que Steve Jobs passa à la tête d'Apple Computer retracent les premiers pas d'un jeune visionnaire au début de sa carrière. Après avoir joué un rôle crucial dans la création et la vente de l'Apple I, Steve fut forcé de transplanter sa vision, son intelligence, son intuition et sa personnalité agressive hors du garage paternel pour l'intégrer dans le cadre bien plus vaste du monde entrepreneurial, financier et industriel de la Silicon Valley. Steve comprenait certes très vite, mais il ne savait pas d'instinct comment s'y prendre. Certains jeunes gens sont faits pour évoluer dans le monde de l'entreprise – on pense à Bill Gates, par exemple. Ce n'était pas le cas de Steve.

S'il voulait faire autre chose qu'inventer des trucs branchés avec ses potes dans un garage, il allait devoir apprendre à jouer dans la cour des grands. Mais ce ne serait pas facile. Il me l'a répété à plusieurs reprises : « Je ne voulais pas être un homme d'affaires, parce que je n'avais aucune envie de ressembler à ceux que je connaissais. »

Steve avait naturellement tendance à se placer en critique, en visionnaire, en rebelle, l'agile David luttant contre le Goliath des puissants. Collaborer avec le « système », pour reprendre l'expression consacrée de l'époque, n'était pas seulement difficile, c'était une forme de collusion. Il avait envie de jouer à leur jeu, certes, mais en imposant ses règles.

———

LES DEUX JEUNES gens avaient à peine entrepris d'écouler la première fournée d'Apple I, que Wozniak annonça à Steve qu'il était certain de pouvoir concevoir une machine bien plus performante. Woz imaginait que le prochain modèle afficherait les résultats en couleurs, embarquerait plus de puissance et de rapidité sur une carte mère de la même taille et serait muni de multiples emplacements appelés « slots », que l'on pourrait adapter pour permettre à la machine d'accomplir plus de tâches.

Si Steve et Woz voulaient avoir une chance de produire et vendre une machine aussi géniale, ils allaient devoir se constituer un fonds de roulement conséquent. Il leur fallait bien plus qu'ils ne pouvaient récolter en continuant à soutirer des prêts personnels aux amis, aux parents et des avances auprès des propriétaires de magasins d'informatique. Ne sachant pas où se procurer cet argent, Steve entreprit de pénétrer les cercles fermés des entrepreneurs, des experts en marketing et des financiers de la Silicon Valley.

En 1976, dans la Silicon Valley, les chemins de la réussite n'étaient pas balisés comme aujourd'hui, où les entrepreneurs peuvent trouver un financement en cherchant simplement « capital-risque » sur Google. À l'époque, il y avait bien moins d'avocats, de financiers et de gestionnaires, et la plupart des affaires se traitaient en tête à tête. Mais Steve avait un talent extraordinaire pour se créer un réseau. « J'ai vraiment eu de la chance d'intégrer le secteur informatique alors que l'industrie en était à ses tout débuts, m'a-t-il dit un jour. Comme à l'époque, il n'y avait pas beaucoup de diplômes en informatique, la plupart de ceux qui travaillaient dans ce domaine venaient des horizons les plus divers, les mathématiques, la physique, la musique, la zoologie. Tous étaient passionnés et parmi eux, il y avait des gens incroyablement brillants. » Steve n'avait aucun scrupule à appeler n'importe qui pour obtenir de l'aide ou des renseignements ; c'est ce qu'il avait toujours fait depuis son premier coup de fil à Bill Hewlett quand il avait quatorze ans. Il n'avait pas la timidité de certains jeunes gens qui s'initient aux arcanes d'un univers aussi complexe que celui du capital-risque. Il avait une telle confiance dans l'excellence de son travail qu'il était certain que quelqu'un finirait par accepter de le financer. Lorsque cette assurance ne le conduisait pas à se montrer grossier, il pouvait être tout à fait charmant.

Aussi, il sillonna inlassablement le réseau d'experts de la Silicon Valley, enchaînant coups de fil et rendez-vous, jusqu'au jour où il se trouva en contact avec Regis McKenna, le génie du marketing qui avait contribué à faire connaître Intel et allait jouer un rôle majeur dans la création de l'image de marque iconoclaste, étonnamment vivace, dont bénéficie encore aujourd'hui Apple.

Steve et Woz allèrent voir McKenna à son bureau. Le moins que l'on puisse dire, c'est que Steve ne fit aucun effort vestimentaire pour cette rencontre – comme d'habitude, il avait un jean troué, était pieds nus et sentait mauvais. À cette époque de sa vie, il jugeait que le déodorant, les chaussures et le reste n'étaient que des artifices superflus. McKenna était un membre privilégié de l'élite de la Silicon Valley. Impeccablement coiffé, des yeux bleus magnétiques, il était franc, impitoyable, bien introduit dans tous les milieux et affichait un humour espiègle et une confiance insolente, tout comme Steve. Sur sa carte de visite, il était simplement écrit : « Regis McKenna *En personne.* » Passant outre leur allure débraillée de jeunes nerds, McKenna fut frappé par leur intelligence remarquable et se prit de sympathie pour eux. « Steve avait de l'envergure et un côté réfléchi qu'il n'a jamais perdu. » C'est ainsi que McKenna et Nolan Bushnell, l'ancien patron de Jobs chez Atari, adressèrent Steve à Don Valentine, membre fondateur de Sequoia Capital, une des premières sociétés de capital-risque à maîtriser l'art d'investir dans de jeunes sociétés high-tech.

Valentine venait du monde des composants électroniques. Il avait travaillé avec les fondateurs d'Intel avant qu'ils abandonnent Fairchild Semiconductor pour ouvrir leur propre magasin et avait eu un poste à responsabilité chez National Semiconductor. Il accepta de rencontrer les deux jeunes gens uniquement par amitié pour McKenna et se boucha littéralement le nez durant toute l'entrevue. Après cette visite, il appela McKenna en lui disant : « Pourquoi m'avoir envoyé ces parias de l'espace humaine ? » Il conseilla toutefois à ses jeunes interlocuteurs de consulter un *business angel* mieux placé que lui pour travailler de près avec une start-up aussi particulière qu'Apple.

C'est ainsi que Steve fit la connaissance de A.C., dit Mike, Markkula, qui allait devenir pour le meilleur et pour le pire un des deux premiers mentors de Steve chez Apple. Un jour, Markkula décida de se rendre au volant de sa Corvette dorée au garage des deux jeunes entrepreneurs pour qu'ils lui montrent les merveilles de l'Apple I. Ancien responsable des ventes chez Intel et diplômé en ingénierie électrique, il avait rapidement amassé une fortune avant de prendre sa « retraite » alors qu'il n'avait qu'une petite trentaine d'années en voyant que la direction commerciale de l'entreprise venait de lui échapper. D'un naturel réservé, Markkula était un geek dans l'âme et s'y connaissait relativement bien en programmation. Il vit aussitôt le potentiel que recelaient les projets ambitieux de Jobs et Wozniak et apprécia leur intelligence, leur ingéniosité, mais aussi leur côté malléable. Après quelques réunions, il se décida et négocia avec âpreté. Au terme d'un des plus gros contrats d'investissement jamais signés par un *business angel*, Markkula débloqua de sa poche 92 000 dollars et mit en place un crédit de 250 000 dollars auprès de la Bank of America en échange d'un tiers des parts d'Apple.

Markkula exigea que Woz, qui était toujours salarié chez Hewlett-Packard, travaille à plein-temps chez Apple. Woz était très attaché à son poste chez HP, mais il voulait réellement créer un nouveau micro-ordinateur encore plus performant. Il fit donc une énième présentation chez HP pour leur offrir une dernière chance de développer le projet encore embryonnaire de l'Apple II. Cela ne les intéressait pas. « Les grosses entreprises et les investisseurs implantés depuis longtemps, les analystes, tous ces gens formés à la gestion d'entreprise et bien plus intelligents que nous, ne pensaient pas que ça aurait de grands débouchés, se rappelle Wozniak. Ils croyaient que c'était juste un gadget, comme les robots domestiques ou les stations radioamateur, qui n'intéresserait qu'une poignée de mordus d'informatique. » Par conséquent, il démissionna et signa chez Apple.

Markkula ne semblait guère assorti à Steve et Woz. Petit, mince, élégant, avec ses favoris, ses cheveux abondants, ses costumes tape-à-l'œil et son coupé sport, on aurait dit un condensé de la mode des années 1970. Il avait tendance à parler dans sa barbe. Il était intelligent, techniquement doué, mais ne montrait pas de réelle détermination ni de combativité, et ne prenait pas position avec force. Et s'il avait déjà amassé une petite fortune et voulait manifestement s'enrichir encore, il n'avait toutefois pas envie de travailler trop dur. Par la suite, après le départ de Steve, Markkula fit vaillamment face pour maintenir l'entreprise à flot. Mais c'était en temps de crise. Lorsqu'il fit la connaissance de Steve, il était à un stade de sa vie où il se satisfaisait de sa belle maison et de la fortune que lui avait rapportée Intel. Signe révélateur de son ambivalence, Markkula avait promis à sa femme qu'il ne passerait pas plus de quatre ans chez Apple.

Aussi, lorsqu'il décida de transformer la société de personnes en une société de capitaux californienne employant un CEO, il annonça clairement que le poste ne l'intéressait pas. Il recruta Michael Scott, dit Scotty, trente-deux ans, directeur de production chez National Semiconductor, au poste de premier président officiel et CEO d'Apple. Markkula, trente-quatre ans, devint quant à lui président du conseil d'administration d'Apple. C'est ainsi qu'en février 1977, Steve qui n'avait pas même vingt-deux ans, confia à des adultes la destinée d'Apple. Malheureusement, ni Markkula, ni Scotty ne surent être pour lui le mentor dont il avait besoin.

LA SOCIÉTÉ QUITTA le garage des parents de Steve pour s'installer dans de vrais bureaux situés sur Stevens Creek Boulevard, à Cupertino. Scotty et Markkula entreprirent de recruter des gens et de jeter les bases de la société. Durant les premiers mois, Steve continua à faire ce pour quoi il avait le plus de dispositions : s'entourer d'une petite équipe pour créer une merveille. Cette fois, il s'agissait de l'Apple II, la machine qui devait démocratiser l'ordinateur personnel dans le monde entier.

Une fois de plus, Steve joua les imprésarios et Woz le génie de l'électronique. Steve fit pression sur Woz, soufflant le chaud et le froid, le contredisant. Woz réagit en donnant à sa dernière création une polyvalence et une fonctionnalité immédiate jamais atteintes dans un micro-ordinateur. C'était l'ordinateur compact, maniable, le plus complet au monde. Habillé d'une élégante coque en plastique beige, muni d'un clavier intégré, il ressemblait aux machines à écrire électriques conviviales qui étaient alors répandues. C'était un produit fini conçu pour être facilement utilisé à la maison, à l'université ou encore au bureau. De toute évidence, l'Apple I se trouvait relégué au monde des fers à souder, des oscilloscopes, des voltmètres et autres mystères de l'électronique dont le consommateur moyen n'avait que faire.

Le nouveau modèle disposait d'un microprocesseur sensiblement plus puissant que son prédécesseur et de davantage de mémoire interne, ce qui améliorait également ses performances. Il était équipé d'un amplificateur audio, d'un haut-parleur et de prises jack pour brancher une manette de jeux ou un lecteur de cassette pour sauvegarder des données de façon économique. Afin que le programmeur amateur puisse l'utiliser sitôt branché, Woz intégra dans le système le langage de programmation BASIC, qu'il chargea sur une puce spécialement conçue et connectée à la carte mère. Plus que tout, peut-être, l'ordinateur était destiné à s'adapter à d'éventuelles modifications matérielles destinées à booster ses performances ou à les optimiser pour une tâche informatique spécifique, qu'il s'agisse d'effectuer des calculs, de jouer, de constituer des bases de données ou d'écrire des programmes. Woz intégra huit « slots » d'extension, des ports destinés à accueillir des cartes de circuits spéciales – en gros, de petits circuits imprimés – qui pouvaient fonctionner avec le microprocesseur et les puces de mémoire de la carte mère dans un but précis, comme l'ajout d'un lecteur de disquette, l'amélioration de l'affichage vidéo ou du son, ou encore l'augmentation de la mémoire. Cela donnait à l'Apple II la capacité d'accroître ses performances une fois que les applications logicielles professionnelles et les cartes d'extension adaptées seraient disponibles, ce qui ne tarda pas.

Comme à l'époque du garage, le perfectionnisme de Steve et sa propension naturelle à contester l'opinion majoritaire entraînaient des conflits. Ainsi, il s'était opposé à l'ajout des ports d'extension, estimant que l'ordinateur grand public idéal devait être si facile d'utilisation qu'il ne viendrait à l'esprit de personne de l'ouvrir pour augmenter les capacités du système. Certes, l'idée d'offrir un ordinateur aussi simple d'emploi qu'un appareil électroménager était peut-être un objectif admirable à long terme, mais en 1977, c'était un choix totalement absurde pour un ordinateur personnel. Intéressés par d'éventuels profits, certains informaticiens amateurs se disaient prêts à concevoir des cartes d'extension qui permettent à l'Apple II de contrôler ou de servir d'interface avec des téléphones, des instruments de musique, du matériel de laboratoire, des équipements médicaux, des machines de bureau, des imprimantes, etc. Woz, qui l'avait bien compris, finit par obtenir gain de cause.

En revanche, Steve imposa à juste raison plusieurs décisions, contre l'avis général. Un ordinateur personnel ne devait pas faire un bruit de machine industrielle, estimait-il. Il persuada donc un ingénieur de talent, Frederick Rodney Holt, de concevoir un bloc d'alimentation qui ne nécessite pas de faire tourner un ventilateur en permanence pour éviter une surchauffe susceptible de provoquer la fonte de la machine. Jobs insista également pour imaginer une coque qui évoque davantage un appareil électroménager qu'un équipement de laboratoire, allant jusqu'à faire le tour des grands magasins pour chercher l'inspiration.

C'est une conception qui nous semble évidente aujourd'hui, mais à l'époque, les mordus d'informatique préférait les boîtiers d'allure industrielle, voire les machines sans couvercle qui dévoilaient la complexité du système et facilitaient d'éventuelles modifications. Pour les consommateurs moins avertis, l'Apple II offrait un design plus séduisant, plus compact, plus présentable et ces qualités le différenciaient à elles seules de tout ce qui se faisait alors sur le marché. Même si son premier logiciel important – VisiCalc, un tableur développé par Dan Bricklin et Robert Frankston – ne fut édité qu'en 1979, l'Apple II à 1 295 dollars connut un succès immédiat dès sa sortie en avril 1977. En l'espace d'un an, l'entreprise qui était habituée à vendre une dizaine d'Apple I toutes les deux ou trois semaines se mit à écouler environ cinq cents Apple II par mois.

———

POUR LA SECONDE fois, Steve s'était révélé capable de piloter une petite équipe avec fermeté. La question, à présent, était de savoir comment il allait accepter d'être dirigé lui-même par Markkula et Scott, qui lançaient un projet qu'il savait ne pas pouvoir assumer seul : concevoir, bâtir et gouverner une société en plein essor destinée à développer, fabriquer, distribuer et commercialiser des ordinateurs. Wozniak, qui ne tenait aucunement à superviser en détail le développement de la société, n'avait eu aucun mal à céder les commandes. Cet électronicien d'envergure internationale devenu directeur de la recherche et du développement (R&D) d'Apple ne semblait jamais aussi heureux que lorsqu'il était à son établi, occupé à bidouiller, inventer et discuter avec d'autres ingénieurs de détails soporifiques.

Pour Steve, en revanche, c'était bien plus compliqué. Fondamentalement, l'autorité suscitait chez lui un sentiment de révolte adolescente, mais ce n'était pas la seule raison. Il avait vu que son anticonformisme était essentiel au type de produits révolutionnaires qu'il voulait créer et pu constater que ses méthodes agressives pouvaient inciter une équipe à concrétiser sa vision. Ces particularités ne cadraient guère avec le type de gestion mature que Scott essayait d'imposer chez Apple.

Ce que Scott avait à offrir, c'était des systèmes. Si Apple avait été une famille, il se serait chargé des aspects pratiques du ménage – ouvrir des comptes en banque, contracter un prêt, ce type de choses. Naturellement, ce qu'il mit en place chez Apple était bien plus complexe. Ancien ingénieur, longtemps responsable de production chez National Semiconductor, Scott était le parfait technologue, jusqu'à la pochette en plastique glissée dans la poche de ses chemisettes pour y glisser ses stylos. À son arrivée chez Apple, il avait déjà dirigé des équipes de centaines de personnes et supervisé les processus de fabrication complexes chez un fabricant de circuits électroniques. Chez Apple, il accomplit le plus gros du travail de gestion nécessaire pour bâtir à partir de rien une entreprise high-tech de pointe : louer les bureaux, les surfaces de production, les équipements, mettre au point une chaîne logistique performante, constituer une force de vente, créer des contrôles qualité, superviser l'ingénierie, installer un système informatisé de gestion et monter une équipe d'encadrement pour assurer la gestion financière et le recrutement. Il se chargea d'établir des relations solides avec les principaux fournisseurs de composants et les développeurs de logiciels, ce qui était une étape cruciale. Steve apprit beaucoup à son contact.

À la complexité de la gestion que Scott tentait d'instaurer en place, s'ajoutait le fait qu'Apple était le pionnier d'une industrie naissante qui se distinguait de la plupart des autres sur un point essentiel : les ordinateurs étaient des systèmes qui associaient trois technologies de base en constante évolution – les semi-conducteurs, les logiciels et le stockage des données. Les entreprises ne pouvaient pas se contenter d'inventer un produit révolutionnaire, s'équiper, le produire en quantité, puis attendre de toucher les bénéfices. Durant les dix premières années, cela avait fonctionné pour des entreprises high-tech comme Polaroid ou Xerox. Mais là, c'était différent. Dès qu'une entreprise informatique avait engendré un nouveau système, elle devait aussitôt se remettre à plancher et repartir de zéro pour se surpasser avant qu'une autre société prométhéenne ne reconfigure de nouvelles versions de ces technologies de plus en plus performantes et ne lui vole le feu sacré. Et il lui faudrait recommencer sans cesse, génération après génération. En fait, il s'avéra rapidement que pour une entreprise, la meilleure stratégie était de s'atteler au produit qui condamnerait à l'obsolescence sa dernière nouveauté *bien avant* que celle-ci ne soit commercialisée. C'est dire la vitesse à laquelle évoluait le marché émergent du high-tech. En outre, les trois technologies de base du système ne cessaient de se perfectionner de leur côté à un rythme effréné, si bien que les fabricants avaient tout intérêt à employer les dernières innovations à mesure qu'elles apparaissaient.

Les grands CEO du secteur high-tech étaient capables d'imposer la rigueur dans leur entreprise tout en acceptant le risque que leurs opérations soient perturbées par ces fluctuations rapides. Michael Scott n'en faisait pas partie. Il avait les compétences et le profil d'un directeur d'exploitation. Lorsqu'il ne réussissait pas à maintenir la stabilité qu'il tentait désespérément d'instaurer, il était totalement dépassé. Et chez Apple, il n'y parvint jamais réellement. Mais il faut dire que Jobs ne lui facilita pas la tâche.

Steve savait sans doute au fond de lui qu'il avait besoin des rouages bien huilés d'une grosse entreprise pour concrétiser sa vision. Mais il avait une passion pour l'instabilité. Sa vision tout entière était basée sur la déstabilisation de l'industrie informatique existante. S'il y avait une entreprise qui incarnait la stabilité, c'était IBM, et Apple, aux yeux de Steve, était l'anti-IBM.

Inutile de dire que ce mariage arrangé entre un homme qui vivait dans une constante incertitude et un autre qui ne rêvait que de stabilité n'était pas fait pour durer. Quelques semaines à peine après l'arrivée de Scott chez Apple, apparut un des premiers signes avant-coureurs de la rupture finale. Scott devait attribuer des numéros aux badges que le personnel était tenu de porter dans les nouveaux bureaux de Stevens Creek Boulevard. Quand il décida que Wozniak serait « Employé n° 1 », Steve alla se plaindre auprès de lui. Scott ne tarda pas à céder et attribua à Steve un nouveau badge libellé « Employé n° 0 ».

ENTRE LES QUERELLES qui l'opposaient à Markkula et Scott, sa manie d'asséner ses opinions comme des vérités incontestables, sa façon de s'attribuer le mérite de la réussite d'Apple dans la presse, Steve finit par se tailler une réputation d'égocentrique qui estimait n'avoir rien à apprendre des autres. C'est se méprendre fondamentalement sur l'homme qu'il était, même du temps de sa jeunesse, au comble de son insolence arrogante et de son despotisme.

Non seulement Steve puisait des conseils auprès de ses aînés d'Apple, mais il en cherchait également ailleurs. Il n'avait pas encore les compétences nécessaires pour bâtir une grande entreprise, mais il admirait ceux qui avaient réussi et faisait tout pour les rencontrer afin de pouvoir s'inspirer d'eux. « Aucun ne faisait ça pour l'argent, m'a-t-il dit un jour. Prenez Dave Packard, par exemple, il a légué toute sa fortune à sa fondation. Le jour où on l'a enterré, c'était peut-être l'homme le plus riche du cimetière, mais il n'avait pas fait ça pour l'argent. Ou encore Bob Noyce [le fondateur d'Intel]. Vu mon âge, j'ai eu la chance de pouvoir connaître ces hommes-là. J'ai rencontré Andy Grove [CEO d'Intel de 1987 à 1998] quand j'avais vingt et un ans. Je l'ai appelé en lui expliquant que j'avais entendu dire qu'il s'y connaissait en gestion d'entreprise et l'ai invité à déjeuner. J'ai fait la même chose avec Jerry Sanders [fondateur de Advanced Micro Devices], Charlie Sporck [fondateur de National Semiconductor] et d'autres. Bref, j'ai lié connaissance avec ces hommes qui étaient tous des créateurs d'entreprise, et j'ai été très marqué par l'atmosphère qui régnait à l'époque dans la Silicon Valley. »

La plupart de ces hommes mûrs prenaient plaisir à se confronter et à prodiguer des conseils à un garçon aussi éloquent, brillant et désireux d'apprendre. Évidemment, ils ne travaillaient pas avec lui, ce qui allégeait considérablement l'enjeu de leur relation. Certains étaient de véritables héros qu'il ne rencontra qu'une ou deux fois, tel Edwin Land, le fondateur de Polaroid. Steve avait une grande admiration pour Land, et plus particulièrement pour sa volonté obsessionnelle de créer des produits à la fois élégants et pratiques qui soient susceptibles de séduire les consommateurs, comme le SX-70 révolutionnaire qui fit sensation dans l'Amérique des années 1970, sa tendance à suivre son instinct plus que les études de marché, ainsi que la ténacité et la créativité qu'il apporta à l'entreprise qu'il avait fondée.

D'autres devinrent des conseillers qui l'épaulèrent toute sa vie. Grove le conseilla dans l'ombre à des moments critiques de sa carrière, en dépit du fait qu'Apple – jusqu'en 2006 – était la seule grande entreprise informatique dont les ordinateurs n'étaient pas équipés de microprocesseurs Intel. Jobs avait un profond respect pour lui. Ce juif hongrois avait perdu une partie de son audition après avoir eu la scarlatine à l'âge de quatre ans, puis survécu aux exactions nazies, au fascisme, à l'interminable siège de Budapest par les troupes russes, à une révolution manquée, avant de fuir seul le régime soviétique pour rejoindre Ellis Island. Grove était coriace et pragmatique, comme beaucoup d'hommes d'affaires, mais c'était aussi, tout comme Steve, un homme cultivé qui avait de multiples centres d'intérêt. Au City College de New York, il avait perfectionné son anglais, passant maître dans l'art de pousser des jurons d'autant plus virulents qu'il avait conservé un accent hongrois. Steve était en admiration devant ce mélange de pragmatisme et d'exubérance auquel il aspirait lui-même.

Grove fut le troisième homme – aux côtés de Jobs et de Bill Gates – du *triumvirat* qui démocratisa l'ordinateur personnel. Il prit son envol le jour où il devint numéro trois d'Intel Corporation, fondée en 1968 par ses collègues de Fairchild, Robert Noyce et Gordon Moore, auteur de la loi de Moore, en 1965. Cette « loi » résultait d'une observation jusqu'alors inédite sur le coût et les performances des semi-conducteurs : le nombre de transistors qui pouvaient être installés sur une puce d'une taille donnée doublait environ tous les dix-huit mois, sans que cela ait d'incidence sur leur coût. Grove comprit mieux que personne toute la complexité et la difficulté de produire des composants semi-conducteurs à une échelle suffisante pour répondre aux exigences des fabricants d'ordinateurs comme IBM, Sperry et Burroughs.

En ce sens, c'est lui qui transformé la loi de Moore en un modèle éco-nomique permettant à l'industrie informatique d'établir un calendrier prévisionnel des bénéfices relativement fiable. Grove était réputé pour ses décisions stratégiques radicales, en apparence paradoxales, comme celle, célèbre, d'abandonner les puces de mémoire qui rapportaient l'essentiel des bénéfices d'Intel, pour passer à la production de micro-processeurs destinés au marché émergent des ordinateurs personnels, de stations de travail techniques et de ce qu'on appela par la suite « serveurs de fichiers ». Pour les entreprises de la Silicon Valley, son approche de la gestion toute en finesse et en souplesse plaçait la barre très haut. Il écrivait même une chronique de management respectée pour le *San Jose Mercury News*.

Noyce, le cofondateur d'Intel, pionnier du développement des cir-cuits intégrés, figure également parmi les premiers héros de Steve. Jobs et Wozniak lui présentèrent l'Apple II, ainsi qu'aux autres membres du conseil d'Intel, en 1977. S'il admira la prouesse technologique, Noyce n'apprécia pas les deux jeunes gens aux cheveux longs et à l'allure débraillée. Mais Steve ne se laissa pas démonter et au fil des années, ils finirent par devenir amis. Ann Bowers, la femme de Noyce, compte parmi les premiers investisseurs de l'entreprise et en 1980, devint même la première directrice des ressources humaines d'Apple.

Les relations que Steve entretenait avec ses mentors pouvaient être très personnelles. « Steve voulait se sentir en famille, se rappelle Regis McKenna. Il passait nous voir et s'installait à la table de la cuisine avec ma femme [Dianne McKenna, urbaniste et à une époque maire de Sunnyvale] et moi. Quand il venait, il voulait toujours discuter avec elle. On avait tous les deux l'impression qu'il voulait une famille, vraiment. Il venait directement en sortant d'Apple pour réparer mon Apple II ! Je lui disais : "Steve, tu as mieux à faire", mais il insistait pour venir. "Et puis, comme ça, je peux bavarder avec Dianne", me disait-il. »

Le côté sympathique de McKenna, le fait que Markkula lui ait demandé d'accepter de conseiller Apple et l'attirance instinctive de Steve pour son domaine de compétence – le marketing – firent de lui son principal mentor durant ces premières années. McKenna savait présenter l'histoire d'une organisation, mais il était également expert en stratégie d'entreprise. La Silicon Valley dépend depuis longtemps des communicants, autant que des ingénieurs. Avant de pouvoir sortir des ateliers pour investir les foyers et les bureaux, les avancées technologiques doivent être emballées dans une histoire séduisante. En effet, ce sont souvent des concepts étrangers aux possibilités opaques, voire intimidantes, aussi le publicitaire a-t-il pour tâche de les ramener sur terre et de les rendre accessibles aux plus technophobes du commun des mortels. L'agence de McKenna contribua au lancement d'un grand nombre des entreprises les plus prisées de la Silicon Valley, dont National Semiconductor, Silicon Graphics, Electronic Arts, Compaq, Intel et Lotus Software.

McKenna s'aperçut rapidement que Steve avait une clarté et un enthousiasme peu communs. « La jungle de la Silicon Valley n'avait pas de secrets pour lui, explique-t-il. Vous savez, c'est un peu comme ces gamins qui grandissent dans des quartiers modestes et savent où trouver ce qu'ils cherchent et comment fonctionne le système de pouvoir dans le secteur. Ici, il y a de fortes chances que votre voisin soit électricien ou programmeur de logiciel, et un gamin aussi futé et curieux que Steve peut en apprendre long simplement en se baladant et en étant attentif. Dès le collège, Steve était déjà là à tirer des plans sur la comète. »

Les deux hommes passèrent ainsi des heures à Sunnyvale, dans le sous-sol de la maison de McKenna, à discuter des objectifs de Steve pour Apple et son extraordinaire Apple II. Ils abordaient divers sujets, le design, le marketing, le développement de produit, la stratégie, et la façon dont ces éléments s'imbriquaient dans une entreprise saine. McKenna avait le don de présenter le développement des entreprises sous la forme d'une histoire à laquelle Steve pouvait s'identifier. « On discutait du fait qu'il n'y a pas de meilleur outil de marketing que l'état de ses finances, raconte McKenna. Pour que les gens vous écoutent, surtout dans le secteur de l'informatique, il faut que l'entreprise affiche de bons résultats financiers. »

McKenna était fasciné et charmé par Steve. « Il était très sympathique, très agréable et d'une grande profondeur intellectuelle. Il pouvait parler des sujets les plus variés. Parfois, on avait des conversations sans intérêt, et puis on se mettait à parler d'Apple et des affaires. Je me souviens qu'une fois il m'a demandé si je pensais qu'Apple deviendrait un jour plus puissant qu'Intel. La réponse, évidemment, c'est qu'Intel était un fabricant de composants électroniques, et généralement les constructeurs d'équipements généraient des bénéfices plus importants. »

McKenna et Jobs s'entendaient si bien qu'à cette époque le publicitaire connaissait Steve quasiment mieux que personne, d'autant qu'il ne tolérait pas que le jeune homme se montre odieux. « C'est vrai qu'il était irascible, impétueux, mais il ne m'a jamais hurlé à la figure, il ne s'est jamais effondré devant moi. Est-ce qu'il nous arrivait de ne pas être d'accord ? Oui. De nous disputer. Oui. Mais on s'entendait aussi très bien, se souvient-il. J'avais une assistante qui m'a raconté que Steve l'avait appelée un jour pour lui demander quelque chose et qu'il n'avait pas arrêté de lui hurler dessus en lançant des injures. Quand j'ai revu Steve, je lui ai dit : "Ne recommence jamais ça." Elle m'a dit que lorsqu'il est revenu à l'agence, il est allé la voir et lui a dit qu'il était vraiment confus et s'est excusé. J'ai été formé dans l'industrie des semi-conducteurs sous Charlie Sporck, Don Valentine, tous ces gars-là. Si on ne leur tenait pas tête, on se faisait bouffer. Alors, ça ne me dérangeait pas de lui dire : "La ferme, Steve." Il n'aimait pas dominer par méchanceté. Mais si les gens se comportaient en larbins, il les laissait faire. »

McKenna et son équipe planchèrent avec Steve sur un argumentaire de marketing présentant l'Apple II comme un ordinateur convivial qui ne s'adressait pas aux seuls geeks. La première brochure publicitaire que McKenna créa pour la machine proclamait en couverture : « La simplicité est la sophistication suprême ». C'était un concept qui allait à l'encontre de toutes les tendances de l'industrie, car la plupart des constructeurs existants, tels que Commodore, MITS et Vector Graphics passaient des publicités dans les revues amateur montrant des ribambelles de types grisonnants vantant les mérites de telle ou telle innovation à des geeks totalement obsédés. Durant des dizaines d'années, Apple allait devoir se distinguer de ses concurrents par la convivialité de son marketing.

McKenna aida également Steve à comprendre l'importance de présenter cette image dans tous les canaux de communication auxquels l'entreprise pouvait avoir accès. Très vite, il persuada Steve que, dans la mesure où les ordinateurs Apple n'avaient rien de désuets, l'entreprise avait besoin d'une identité visuelle d'une modernité incontestable, et non de la gravure archaïque de Ronald Wayne, plus adaptée à une enseigne de *head shop*[1] de Berkeley qu'à une entreprise qui aspirait à prendre la tête d'une révolution informatique mondiale. Elle fut remplacée par la célèbre pomme croquée barrée de cinq rayures exubérantes aux couleurs de l'arc-en-ciel – parfaitement ajustées les unes aux autres, avait insisté Steve. Le logo était élégant, moderne, et laissait présager que les ordinateurs Apple seraient bien plus faciles et amusants à utiliser que les ordinateurs centraux d'IBM avec leurs sobres initiales blanches stratifiées sur fond bleu marine – à la manière d'un costume rayé placé de travers. Comme Steve l'expliquait à l'époque : « Notre entreprise est entièrement fondée sur le principe que cela change tout d'avoir une personne pour un ordinateur. Ce n'est pas du tout pareil que d'avoir dix personnes pour un même ordinateur. Ce que l'on essaie de faire, c'est d'éliminer l'obstacle que constitue le fait d'avoir à apprendre à se servir d'un ordinateur. »

Tout comme McKenna, Steve avait le don de savoir expliquer une technologie d'une extrême complexité en termes simples, clairs et même enflammés. Ils avaient tous deux conscience que c'était là un atout majeur pour Apple, d'autant que les autres dirigeants de l'entreprise avaient une personnalité relativement lisse. Une extraordinaire tirade improvisée tirée d'un entretien du *New Yorker* datant de la fin de 1977 témoigne avec force du discours parfaitement maîtrisé de Steve. À une

---

1. Magasin qui vend de l'équipement pour fumer du tabac et du cannabis, ainsi que des produits New Age.

époque où le lecteur moyen s'y connaissait si peu en informatique que les journalistes se délectaient à employer des formules affriolantes du style « ordinateur nu » et s'en tiraient en multipliant les jeux de mots vaseux sur la pomme et le « byte », homonyme du verbe *bite*, croquer, le reporter du magazine avait rencontré Steve qui tenait le stand Apple Computer dans un salon d'informatique. « Je regrette qu'on n'ait pas eu des ordinateurs personnels comme ça quand on était jeunes », lui avait déclaré Steve avant de poursuivre :

« Depuis dix ans, les gens entendent tout un tas de choses sur les ordinateurs dans les médias. Les ordinateurs contrôleraient prétendument des pans entiers de leur vie. Et pourtant, malgré ça, la plupart des adultes n'ont pas la moindre idée de ce qu'est vraiment un ordinateur, ni de ce qu'il peut faire ou ne peut pas faire. Et maintenant, pour la première fois, les gens peuvent réellement acheter un ordinateur pour le prix d'une bonne chaîne stéréo, interagir avec lui et en comprendre le fonctionnement par eux-mêmes. Cela revient un peu à démonter une vieille Chevrolet de 1955. Voyez les appareils photo. Il y a des milliers de gens dans le pays qui suivent des ateliers de photographie. Ils ne deviendront jamais photographes professionnels. Ils veulent seulement comprendre le procédé de la photographie. C'est la même chose avec les ordinateurs. Nous avons lancé une petite entreprise de fabrication d'ordinateurs personnels dans un garage de Los Altos en 1976. Maintenant, nous sommes devenus le plus grand fabricant d'ordinateurs personnels au monde. Nous fabriquons ce qui est pour nous la Rolls Royce des ordinateurs personnels. C'est un ordinateur domestique. Les gens s'attendent à des voyants lumineux, mais ils s'aperçoivent que ça ressemble à une machine à écrire portable qui, une fois reliée à un écran adapté, offre un affichage en couleurs. Il renvoie des informations à celui qui l'utilise. Les utilisateurs sont enthousiastes. On nous demande toujours ce qu'il peut faire, et il peut faire beaucoup de choses, mais d'après moi, ce qu'il fait vraiment pour l'instant, c'est apprendre aux gens à programmer l'ordinateur. »

Avant de rejoindre un stand où une bande de gamins jouait à un jeu informatique appelé Space Voyager, le reporter demanda à Steve s'il voulait bien dire son âge. « "Vingt-deux ans", a répondu M. Jobs. »

Dans cet entretien réalisé au pied levé sur son stand avec un journaliste d'un magazine totalement étranger au high-tech, Steve était parvenu à bien des égards à démystifier aux yeux des consommateurs lambda la machine incroyablement pointue qu'il avait conçue avec Woz. Il comprenait leur peur fondamentale de voir les ordinateurs contrôler des pans entiers de la vie moderne (peur qu'il exploita à plusieurs reprises, notamment dans les références orwelliennes de la célèbre publicité « 1984 »). Il était touché par leur ignorance et établissait des analogies avec des objets rassurants qui leur parlaient : les Chevrolet, les machines à écrire, les appareils photo. Il laissait entendre qu'il n'était pas plus compliqué de se servir d'un ordinateur que d'un appareil photo, allant même jusqu'à le traiter de « domestique ». Et cependant, il élevait son entreprise et son ordinateur au rang de symboles de réussite sociale. Il associait cette machine créée quelques mois auparavant par une bande de hippies californiens chevelus à la Rolls Royce, symbole suprême depuis soixante-treize ans de l'industrie du luxe et du raffinement des élites. Il qualifiait même Apple de leader mondial, une affirmation impossible à prouver qui propulsait la petite entreprise au niveau d'IBM, DEC et Burroughs, qui étaient alors les géants de l'industrie. Steve avait un talent extraordinaire pour les discours improvisés dont McKenna l'aida à tirer profit.

———

DEUX AMÉLIORATIONS CLÉS de l'Apple II firent décoller les ventes. Tout d'abord, Apple intégra un lecteur de disquette qui facilitait le chargement des logiciels. VisiCalc fut le premier logiciel à rencontrer un immense succès. Il s'agissait d'une feuille de calcul relativement simple et sa sortie donna soudain à ceux qui n'y connaissaient rien en informatique une raison d'acquérir un ordinateur, qui leur épargnerait les corvées de comptabilité, la tenue d'inventaires ou la mise au point de scénarios de gestion, leur faisant ainsi gagner du temps. Apple connut alors une hausse sans précédent. Aussi, lorsque les ventes unitaires atteignirent les dizaines de milliers par mois, Apple devint l'équivalent informatique d'un puits de pétrole.

Les ventes passèrent de 7,8 millions de dollars en 1978 à 47 millions en 1979, et jusqu'à 117,9 millions en 1980, l'année de son introduction en Bourse. Jamais une entreprise n'avait connu de croissance aussi fulgurante. Les médias grand public commencèrent à s'y intéresser, et des titres tels qu'*Esquire*, *Time* et *BusinessWeek* se mirent à accorder une large couverture à Apple. Le magazine *Inc.* alla même jusqu'à consacrer sa une à Jobs avec un titre aux accents d'alléluia : « Cet homme a changé le business à jamais. »

Mais ce tableau idyllique masquait les nombreux problèmes qui existaient au sein d'Apple, problèmes inhérents au groupe hétéroclite que formaient ses dirigeants. Tous les mentors que Steve voyait à l'extérieur avaient su exploiter habilement leurs talents individuels au sein de l'entreprise. Edwin Land était un pionnier dont les inventions avaient été rejetées et pourtant, il avait créé une grande entreprise à force d'obstination. Robert Noyce était charismatique et tourné vers l'avenir et il n'avait pu lancer Intel qu'après avoir quitté l'ombre du géant de l'histoire des semi-conducteurs, William Shockley. Michael Scott n'avait jamais vu de systèmes aussi complexes et rigoureux que ceux qu'Andy Grove avait mis en place et cependant, ce dernier avait réussi à faire de son entreprise une des plus créatives de la Silicon Valley. Et Regis McKenna était devenu si habile à négocier les évolutions et les soubresauts de la culture de la Silicon Valley qu'il finit par écrire une série de livres expliquant comment les autres pouvaient en faire de même. C'étaient des hommes complexes, profonds, fascinants, qui avaient plusieurs cordes à leur arc. Ils n'étaient pas effrayés par le changement et se trouvaient exactement là où Steve voulait être – à la croisée de la technologie et d'un domaine qui se rapprochait davantage des lettres et des sciences humaines. Ils jouaient le jeu de l'entreprise tout en imposant leurs propres règles.

Il est impossible de dire ce qui se serait passé si Steve avait eu un de ces hommes à la tête d'Apple. Peut-être aurait-il pu orienter à bon escient les contradictions qui l'habitaient. Mais on ne peut pas revenir en arrière. Steve se retrouvait avec Scott et Markkula. Et il s'avérait que ces derniers n'avaient aucune prise sur lui. Ils parvenaient à peine à canaliser son énergie créative de façon utile. La confrontation entre Steve Jobs et le vaste monde du réel allait prendre des allures de collision au ralenti. Elle allait lui coûter des amis, le priver de son poste et le déposséder de l'entreprise qu'il avait créée.

Chapitre 3
Réussite et revers

Tous les clichés renferment une part de vérité. Le poncif selon lequel il était moitié génie, moitié salaud est largement fondé sur son comportement au cours des neuf premières années où il fut à la tête d'Apple. À cette époque, il était capable du meilleur comme du pire, de sommets éblouissants et de déplorables écarts. Durant cette période, il cherchait constamment à être sur le devant de la scène et il était totalement incontrôlable. Il se faisait tout à la fois des disciples et des ennemis. C'est dans ces années-là que toutes les contradictions de son caractère se révélèrent au grand jour, le laissant à la dérive, tout comme son entreprise.

Jusque-là, Steve avait mené une vie chaotique, se laissant aller et se dispersant comme la plupart des jeunes d'une vingtaine d'années – et particulièrement ceux qui se jetaient à corps perdu dans une carrière, sans compter les nuits blanches, sans jamais sortir ni voir leur famille. En 1978, la situation dérapa lorsqu'il refusa de reconnaître son enfant. Chrisann Brennan, avec qui il sortait depuis un certain temps, accoucha de leur fille Lisa en mai 1978 dans la communauté de Robert Friedland, dans l'Oregon. Trois jours après sa naissance, Steve alla les rejoindre toutes les deux. Mais durant des mois, il nia être le père du bébé et refusa de subvenir à ses besoins. Il contesta même le test de paternité ordonné par la justice établissant que la probabilité qu'il soit le père de Lisa était de 94,4 % : comme si son déni suffisait à réfuter toute preuve. Quand il commença à payer une pension alimentaire pour elle de 385 dollars par mois, il continua à protester qu'il n'était pas sûr d'être son père. Il ne la voyait que rarement et laissa Chrisann l'élever seule dans une petite maison de Menlo Park.

Steve mit des années avant d'accepter que Lisa entre réellement dans sa vie et plus tard, il exprima à de nombreuses reprises ses regrets de s'être comporté ainsi. Il savait qu'il avait fait une terrible erreur. Il avait dépassé les bornes et n'importe qui aurait jugé sa conduite inadmissible. Lisa a confié qu'elle ne s'était jamais sentie proche de son père et décrit le désarroi et le sentiment d'instabilité qu'elle a éprouvés étant petite. Chrisann s'est également exprimée à ce sujet et a écrit un livre, certes partial, où elle dresse le portrait d'un petit ami et d'un père négligent, indifférent et cruel. C'est ce qui pèse le plus contre lui dans le débat qui oppose ceux qui estiment que Steve était un homme bien à ceux qui voient en lui un type odieux. Il avait vingt-trois ans lorsque la naissance de Lisa l'avait appelé à se conduire en adulte responsable. Et il avait refusé avec virulence, tout comme il l'avait rejetée, elle.

Ses plus proches collaborateurs connaissaient l'existence de Lisa et entendirent Steve nier sa paternité et se plaindre d'être poursuivi en justice par Chrisann. Arthur Rock qualifia par la suite son attitude de « délirante ». Pour quelqu'un d'aussi peu sentimental que Rock, l'attitude de Steve corroborait le comportement de plus en plus irresponsable qu'il manifestait chez Apple. Que ce soit face à ses soi-disant supérieurs ou lorsqu'il prenait des décisions qui affectaient ses subordonnées, Steve pouvait sembler indifférent aux conséquences de ses choix. Il donnait l'impression de manquer d'empathie.

Cette attitude ne fit que s'aggraver l'année qui suivit la visite de Steve au Garden of Allah, lorsqu'Apple fit son entrée spectaculaire en Bourse. Des années plus tard, Jobs confia à Susan Barnes, responsable financière chez Apple et NeXT, que le plus grand jour de sa carrière était le 12 décembre 1980 – date de l'introduction en Bourse d'Apple –, car c'est uniquement à ce moment-là qu'il avait eu la certitude que tous ceux qui avaient conduit Apple au succès allaient gagner une petite fortune. Mais Steve avait expressément exclu du pactole des stock-options des hommes tels que Bill Fernandez et Daniel Kottke, un ingénieur qu'il avait rencontré à Reed College, bien qu'ils aient largement contribué à lancer Apple durant l'été 1976, dans le garage des parents de Steve. Jobs justifiait sa décision en s'abritant derrière un argument bureaucratique : c'étaient des employés payés à l'heure, et à ce titre ils ne pouvaient pas prétendre aux « parts de fondateurs » qui transformèrent en millionnaires trois cents salariés d'Apple employés de longue date. Le manque de générosité de Steve était révélateur d'un trait de sa personnalité qui semblait plus général.

« Il avait des capacités incroyables, mais il les consacrait quasi exclusivement au travail », explique Lee Clow, le directeur artistique de Chiat\Day, qui devint un des meilleurs amis de Steve après avoir travaillé sur le célèbre spot « 1984 ». Avec de telles priorités, et d'autant plus qu'il était encore immature, il avait tendance à penser que personne ou presque n'était irremplaçable dans sa vie. Fernandez et Kottke avaient de l'importance pour lui trois ans auparavant, mais à ses yeux, ils n'avaient pas suivi le mouvement. Ce n'étaient pas des collaborateurs clés d'Apple, et par conséquent, ils n'avaient plus grand-chose à lui apporter. Sa priorité était de récompenser ceux qui contribuaient en 1980 à l'avancée d'Apple. C'était le point de vue détaché d'un jeune homme dont la vie professionnelle avait atteint des sommets qu'il n'avait pas anticipés. Sur le plan affectif, sa logique avait des répercussions qu'il n'avait pas envisagées non plus. Kottke, Fernandez et d'autres se sentirent dédaignés, sous-estimés. À cause de son comportement, Steve se retrouva isolé au sein d'Apple. À ce stade, il ne mesurait pas combien il est essentiel d'avoir de véritables alliés dans une entreprise. C'était une erreur de jugement qui le rattraperait plus tard.

Après l'introduction en Bourse, Steve pesait 256 millions de dollars. Ce chiffre largement médiatisé, les belles voitures qui se multipliaient sur le parking d'Apple, les résidences secondaires et les vacances onéreuses dont on parlait dans les couloirs engendrèrent au sein de l'entreprise le sentiment que l'offre publique avait créé un clan de gagnants et un autre de perdants. Apple, qui était passée d'une poignée de gens en 1977 à deux mille neuf cents employés en 1981, était divisée à bien des égards. À l'automne 1980, les effectifs avaient doublé en l'espace de trois mois. Les « anciens » d'Apple surnommaient ces quelques mois la « période débile » et se moquaient des petits nouveaux.

Steve n'étalait pas sa récente fortune, mais il creusa les fossés qui existaient dans l'entreprise de façon tout aussi égocentrique. D'une manière générale, le personnel d'Apple avait soit pour mission de consolider et engranger les bénéfices de l'Apple II, soit de rechercher de nouveaux produits. L'Apple II était le gagne-pain qui assurait la croissance de l'entreprise. Il exigeait un travail classique d'amélioration et d'augmentation successives de ses capacités afin d'assurer la pérennité de son succès. Les employés d'Apple développèrent un énorme réseau de ventes constitué de centaines de détaillants, collaborèrent avec le milieu émergent des développeurs de logiciels en s'assurant qu'ils aient à leur disposition les outils nécessaires pour écrire de nouveaux logiciels susceptibles d'attirer davantage de consommateurs et planchèrent sur de nouvelles versions de la machine, comme l'Apple IIe et l'Apple IIGS. Leurs efforts furent payants : l'Apple II sous ses divers modèles était un produit incroyablement durable, qui se vendit à près de six millions d'unités avant d'être retiré du marché en 1993. Le bon vieil Apple II de Woz alimenta ainsi la croissance exponentielle de l'entreprise pendant dix ans. Ce n'est qu'en 1998 que les ventes du Macintosh dépassèrent enfin celles de l'Apple II. Steve qui était officiellement à la tête du développement des produits ne tarda pas à se désintéresser de l'Apple II. Au fond de lui, disait-il, il sentait qu'Apple avait besoin d'une nouvelle innovation, que l'industrie progressait si vite que l'entreprise était condamnée à sombrer si elle n'avait à offrir que des versions légèrement améliorées de l'Apple II. Il exprima clairement ses inquiétudes et laissa entendre que tous les ingénieurs et tous les responsables marketing dignes de ce nom devaient avoir envie de travailler à la création d'un tout nouveau produit. Son attitude sectaire froissa bon nombre de concepteurs de matériel et de logiciels, mais elle était particulièrement insultante à l'égard de Woz qui choisit de continuer à veiller sur l'Apple II au lieu de rejoindre l'équipe Mac. « Certains ingénieurs de l'Apple II étaient traités comme s'ils n'existaient pas », raconta plus tard Woz. À mesure que l'entreprise grandit, Steve et lui s'éloignèrent inéluctablement.

Globalement, Steve avait raison de penser qu'Apple devait sortir un nouveau produit, et rapidement. La meilleure façon de maintenir une croissance régulière du chiffre d'affaires dans le secteur du matériel informatique est d'avoir une nouveauté prête à sortir quand la dernière nouveauté est à l'apogée de son succès. Markkula, Scott et le conseil administration estimaient tous qu'il était urgent que la marque produise un nouveau modèle, idéalement plus adapté aux besoins des gens qui travaillaient dans des bureaux. IBM, le géant endormi de l'industrie, étudiait apparemment la possibilité de concevoir son propre ordinateur personnel (il fut commercialisé en 1981). Aussi, en 1978, le conseil d'administration accorda à Steve le budget et les ingénieurs nécessaires pour développer un successeur à l'Apple II.

L'industrie de l'ordinateur personnel en était à ses débuts et tout le monde avançait à tâtons, y compris Steve. Il n'avait pas encore compris une chose essentielle, à savoir que la plupart des produits innovants résultent d'une longue série de prototypes hasardeux, de l'accumulation régulière de fonctionnalités et de la synthèse des technologies existantes en temps requis. Woz et lui, à l'inverse, avaient foncé tête baissée, travaillé avec acharnement et réussi du premier coup à créer une machine extraordinaire telle que l'industrie n'en avait jamais connue. C'était ainsi que Steve concevait le développement de produits. Mais il s'apprêtait à découvrir que dans les entreprises, ce n'était pas aussi simple.

L'entreprise avait des objectifs concrets et précis pour son nouvel ordinateur qui devait s'appeler l'Apple III. Il serait conçu à la fois pour la maison et le bureau et comporterait un moniteur affichant quatre-vingts caractères par ligne, deux fois plus que l'Apple II d'origine. Ce nombre de caractères correspondant au standard des documents tapés à la machine, l'Apple III concurrencerait directement les ordinateurs de traitement de texte spécialisés de Wang Laboratories qui avaient fait depuis deux ans une percée plus massive encore dans les bureaux américains et européens que l'Apple II dans les foyers. Si le nouveau modèle voyait le jour, il permettrait à l'Apple III d'accéder au marché des micro-ordinateurs de bureau.

Après le succès de l'Apple I et de l'Apple II, Steve surestimait quelque peu ses capacités de jugement technique. Il prit une série de décisions désastreuses auxquelles il allait être difficile de remédier par la suite. En particulier, il décréta que l'Apple III dont les dimensions devaient être réduites afin de dégager le plus d'espace possible sur un bureau serait absolument silencieux, ce qui signifiait l'absence de ven-tilateur interne. Cet impératif ralentit considérablement le processus de développement, obligeant les ingénieurs à imaginer un moyen de créer des courants de convection pour isoler de la chaleur la carte mère qui portait tous les semi-conducteurs et l'alimentation électrique. Sans ventilateur, ces composants pouvaient transformer l'intérieur d'un petit ordinateur en four à pizza. Les ingénieurs finirent par décider de convertir le boîtier même en dissipateur thermique, ce qui supposait de le fabriquer en fonte d'aluminium, matériau qui offrait une bonne conduction de la chaleur mais ajoutait au coût et à la complexité de la fabrication.

Les exigences de Steve n'étaient pas les seules à freiner la conception de l'Apple III. Dans la mesure où Apple voulait attirer des clients sus-ceptibles d'avoir acheté un Apple II, la marque devait s'assurer que les logiciels créés pour le II fonctionneraient aussi sur le III. Cette « rétro-compatibilité » était une contrainte fastidieuse bien plus complexe que Steve ne l'avait imaginé et le temps que ses ingénieurs y consacrèrent ralentit presque autant le projet que les exigences maniaques qu'il leur imposait sur la conception du matériel.

Steve faisait pression sans relâche sur les ingénieurs de l'Apple III pour résoudre rapidement ces problèmes. Il n'avait que faire de leurs difficultés. Habitué à l'extraordinaire capacité de Woz à surmonter les limites et les obstacles, il comptait sur ces nouveaux ingénieurs matériel et logiciel pour faire de même. Ils en étaient incapables.

———

L'IMPATIENCE QUE RESSENTAIT Steve face aux rouages de l'entreprise était compréhensible. C'était un visionnaire. À l'heure actuelle, le terme est employé à tout propos, particulièrement dans la Silicon Valley, mais il s'appliquait légitimement à Steve, et ce depuis toujours. Il avait la capacité d'anticiper ce qui allait venir, d'envisager la manière dont on pouvait combiner les germes d'idées existantes pour créer quelque chose que personne n'imaginait. L'enjeu pour le jeune visionnaire était de se mettre à l'œuvre – c'est ainsi que les rêveurs peuvent changer le monde.

Quelques semaines avant de se rendre au Garden of Allah à la fin de l'année 1979, Steve avait décidé, sur les conseils de Bill Atkinson, Jef Raskin et plusieurs autres techniciens d'Apple, d'aller voir de plus près le travail d'un informaticien réputé du nom d'Alan Kay et de quelques autres ingénieurs du Palo Alto Research Center, le centre de recherche de Xerox Corporation, à dix minutes en voiture de Cupertino, un peu plus au nord de la péninsule.

Le PARC, comme on l'appelait, allait devenir célèbre pour avoir mis au point des concepts à l'origine d'une multitude de technologies, parmi lesquelles le réseau local Ethernet, les moniteurs à haute résolution, l'impression laser et la programmation orientée objet. Cet été-là, Xerox s'était joint à un certain nombre de sociétés de capital-risque dans un volet d'investissement secondaire de 7 millions de dollars dans Apple (dans le cadre de l'accord, Steve avait vendu aux investisseurs pour 1 million de dollars de ses propres parts) et en échange, le fabricant « entrouvrait le kimono », selon l'expression en vogue dans la Silicon Valley, autrement dit, donnait un aperçu à Apple de ses technologies les plus pointues. Pour Steve, ces visites étaient de véritables révélations, car les technologies présentées au PARC incarnaient à ses yeux tout ce que les ordinateurs pouvaient et devaient être.

C'est au PARC que Steve et son équipe découvrirent les technologies naissantes qui devaient constituer par la suite les caractéristiques spécifiques du Lisa et du Macintosh avant d'être adoptées par tous les ordinateurs personnels. On leur présenta un ordinateur muni d'un écran blanc comme du papier au lieu d'être noir. De plus, cet écran avait les dimensions exactes d'une feuille de papier machine standard aux États-Unis, soit 21,59 centimètres par 27,94. Il affichait des caractères si nets et bien formés qu'ils avaient l'air d'avoir été tapés sur cette feuille. Les caractères avaient été pixellisés : chaque pixel de l'écran suivait individuellement des instructions de l'ordinateur, une technologie révolutionnaire qui permettait aux développeurs de maîtriser pleinement le graphisme de l'écran. (Jusque-là, ils devaient se contenter de placer des caractères rudimentaires blancs, verts ou orange sur un écran noir. Les seules images graphiques qu'ils pouvaient créer étaient des assemblages méticuleux de caractères standard.) Ces caractères pixellisés n'étaient qu'un début : l'écran pouvait également afficher et organiser le contenu du stockage de données numériques grâce à des « icônes » graphiques – des symboles légèrement plus petits qu'un timbre – représentant des documents qui pouvaient être placés « dans » des dossiers chimériques au moyen d'un étrange instrument de pointage que les geeks du PARC appelaient « souris ». Cette souris pouvait également être utilisée pour déplacer un curseur dans un document ouvert à l'écran lorsqu'on écrivait ou modifiait un texte. Pour effacer un fichier ou un dossier, il suffisait de le jeter à la corbeille, en se servant de la souris pour faire « glisser » l'icône représentant le document vers une autre icône de l'écran en forme de poubelle et de l'y « déposer ». Comparée à l'écran noir aux sinistres caractères verts qui la précédait, cette interface graphique utilisateur

– ou GUI, comme on l'appela par la suite – représentait une avancée au moins aussi révolutionnaire que le cinéma parlant.

Les chercheurs du PARC mesuraient pleinement l'importance de ce progrès, et ils étaient consternés de voir que Xerox avait de fait payé le privilège d'accorder à Steve et aux autres visiteurs d'Apple l'accès à une technologie aussi radicalement innovante. Ils pensaient à juste titre que la direction de Xerox, sur la côte Est, ne tenait pas particulièrement à produire un véritable ordinateur, et préférait créer des photocopieuses plus performantes et peut-être un traitement de texte dédié pour concurrencer celui de Wang. Ce n'est qu'en 1981 que Xerox sortit un ordinateur basé sur la technologie du PARC. Baptisé STAR, c'était une machine insolite qui n'était pas commercialisée auprès des particuliers, mais uniquement auprès des entreprises, dans le cadre d'un système en réseau composé d'au moins trois ordinateurs vendus environ 16 000 dollars pièce. Malgré les performances de cet ordinateur pour l'époque, les clients hésitaient à débourser près de 50 000 dollars au mininum pour équiper un bureau. Il eut peu d'impact sur le marché.

Steve s'aperçut que la GUI de Xerox pouvait servir de fondement à un projet très ambitieux et très personnel. Grâce à l'iconographie présentée à l'écran, n'importe qui ou presque pourrait avoir une approche intuitive de l'informatique. Les interfaces existantes dressaient entre l'utilisateur et les résultats crachés par l'ordinateur une barrière de commandes et d'obscurs symboles typographiques aux allures de jurons. En remplaçant ces commandes par des icônes visuelles facilement manipulables grâce à la souris, exploiter la puissance de traitement des données d'un ordinateur donnerait davantage le sentiment d'aller à la bibliothèque et de prendre un livre sur un rayonnage ou de discuter avec un ami ou un professeur brillant. Cette interaction, ce va-et-vient aisé entre l'utilisateur et l'ordinateur, pouvait permettre à Steve de réaliser son objectif primordial, créer un ordinateur réellement personnel pour le consommateur moyen. Steve employait même une métaphore pour décrire ce que serait cet ordinateur : « Le vélo de l'esprit ». Après sa visite au PARC, c'était un autre homme ; il voulait apporter au monde entier les technologies qu'il y avait découvertes.

———

À PRÉSENT, le défi qui se présentait à Steve était de tenir cette promesse dans le cadre exigeant d'Apple. Personne dans l'entreprise n'aurait pu imaginer un projet d'une ambition aussi ahurissante, et personne n'aurait pu le compliquer à ce point. La route fut longue, ponctuée de multiples détours et marquée de dommages collatéraux, mais elle aboutit en 1984 à la sortie du Macintosh.

Après cette visite au PARC, Steve laissa tomber le projet de l'Apple III, qu'il avait délaissé peu à peu. Il s'en était désintéressé, comprenant que la machine n'était qu'une modeste amélioration de l'Apple II. Cette fois, il s'en détourna totalement et décida d'appliquer ce qu'il avait appris au PARC au projet d'un nouvel ordinateur qui était déjà à l'étude chez Apple. C'était une machine spécifiquement destinée aux entreprises figurant au classement du Fortune 500 qui avaient besoin d'une forte capacité d'informatique en réseau pour accomplir des tâches présentant un volume de données trop important pour l'Apple II et même l'Apple III.

Baptisé Lisa, l'ordinateur était en gestation depuis la mi-1978, sans que de réels progrès aient été accomplis. Aussi, lorsque Steve prit la direction du projet début 1980, l'équipe eut un élan d'optimisme. Steve leur annonça qu'il avait la ferme intention de faire de Lisa le premier ordinateur pourvu d'une interface graphique utilisateur et d'une souris. Pour eux, leur dit-il, c'était l'occasion d'entrer dans l'histoire. Il demanda à Bill Atkinson, le responsable du développement logiciel, le temps qu'il lui fallait pour appliquer ce qu'ils avaient vu au PARC à des logiciels compatibles avec Lisa. Atkinson prévoyait que cela prendrait six mois, se trompant de deux ans et demi. De toute évidence, Steve n'était pas le seul chez Apple à penser que plus la vision était claire, plus le chemin était court.

Les quelques mois que Steve passa à la tête du projet Lisa révélèrent ses faiblesses. Une fois de plus, il se montra incapable de résoudre la disparité entre les objectifs d'Apple pour cet ordinateur et ses propres ambitions. Lisa était censé être destiné aux entreprises, mais Steve s'intéressait presque uniquement à ce qui pouvait en faire une machine accessible et conviviale pour les particuliers. Il avait un projet idéal sur le long terme – des années plus tard, les ordinateurs simples d'utilisation allaient répandre la micro-informatique dans les entreprises de toute taille – sans la perspective nécessaire pour réussir à court terme. Il manifestait un intérêt de pure forme aux besoins particuliers des entreprises et des institutions, mais ce qui le passionnait réellement, c'étaient les icônes aux bords arrondis de l'interface du « bureau » de Lisa.

Atkinson et ses programmeurs se basèrent effectivement sur ce qu'ils avaient vu au PARC pour produire des améliorations significatives. Le projet Lisa permit aux concepts modernes d'interface utilisateur fondée sur les fenêtres superposables, le défilement continu et la souris, de prendre leur essor. Mais Steve ne parvenait pas à diriger son équipe, principalement parce qu'il était incapable de lui offrir une unique vision fédératrice, ses propres intérêts divergeant de ceux du public visé, les utilisateurs professionnels. Lorsqu'inévitablement, le projet arriva au point mort, Steve explosa, fustigeant l'équipe et menaçant de faire venir Woz qui pouvait certainement faire mieux et plus vite. Scott tenta de sauver Steve en recrutant Larry Tesler, un des meilleurs chercheurs du Xerox PARC, et une partie de ses collaborateurs pour essayer d'apporter au projet un peu de rigueur et de concentration. Mais deux mois après que Tesler eut été recruté, Scott s'aperçut que l'ordinateur sur lequel il comptait pour représenter Apple sur le marché crucial des entreprises allait avoir beaucoup de retard, serait trop onéreux et avait toutes les chances de ressembler à une usine à gaz.

À l'automne 1980, Scott vira Steve de l'équipe au bout d'à peine neuf mois et donna la direction à John Couch, un ancien ingénieur en chef de Hewlett-Packard. C'était la seconde fois que Steve échouait à diriger une équipe qui avait pour objectif de créer un ordinateur destiné au marché professionnel. Dans l'industrie informatique, de plus en plus de gens étaient à l'écoute des besoins de la clientèle des entreprises, mais Steve ne figurait pas parmi eux.

———

LE PROBLÈME VISCÉRAL d'autorité que rencontrait Steve – son incapacité à diriger de grandes équipes, son inaptitude à adapter ses talents aux besoins de patrons qui manquaient certes d'envergure – fit des ravages. Le lancement de l'Apple III fut un désastre. L'ordinateur ne fut commercialisé qu'en mai 1980 – un an plus tard que prévu –, au tarif de base de 4 340 dollars, soit plus du double du prix cible. En l'espace de quelques semaines, beaucoup d'acheteurs retournèrent leur machine en exigeant d'être remboursés, après qu'un nombre inquiétant d'Apple III eut connu de sérieuses défaillances dues à une surchauffe. Dans certains cas, la carte mère avait tellement chauffé que la soudure s'était ramollie et que les puces étaient sorties de leur support. En tout, il fallut en remplacer quatorze mille. (Le châssis en aluminium dissipait efficacement la chaleur ; en réalité, le problème était dû aux différents éléments placés trop près les uns des autres sur le circuit imprimé.) De plus, la rétrocompatibilité était si délicate à mettre en œuvre qu'au début, il y avait très peu de programmes disponibles, si bien que les ordinateurs en état de fonctionnement ne servaient pas à grand-chose. L'Apple III fut un véritable échec commercial et ne se vendit qu'à cent vingt mille exemplaires avant d'être retiré du marché en 1984. Durant cette même période, l'entreprise vendit près de deux millions d'Apple II.

C'était essentiellement sur Scott que reposait le poids des responsabilités, qui était d'autant plus considérable que le nombre d'actionnaires de l'entreprise était à présent très élevé. Mais Jobs torpillait sans cesse son patron. Il humiliait les fournisseurs que Scott avait courtisés, se plaignait constamment et publiquement de broutilles, comme la couleur des plans de travail des labos, et bousculait régulièrement le calendrier de production établi par Scott en exigeant que des détails insignifiants soient exécutés. Ses propres échecs ne suffisaient pas à le calmer. Ils ne faisaient même que renforcer son antipathie pour Scott, qui s'efforçait de respecter l'équilibre entre les besoins contradictoires de milliers d'employés. Lorsqu'il s'agissait de ses propres idées, Steve n'acceptait pas de compromis et transformait en confrontation la moindre décision qui n'allait pas dans son sens. Les conflits qui opposaient les deux hommes au sein de l'entreprise furent surnommés les « Scotty Wars ». Les difficultés que lui posait son associé n'étaient qu'un des nombreux sujets de contrariété de Scott et tout finit par s'accumuler. Peu à peu, il se mua en un dirigeant inconsistant alors que l'entreprise avait besoin d'une poigne ferme. Il se mit à souffrir de diverses affections, visiblement liées au stress. Lorsqu'il se décida enfin à réparer les dégâts de la « période débile » en licenciant du personnel, il l'annonça lors d'une conférence rassemblant tous les salariés de l'entreprise en mars 1981 où il avoua qu'il ne trouvait plus très drôle de diriger Apple.

Peu après, le conseil d'administration jugea préférable de se séparer de lui. Il partit non sans avoir au préalable tiré une dernière cartouche, dans une lettre où il critiquait ce qui était pour lui une culture d'hypocrites, de béni-oui-oui et de « bâtisseurs d'empire ». Évidemment, il avait sa part de responsabilité dans les divisions, mais Steve savait que c'était essentiellement Scott qui avait assuré la métamorphose de la petite start-up en une grande entreprise. Après le départ de son ancien patron, Steve éprouva apparemment une soudaine culpabilité. Il aurait déclaré : « Je redoutais en permanence de recevoir un coup de fil m'annonçant que Scotty s'était suicidé. »

———

UN JOUR DE septembre 1981, quelques mois après l'éviction de Scott, Bill Gates se rendit sur le site d'Apple à Cupertino. Le CEO de Microsoft, tout juste âgé de vingt-six ans, était un habitué, car sa société collaborait étroitement avec Apple sur des langages de programmation destinés aux développeurs de logiciels. À cette époque, Steve était riche et célèbre. Cependant, Gates était bien plus mûr et plus doué en affaires que Steve.

Après avoir lâché Harvard, Gates avait fondé Microsoft en 1975, à Albuquerque, au Nouveau-Mexique, avec son copain programmateur Paul Allen rencontré au collège. Albuquerque avait vu naître l'ordinateur Altair qui avait tellement fasciné les amateurs du club Homebrew. Gates et Allen écrivirent un logiciel baptisé « interpréteur » qui permettait aux passionnés d'informatique d'écrire leur propre programme pour l'Altair en utilisant le langage de programmation BASIC qui était aussi simple qu'apprécié. MITS décida d'inclure le logiciel avec tous les Altair vendus, et c'est ainsi que Microsoft fut lancé. Fils d'un éminent avocat de Seattle et d'une mère brillante et dotée d'un grand sens civique, Gates n'avait eu aucun mal à entrer dans le monde des affaires. Lorsqu'Allen et lui s'aperçurent que les amateurs distribuaient des copies piratées de leur interpréteur Altair BASIC, Gates rédigea une sorte de manifeste soutenant que les développeurs de logiciels de micro-ordinateurs devaient être rémunérés pour les programmes qu'ils écrivaient. Cela permettrait, disait-il, l'émergence d'une nouvelle industrie de logiciels, qui bénéficierait tout autant aux développeurs qu'aux fabricants de micro-ordinateurs et aux utilisateurs. Ce serait un changement majeur : jusque-là, le développement de logiciels était essentiellement aux mains des fabricants de matériel informatique, qui absorbaient les coûts de développement dans le prix de vente de la machine. La perspective de s'enrichir en créant des logiciels, estimait Gates, encouragerait l'innovation et aiderait les nouveaux fabricants de micro-ordinateurs à mieux tirer profit du rythme effréné des progrès de la technologie des semi-conducteurs que promettait la loi de Moore.

Le manifeste de Gates joua un rôle aussi crucial dans l'explosion de la micro-informatique que la loi de Moore. Le développement de logiciels requiert très peu d'investissement, dans la mesure où il s'agit essentiellement de capital intellectuel, de purs produits de la pensée exprimés dans un langage accessible à des machines. Le principal coût est la main-d'œuvre chargée de concevoir et de tester ces logiciels. Ces derniers ne nécessitent pas d'établir des usines de production coûteuses ni de mettre au point des équipements et des processus de fabrication. Ils peuvent être reproduits à l'infini pour un prix dérisoire. Et la perspective de centaines de milliers de clients potentiels, voire davantage, signifie que les développeurs peuvent limiter leur tarif. Gates avait raison. Cette approche qui prenait en compte la rémunération des créateurs de logiciels donna naissance à une nouvelle industrie dynamique. On peut aller jusqu'à dire que la contribution majeure de Bill Gates ne fut pas Microsoft, ni le MS-DOS, ni les systèmes d'exploitation Windows, ni les suites bureautiques Office utilisés par des centaines de millions de gens, mais son rôle de défenseur de l'idée de la valeur intrinsèque des logiciels. Une telle capacité de projection à long terme était révélatrice d'un esprit adapté aux structures organisationnelles de l'entreprise. Durant ses premières années, Microsoft ne manqua jamais de dirigeants éclairés, contrairement à Apple.

En ce matin de septembre 1981, IBM lança son premier ordinateur personnel. Steve avait toujours traité Big Blue – le surnom de la firme – d'énorme monstruosité et il était convaincu qu'aucun consommateur exigeant ne pouvait préférer un micro-ordinateur d'IBM à un Apple. Gates, en revanche, savait que cela pouvait prendre de l'ampleur. Son système d'exploitation MS-DOS était installé sur tous les IBM PC qui sortaient et il avait vu à quelle vitesse Don Estridge et Bill Lowe chez IBM avaient réussi à piloter leur projet de PC malgré la rigidité bureaucratique de Big Blue. Ils étaient si impatients de le lancer sur le marché qu'ils avaient même accepté de signer un accord historique avec Gates, accordant à ce dernier le droit de céder la licence du MS-DOS à d'autres fabricants d'ordinateurs. C'est une décision qu'ils devaient toujours regretter, car elle finit par faire pencher la balance en faveur de Microsoft, au détriment des constructeurs de matériel informatique – prouvant ainsi le bien-fondé du manifeste de Gates et annonçant l'adoption quasi généralisée de MS-DOS par l'industrie informatique qui en fit son standard, marginalisant ainsi Apple qui se refusait à céder la licence de son système d'exploitation. Mais en cet après-midi de septembre, les employés d'Apple que vit Gates ne semblaient pas se rendre compte que leur monde s'apprêtait à basculer et ne paraissaient pas particulièrement inquiets. « Je n'arrêtais pas de demander à tout le monde : "C'est incroyable, non ?" Mais ça n'avait pas l'air de les préoccuper », se remémora Gates des années plus tard.

———

APRÈS LE DÉPART de Scott, Mike Markkula prit la tête de la société et Jobs fut promu président du conseil d'administration. Alors même qu'Apple s'apprêtait à être pris de court par IBM et la série de fabricants de « clones » de l'industrie informatique, tels que Compaq, qui allaient s'engager dans le sillage de Big Blue, la société était dirigée par deux hommes qui ne souhaitaient pas occuper ce poste et n'y étaient pas adaptés. L'immaturité de Steve et ses problèmes d'autorité avaient laissé l'entreprise à la dérive et Markkula était un dirigeant pusillanime qui ne faisait pas grand-chose pour impulser une détermination claire au personnel. Apple se débrouilla ainsi tant bien que mal pendant quelques mois avant de s'occuper sérieusement de se chercher un nouveau CEO en chargeant Gerry Roche, président du cabinet de chasseurs de têtes réputé Heidrick & Struggles, de lui trouver un patron. C'est Gerry Roche qui présenta John Sculley à Steve.

La campagne de séduction que mena Steve auprès de Sculley, alors président de PepsiCo, a été maintes fois rapportée. C'est l'histoire de deux hommes qui ne virent de l'autre que ce qu'ils voulaient voir, rêvèrent de tout ce que leur association pouvait leur apporter et furent l'un et l'autre amèrement déçus.

Dirigeant du secteur des sodas et des snacks apéritifs, Sculley était un New-Yorkais de quarante-trois ans, pur produit de ce que l'argent avait de mieux à offrir en matière de collèges privés et d'universités d'élite – en l'occurrence Brown University, puis Penn's Wharton School (The Wharton School of the University of Pennsylvania), où il avait obtenu un MBA. Il était devenu célèbre chez Pepsi pour avoir conçu la campagne du « Challenge Pepsi », innové dans le domaine des promotions de « tête de gondole » et autres ficelles de marketing. C'était un ardent défenseur des études de consommateurs pour améliorer au mieux l'offre de produits.

Malgré le mépris qu'il affichait volontiers à l'égard de Scott et Markkula, Steve savait pertinemment qu'il avait encore beaucoup à apprendre sur le monde commercial. Il crut trouver en Sculley un dirigeant du club du Fortune 500 à l'esprit ouvert, qui saurait à la fois endosser le rôle du mentor chargé de lui prodiguer des conseils en interne et celui de dirigeant avisé et rigoureux d'une entreprise en pleine expansion. Steve lui fit miroiter tout le potentiel d'Apple, tandis que Sculley semblait imaginer de multiples façons de mettre ses talents à profit pour encourager son cadet dans l'orientation qu'il voulait donner à l'entreprise. Steve était d'autant plus entiché de Sculley que ce dernier se faisait désirer. Il refusa la première proposition d'Apple qui lui offrait un salaire annuel de 300 000 dollars assorti d'options d'achat de cinq cent mille actions Apple, ce qui représentait à l'époque environ 18 millions de dollars. Le 20 mars 1982, les deux hommes se retrouvèrent au Carlyle Hotel pour se déclarer enfin leur flamme. Ils se baladèrent dans Central Park et au Metropolitan Museum of Art avant d'atterrir dans Central Park West au pied de l'immeuble San Remo. Un penthouse en duplex dans une des tours jumelles était à vendre et Steve songeait depuis un moment à faire une offre. Sur un balcon du trentième étage, Sculley annonça à Steve qu'il n'envisagerait de rejoindre Apple qu'à condition de se voir offrir un salaire annuel de un million, plus un million de prime à la signature et la garantie d'un parachute de un million si cela se passait mal. C'étaient des exigences ahurissantes pour l'époque, mais Steve ne se démonta pas et lui assura qu'il paierait de sa propre poche si nécessaire. Il conclut l'affaire en mettant Sculley au défi d'une formule célèbre qui devait nourrir sa propre légende : « Vous voulez passer votre vie à vendre de l'eau sucrée ou essayer de changer le monde ? »

Deux jours plus tard, William S. Paley, le fondateur de CBS, confia à Sculley que s'il était jeune, il partirait dans la Silicon Valley car c'était là que se jouait l'avenir. Sculley entra à Cupertino le 8 avril 1983.

Le package salarial hallucinant qu'il avait obtenu faisait de lui le dirigeant le mieux payé de toute l'histoire de l'industrie informatique.

De la part de Steve, cet engouement pour Sculley se révéla une fois de plus une erreur regrettable. Il était si impatient de trouver un grand manager dont les compétences puissent concorder avec les siennes, que certaines faiblesses criantes lui avaient échappé. Sculley possédait certes de solides compétences de marketing – quoique conventionnelles –, mais en savait peu quant aux autres aspects de la gestion d'entreprise, malgré son MBA et ses années chez PepsiCo. D'une certaine manière, il manquait autant d'assurance que Steve. Il avait l'impression d'avoir beaucoup à prouver aux petits génies de l'informatique d'Apple. Il se vantait qu'enfant, il avait fait de la radioamateur et inventé un tube cathodique pour la télévision couleur. Mais il ne connaissait pas grand-chose en informatique. À son arrivée à Cupertino, il s'empressa de recruter un assistant technique pour l'aider à potasser la technologie numérique et à se servir de l'Apple II de son bureau.

Malgré toute son intelligence, Steve commit un certain nombre d'erreurs de recrutement, décidant souvent sur un coup de tête qu'une star venue de l'extérieur faisait davantage le poids qu'un des collaborateurs travaillant à ses côtés. Avec le temps, ce type de bévue lui coûta moins cher, car il apprit à réparer plus rapidement les dégâts qu'il avait faits. Mais dans le cas de Sculley, Steve se trouvait face à un double problème. D'une part, il n'avait pas le grand mentor dont il avait besoin, le leader susceptible de parfaire sa formation de dirigeant. D'autre part, Sculley était bien plus habile que lui à naviguer dans les arcanes obscurs de la politique d'entreprise. Steve mit du temps à s'apercevoir que Sculley était loin d'avoir apporté la contribution qu'il espérait. Et lorsqu'il s'en rendit compte, il ne sut pas comment remporter la bataille qui s'ensuivit.

———

MALGRÉ LA GESTION chaotique d'Apple, les vétérans de cette époque se souviennent d'une entreprise qui avait une âme et disent combien

Steve représentait pour eux une véritable source d'inspiration. La longue saga pleine de rebondissements qui aboutit à la création du Macintosh révèle plus que toute autre les raisons pour lesquelles Steve continuait à susciter l'admiration, alors même qu'il contribuait de façon aussi décisive à mettre en pièces l'entreprise qu'il aimait.

Pour bien comprendre ce phénomène, il nous faut remonter à l'automne 1980, lorsque Scott écarta Steve de l'équipe Lisa. À l'époque, il lui avait suggéré de jeter un œil à un projet parallèle original dirigé par Jef Raskin, un ancien professeur d'université excentrique et brillant avec un penchant pour la théorie, dont la première mission chez Apple avait été de superviser la préparation des manuels d'utilisateur et la documentation sur les produits. Steve jugeait que Raskin n'était qu'une grosse tête exaspérante de pédanterie, mais il fut intrigué par l'objectif du projet : créer un « appareil informatique » tourné vers les consommateurs qui ne dépasse pas les 1 000 dollars. Raskin avait l'intention d'appeler sa machine le Macintosh.

Une fois que Steve eut décidé qu'il voulait mettre la main sur le Macintosh, il fit en sorte de se débarrasser de Raskin. Il le contredit publiquement à plusieurs reprises, le torpilla, chargeant ses ingénieurs d'effectuer des tâches qui n'avaient aucun lien avec les objectifs affichés du projet. Il déclara sans ambages que le plan-produit de Raskin était totalement irréaliste. Il finit par imposer une réunion avec Scott et Raskin où il se lança dans un fervent plaidoyer, afin d'obtenir que le produit lui soit purement et simplement attribué. Peu après que Scott se fut prononcé en faveur de Steve, Raskin démissionna d'Apple en claquant la porte, non sans avoir au préalable balancé à ses supérieurs un mémo qui constitue encore aujourd'hui un résumé lapidaire des défauts de Steve. « Si les conceptions de techniques de management qu'affiche M. Jobs sont tout à fait nobles et respectables, en pratique, c'est un manager épouvantable [...]. C'est l'exemple même du manager qui s'arroge le mérite d'annoncer des prévisions optimistes pour ensuite rejeter la responsabilité sur les employés lorsque les délais ne sont pas respectés », écrivit-il, ajoutant que Steve « rate ses rendez-vous, [...] ne rend jamais justice à ses collaborateurs, [...] fait du favoritisme, [...] ne tient pas ses promesses ».

Tout était vrai. Et pourtant, Steve avait raison d'écarter Raskin. Il se rendait compte que le Macintosh délibérément modeste que proposait Raskin n'aurait rien de révolutionnaire. Pour étendre réellement les parts de marché, il fallait opérer une véritable mutation, ce qui signifiait concrétiser le potentiel des technologies d'interface graphique utilisateur qu'il avait découvertes au PARC. Steve était convaincu d'en être capable et tout aussi convaincu que Raskin ne l'était pas.

Steve n'avait que faire de ceux qui le jugeaient égoïste ou trop ambitieux. Il était prêt à mettre en œuvre tout ce qu'il estimait nécessaire pour arriver à ses fins.

Pour cela, Steve s'efforça également de séparer « Mac » et « Apple ». Il dirigea le projet à la manière d'un fief qui avait par hasard un accès illimité à tous les fonds de la société. Il dépensa 1 million de dollars afin de créer de nouveaux locaux pour son équipe dans un bâtiment séparé appelé Bandley Three, un peu à l'écart du siège d'Apple. Peu après leur installation, un programmeur du nom de Steve Capps hissa un drapeau de pirate sur le bâtiment qui devint le point de ralliement de l'équipe. Naturellement, le reste du personnel estima que c'était le signe manifeste que Steve roulait pour Mac et non Apple. Là encore, ce n'était pas faux. Cependant, le Lisa ne tarda pas à s'avérer un fiasco aussi lamentable que l'Apple III, et l'Apple II se trouva de plus en plus concurrencé par le dernier-né de Big Blue, l'IBM PC, qui avait réussi à s'imposer sur le marché. Apple avait besoin d'un produit révolutionnaire. Et cette fois, Steve parvint avec brio à conduire les ingénieurs talentueux de la maison vers des sommets qu'ils n'auraient jamais cru pouvoir atteindre.

Raskin avait choisi le Motorola 6809, un microprocesseur anémique bas de gamme qui n'avait pas la puissance de traitement nécessaire pour utiliser une souris, ni obtenir une résolution d'écran suffisamment élevée pour supporter des images pixellisées. Steve fit jouer l'esprit de compétition de Burrell Smith, un jeune ingénieur matériel de vingt-quatre ans d'une virtuosité technique comparable à celle de Woz, en lui demandant de fabriquer un prototype de la machine intégrant à la place le microprocesseur bien plus puissant du Lisa, le Motorola 68000, sans augmenter de façon spectaculaire le coût d'ensemble de la machine. La prouesse que cela supposait était de taille : on pouvait acheter vingt microprocesseurs 6809 pour le prix d'un 68000.

Tout comme Woz, Smith était incapable de refuser un défi technique. Son trait de génie fut de trouver un moyen de multiplier le flux de données numériques du microprocesseur 68000 dans le reste de l'architecture du circuit, une astuce qui permettait à l'ordinateur de tirer pleinement avantage de la puissance de traitement accrue, sans nécessiter l'ajout de puces ni de circuits. Résultat : un graphisme détaillé et réactif, précisément ce qu'il fallait pour une machine qui utilisait une souris et créait des images pixellisées. Smith vécut littéralement dans son labo pendant un mois, alors que le reste du personnel partait en congé pour Thanksgiving et Noël. Il ne s'arrêta pas même pour fêter son vingt-cinquième anniversaire, le 19 décembre. Mais il réalisa l'impossible.

Ce défi lancé à Burrell Smith n'était que le début. Le projet Mac était une version élargie de la bande mobilisée dans le garage ; de nouveau, Steve se trouvait à la tête d'une petite équipe de talents extrêmement créatifs. Il débaucha les meilleurs programmeurs de l'équipe Lisa et d'autres projets d'Apple sans se soucier des usages. Pour ne citer qu'un exemple célèbre, n'ayant aucune envie d'attendre quelques jours que l'extraordinaire Andy Hertzfeld ait achevé ce qu'il faisait sur l'Apple II, il débrancha l'ordinateur de celui-ci (effaçant du même coup son code) et l'embarqua avec sa machine dans les locaux de l'équipe Mac. Les traits de personnalité qui le desservaient d'habitude fonctionnaient à merveille. Comme toujours, il se montrait colérique à l'égard de ses subordonnés, mais face à ces artistes de l'informatique, il avait davantage de marge de manœuvre. « Si on supportait Steve, il pouvait vraiment vous faire progresser, dit Lee Clow. Ceux qui étaient trop sensibles pour encaisser sa façon d'imposer violemment ses exigences s'en allaient. Mais moi, ces types-là, j'aime bien leur montrer ce que je sais faire. Je suis du genre à me surpasser. » Comme tant d'autres stars de l'équipe Mac.

De temps à autre, Steve emmenait le groupe en séminaire, ce qui lui permettait d'avoir son équipe juste pour lui, à l'écart des distractions d'Apple. C'était un orateur inspiré. « Le travail accompli ici par cinquante personnes va avoir une gigantesque répercussion dans l'univers. » Son discours évolua au fil des mois, à mesure que le projet commençait à prendre du retard, comme il fallait s'y attendre. « La récompense est dans le voyage » et « Mieux vaut dépasser les délais que sortir un truc minable » cédèrent la place à « Les vrais artistes sortent leurs œuvres ». Mais ces formules donnaient toujours le sentiment aux membres de son équipe qu'il les voyait comme des artistes. « Il se montrait tellement protecteur avec nous, raconta l'un deux à *Fortune*, que dès qu'on se plaignait de quelqu'un d'extérieur au département, c'était comme si on lâchait un doberman. Steve se jetait aussitôt sur son téléphone pour engueuler le mec. »

Les meilleurs d'entre eux se sentaient pousser des ailes et gagnaient le respect de Steve en s'opposant à lui, s'appuyant sur les faits, leur compétence et leur entêtement pour le faire changer d'avis. Parfois, ils se contentaient simplement de l'ignorer. Bob Belleville, un des ingénieurs matériel Mac, collabora avec Sony pour développer un nouveau lecteur de disquette plus petit pour le Mac, bien que Steve lui ait strictement interdit de le faire. Au bout du compte, le lecteur de disquette Sony fut intégré au Mac, évitant un retard qui aurait pu être désastreux. Jobs félicita Belleville d'avoir tenu bon jusqu'au bout.

« Quand on lit ce qui se dit, on se demande : "Comment peut-on avoir envie de travailler pour un type aussi difficile ?" » dit Susan Barnes, responsable financière du projet Mac. Pragmatique, Barnes est un génie de la finance qui avait le don d'apaiser les tensions à tous les niveaux de la hiérarchie, et sa force discrète et mesurée faisait sur Steve l'effet d'un gyroscope. Ce petit bout de femme modeste inspirait le respect. « Quand on a de l'expérience, on apprend à faire la différence entre les patrons qui percutent au quart de tour et ceux qui mettent un temps fou à comprendre ce que vous leur expliquez. Et quand on tombe sur un boss qui percute, on se dit : "Quel bonheur. Ça me facilite tellement la vie." Steve était comme ça. Mentalement, il était totalement à l'écoute. On n'avait pas besoin d'entrer dans les détails. On n'avait pas besoin de lui expliquer pendant des heures. Il s'investissait avec passion. Et il ne bâclait jamais. »

Pendant deux ans, les membres de l'équipe accomplirent un travail héroïque. Steve les motivait sans relâche, comme il se motivait lui-même. Il leur répétait que le sort de l'entreprise était entre leurs mains. Leur passait un savon quand ils ne tenaient pas les délais ou n'atteignaient pas la perfection. Au fil du temps, la pression ne cessait de s'accentuer. C'était usant, aussi bien physiquement que moralement, et certains craquèrent au point qu'ils ne purent plus jamais travailler dans le secteur du high-tech. D'autres, en revanche, jugèrent que c'était une expérience exaltante, mais ne se voyaient pas recommencer et quittèrent Apple pour trouver un environnement professionnel moins stressant. Et puis, il y avait la poignée de ceux qui avaient tellement adoré l'aventure qu'ils restèrent, une fois de plus prêts à tout pour travailler dans l'atmosphère raréfiée, grisante, électrique que créait Steve lorsqu'il était aux commandes. Quand ils eurent fini, Steve fit graver le nom de quarante-six acteurs clés de l'équipe à l'intérieur de chaque Mac. Même les employés qui travaillaient sur l'Apple II furent enthousiasmés par la performance de Steve. « On disait souvent que Dieu était du côté de l'équipe Mac », déclare l'un d'eux en plaisantant à moitié.

———

LE LANCEMENT DU Macintosh révéla chez Steve un extraordinaire sens du spectacle. Entre le célèbre spot « 1984 » qui ne passa qu'une seule fois, lors de la diffusion du Super Bowl, le 22 janvier 1984, et la présentation officielle du Mac dans le Flint Auditorium, sur le campus de De Anza College à Cupertino, le 24 janvier 1984, Steve bouleversa l'image préconçue d'un lancement de produit. « Steve, c'était P.T. Barnum incarné, déclare avec son franc-parler habituel Lee Clow, un grand gaillard qui arbore une barbe de sorcier et de longs cheveux blancs. Il adorait les surprises. Avec lui, c'était toujours : "Je vous présente le plus petit homme de la terre !" Il adorait tirer le rideau de scène pour dévoiler une nouveauté, tout ce qui était show-biz, marketing, communication. »

Steve s'entraînait inlassablement avec une équipe de communicants et d'attachés de presse. Bill Gates fit quelques apparitions lors de ces événements et se revoit en coulisses avec Steve. « Je ne lui arrivais pas à la cheville, confie-t-il en se rappelant les présentations de Steve. C'était incroyable, la précision avec laquelle il répétait. Et si jamais, au moment d'entrer en scène, ses assistants n'avaient pas tout réglé impeccablement, il était vraiment dur avec eux. Il avait même un peu le trac, parce que c'était un show démesuré. Mais une fois qu'il était sur scène, c'était fascinant. Cette façon qu'il avait de savoir exactement ce qu'il allait dire, de faire comme si ça venait de lui traverser l'esprit... »

Pour Clow, le directeur de création, Brenton Thomas, le directeur artistique et Steve Hayden, le rédacteur, le spot « 1984 » réalisé avec Steve fut une véritable aventure de pirates. Steve ne le dévoila aux membres du conseil d'administration que quelques jours avant le Super Bowl et ceux-ci furent horrifiés. Dirigé par Ridley Scott, le réalisateur de *Blade Runner*, le film de soixante secondes montre une athlète courant seule, au milieu d'une marée d'hommes et de femmes en gris qui écoutent docilement une tête géante sur un immense écran discourir d'un ton menaçant sur le pouvoir libérateur de la conformité absolue. Vers la fin du spot, la femme lance la masse qu'elle a à la main, fracassant l'écran. Apparaît alors un simple message : « Le 24 janvier 1984, Apple Computer lance le Macintosh et vous verrez pourquoi 1984 ne sera pas comme *1984*. » Sculley prit peur et demanda à Chiat\Day de revendre l'espace publicitaire du Super Bowl qui avait été acheté. L'agence produisit un spot de trente secondes, mais mentit à Sculley en lui annonçant qu'elle ne pouvait pas revendre le plus long créneau. Bill Campbell, le directeur du marketing, décida de diffuser le spot malgré les inquiétudes de Sculley et du conseil d'administration. Hayden, qui était aussi talentueux que Clow, dessina plus tard une caricature résumant ce que lui inspirait Sculley. D'après Clow, le dessin satirique représentait le CEO et Jobs se promenant dans un parc. Steve disait à Sculley : « Tu sais quoi, je crois que la technologie peut rendre les hommes meilleurs. » Au-dessus de la tête de Sculley, une bulle disait : « Je vais persuader le conseil. D'ici six mois, le petit aura été éjecté. »

Comme prévu, ce spot remarquable donna le ton de la présentation officielle que fit Steve sur le campus de De Anza. Ce jour-là, Jobs s'était glissé dans la peau du P.T. Barnum des grands jours. Il arpenta la scène avec assurance. Il plaça le Mac du côté des rebelles, des créatifs et des audacieux en lisant les paroles de « The Times They Are a-Changin' » de Bob Dylan, lançant allègrement des piques à IBM. Il vanta les mérites du graphisme extraordinaire de l'ordinateur tandis que le texte « Incroyablement Génial » défilait sur l'immense écran vidéo placé au-dessus de la scène. L'étonnante machine se présenta même au public en lançant d'une drôle de voix de cyborg : « Bonjour. Je m'appelle Macintosh. Je ne suis pas mécontent d'être sorti de ce sac » – allusion au sac en toile matelassé dans lequel il était dissimulé jusqu'à ce que Steve l'en sorte et le branche. La foule se déchaîna et Jobs, la voix apparemment étranglée par l'émotion, savoura béatement ce moment de gloire. Il présenta au public la version idéalisée de ce que devait être le Mac et la presse goba tout. Préparés par une longue campagne de prélancement admirablement menée par McKenna, les magazines et les revues spécialisées s'enthousiasmèrent. Le Mac décrocha des articles dithyrambiques dans toute la presse, de *Computerworld* à *Fortune*, en passant par *Esquire* et *Money*, qui déclara que c'était « incontestablement le meilleur ordinateur à ce prix ». *Rolling Stone* salua ses références contestataires. Le magazine *Venture* alla même jusqu'à applaudir la gestion « non conformiste » de Steve.

La machine était abritée par un joli boîtier couleur ivoire apparemment autonome en forme de mini-réfrigérateur, au design si rassurant qu'il neutralisait à lui seul toute l'agressivité du terme d'ordinateur. Pour la première fois, on pouvait créer des fichiers qui ressemblaient à des documents sur papier. On pouvait se servir de la souris pour contrôler le curseur qui glissait ces documents dans un dossier. Et si on voulait effacer ce qu'on avait fait, il suffisait de déplacer le document dans la poubelle. Tout cela avait déjà été montré au PARC, mais sans la simplicité et l'aspect ludique présentés à De Anza. Les articles élogieux, l'intérêt que le Mac suscitait et les contrats signés avec certaines des grandes universités du pays entraînèrent de fortes ventes pendant quelques mois. Mais lorsque la curiosité retomba, celles-ci chutèrent de façon spectaculaire.

En réalité, le Mac que Steve avait sorti présentait des défauts majeurs. C'était une prouesse technologique et une vision extraordinaire des perspectives qui s'ouvraient à l'informatique. Voulant limiter son prix de vente à 1 195 dollars, Steve avait refusé de dépasser les 128 kilo-octets de mémoire – ce qui représentait environ le dixième des capacités du Lisa, bien plus coûteux. La pixellisation du Mac absorbait une grande partie de la puissance. Les lignes et les caractères qui se formaient sur l'écran étaient élégants, mais ils mettaient parfois un temps fou à apparaître. En fait, le premier Mac était d'une lenteur invraisemblable. Il comportait un lecteur de disquette et non un disque dur, obligeant l'utilisateur à jongler laborieusement entre deux disquettes pour copier des fichiers de l'une sur l'autre. Pour ajouter à ses malheurs, à sa sortie, le premier Mac ne disposait de quasiment aucun logiciel, car des ajustements avaient été apportés au système d'exploitation jusqu'au jour du lancement. Il n'était pas étonnant que les ventes s'épuisent. Steve tenait tellement à réaliser son rêve qu'il avait négligé la fonctionnalité de la machine.

———

STEVE AURAIT DÛ s'emparer de la question et tout faire pour surmonter les défauts technologiques du Mac. Il y avait beaucoup de choses à faire – mettre au point un disque dur pour la machine, augmenter sa mémoire, collaborer avec des développeurs de logiciels indépendants pour concevoir d'autres applications qui exploitent pleinement ses qualités graphiques. Peu après la sortie du Mac, il fut officiellement nommé à la tête du département qui chapeautait à la fois le Lisa et le Mac. Mais cela ne l'intéressait pas de superviser des améliorations progressives des deux modèles. Jusque-là, il avait à son actif deux échecs – sa collaboration aux projets de l'Apple III et de Lisa – et deux produits précurseurs. Après avoir créé une industrie et captivé l'imagination du monde entier avec son dernier ordinateur révolutionnaire, il n'avait aucune envie de se coltiner tout le travail nécessaire pour que le Mac connaisse un succès durable.

De plus, au lendemain du lancement flamboyant du Mac, Steve se retrouva propulsé dans les hautes sphères de la célébrité, ce qui renforça encore chez lui le sentiment d'avoir accompli un véritable exploit. Il distribua des Mac à Mick Jagger, Sean Lennon et Andy Warhol. Pour son trentième anniversaire, il invita Ella Fitzgerald à venir chanter devant une foule de mille invités au Saint Francis Hotel, à San Francisco. Il affichait une arrogance qui le desservait dans son propre secteur. Il s'était aliéné la communauté des développeurs de logiciels à l'époque de la conception du Mac, en laissant entendre que ce serait pour eux un véritable privilège s'il les autorisait à développer des applications pour sa précieuse machine. « On allait à Cupertino, se rappelle Bill Gates, et Steve nous sortait des machins du style : "C'est un truc de dément, je ne sais même pas pourquoi je vous laisse vous en mêler. À ce qu'il paraît, vous êtes une bande d'abrutis, et ce truc, c'est de l'or. On va le vendre 999 dollars, on n'en a plus que pour neuf mois." » À d'autres moments, Steve trahissait ses doutes. « Et puis, poursuit Gates, la fois d'après, Steve nous la jouait : "Merde, peut-être que ça ne vaut rien ? Oh non, vous ne pourriez pas nous filer un coup de main ?" » Dans un cas comme dans l'autre, ce n'était pas évident de travailler avec lui.

La faiblesse des ventes du Mac ne tempérait aucunement son arrogance. Mike Slade, qui était à cette époque au département marketing de Microsoft mais rejoignit par la suite Apple et devint un des meilleurs amis de Steve, se souvient d'avoir vu cet étalage d'ego lors de la conférence nationale des ventes d'Apple organisée au Hilton Hawaiian

Village à Honolulu, où il accompagnait Bill Gates, à l'automne 1984. Pour Microsoft, il était essentiel d'intégrer son application au Mac, et l'entreprise avait chargé une ribambelle de développeurs de créer un logiciel graphique pour la nouvelle machine. Microsoft finit par devenir le premier fournisseur de logiciels Mac. Mais, dans ces années-là, l'entreprise était sérieusement concurrencée par Lotus, qui avait développé un tableur pour Mac, baptisé Jazz. « Jim Manzi et Eric Bedel [le CEO de Lotus et le chef de produit de Jazz] étaient un peu comme la nouvelle étudiante qui débarque à la fac, se rappelle Slade, dont l'humour mordant masque des compétences analytiques qui lui valaient d'être particulièrement apprécié de Gates et Jobs. Steve et sa bande étaient là au grand complet et non seulement ils m'ont ignoré, mais ils ont ignoré Bill [Gates]. Ils l'ont traité comme un concierge. Au dîner, ils nous ont même mis à une table minable. » Ce soir-là, Slade et Gates firent une longue balade sur la plage. « Bill était tellement absorbé par tout ça, tellement stressé. Il avait des mocassins en cuir et, quand on est rentrés à l'hôtel, ils étaient trempés d'eau de mer. Il ne s'était même pas aperçu qu'il marchait dans l'eau. Il ne s'était rendu compte de rien. »

La situation ne s'était pas arrangée trois mois plus tard, alors que Slade et Gates s'apprêtaient à faire la démonstration d'Excel devant Steve, Sculley et les autres figures d'Apple. « On commence à leur présenter Excel, mais on n'a pas grand-chose à montrer car la démo marche à peine. Au bout de trente secondes, Steve s'en désintéresse totalement. Si la démo ne marche pas, ça ne le regarde pas. Sculley, lui, accroche tout de suite et on parle de la façon de le positionner pour qu'il ait l'air mieux que ce qui se fait sur PC. Mais Jobs n'est plus là, il s'est mis à l'autre bout de la table. Sur ce, il se lance dans une dispute virulente avec Bill et Andy Hertzfeld au sujet de BASIC. Jobs est incontrôlable. Franchement, je viens d'une famille à problèmes, et sur le coup je me dis : "Je n'ai jamais vu une engueulade pareille." Mais Steve finit enfin par partir et la réunion se passe mieux. » Des années plus tard, après la mort de Steve, Gates m'a confié : « Steve est un type impossible, mais il ne s'en est pas pris à moi trop souvent. »

(Comme beaucoup de gens que nous avons interviewés, Gates parlait souvent de Steve au présent, comme s'il était encore en vie.) Quand je lui ai demandé s'il y avait des choses pour lesquelles Steve n'était réellement pas doué, il a ri : « Les réunions où ce n'était pas lui qui présentait et qui étaient consacrées à un sujet sans intérêt. Il était incapable d'assurer, dans ces cas-là. »

Les ventes du Mac plongèrent en chute libre dans les six derniers mois de 1984. L'Apple II représentait encore 70 % du chiffre d'affaires de l'entreprise. L'IBM PC gagnait des parts de marché. Et la nouvelle année ne s'annonçait guère meilleure. Les objectifs de vente étaient si loin d'être atteints que l'on pouvait craindre que le Macintosh ne connaisse le même sort que l'Apple III et le Lisa. Le conseil d'administration, à qui l'on avait fait croire que le Mac viendrait à la fois remplacer l'Apple III et déboulonner l'IBM PC, se rendait compte que ni son CEO, ni le chef de son département produit le plus important n'avaient de plan clairement établi. Plus Steve et Sculley étaient sous pression, moins ils passaient de temps ensemble à terminer leurs phrases et à se congratuler mutuellement. Et pour Steve, cela n'augurait rien de bon.

En mars 1985, Sculley décida que Steve devait lâcher la direction du département produit Mac. Steve essaya de l'en dissuader pendant plusieurs semaines, usant tour à tour de flatterie et de mépris, méthodes qui avaient fait leurs preuves avec ceux qui travaillaient pour lui, bien qu'elles aient contribué à l'isoler. Mais Sculley persista et soumit la question au conseil d'administration le 11 avril. Le conseil se rallia unanimement aux côtés de Sculley, alors même qu'y figuraient Markkula, Rock et d'autres administrateurs qui avaient apporté à Steve un soutien sans faille durant des années. Pour un homme qui s'était entièrement dévoué à la société qu'il avait fondée, qui était connu pour ce qu'il avait accompli chez Apple, la perspective d'être ainsi rétrogradé était accablante.

Au bout de quelques semaines, Steve décida qu'il refusait d'être démis de ses fonctions. Il tenta à la place de faire limoger Sculley. Il annonça à ses plus proches confidents qu'il avait l'intention de détrôner le CEO durant le week-end du Memorial Day, en profitant de l'absence de Sculley qui devait se rendre à Pékin pour signer un accord autorisant Apple à vendre ses ordinateurs en Chine. Steve avait tellement le sentiment d'être dans son droit – et il était si naïf – qu'il exposa même son stratagème à Jean-Louis Gassée, directeur des opérations européennes, venu à Cupertino à la demande de Sculley qui souhaitait le voir remplacer Steve. « J'ai fait mon choix, dit aujourd'hui Gassée. À cette époque-là, je préférais travailler avec Sculley qu'avec Steve, qui était absolument incontrôlable. » Gassée informa Sculley des intentions de Steve en lui disant : « Si vous allez en Chine, vous êtes fichu. » Sculley annula son voyage en Chine et somma Steve de s'expliquer dès le lendemain, à la réunion du comité de direction. Il demanda à ce dernier de choisir entre Steve et lui. Un par un, autour de la table de réunion, les membres du comité expliquèrent les raisons pour lesquelles ils votaient en faveur de Sculley. Steve regarda s'envoler peu à peu les soutiens sur lesquels il comptait et dont il avait toujours cru qu'ils l'épauleraient jusqu'au bout. Après la réunion, en état de choc, il appela ses conjurés et quelques amis pour leur annoncer qu'il avait perdu la bataille. « Je me suis trompé dans mes calculs », confia-t-il à Larry Brilliant en lui racontant en larmes comment les membres de l'équipe s'étaient retournés contre lui, un à un. Le conseil d'administration que Sculley contacta durant le week-end se prononça également contre Steve. Le mardi, Steve savait qu'il était fini chez Apple. Le vendredi suivant, le 31 mai, il assista du fond de l'auditorium d'Apple à l'intervention de Sculley qui annonçait une restructuration au terme de laquelle Gassée se voyait promu et Steve relégué au poste de président, sans rôle décisionnel ni personne sous sa responsabilité. C'était la seconde fois que Steve était rétrogradé et pour le coup c'était irrécupérable. « Steve a toujours eu une bête tapie au fond de lui, dit Gassée et, au début des années 1980, cette bête l'a terrassé. Bam ! »

STEVE FUT BANNI et de façon humiliante. On lui alloua un bureau dans un autre bâtiment, à l'écart de Sculley, Gassée et des autres cadres qui avaient désormais incontestablement la haute main sur Apple. Il fut envoyé en Russie pour faire, comble de l'ironie, la promotion de l'Apple II, puis en Italie, en France et en Suède, en simple voyage d'affaires, apparemment. À son retour en Californie, il alla voir le Graphics Group, qui réunissait des infographistes ultra-pointus travaillant pour le réalisateur George Lucas, célèbre pour la saga de *Star Wars*. Il entrevit alors les perspectives sans limites que présentaient les images numériques en 3D. Il suggéra donc au conseil d'administration d'Apple de racheter le groupe à LucasFilm. « Question graphisme, ces types étaient incroyablement en avance sur nous, m'a confié Steve Jobs par la suite. Ils étaient en avance sur tout le monde. Je savais au fond de moi que ce serait très important. » Mais le conseil ne prêtait plus guère l'oreille à Steve il refusa d'acquérir ce qui allait devenir les studios Pixar. En réalité, Steve, le cofondateur, n'était plus même consulté au sujet des décisions les plus cruciales.

Sculley disait clairement qu'il voulait impulser une « orientation marché » à la société. Apple devait désormais répondre à la demande de ses clients, au lieu de dicter ses conditions au marché, comme Steve avait cherché à le faire. Toutes les décisions concernant les produits seraient prises par les équipes de marketing et de vente, et non plus par les ingénieurs. De la part du CEO, c'était une solution rationnelle pour tenter de réformer une organisation qui regimbait chaque fois que l'on essayait d'y mettre de l'ordre. Mais ce n'était pas ce qui pouvait faire revivre le rêve d'Apple qui avait attiré tant d'employés à Cupertino, particulièrement les vétérans qui avaient vécu la succession éprouvante de hauts et de bas qui avait jalonné la création du Mac. Un employé confia à *Fortune* : « Ils ont arraché le cœur d'Apple et l'ont remplacé par un cœur artificiel. On va bien voir combien de temps il va tenir. » Susan Barnes était de ceux qui estimaient que la marque perdait de son intérêt et de sa compétitivité. « On faisait fausse route, se rappelle-t-elle. Apple était en pleine restructuration et il fallait descendre au septième niveau de la hiérarchie avant de trouver un ingénieur. Pour une entreprise de high-tech, c'était dangereux. »

Steve commença à envisager l'avenir sans Apple. Il passa davantage de temps avec sa fille Lisa et se demanda comment lui accorder une place plus importante dans sa vie. Il cultiva un potager bio dans le jardin de sa grande maison de Woodside. Il songea à se présenter à des élections. Il se porta même candidat pour un vol dans la navette spatiale. Pendant quelque temps, il se comporta en retraité et non comme un des trentenaires les plus ambitieux au monde. « Un jour, il m'a appelée, raconte Susan Barnes, et m'a dit : "On devait dîner ensemble la semaine prochaine, mais je pars en Europe. Je vais peut-être passer un an là-bas." Alors je lui ai répondu : "Génial, merci, mais j'ai une sale journée au bureau et je n'ai pas envie de t'entendre parler de Paris et de l'Italie." »

Il partit en Europe en voyage d'affaires, mais prit le temps de visiter les musées et de faire du tourisme. Il passait pas mal de temps seul ou avec sa petite amie. « Il avait vingt et un ans quand Apple a été fondé, dit Barnes, et il n'avait jamais réellement eu le temps de songer à ce qu'il voulait vraiment faire de sa vie. » C'était le moment ou jamais de réfléchir, de tirer les douloureuses leçons de ce qu'il avait vécu chez Apple. D'essayer de voir d'où venait le problème, de mesurer sa part de responsabilité dans l'impasse où ils se trouvaient, son entreprise et lui. En un sens, Steve et ses partisans avaient raison : il était le cœur d'Apple, et sans lui la marque était vouée à la médiocrité. Comment avait-il pu laisser la situation dégénérer à ce point ?

Pour le jeune homme, se livrer à l'introspection n'était pas chose aisée. En Europe, il était toujours salué en dirigeant d'entreprise révolutionnaire et ses visites à des chefs d'État, des présidents d'université, des artistes et autres ne faisaient que le conforter dans l'image qu'il avait de lui-même, celle d'un être extraordinaire liquidé par un banal bureaucrate. Cet ego surdimensionné allait de pair avec la souffrance et les doutes bien réels d'avoir été rejeté par l'entreprise qu'il avait fondée. Plus tard, cet été-là, Steve appela Susan Barnes d'Italie, apparemment si déprimé qu'elle craignit qu'il ne soit suicidaire.

Mais quand il rentra aux États-Unis, il se remit en quête d'une nouvelle innovation révolutionnaire. Début septembre, il rencontra le scientifique Paul Berg, lauréat du prix Nobel, qui lui expliqua sa déception devant l'incapacité des ordinateurs à accélérer de manière significative les recherches scientifiques. Les Mac et les PC n'étaient pas assez puissants pour se charger des tâches de modélisation statistique qu'il avait besoin d'effectuer, et les ordinateurs centraux et les mini-ordinateurs trop onéreux et encombrants pour la plupart des laboratoires. Steve commença à imaginer une nouvelle perspective à explorer pour l'informatique et le type d'ordinateur puissant qu'il voulait inventer pour des utilisateurs exigeants tels que Berg. Comme Susan Barnes et d'autres ne cessaient de lui répéter que Sculley se fourvoyait, il était certain de pouvoir convaincre une poignée de solides alliés au sein d'Apple de le suivre pour fonder une nouvelle société. Et, le 13 septembre 1985, lors d'un conseil d'administration, il annonça ses intentions à Sculley et aux autres administrateurs. Il allait créer une nouvelle société, leur dit-il. Il souhaitait prendre avec lui quelques employés « subalternes ». L'entreprise aurait pour objectif de concevoir une « station de travail » haut de gamme, radicalement novatrice, pour un marché spécifique et limité – l'enseignement supérieur de haut niveau. Sa machine ne concurrencerait pas Apple, leur assura-t-il. Il était même disposé à laisser Apple investir dans la nouvelle société.

Durant les jours qui suivirent, ce fut le branle-bas général. Les employés qu'il souhaitait emmener n'étaient aucunement « subalternes », protesta Sculley. Les administrateurs traitèrent Steve de menteur dans la presse. Une fois de plus, *Newsweek* lui consacra sa couverture. Steve démissionna. Et Apple lui intenta un procès.

Mais tout cela n'avait aucune importance. Il était parti. Il pouvait désormais s'attaquer à son chef-d'œuvre. Il était à nouveau prêt à créer une innovation révolutionnaire.

Chapitre quatre
What's Next?

Durant les belles journées d'automne qui suivirent son départ d'Apple, Steve et ses renégats se réunirent chez lui dans le cadre champêtre de Woodside, une commune peuplée d'amoureux de chevaux à l'ouest de l'I-280, nichée dans une vallée dont un versant épouse le flanc de la chaîne côtière de montagnes basses qui sépare la Silicon Valley du Pacifique. La demeure qu'il avait achetée en 1984 était le signe d'allégeance le plus extravagant – bien que typique de l'excentricité du personnage – à son statut de rock star. Elle avait été bâtie par un autre précurseur controversé, Daniel C. Jackling. Au tout début des années 1900, Jackling avait été le pionnier des mines à ciel ouvert, technique efficace mais extrêmement polluante pour extraire le minerai à faible teneur en cuivre, qui est encore largement employée dans le monde. Tout comme Steve, Jackling avait tiré un joli magot de son idée et la demeure de Woodside, bâtie dans le style colonial espagnol, était un monument à sa gloire. L'énorme bâtisse de 1 500 mètres carrés, toute en coins et recoins, possédait quatorze chambres, des lampes en fer forgé faites sur mesure et un orgue assourdissant qui avait été porté à soixante et onze tuyaux. Des fêtes y avaient été données en l'honneur de Charles Lindbergh et Lillian Gish dans l'immense salle de bal qui ne suffisait pas à contenir la foule des invités. L'allée qui menait à la demeure mettait en valeur son vaste parc paysagé, quelque peu laissé à l'abandon. Devant étaient garés deux des péchés mignons que s'était offerts Steve : une moto BMW et une Porsche 911 grise. L'intérieur de la demeure n'avait rien d'intime. Steve n'avait pas trouvé le temps d'acheter des meubles. Un matelas, une lampe et quelques tirages d'Ansel Adams étaient éparpillés ici et là. Il avait acheté une maison gigantesque, mais n'avait rien fait pour s'y sentir chez lui.

Les apôtres high-tech renégats – Rich Page, un ingénieur matériel dont les compétences lui avaient valu le titre d'Apple Fellow, Bud Tribble, un programmeur de logiciels renommé, George Crow, un autre ingénieur matériel, Dan'l Lewin, le fer de lance de l'opération de séduction du marché de l'enseignement supérieur qui avait développé la vente de Mac aux universités, et Susan Barnes, la responsable financière du projet Mac – y retrouvaient leur star pour comploter la prochaine révolution. Dès le début, ils furent épiés de tous les côtés. *Newsweek* les photographia tous les six, gauchement assis sur la pelouse en tenue « d'affaires », pour le numéro consacré au départ de Steve (Dan'l Lewin, le beau diplômé de Princeton qui allait diriger le service commercial, portait même une cravate). « On a du mal à croire qu'une entreprise de quatre mille trois cents employés qui pèse 2 milliards de dollars ne fasse pas le poids face à six personnes en jean », déclara Jobs au journaliste. Naturellement, son humilité n'était nullement sincère.

Lorsqu'il avait démissionné, Steve avait assuré au conseil d'administration que sa nouvelle société, baptisée NeXT, ne s'attaquerait pas aux principaux marchés d'Apple. C'était totalement aberrant. La cible visée – le marché de l'enseignement supérieur – était en réalité fondamentale pour Apple, et il avait embarqué Lewin, qui jouait un rôle clé dans les relations commerciales avec le milieu universitaire. Mais Steve lorgnait bien davantage qu'une petite part du marché potentiel d'Apple. Il estimait être à l'origine des deux premiers événements majeurs de l'histoire de l'ordinateur personnel : l'Apple II et le Mac. (Évidemment, il y en avait eu un autre : la sortie de l'IBM PC en 1981. Mais Steve balayait ce jalon pourtant essentiel, car il ne concevait pas que la plupart des gens puissent vouloir acheter des machines bien plus difficiles d'emploi que celles qu'il créait.) Il était temps d'entamer une troisième évolution et, naturellement, ce serait lui qui conduirait le changement. Il allait montrer aux bureaucrates qui avaient si mal su gérer Apple ce qu'étaient le leadership et l'innovation.

Steve croyait qu'il avait à présent tout ce qu'il fallait pour être un CEO d'envergure internationale. Au cours des huit années précédentes, il avait été associé à tous les aspects des activités d'Apple. Il apprenait vite, il était capable d'imaginer des produits révolutionnaires et d'inspirer l'équipe soudée qui les concevait et les fabriquait, et il avait un don inné pour le marketing. À ses yeux, on ne pouvait en dire autant de Sculley et de ses stratégies d'« orientation marché ». « Je crois que tout le monde se pose la même question au sujet d'Apple, m'a dit Steve lors d'une de nos premières rencontres. Y a-t-il encore chez Apple l'environnement nécessaire pour créer le nouveau Macintosh ? Sauraient-ils même le reconnaître ? » Sa nouvelle société deviendrait certainement plus importante qu'Apple pour la simple et bonne raison qu'il nourrissait pour elle de plus grandes ambitions. « Le monde n'a pas besoin d'une autre entreprise informatique à 100 millions de dollars », avait-il alors déclaré, en ricanant à l'idée qu'il puisse arriver à un résultat aussi insignifiant.

Il était convaincu qu'il était réellement le seul à pouvoir créer à partir de rien les produits à grand succès qui donneraient naissance à la prochaine grande entreprise du secteur. Tout comme ses transfuges. « J'avais amplement eu l'occasion de voir les pires côtés de Steve, se souvient Lewin, le dernier des cinq exilés d'Apple à les avoir rejoints. J'ai bien pesé le risque de quitter mon job chez Apple pour aller travailler avec lui. Mais je me disais que si je ne rejoignais pas NeXT, je risquais de passer ma vie à me répéter : "Eh merde, j'aurais dû me lancer dans l'aventure." » De son côté, l'un des premiers employés de

NeXT, qui avait rejoint la société en 1986, déclare : « Il fallait être idiot pour ne pas croire que Steve allait sortir une innovation révolutionnaire. Tout le monde en était persuadé. »

Il était loin de se douter qu'au fil du temps, NeXT verrait malheureusement les pires travers de Steve atteindre des sommets. Certes, Steve avait été un visionnaire qui avait imaginé des produits novateurs, et un excellent porte-parole de la société et de l'industrie qu'il avait contribué à créer. Mais il n'était pas près de devenir un grand chef d'entreprise. À bien des égards, il n'était pas encore adulte.

Alors même que Steve pensait s'être libéré d'un responsable étouffant et insipide, il était en réalité esclave de bien d'autres choses : sa célébrité, son désir obsessionnel de perfection jusque dans les moindres détails, son management capricieux et despotique, son manque de lucidité dans l'analyse qu'il faisait de son secteur d'activité, sa soif insatiable de vengeance et son refus de voir toutes ces défaillances. Sur bien des plans, il était immature et se comportait comme un adolescent attardé : il était égocentrique, d'un idéalisme totalement irréaliste, incapable d'affronter les difficultés inhérentes aux relations humaines.

Steve était trop nombriliste pour voir à quel point le succès initial d'Apple était largement dû à l'opportunité du marché et au travail de ses collaborateurs. Pas plus qu'il ne mesurait combien il avait contribué à ses multiples difficultés. Il ne se rendait pas compte qu'en réalité, il était loin d'avoir véritablement assimilé sa formation accélérée en gestion d'entreprise. Steve n'avait occupé les fonctions de CEO d'Apple que les tout premiers mois, avant que Michael Scott ne soit recruté, et il ne connaissait pas grand-chose aux exigences réelles de la direction d'entreprise. Il était suffisamment perspicace pour savoir qu'un des rôles clés d'un bon CEO était d'établir des priorités entre tous les projets et les idées présentés par ses employés, mais il mit des années à l'assumer avec efficacité et à éviter le piège de l'ego qui consistait à penser que ses idées étaient toujours les meilleures. Par ailleurs, il n'était pas réellement armé pour lancer une entreprise dans un secteur aussi concurrentiel. Et il n'avait pas la moindre conscience de toutes ces faiblesses.

Cet automne-là, le vent se leva à Woodside, lors d'une des premières réunions. « Les portes claquaient, elles n'arrêtaient pas de s'ouvrir et de se refermer dans les courants d'air, se souvient Barnes qui occupait les fonctions de directrice financière de NeXT. Ça rendait Steve hystérique et je voyais bien qu'au fond de lui, il avait envie de se défouler sur l'un de nous et de nous virer. Mais c'était chez lui. Je n'étais pas responsable des locaux, comme chez Apple ! Hé, mon grand, c'est ta maison, c'est toi qui as un problème de portes qui claquent, pas moi. » Selon Barnes, Jobs n'avait aucune idée de tout le travail de fourmi accompli dans l'ombre au fil des années pour maintenir Apple à flot. « Quand on est à la fois le CEO et le fondateur, tout repose sur vos épaules », dit-elle en se rappelant cet après-midi-là.

———

CONTRAIREMENT À 1975, où Wozniak et lui étaient les pionniers de l'industrie de l'ordinateur personnel, en 1986, Steve essayait de s'implanter dans un marché ultra-compétitif où l'offre était si multiple qu'il était difficile pour un nouveau venu de présenter un produit véritablement unique. Les avancées de la technologie informatique qui avait profité du pouvoir exponentiel de la loi de Moore avaient été considérables au cours des dix précédentes années. C'est en 1985 que les fabricants de semi-conducteurs comme Intel et NEC s'enorgueillirent d'avoir réussi pour la première fois à caser un million de transistors sur une unique puce mémoire. (Évidemment, cela semble bien modeste comparé aux puces haute capacité actuelles qui peuvent contenir cent vingt-huit billions d'éléments distincts.) Mais d'autres technologies avaient également fait des progrès fulgurants. Les lecteurs de disque dur étaient désormais proposés à un prix accessible pour les consommateurs. En faisant le tour des enseignes, on trouvait des disques durs d'une capacité de stockage de 10 mégabytes pour environ 700 dollars. À l'époque, cela suffisait amplement pour contenir tous les logiciels indispensables et les applications permettant un accès rapide. (Pour donner un ordre d'idées, avec 700 dollars, aujourd'hui, on peut obtenir 10 terabytes de stockage, soit près de cent mille fois cette capacité – de quoi emmagasiner plus de mille films en haute définition.)

Par conséquent, les performances et les capacités des micro-ordinateurs à prix raisonnable observaient une progression démesurée qui n'était pas près de ralentir. Steve en était bien conscient et jugeait possible de trouver un créneau idéal pour sa nouvelle machine tout aussi idéale, à mi-chemin entre l'ordinateur personnel et une nouvelle catégorie d'ordinateurs de bureau, qui serait par la suite appelée « stations de travail hautes performances ».

Le segment des stations de travail micro-informatiques avait émergé dans les années 1980, plus ou moins à l'époque où Apple travaillait sur le Lisa et où IBM s'apprêtait à lancer ses machines. Les stations de travail étaient, schématiquement, des PC boostés, avec plus de mémoire, de capacité de stockage et, caractéristique la plus visible, de gigantesques écrans de 24 pouces. Elles étaient apparues dans les départements scientifiques des universités et étaient destinées à mettre le plus de puissance de traitement possible à la disposition d'un individu, le plus souvent des ingénieurs ou des scientifiques dont l'institution avait les moyens d'acquérir une telle machine et qui pouvaient écrire leurs propres applications pour effectuer des calculs importants ou des modélisations mathématiques. Les stations de travail avaient deux autres particularités. D'une part, elles étaient conçues de A à Z pour fonctionner en réseau avec d'autres stations de travail. D'autre part, elles utilisaient le système d'exploitation le plus pointu de l'époque, qui avait été développé à l'origine par des informaticiens d'AT&T Bell Laboratories, puis amélioré par des chercheurs universitaires et des scientifiques des laboratoires gouvernementaux. Baptisé Unix, ce système permit le premier « réseau de réseaux » de données, qui devait par la suite s'appeler Internet.

Sun Microsystems, un constructeur de stations de travail de la Silicon Valley, s'était lancé en 1982 en construisant ce type de machines pour le Stanford University Network (d'où son nom). Sun avait établi un record historique dans les annales de l'économie américaine en partant de rien pour passer la barre de 1 milliard de dollars de chiffre d'affaires en moins de temps que n'importe quelle autre société américaine – il n'avait mis que quatre ans. En fait, Sun était en passe de franchir ce cap étourdissant l'année où Steve avait créé sa nouvelle société. C'était une entreprise pragmatique. Le seul luxe que s'autorisaient ses ordinateurs puissants était des niveaux de performance exceptionnels. Ils avaient un excellent rapport qualité-prix, mais Steve était choqué par leur absence d'esthétique. Au lieu de considérer l'utilité de tels ordinateurs, il n'y voyait qu'une opportunité – il jugeait évident que les consommateurs préféreraient un matériel plus facile d'emploi et plus séduisant.

En attendant, les ordinateurs personnels vendus par IBM et le nombre croissant de fabricants de « clones » du secteur, comme Compaq et d'autres, étaient des machines parfaitement fonctionnelles pour les centaines d'entreprises qui recouraient de plus en plus à l'informatique rudimentaire dans l'organisation du travail. Les entreprises et les bureaux formaient un marché en constante croissance, où régnait une compétition féroce entre des concurrents au service d'une clientèle professionnelle focalisée sur le prix, la productivité et le retour sur investissement. Pour s'imposer, une start-up devait sortir un ordinateur qui se démarquait des autres et offrait aux établissements d'enseignement, aux sociétés ou aux particuliers quelque chose qu'ils ne trouvaient pas ailleurs.

Dans ce climat de concurrence acharnée, on comprend aisément que Sculley et le conseil d'administration d'Apple aient attaqué Steve en justice. Le marché des PC destinés aux entreprises étant dominé par IBM et les fabricants des clones qui fonctionnaient également sur MS-DOS, Apple avait plus que jamais besoin du marché des établissements scolaires et universitaires. Les stations de travail envahissaient les laboratoires de nombreuses disciplines dans les universités et les centres ultra-confidentiels des départements recherche et développement des entreprises. Il était naturel qu'Apple veuille offrir sa propre version de ce type de machines. L'action qu'elle avait intentée empêcha Steve de progresser rapidement en lui compliquant la tâche pour traiter avec les fournisseurs, constituer la société ou embaucher des employés.

Mais Apple abandonna ses poursuites en janvier 1986, notamment parce que Sculley ne tenait pas à affronter les retombées médiatiques d'un procès contre une personnalité aussi appréciée du public. Entre-temps, Steve avait profité de l'automne 1985 pour étudier le marché de l'enseignement. En compagnie de Lewin et de certains autres membres fondateurs, il se rendit à plusieurs reprises dans des universités pour s'informer des besoins réels des professeurs et des chercheurs. Ces expéditions laissèrent aux fondateurs un souvenir presque aussi ému que les réunions dans la maison de Woodside. Financés par Steve, qui pouvait encore être pingre, les premiers employés se contentaient de peu, adoptant ce que Steve appelait le « Système D des start-up ». « On n'était pas riches, m'a raconté Bud Tribble. Pour faire nos visites, on s'entassait à six dans une voiture de location. On partageait même les chambres, à l'hôtel. On avait vraiment l'esprit pionnier. » Durant les premiers mois, NeXT donna l'impression d'une véritable start-up. Et ce qu'apprirent les *roadies* était prometteur : les universitaires avaient réellement besoin de la puissance des stations de travail à 20 000 dollars. Mais ils prirent également la mesure du défi qui se présentait à eux. Les universitaires ne pouvaient absolument pas dépenser plus de 3 000 dollars par machine. Comme il l'avait fait chez Apple, Lewin créa un consortium d'universités jouant le rôle de consultants – et de consommateurs tests pour l'ordinateur NeXT. Les présidents d'université n'étaient pas simplement attirés par le privilège de signer avec le grand Steve Jobs, mais par la promesse que ce dernier leur avait faite de sortir l'ordinateur dont ils rêvaient pour simplement 3 000 dollars. Il n'était pas près de tenir parole.

———

PAR LA SUITE, Steve apprit à manier la presse avec plus d'habileté que tous les dirigeants d'entreprise de son temps. Mais quand il avait une petite trentaine d'années, les relations publiques consistaient pour lui à attirer l'attention le plus possible. Alors qu'il lança NeXT, Jobs estima qu'il était important de faire d'emblée de la publicité pour séduire les investisseurs potentiels dont il avait besoin pour bâtir cette variante améliorée d'Apple. Il ouvrit donc les portes de la société à deux prestigieux médias, le magazine *Esquire* et la chaîne PBS. Le résultat fut fascinant : on y découvrait le portrait d'un jeune entrepreneur endossant un costume de dirigeant aguerri qui était encore un peu grand pour lui.

Le documentaire de PBS, *The Entrepreneurs*, consacré à Steve, débutait par l'image du jeune homme arrachant des carottes dans un potager. Il lui arrivait de cultiver ses légumes et c'était peut-être pour lui un moyen de souligner son enracinement dans la contre-culture, mais le plan noyait les premières minutes dans une douceur vaporeuse qui frôlait le ridicule, donnant le ton d'un reportage qui en révélait bien plus sur lui qu'il ne le souhaitait sans doute. Celui-ci était constitué pour l'essentiel d'extraits de films tournés lors des deux premiers séminaires de l'entreprise – des escapades riches en émotions, à mi-chemin entre la thérapie de groupe et l'épreuve d'endurance.

L'équipe de l'émission voulait raconter l'histoire d'un jeune entrepreneur héroïque et la voix *off* s'exécutait avec obligeance, présentant le reportage comme l'occasion de découvrir « Jobs plus lucide que jamais dans son double rôle de créateur d'entreprise et d'élément moteur ». Mais le discours était en décalage total avec les séquences tournées lors des séminaires, qui montraient à l'évidence toute la difficulté qu'aurait Steve à impulser une orientation claire à NeXT.

Les deux séminaires avaient eu lieu à Pebble Beach, en Californie, le premier en décembre 1985 et le second en mars 1986. Ils avaient pour objectif de permettre à Steve et sa petite équipe de définir leur grand projet et d'attribuer les responsabilités des différents secteurs de son développement. Des images du séminaire de décembre montrent Steve devant le tableau blanc, essayant de convaincre le groupe de s'accorder sur une première priorité : était-il plus important d'atteindre le prix cible de 3 000 dollars, de créer une machine à la pointe de la technologie ou de sortir l'ordinateur pour le printemps 1987 ?

Comme dans toutes les start-up, chaque faction défendait sa cause. Rich Page avançait que l'entreprise n'avait aucun sens si l'ordinateur ne présentait pas une réelle avancée technologique. Dan'l Lewin, le directeur des ventes et du marketing, expliquait que dans la mesure où les universités achetaient les ordinateurs pendant l'été, s'ils dépassaient la date limite, ils pouvaient faire une croix sur le chiffre d'affaires de toute une année. George Crow, un autre ingénieur matériel de génie, estimait de son côté que la question du prix était d'une importance capitale. Comme à son habitude, Steve était charismatique, sûr de lui, et savait manifestement quand les caméras tournaient. Les sentiments qu'il exprimait étaient touchants, il avait apparemment bon cœur et son discours plein d'audace était exaltant. « Plus que de fabriquer un produit, nous sommes en train de concevoir une entreprise qui, nous l'espérons, sera bien plus fantastique, le tout sera plus fantastique que la somme de ses parties, déclara-t-il. Le résultat cumulé des quelque vingt mille décisions que nous allons tous prendre au cours des deux prochaines années va déterminer ce qu'est notre entreprise. Et une des choses qui faisait la valeur d'Apple, c'est qu'au tout début nous y avons mis tout notre cœur. » Mais sans surprise de la part d'un CEO qui soulignait l'importance des « vingt mille décisions » à prendre, Jobs avait du mal à convaincre le groupe de la nécessité de trouver un consensus. Sa seule conclusion claire – « La date de livraison est un impératif » – faisait l'effet d'une injonction aussi arbitraire qu'impossible à respecter, comme l'avenir devait le confirmer. Ses collaborateurs semblaient vifs, passionnés, intelligents. Mais ils donnaient également l'impression d'être jeunes, naïfs, dispersés et de toute évidence, il leur fallait un leader plus résolu que Steve.

À les voir pontifier, délibérer, pointer du doigt, en particulier durant une discussion tendue du mois de mars 1986 consacrée aux réductions des coûts, on mesurait combien il était absurde de penser qu'ils pourraient sortir un ordinateur réellement novateur en moins de quinze mois. Pendant des années, Jobs avait été accusé par Scott, Sculley, Markkula, Woz et bien d'autres d'être un manager impulsif qui semait inutilement la discorde et le chaos, sortait les produits en retard, donnait des directives imprécises et changeantes, et imposait ses propres idées aux dépens de l'entreprise. Ces chamailleries laissaient clairement présager que l'équipe de NeXT s'exposait à des difficultés du même ordre.

Pour l'article d'*Esquire*, publié en décembre 1986, Steve avait invité l'écrivain Joe Nocera à passer une semaine dans l'entreprise. Nocera (aujourd'hui éditorialiste au *New York Times*) assista aux réunions de planning et aux séances de stratégie dans les nouveaux locaux de la société, situés au Stanford Research Park de Palo Alto (là même où j'avais retrouvé Steve lors de notre première rencontre), et s'entretint avec un grand nombre d'employés de tous les départements. Il dîna avec Jobs et lui rendit visite chez lui – par la suite, la plupart des journalistes se virent refuser ces privilèges. Comme toujours, Jobs avait un message à faire passer ; dans ce cas précis, il tenait à souligner que NeXT allait « faire franchir un cap décisif à l'informatique », comme il le déclara à Nocera. Pour cela, il fallait recréer l'atmosphère exaltée, passionnée qu'il affectionnait tant à l'époque où le Mac avait été conçu. « Je me souviens encore de tous ces soirs où je sortais tard des bureaux de Mac avec l'impression de vivre quelque chose d'incroyablement fort, incroyablement exaltant, dit Jobs. Je ressens un peu la même chose chez NeXT. Je ne peux pas vous l'expliquer. Je ne sais pas vraiment d'où ça vient. Mais ça me plaît. »

Tout au long de l'article, on sentait chez Steve une telle amertume à l'égard d'Apple que, lorsqu'il affirma que c'était pour lui « de l'histoire ancienne », Nocera qualifia sa déclaration de « vœu pieux ». « Apple, reconnut Steve, c'est comme une grande histoire d'amour avec une fille que tu aimes vraiment et qui te plaque pour sortir avec un type qui n'est pas terrible. » Le papier faisait même allusion à sa petite amie de l'époque, Tina Redse, racontant que Steve lui avait écrit une longue lettre pour s'excuser d'avoir travaillé tard un soir. Nocera trouvait qu'il faisait preuve d'un acharnement solitaire. Jobs, dont l'article mentionne à un moment qu'il était incapable de se rappeler s'il avait des rideaux chez lui, refusa cependant d'admettre qu'il éprouvait de la nostalgie ou de l'insatisfaction.

« Cette impression d'éternelle jeunesse, écrivait Nocera, est renforcée par des côtés candides, presque puérils : ainsi, par exemple, il ne peut pas s'empêcher de faire étalage de son intelligence féroce, humiliante, dès qu'il a en face de lui quelqu'un dont il estime qu'il n'est pas à la hauteur. Ou par son manque de tact presque délibéré. Ou encore par son incapacité à dissimuler son ennui quand il est obligé de supporter quelque chose qui ne l'intéresse pas, comme un collégien qui a hâte que le cours soit fini. » *A posteriori*, il est manifeste que Nocera avait mis le doigt sur quelque chose que personne ne voulait voir à l'époque : le Steve Jobs de 1986 était encore trop inexpérimenté, trop égocentrique et trop immature pour pratiquer le difficile exercice d'équilibre nécessaire que l'on attend de tout grand dirigeant d'entreprise.

Plus ou moins au moment du reportage de Nocera, Steve engagea une nouvelle agence de communication, Allison Thomas Associates. Il avait rencontré Allison Thomas alors qu'elle dirigeait une commission d'État consacrée à l'innovation industrielle, un projet qui avait renforcé le soutien de la Californie aux entreprises de high-tech et leur avait permis d'obtenir des réductions fiscales si elles faisaient don d'ordinateurs aux établissements d'enseignement, entre autres initiatives. Steve voulait repositionner son image, faire oublier tous les articles évoquant son comportement lunatique. Allison Thomas, qui devint par la suite une de ses amies proches, trouva le moyen d'aborder le problème sans le faire sortir de ses gonds : que faire de « l'autre Steve », celui qui donnait une impression d'arrogance et de méchanceté ? C'était une approche ingénieuse qui les aida à collaborer pendant plusieurs années. Mais en définitive, « l'autre Steve » finit par l'emporter : Steve ne cessait de la harceler en exigeant qu'elle coupe les ponts avec tous les journalistes qui le critiquaient. Elle démissionna en 1993, quelques semaines après que Steve l'eut appelée à trois reprises alors qu'elle assistait à la cérémonie d'investiture du président Bill Clinton, à Washington.

APRÈS UNE DES premières réunions du conseil d'administration, Steve prit à part Susan Barnes, la directrice financière. « Quand je serai mort, lui confia-t-il, on m'accordera le mérite de la créativité. Mais personne ne saura que je sais vraiment diriger une entreprise. »

Il est incontestable que, lorsqu'il fonda NeXT, Steve maîtrisait certains aspects clés de la gestion d'une entreprise informatique. C'était un indéniable élément moteur, bien que déroutant, et un innovateur acharné. Il avait montré des talents de négociateur avec les fournisseurs de pièces détachées en obtenant, au début pour Apple, des tarifs plus avantageux que ne le justifiait le volume d'achat. Il savait synthétiser de grandes idées et voyait comment combiner différentes technologies pour créer un produit qui apportait un réel plus. « Il connaissait les termes d'inventaire, il comprenait le mécanisme du capital-risque, il connaissait le *cash-flow*, dit Barnes. Tout cela, il le comprenait, et le fait d'avoir fondé Apple lui avait appris des choses que l'on a souvent du mal à faire comprendre à un titulaire d'un MBA. Mais lui les connaissait vraiment. C'étaient des techniques de survie. »

Steve rêvait que ses compétences soient reconnues et répétait souvent qu'il allait diriger NeXT avec brio et avait tiré les enseignements des erreurs qu'avait commises Apple durant ses années de croissance effrénée. « Pour moi et un certain nombre de gens chez NeXT, c'est en fait la troisième fois, m'a-t-il confié. Quand on était chez Apple, on passait notre temps à arranger ce qui ne fonctionnait plus, que ce soit un plan d'actionnariat salarial, un système de numérotation des pièces, un procédé de fabrication d'un produit. Chez NeXT, on a l'avantage d'avoir déjà monté une entreprise en partant de zéro pour arriver à 2 ou 3 milliards de dollars, et on peut anticiper des problèmes plus complexes qu'on n'a pas anticipés la première ou la deuxième fois. Ça nous donne une certaine confiance qui nous permet de prendre plus de risques. On travaille plus intelligemment. On réfléchit plus en profondeur, et par conséquent on en fait plus en travaillant moins. »

Tout cela avait l'air bien beau. Mais c'était surtout de l'impudence et de l'aveuglement. Quand il avait fondé Apple, il n'avait pas estimé *a priori* qu'il savait diriger une entreprise : il avait accepté de s'en remettre, pour quelque temps du moins, à ses mentors et ses patrons. Mais désormais, il se comportait comme s'il savait tout, de la paie à l'ingénierie, en passant par le marketing et la production. Cette fois, il allait s'assurer que tout était parfait dans les moindres détails. Cela se voyait à son langage corporel. Dès qu'un interlocuteur s'étendait sur un sujet qu'il croyait bien connaître – mieux que personne, d'après lui –, il regardait ailleurs, tapait du pied, s'agitait sur son siège et se conduisait comme un adolescent brimé, jusqu'à ce qu'il puisse enfin intervenir et dire ce qu'il avait à dire. Et bien entendu, il s'arrangeait pour que tous les participants s'en aperçoivent.

Le besoin autoritaire qu'éprouvait Steve de donner son avis sur tout – de s'assurer que ces « vingt mille décisions » soient les bonnes – ralentissait tout le monde. Cette manie de tout contrôler est le premier exemple qui montre qu'à ce stade de sa carrière, Steve était incapable d'établir des priorités de façon systémique. Il suffit de se rappeler le premier séminaire à Pebble Beach, quand il voulait que le groupe décide de la priorité de l'entreprise : créer un super-ordinateur, respecter le délai fixé ou maintenir le prix en dessous de la barre des 3 000 dollars ? Ce n'était pas la bonne question. NeXT devait absolument se plier à ces trois impératifs. Mais comment Steve pouvait-il inciter le personnel de son entreprise à se focaliser sur l'essentiel alors que lui-même était si peu concentré ?

Steve était incapable de gérer efficacement tout l'argent qu'il avait réussi à réunir. NeXT était financé par un capital de 12 millions de dollars que Steve avait versé en deux fois, ainsi que des investissements de Carnegie Mellon et de Stanford, à hauteur de 660 000 dollars chacun, et 20 millions de dollars de Ross Perot, l'homme d'affaire excentrique qui avait offert son soutien à NeXT après avoir vu le documentaire de PBS, *The Entrepreneurs*. (« Je terminais toutes ses phrases », avait-il déclaré, enthousiaste, à *Newsweek*.)

Grâce à ces investissements, la jeune entreprise qui n'avait pas encore de produit fut évaluée en 1987 à la somme astronomique de 126 millions de dollars. (Deux ans plus tard, Canon, le fabricant japonais d'appareils photo et d'imprimantes, rajouta dans les caisses 100 millions de dollars, faisant passer la valeur totale de la société à 600 millions de dollars.) Steve présentait ces investissements comme une démonstration de faisabilité. Les capitaux de Carnegie Mellon et Stanford prouvaient que ces universités attendaient impatiemment la sortie de son ordinateur.

Le soutien de Perot soulignait l'importance du marché et montrait à l'évidence que les hommes d'affaires les plus novateurs mesuraient l'intérêt de Steve, son potentiel et sa maturité. Perot avait assuré qu'il surveillerait de près son investissement : « Ça va être l'enfer pour l'huître », déclara-t-il ainsi dans l'article de *Newsweek* consacré à l'accord signé avec NeXT, se comparant avec sa truculence habituelle au grain de sable qui irrite l'huître pour donner naissance à une perle. Mais en réalité, Perot laissait carte blanche à celui qu'il considérait comme un jeune génie. Des années auparavant, il avait refusé d'investir dans Microsoft à ses débuts, passant à côté des milliards de dollars qu'aurait pu lui rapporter l'entreprise dont les actions avaient grimpé en flèche et, cette fois, il était bien décidé à parier sur un des plus brillants geeks de la côte Ouest.

Steve lui avait promis de gérer ces capitaux avec prudence. Dans le documentaire *The Entrepreneurs*, il enjoignait sans cesse son équipe à économiser les ressources, au point d'aller se plaindre des tarifs d'hôtel qu'ils obtenaient. Bien qu'elle l'ait vu jeter l'argent par les fenêtres du temps d'Apple, Barnes espéra un temps que Steve eût changé. « Je me disais qu'il ferait plus attention avec son argent à lui, confie-t-elle. Je me trompais lourdement. »

La plupart des start-up de la Silicon Valley fonctionnent en amont de façon minimaliste. Comparées aux entreprises solidement établies, elles ont l'avantage de pouvoir se focaliser sur un produit ou une idée unique. Dégagée des contraintes bureaucratiques ou d'un héritage de produits à protéger, une petite équipe de gens talentueux peut s'attaquer à un concept avec intelligence et rapidité. Les salariés travaillent avec enthousiasme une centaine d'heures par semaine et tout ce qu'ils demandent plus ou moins à la « société », c'est de régler les factures et de les laisser en paix. Ils savent bien que si leur idée débouche sur une réussite telle que leur start-up doive s'agrandir, ils devront tôt ou tard affronter les rigueurs et les tensions inhérentes aux grandes entreprises. Mais généralement, ils ne s'en préoccupent que le moment venu. Au début, le décorum de l'entreprise peut constituer une entrave et empêcher de se consacrer pleinement à la création d'un objet de désir.

Comme il l'avait expliqué à Nocera, Steve adorait l'esprit des start-up. Mais sa conception du minimalisme avait évolué chez Apple. « Après avoir mené la belle vie là-bas, il avait du mal à se contenter de peu », explique Susan Barnes. Steve avait profité des ressources et de l'envergure d'Apple, de son extraordinaire savoir-faire et de son budget de marketing conséquent. Il avait beau dire qu'il voulait réitérer l'expérience de l'Apple II et du Mac, en réalité, il aurait aimé que NeXT combine d'un côté l'esprit du garage et de l'autre la sécurité, le statut et les à-côtés du club du Fortune 500. Mais il ne pouvait pas tout avoir.

Son extravagance se manifesta très vite, lorsqu'il versa 100 000 dollars à Paul Rand pour réaliser l'extraordinaire logo de NeXT. Ce choix était révélateur de l'ambition de Steve : le plus célèbre logo de Rand est celui qu'utilise encore IBM. Son prestige était tel que Steve accepta les conditions draconiennes imposées par le graphiste, qui ne lui offrait en contrepartie de ses 100 000 dollars qu'une seule proposition – qui serait à prendre ou à laisser. Heureusement, Jobs fut entièrement conquis. Il fut séduit par le logo, par la manière dont il était présenté dans un élégant livret expliquant en détail comment Rand avait abouti à ce remarquable design et allant même jusqu'à justifier en termes philosophiques le *e* en minuscule et les quatre couleurs vives sur un fond noir.

Lorsque le personnel de l'équipe NeXT reçut des exemplaires du manifeste, Lewin repensa au jour où il avait rencontré Steve, en 1977, alors qu'il était le représentant de Sony dans la région et travaillait dans des bureaux situés à côté du siège d'Apple, sur Stevens Creek Boulevard. Il se rappela que Steve adorait tripoter le matériel de promotion de Sony, notant le papier luxueux et l'aspect professionnel du design. « Steve était fan de Sony. Pourquoi les gens étaient-ils prêts à payer 15 % de plus pour un produit Sony ? Il entrait dans nos bureaux et il regardait le papier dont Sony se servait pour imprimer les brochures, il passait la main dessus. Ce n'était pas les produits qui l'intéressaient, mais l'aspect tactile, la surface, la présentation. » Mais NeXT était une start-up et non une grande entreprise prospère et bien implantée comme Sony, qui générait des milliards de chiffre d'affaires et pour qui le coût de cette brochure aurait été dérisoire.

Les dépenses excessives devinrent vite monnaie courante chez NeXT, en particulier pour tout ce qui avait trait au siège de l'entreprise. Les bureaux de Palo Alto étaient agrémentés de meubles coûteux réalisés sur mesure, de tirages d'Ansel Adams et d'une cuisine avec des plans de travail en granit. Et quand, en 1989, NeXT déménagea pour s'installer dans des bureaux plus spacieux, à Redwood City, une fois de plus, Steve ne regarda pas à la dépense. Le hall était meublé de longs canapés en cuir luxueux importés d'Italie. La pièce maîtresse était un escalier flottant dessiné par I. M. Pei, l'architecte mondialement connu qui avait conçu la pyramide du Louvre inaugurée cette année-là. Ces magnifiques escaliers sont à l'origine de bien d'autres qui ornent aujourd'hui certaines boutiques Apple.

La prodigalité de Steve touchait toute l'entreprise. « Notre système informatisé, m'assurait-il ainsi fièrement en 1989, est digne d'une entreprise de 1 milliard de dollars de chiffre d'affaires. » (En 1989, les ventes de NeXT s'élevaient à peine à quelques millions de dollars, cent fois moins que nécessaire pour atteindre la barre du milliard de dollars.) Mais il justifiait ces dépenses en expliquant qu'il créait dès le début l'infrastructure d'une entreprise digne de figurer au classement du Fortune 500. Contrairement à Apple, me dit-il, « on a pu réunir les capitaux à l'avance pour prendre un bon départ. Trouvons les meilleurs collaborateurs, faisons des séances de brainstorming, élaborons des stratégies, mais une fois pour toutes. Et faisons-le le mieux possible pour que ça dure des années. Ça nous reviendra un peu plus cher au départ, mais ça nous rapportera beaucoup au cours des prochaines années. »

Les dépenses de Steve atteignirent des sommets avec l'usine de pointe destinée à produire des légions d'ordinateurs NeXT – visiblement conçue pour être enviée dans le monde entier. Située à Fremont, à 25 kilomètres de Redwood City, de l'autre côté de la baie de San Francisco, l'usine était petite, mais c'était une merveille. Steve me l'a fait visiter juste avant sa mise en service, en 1989, alors presque vide. Il m'a expliqué qu'elle avait été conçue pour fonctionner avec peu d'employés. Il était fier du moindre détail, me montrant les robots et les machines qui avaient été repeintes dans les tons de gris qu'il avait lui-même spécifiés. La zone de production était située sur un seul niveau de la taille d'un grand restaurant. Dans le calme qui régnait ce jour-là, les lieux déserts évoquaient une sorte d'usine Potemkine – une simple coquille vide pour impressionner la galerie –, mais Steve prétendait qu'elle avait la capacité de produire jusqu'à six cents machines par jour, soit l'équivalent de 1 milliard de dollars de matériel par an.

L'usine avait été installée par une armée d'ingénieurs méthode – pendant quelque temps, il y avait plus de diplômés de haut vol travaillant au département production que dans la branche informatique. Les robots effectuaient quasiment toutes les tâches nécessitant une grande précision, dont certaines opérations d'assemblage que Woz et Jobs réalisaient eux-mêmes du temps où ils concevaient l'Apple I : ils plaçaient les puces sur les circuits imprimés, exécutaient toutes les soudures et effectuaient des tests et des mesures pour s'assurer que tout était parfait. Un employé intervenait pour procéder à une dernière vérification et se chargeait de l'assemblage final avant de glisser les circuits dans l'emplacement adéquat, à l'intérieur du cube en magnésium.

Steve avait raison, l'usine était en effet un modèle du genre. C'était l'époque où les fabricants japonais avaient chassé la plupart des entreprises américaines du secteur des semi-conducteurs et étaient cités en exemple aux constructeurs automobiles de Detroit. Il espérait que son usine immaculée donnerait au monde la preuve éclatante que les entreprises high-tech américaines étaient capables d'exceller. Plus encore, il avait le sentiment que l'apparente perfection des lieux et son obsession pour les détails enverraient un message clair aux employés : si vous visez la perfection dans tout ce que vous faites, vous obtiendrez des résultats inespérés.

C'était un principe admirable. Mais il ne justifiait aucunement de dépenser une somme astronomique pour construire une usine destinée à fabriquer des ordinateurs pour lesquels il n'existait pas encore de demande. Steve aurait pu facilement sous-traiter la production ; à la fin des années 1980, l'industrie informatique s'était ouverte à une multitude de sous-traitants basés dans la Silicon Valley, qui étaient parfaitement capables de fabriquer un produit aussi exigeant que l'ordinateur NeXT. Le coût aurait été bien moindre. Malgré toute sa splendeur, de l'aménagement paysager qui s'étendait devant le bâtiment aux tables roulantes méticuleusement fabriquées, sur lesquelles les composants informatiques circulaient d'un bout à l'autre de la chaîne de montage, l'usine NeXT s'avéra un véritable gouffre. Oubliez la production annoncée : l'usine ne dépassa jamais les six cents machines par mois.

———

EN THÉORIE, il n'y a rien de condamnable à vouloir une usine de pointe, de beaux bureaux pour ses employés ou un superbe logo. Mais au fil des décisions, Steve était bien en peine de justifier les contreparties qui accompagnaient ses choix fantasques. Il ne savait pas distinguer l'essentiel du superflu. En tant que CEO d'une toute jeune entreprise, c'était son rôle majeur. Chez NeXT, il se montra strictement incapable de l'assumer.

Ainsi, Steve décida très tôt que l'ordinateur NeXT devait avoir un lecteur de disque optique pour stocker les données à la place d'un disque dur standard. Le lecteur de disque optique offrait deux avantages considérables : ses disques pouvaient contenir deux cents fois plus de données que le disque dur de l'époque et ils étaient amovibles. Steve soutenait que le consommateur moyen pouvait avoir sur lui toute sa vie stockée sous forme de données en passant d'un ordinateur à l'autre, armé de son disque optique. Il semblait vouloir concrétiser la vision utopique d'une population mobile qui transporterait sur elle toutes les informations dont elle avait besoin. (De nos jours, évidemment, nous avons accès à une quantité bien plus importante de données sur nos Smartphones et nos tablettes, mais celles-ci sont stockées sur ce que l'on appelle le « Cloud ».) Cependant, le choix de l'optique présentait un certain nombre de problèmes, et plus particulièrement, la lenteur avec laquelle les informations étaient extraites du disque. Steve avait privilégié une vision – la valeur de la capacité de stockage – au détriment des besoins réels des consommateurs – l'avantage de pouvoir disposer rapidement des données stockées. Lorsque l'ordinateur NeXT fut enfin commercialisé fin 1989, les concurrents tels que Sun jugèrent allègrement que c'était une véritable tortue comparée à leurs ordinateurs à disque dur.

De nombreuses caractéristiques du NeXT semblaient être essentiellement destinées à éblouir la galerie. Comme les micro-ordinateurs standard, il était composé de quatre éléments : un clavier, une souris, un boîtier, ici en forme de cube, contenant l'ordinateur et un écran. Il avait été dessiné par l'Allemand Hartmut Esslinger, l'esthète du design industriel qui avait collaboré avec Steve sur le premier Mac. Là encore, c'était un choix onéreux que d'avoir opté pour un designer de renommée internationale qui était aussi intransigeant que Steve. Il commanda un cube aux arêtes vives, contrairement aux courbes infinitésimales qui caractérisaient les machines des autres constructeurs, dont Apple. Sur les ordinateurs classiques, ces arrondis n'étaient pas tant un choix esthétique qu'une concession aux réalités de la production. Créer un cube parfait avec de véritables angles droits nécessitait des moules sur mesure qui ne pouvaient être façonnés que dans un atelier de fonderie de Chicago. Esslinger et Jobs tenaient également à ce que le boîtier soit fabriqué en magnésium, un matériau bien plus onéreux que le plastique. Le choix du magnésium, tout comme celui de la fonte d'aluminium pour le boîtier de l'Apple III, huit ans auparavant, présentait de sérieux inconvénients. Comparé au plastique, le magnésium avait certes des avantages, mais il était bien plus difficile à usiner avec précision, ce qui entraînait plus de défauts au cours du processus de fabrication.

Avec un ordinateur présentant de telles particularités, il était strictement impossible de maintenir le coût de fabrication sous la barre des
3 000 dollars. Les fioritures ne cessaient de s'ajouter. « Pour respecter
le *business plan*, dit Lewin, il fallait s'en tenir à un cube dont le coût de
matériel ne dépassait pas 50 dollars, sans la carte mère. Steve s'est mis
en tête que la peinture devait avoir le même aspect que le bras de lecture en titane qu'il avait vu sur une platine disque à 4 000 dollars. Du
coup, il a envoyé trois employés chez General Motors pour apprendre
à peindre comme ça – Perot y avait siégé au conseil d'administration
et GM savait mieux peindre sur du métal que n'importe quelle boîte
au monde. Et on a appris à le faire. Mais avec un cube qui était censé
coûter 50 dollars tout compris ? La peinture à elle seule revenait à
50 dollars. On nageait en plein délire. »

Plus préjudiciables encore étaient certains des diktats esthétiques
que Steve imposait pour l'intérieur de la machine. L'un d'entre eux est
particulièrement révélateur. Normalement, dans un processus de fabrication classique, les ingénieurs sont tout d'abord informés des spécifi-
cations que doit respecter la machine ; ils conçoivent alors des circuits
répondant à ces exigences et ce n'est qu'ensuite qu'ils s'attaquent à la
question de la taille et de la forme de la carte mère de l'ordinateur.
Chez NeXT, Steve inversa la procédure. Il annonça à George Crow
et ses concepteurs que la carte mère du NeXT devait être un carré
parfaitement adapté au cube. Les ingénieurs étaient déconcertés par
cette configuration. En leur imposant une forme précise, Steve les
empêcha de donner libre cours à leur inventivité et de créer une carte
peu coûteuse qui réponde aux exigences de la machine. Il rajouta
un niveau de complexité inutile, entraînant des coûts supplémentaires
pour payer un plus grand nombre d'ingénieurs qui durent travailler
un plus grand nombre d'heures et ce, pour se conformer à un design
qui n'apportait rien d'essentiel au produit fini.

Steve ne cessait de faire des choix qui, pris isolément, pouvaient
sembler légitimes mais portaient préjudice à la mission cruciale de
l'entreprise. Il était incapable de mettre ces idées en balance. Il se
refusait à admettre que tout ne pouvait pas être conforme à ses désirs.

Une des raisons à cela, c'est qu'il croyait ce qui se disait à son sujet. Selon les médias et ses investisseurs, c'était un génie. Ross Perot le décrivait avec enthousiasme comme « un jeune homme de trente-trois ans avec l'expérience professionnelle d'un homme de cinquante ans ». Il ne se doutait pas de l'étendue de son erreur. Malcolm Baldrige, le secrétaire au Commerce du président Ronald Reagan, appelait Jobs pour lui demander conseil. Les rédacteurs en chef des plus grandes publications du pays envoyaient des journalistes sur la côte Ouest pour recueillir son opinion non seulement sur l'informatique et la haute technologie, mais également sur toutes sortes de sujets. (J'ai moi-même été envoyé interviewer Steve pour ce type d'article et l'ai écouté donner son avis avec assurance sur la politique industrielle, la concurrence avec la Russie, la lutte contre la drogue et le général pana-méen Manuel Noriega.) La fascination que suscitait NeXT, d'autant plus démesurée que la start-up n'avait pas de produit et s'attaquait à un secteur hautement compétitif, ne faisait que confirmer sa certitude d'être destiné à accomplir de grandes choses. Ce sentiment d'être un génie promis à un destin exceptionnel n'incitait guère Steve à écarter ses propres idées. Il se comportait comme si ses suggestions pouvaient faire toute la différence entre un produit révolutionnaire et les ordinateurs minables proposés par les autres fabricants. Des années plus tard, Perot admit qu'il s'était laissé berner. « Une de mes pires erreurs a été de donner tout cet argent à ces jeunes gens. »

De plus, Steve ne pouvait pas résister à la tentation de damer le pion à Apple. Dans la mesure où le logo d'Apple était devenu emblématique, Steve voulait que le sien ait le même potentiel et soit tout aussi prestigieux. Comme Apple avait une usine de pointe, la petite start-up de Steve s'était construit une usine au coût astronomique avec une capacité de production digne des besoins d'Apple. À le voir, il était manifeste qu'il était littéralement obsédé par Apple, malgré le silence qu'il avait imposé à ses attachés de presse. La première fois que John Huey, alors rédacteur en chef du magazine *Fortune,* se rendit au siège de NeXT, il patientait dans le hall lorsqu'il vit Steve rentrer d'un déjeuner avec d'autres visiteurs. Sans le reconnaître, Jobs s'assit sur un des luxueux canapés du hall et resta un quart d'heure à feuilleter une série de magazines en vitupérant contre la publicité « débile » d'Apple, qu'avaient pondue les « abrutis » qui étaient aux commandes de son ancienne société.

Certains ont attribué le caractère obsessionnel de Steve, sa soif de gloire et de réussite, à une volonté freudienne de triompher de ses parents biologiques qui l'avaient « rejeté » en le confiant à l'adoption. Mais lorsque je voyais Steve se comporter de façon puérile, j'ai toujours eu l'impression quant à moi que ce n'était jamais qu'un enfant gâté. Brillant, précoce, maniaque, il avait toujours eu gain de cause avec ses parents et se mettait à braire comme un âne blessé quand tout ne se passait pas comme il le voulait. Une fois adulte, il avait continué à se comporter de la même façon et piquait parfois des crises de rage. Chez NeXT, il n'y avait personne pour réfréner cet aspect de sa personnalité. Certains de ses collaborateurs plus posés, plus flegmatiques comme Lewin ou Barnes désapprouvaient son attitude et s'efforçaient de lui donner des conseils, mais il les ignorait impunément, parfois même avec mépris. En évoquant les journées qui avaient suivi le lancement historique du Mac, Steve avait confié à Joe Nocera : « Je crois savoir ce que ça fait de voir naître son enfant. » Malheureusement, pour l'équipe de NeXT, à bien des égards, Steve était encore l'enfant, et non le parent sur qui compter.

———

LES DÉCISIONS ARBITRAIRES de Steve laissaient ses subordonnés abasourdis, et avec sa manie de vouloir tout gérer, il ne les laissait jamais en paix. Il partait du principe qu'ils travaillaient jour et nuit. Il n'hésitait pas à les appeler chez eux le dimanche ou pendant les vacances s'il avait découvert un problème « urgent ». Et pourtant, les ingénieurs matériel et logiciel étaient incapables de résister à la tentation de travailler pour Steve Jobs.

Steve les comprenait. Les ingénieurs sont avant tout experts à trouver des solutions. Ils aiment par-dessus tout s'efforcer de venir à bout de problèmes inextricables. Steve leur soumettait des défis qu'ils n'auraient jamais imaginé pouvoir relever. Personne, dans le secteur de l'informatique, n'avait des objectifs et des attentes si spectaculaires. Personne n'était si attentif à leur travail. L'idée de créer un ordinateur qui pouvait transformer les modalités mêmes de l'enseignement était en soi séduisante. Mais pour ces programmeurs et ces fous de technologie de pointe, l'idée de créer cet ordinateur-là avec ce patron-là était irrésistible.

À mesure que les années passaient, il était de plus en plus évident que Steve avait bien d'autres ambitions pour le NeXT que le seul marché universitaire. Lewin et ses commerciaux courtisaient des clients de tous les secteurs d'activité, estimant que le NeXT pouvait transformer les bureaux, en ajoutant à la capacité informatique de modélisation en 3D ou d'interprétation de quantités considérables de données la possibilité de se connecter facilement aux autres *via* des réseaux internes. Mise à disposition non seulement des chercheurs enfermés dans leur tour d'ivoire, mais aussi des analystes quantitatifs de Wall Street et des commerçants, une telle machine serait véritablement révolutionnaire. Tant et si bien qu'en dépit des mois et des années qui passaient sans que l'entreprise lance enfin un produit fini, bon nombre d'ingénieurs continuaient à faire de l'excellent travail et voyaient dans leur tâche une noble mission doublée d'une passion. Les ingénieurs faisaient la loi chez NeXT. Ils avaient une aile qui leur était réservée au siège, équipée d'un piano à queue et de serrures pour interdire l'accès aux autres employés. Et le fait est que l'incroyable bande de geeks de NeXT réalisa de véritables prouesses.

Richard Crandall, un professeur de physique de Reed College, devint le responsable scientifique de l'entreprise et disposa de toute la latitude nécessaire pour étudier dans quelle mesure l'informatique pouvait élargir le champ des recherches universitaires dans des domaines tels que la science computationnelle. Crandall occupa ses fonctions chez NeXT, parallèlement à ses recherches de pointe sur la cryptographie qui s'étalèrent sur des dizaines d'années. Par la suite, il fut nommé chez Apple à la tête de l'Advanced Computation Group. De son côté, Michael

Hawley qui était fraîchement diplômé du Massachusetts Institute of Technology travailla avec un groupe de collaborateurs pour créer la première bibliothèque numérique au monde, qui présentait les œuvres complètes de Shakespeare et l'*Oxford Dictionary of Quotations*. Et lorsque le NeXT sortit enfin, il offrait des fonctions multitâches simples à utiliser, la possibilité d'attacher aisément des documents à des mails et une interface utilisateur intuitive pour faciliter la mise en réseau qu'il permettait.

Plus que tout, Jobs persuada Avie Tevanian, un jeune développeur de génie sorti de Carnegie Mellon University, d'intégrer NeXT au lieu d'aller chez Microsoft. À l'université, Tevanian travaillait sur Mach, une version boostée d'Unix, le puissant système d'exploitation utilisé sur les stations de travail. Chez NeXT, il devint le principal développeur de Bud Tribble sur le système d'exploitation de l'ordinateur baptisé NeXTSTEP. Pendant des années, Tevanian garda à l'écran une calculatrice qui comptabilisait au quotidien la valeur totale des stock-options auxquelles il avait renoncé quand il avait refusé l'offre de Microsoft. Mais il adorait son travail, notamment grâce à Jobs qui reconnaissait son génie et lui avait offert d'immenses responsabilités dès son arrivée.

Steve répéta à plusieurs reprises que ce qui différenciait NeXT des fabricants de stations de travail traditionnels, c'était qu'il aimait plus l'informatique qu'eux. Le système d'exploitation NeXTSTEP développé par Tribble et Tevanian était d'une réelle élégance. Dans le pur style de Jobs, il donnait une allure aussi séduisante qu'accessible à un système d'exploitation que seuls les ingénieurs avaient été capables de déchiffrer jusque-là. Et Steve dut reconnaître que la technique appelée Programmation orientée objet (POO) pouvait aider les développeurs à réduire considérablement le temps nécessaire pour créer des applications. Un des outils de POO inventé par Tevanian, WebObjects, devint par la suite un des produits les plus rentables de NeXT ; avec l'essor d'Internet, il se révéla très utile pour les entreprises qui cherchaient à mettre au point rapidement des services en ligne.

Steve avait beau se fier aux compétences de Tribble et Tevanian, il ne pouvait pas s'empêcher de les malmener. « Très vite, se souvient Susan Barnes, la femme de Tribble, Bud s'est plaint que Steve n'arrêtait pas de le harceler pour qu'il lui montre à l'écran ce sur quoi il travaillait. Bud me disait : "Steve peut brailler que le soleil ne devrait pas se lever à l'est, il se lèvera toujours à l'est, et il va nous falloir du temps avant que ce logiciel soit suffisamment au point pour qu'on voie quelque chose à l'écran. Je sais qu'il a besoin de visualiser pour comprendre, se faire une idée, et je sais que pour lui c'est frustrant de regarder des lignes de code. Mais c'est comme ça !" »

« La société était si petite qu'on se connaissait tous, explique Tevanian qui a des airs de footballeur professionnel, avec ses boucles brunes, ses yeux creusés et sa carrure athlétique. Je travaillais tard le soir, Steve passait me voir et je lui montrais ce sur quoi je travaillais, et il se mettait à me hurler dessus, me disait que c'était nul, et j'en passe. Mais au bout du compte, j'en savais plus long que lui sur certains trucs. Il en était conscient et on a appris à se respecter mutuellement ; si je supportais certaines de ses critiques, c'est que par ailleurs, il écoutait ce que j'avais à dire. On faisait en sorte que ça marche ! »

Dès la création de NeXT, Steve déclara que sa mission principale était de « bâtir une grande entreprise ». Aussi louable soit-il, ce dessein aboutit à un projet bancal et confus, qui se révéla être un nouveau dérivatif. Les bonnes intentions de Steve le conduisaient à un réel aveuglement intellectuel, qui l'incitait à donner une importance démesurée aux questions les plus dérisoires et à balayer les réalités fondamentales sous le tapis.

Steve s'efforçait d'être un bon patron. Il organisait ainsi chaque année pour ses employés un « pique-nique familial » à Menlo Park. C'était une fête essentiellement destinée aux enfants, qui se déroulait le samedi, avec des clowns, du volley-ball, des hamburgers et des hot dogs, et même des activités ringardes comme les courses en sac. Il m'a invité à y assister en 1989, avec ma fille Greta qui avait alors cinq ans. Steve est resté à bavarder avec moi pendant une heure, assis pieds nus sur une botte de foin, pendant que Greta était allée voir le

Pickle Family Circus, une troupe comique d'acrobates et de jongleurs de la région de San Francisco que Steve avait engagée. Des employés venaient de temps en temps le voir pour le remercier d'avoir organisé la fête.

Nous avons un peu discuté de sa société, mais Steve a surtout parlé de l'importance que NeXT accordait aux familles, et du nombre de familles qu'il y avait chez Pixar, la petite société d'images de synthèse qu'il avait rachetée à George Lucas. Si certains de ses propos n'étaient que du vent, d'autres reflétaient les préoccupations d'un homme aux prises avec la question de la responsabilité paternelle. Au fond de lui, il rêvait de fonder sa propre famille. Il passait de plus en plus de temps avec sa fille Lisa, entamant une réconciliation qui demeura toujours précaire mais la conduisit à venir habiter chez lui durant ses années de lycée. J'avais l'impression que ces pique-niques étaient pour lui la preuve qu'il pouvait être un bon père, si ce n'est pour sa fille, du moins pour ses employés. « En voyant ces rassemblements, je suis sûre qu'il devait se dire : "Oh non, je ne suis pas seulement responsable de tous ces employés, mais aussi de leur famille", dit Susan Barnes. Ça ne faisait qu'ajouter à la pression qu'il avait déjà. »

Le paternalisme naissant de Steve l'incitait à rechercher l'amitié de certains de ses plus proches collaborateurs. À la naissance du premier enfant de Susan Barnes et Bud Tribble, il alla discrètement à l'hôpital après les heures de visite. « Steve voulait tellement être une figure paternelle, se rappelle Jon Rubinstein qui intégra NeXT en 1991 et remplaça par la suite Rich Page à la tête du département matériel. Il n'avait qu'un an de plus que moi. Mais il était obnubilé par cette histoire de figure paternelle. C'était drôle, parce qu'il estimait connaître la vie mieux que tout le monde. Il voulait toujours que je lui parle de ma vie privée. »

Mais lorsque Steve essayait d'intellectualiser ou d'institutionnaliser ses sentiments paternalistes, il s'y prenait souvent de façon maladroite et superficielle. Son ambition de « bâtir une grande entreprise » le conduisit à mettre en place une expérience sociale idéaliste qu'il baptisa « Open Corporation », autrement dit, l'entreprise transparente.

Les salaires étaient fixés par catégorie, si bien que tous les employés qui avaient le même titre avaient une rémunération identique. Et le salaire de tous les employés était accessible au reste du personnel. C'était un exemple de sa volonté de traiter tout le monde de façon équitable, m'a un jour assuré Steve avant de se lancer dans le long monologue en forme de cri du cœur qu'il avait préparé pour l'occasion :

« Ce sont les gens qui font marcher notre usine. Ce sont les gens qui écrivent les logiciels, qui conçoivent les machines. Nous ne devons pas surpasser nos concurrents, nous devons nous montrer plus intelligents qu'eux. Chaque fois que nous recrutons quelqu'un, nous contribuons à bâtir notre avenir.

« Recruter des gens de valeur n'est qu'un début, il faut aussi construire une entreprise transparente. Prenez le corps par exemple, les cellules sont spécialisées, mais chacune d'elles a le schéma directeur de tout le corps. Nous estimons que NeXT sera la meilleure entreprise possible si tous ceux qui y travaillent peuvent comprendre le schéma directeur dans ses grandes lignes et s'en servir d'indicateur pour prendre des décisions. Évidemment, ce n'est pas sans risque de donner à tout le monde accès aux données de l'entreprise, on peut y perdre. Mais ce qu'on y gagne dépasse largement ce qu'on perd.

« Le signe le plus évident de la transparence de l'entreprise chez NeXT est la politique qui permet à tout le monde de connaître le salaire que gagnent les autres. Il y a une liste au département financier qui est accessible à tout le monde. Pourquoi ça ? Dans une entreprise classique, un manager va passer en moyenne trois heures à traiter de questions de rémunération. Ces trois heures sont consacrées en majeure partie à répandre de fausses rumeurs et à parler en termes évasifs de "rémunération relative". Chez nous, le manager passe lui aussi trois heures à parler, mais ces heures sont consacrées à défendre avec le plus de transparence possible les décisions que nous prenons, et à expliquer pourquoi nous les avons prises et à apprendre à ceux qui travaillent pour nous ce qu'ils doivent faire pour atteindre ces niveaux de rémunérations. Nous avons tendance à considérer que ces trois heures ont un caractère pédagogique. »

Ces discours sur la transparence de l'entreprise étaient pour Steve le moyen de présenter NeXT comme une société d'une exceptionnelle intégrité morale. Mais ses actes ne tardèrent pas à contredire ses paroles. Alors même qu'il m'expliquait tout cela, cette pratique avait été déjà été dénoncée en interne comme une vaste blague. Et ce, pour une raison bien simple : Steve tenait systématiquement à recruter à tout prix les meilleurs au monde, en particulier les ingénieurs. « Dans la plupart des entreprises, le rapport entre les moyens et les bons est au mieux de deux contre un, m'a-t-il expliqué un jour. Si vous allez à New York, par exemple, et que vous tombiez sur le meilleur taxi de la ville, vous pouvez aller 30 % plus vite qu'avec un taxi normal. Un gain de deux contre un, c'est déjà pas mal. En informatique, c'est de vingt-cinq contre un. La différence entre un programmeur moyen et un programmeur génial est au moins de ça. On a tout fait pour recruter les meilleurs au monde. Et quand on est dans un domaine où l'amplitude est de vingt-cinq contre un, croyez-moi, ça rapporte. »

Chez NeXT, la procédure de recrutement était rigoureuse et comportait de multiples entretiens. Dans bien des cas, il suffisait qu'une des personnes qui faisaient passer les entretiens dise non, pour qu'un candidat soit évincé. Et ce n'est pas les postulants qui manquaient ; tous rivalisaient pour travailler avec Steve. Mais naturellement, il était impossible de recruter le nec plus ultra sans offrir de réels avantages financiers. Steve commença donc à faire des exceptions dans le cas de quelques recrutements. Certains reçurent des primes phénoménales à la signature. D'autres obtinrent des salaires plus élevés que ceux de leur catégorie. Et lorsque ces accords discrets commencèrent à apparaître sur la liste du département financier, on eut soudain beaucoup plus de mal à mettre la main sur celle-ci.

Non seulement la transparence de l'entreprise était irréaliste en termes de logistique et de management, mais elle était en décalage absolu avec la réalité que vivaient tous ceux qui travaillaient aux côtés de Steve Jobs. Avec son tempérament irascible, ses colères, sa propension à user de méthodes pernicieuses pour faire pression sur ses collaborateurs, Steve sapait en permanence la vision d'harmonie, de paix et d'égalité qu'il se vantait de promouvoir. Il se montrait tout aussi imprévisible et injurieux qu'il l'était depuis le début de sa carrière. De plus, il s'en prenait à tout le monde, hurlant régulièrement non seulement sur ses ingénieurs, mais aussi sur l'équipe de direction ou ses propres assistants.

Ses amis proches finirent par comprendre ce qui déclenchait ses colères, mais cela ne leur facilita pas la vie pour autant. Tevanian s'efforçait de protéger ses développeurs logiciel des fureurs de Jobs, en s'assurant qu'ils ne soient pas dans les locaux quand il devait l'informer qu'il y avait un retard sur le programme ou qu'une interface utilisateur qu'il avait commandée s'avérait impraticable. Barnes, qui avait l'habitude des colères imprévisibles de Steve chez Apple, avait adopté une stratégie claire, autant pour elle-même que pour ses employés. « Dès qu'il piquait une crise et se mettait à hurler, je raccrochais. C'est la seule personne que j'ai jamais connue à qui on pouvait raccrocher au nez et qu'on pouvait rappeler plus tard, une fois qu'il s'était calmé. Moi, le premier qui me raccroche au nez, je le tue. Mais avec lui, si le fait de hurler ne lui apporte pas ce qu'il veut, il faut prendre de la distance. Sortir de la pièce. Et il revient plus aimable, aborde les choses autrement. Je me suis aperçue que c'était quelque chose qu'il pouvait déclencher et stopper à son gré et que tant que ça marchait, il s'en servait. » Quant à ses employés, elle leur conseillait de se boucher mentalement les oreilles et d'essayer de l'« écouter malgré les hurlements ». « Il fallait dépasser les hurlements pour comprendre la raison de ces hurlements, explique Barnes. C'était le plus important, ce qu'on pouvait essayer d'arranger. »

LA PRESSION MONTA d'un cran dans l'entreprise lorsque Steve se mit à bousculer tout le monde, demandant à chacun de s'activer pour se préparer au lancement du NeXT, le 22 octobre 1988. Steve avait toujours aimé les mises en scène pour dévoiler ses dernières créations numériques, mais il ne s'était pas produit en public depuis ce soir de 1984 où il avait sorti le Macintosh de son sac comme un lapin d'un chapeau. Il était persuadé que ces présentations en forme de tour de magie étaient non seulement une bonne technique de vente, mais qu'elles contribuaient à galvaniser les employés et à dynamiser une société épuisée par la lutte de Sisyphe qu'elle avait menée pour sortir le produit à temps pour le lancement. Au fil des années, son numéro devenait de plus en plus élaboré, les mises en scène de plus en plus sophistiquées et la masse de travail que cela représentait augmentait proportionnellement, tout comme le stress de ceux qui participaient à l'organisation de l'événement. C'était une tâche épuisante et tous ceux qui pouvaient se le permettre prenaient des vacances aussitôt après.

Le lancement du NeXT exigeait plus d'habileté que jamais. Le système d'exploitation dont la sortie n'était prévue qu'un an après buggait sans arrêt. Le disque de stockage magnéto-optique était bien trop lent pour une démo. Il n'y avait pas d'application conçue par des développeurs de logiciels extérieurs. À l'exception peut-être de l'iPhone presque vingt ans plus tard, ce fut la seule fois que Steve Jobs dévoila un produit aussi peu au point. Mais il ne pouvait pas attendre plus longtemps. Il voulait à tout prix que l'événement soit un succès. L'aura qui entourait la « nouvelle grande entreprise de Steve Jobs » commençait à s'estomper. Le potentiel a une durée de vie limitée, quand bien même il est aussi exceptionnel que celui de Steve.

Plus de trois mille invités s'entassèrent dans le Davies Symphony Hall, l'élégante salle ultra-moderne qui abritait la San Francisco Symphony. L'accès était étroitement contrôlé et des dizaines de pseudo-VIP furent refoulés à l'entrée. À l'intérieur, une exposition de photos du rocker Graham Nash était présentée dans les galeries circulaires, laissant entendre que certaines célébrités étaient peut-être prévues au programme.

En entrant dans la salle de concert, le public découvrait une scène plongée dans le noir avec en arrière-plan, un gigantesque écran vidéo en guise de toile de fond. Sur une table haut placée à gauche étaient disposés un grand vase orné d'une profusion de grandes tulipes blanches ainsi qu'un assortiment de télécommandes. À droite de la scène, ce qui semblait être une série d'écrans d'ordinateurs dissimulés par un drap de velours noir était placé sur une table ovale. Juste devant, un fauteuil de bureau était installé au pied d'une colonne de 1,20 mètre également recouverte de velours noir. Tandis que le public prenait place, la sono diffusait des flots de musique de chambre rappelant la vocation des lieux. C'était un mardi matin et, pourtant, la plupart des invités étaient vêtus comme s'ils allaient assister à une soirée de concert. (J'étais moi-même en costume.) C'était exactement ce que voulait Steve.

Le spectacle fut une telle réussite que l'on aurait pu considérer que c'était la première grande nouveauté de NeXT. Le public se tut dès que Steve entra en scène, rasé de près, les cheveux bien coupés. Il portait un élégant costume italien de couleur sombre, une chemise d'un blanc aveuglant et une cravate noir et bordeaux à motif entre-croisé. Il prit le temps de savourer cet instant, l'air ravi, s'efforçant manifestement de ne pas sourire jusqu'aux oreilles. La foule applaudit longuement.

« Quel plaisir d'être de retour », dit-il quand les applaudissements se turent. Puis les mains jointes comme en prière, il se lança dans son discours de *come-back*. Cela dura deux heures et demie. Il avait passé des mois à peaufiner ses commentaires qu'il présenta davantage comme un cours d'école de commerce que comme un argumentaire de vente. Steve proposa un nouveau système de classification de l'in-dustrie informatique – système exposé de telle façon que sa machine apparaissait bien entendu telle la dernière étape majeure d'une évolu-tion logique. Pour cela, il s'appuya sur des diapositives de présentation qui avaient été assemblées à la main, car il n'existait pas d'application informatique pour automatiser le processus. Le montage des diapo-sitives avait demandé un travail colossal. Après des jours et des jours passés à chercher la nuance de vert exacte du fond, Steve avait enfin trouvé son bonheur et n'avait pas arrêté de marmonner : « Génial, ce vert ! Génial, ce vert ! » Pour l'équipe de marketing sous pression, la formule était devenue une sorte de mantra.

Il expliqua que ce qu'il appelait désormais une « station de travail personnelle » était bien plus adapté aux besoins des utilisateurs avertis que les stations de travail que Sun et Apollo vendaient des dizaines de milliers de dollars. Lorsqu'il était chez Apple, admit-il, il n'avait pas mesuré combien il était important de pouvoir lier en réseau les ordinateurs personnels tels que le Macintosh. Le NeXT, lui, avait été précisément conçu pour être connecté à un réseau.

Les informaticiens connaissaient déjà l'histoire, mais ce n'était pas le cas du grand public, littéralement fasciné par Jobs. Steve avait toujours su décrire le potentiel de technologies obscures, et cependant bien réelles, avec un tel aplomb qu'il parvenait à créer parmi son auditoire une forme de désir. Il avait la certitude absolue qu'il pouvait vendre aux gens de la découverte sous forme de produits technologiques qu'ils n'avaient pas même conscience de vouloir jusque-là, certitude généralement justifiée. Quand Steve brandit l'intérieur du NeXT et s'extasia devant « la plus belle carte mère qu'il m'a été donné de voir », le public retint son souffle puis applaudit à tout rompre, bien qu'au-delà de 1 ou 2 mètres tous les circuits imprimés se ressemblent plus ou moins. Les invités applaudirent même lorsqu'il décrivit le cordon d'alimentation de 3 mètres. Ce jour-là, la foule l'aurait suivi n'importe où. Quand il qualifia les grandes universités d'« entreprises du Fortune 500 qui ne disaient pas leur nom », ils eurent même l'air de le croire.

Puis vint le moment délicat de sa prestation, lorsqu'il dut expliquer que cet ordinateur révolutionnaire devait se contenter d'un graphisme en noir et blanc et dégradé de gris, une mesure d'économie devenue inéluctable, car les exigences maniaques de Steve avaient retardé la sortie de l'ordinateur et augmenté son coût. Qu'importe. Steve décrivit simplement le design magnifique de l'élément. Il vanta la subtilité de ses nuances de gris en de tels termes qu'à l'entendre, les écrans couleur n'étaient quasiment qu'une extravagance superflue.

Au fil de la démonstration, le discours de Steve se faisait de plus en plus exalté, comme si les NeXT allaient non seulement révolutionner les disciplines scientifiques, mais également les arts. Avec un potentiel pareil, suggéra-t-il, il était extraordinaire que le NeXT ne coûte que 6 500 dollars, que son imprimante ne soit commercialisée qu'à 2 000 dollars et que les clients qui souhaitaient ajouter un disque dur classique pour augmenter sa capacité de stockage n'aient que 2 000 dollars à débourser de plus. Cependant, il ne cachait pas que si l'on voulait qu'il fonctionne au maximum de ses capacités, le système informatique NeXT coûtait plus de 10 000 dollars, soit près de 7 000 dollars de plus que ce qui était prévu.

Steve savait qu'il devait achever la présentation sur une note qui éclipse ce détail fâcheux et soulève l'enthousiasme. Quoi de plus approprié que la musique dans la salle de concert ? Depuis un mois et demi, il poussait Tevanian qui avait intégré l'entreprise depuis peu à concevoir une application logicielle de synthétiseur qui puisse présenter le Cube comme un ordinateur plus polyvalent que tout ce qui se faisait sur le marché. « D'un coup, la carte mère s'est mise à produire du son ! Incroyable, je me suis dit, se souvient Tevanian. Mais il est onze heures du soir, et il n'y a personne à qui montrer ça. Alors, je me précipite dans le bâtiment d'à côté et voilà que je tombe sur Steve qui bosse encore. Je lui dis : "J'ai quelque chose à vous montrer, Steve." On retourne en courant au labo et je lui montre. Et il se met à m'injurier. "Pourquoi tu m'as montré ça ? Je n'en reviens pas !", il hurle. Moi, je lui dis : "Mais vous ne comprenez pas, ça marche !" Et lui me répond : "Je n'en ai rien à faire, c'est abominable. Je ne veux plus jamais voir un truc pareil." »

« J'ai beaucoup appris ce jour-là, ajoute Tevanian. La plupart des gens qui travaillent avec Steve finissent par démissionner ou par se faire virer dans ces cas-là, mais moi, je me suis contenté d'encaisser en me disant : "Bon, je ne peux lui montrer qu'à partir d'un certain niveau. Je peux le montrer aux autres pour l'instant, mais pas à lui." »

Au moment même où le public risquait de s'impatienter, Steve dévoila la trouvaille de Tevanian. Il fit une éclatante démonstration de création sonore polyphonique en faisant jouer à l'ordinateur des percussions indonésiennes. Le public écouta, fasciné, la musique électronique amplifiée résonner dans toute la salle. Steve sourit d'un air crispé, comme un père s'efforçant de masquer sa fierté. Personne n'avait jamais rien entendu de pareil sortir d'un ordinateur. Mais ce n'était qu'un avant-goût. Steve invita ensuite Dan Kobialka, le premier violon de l'orchestre de la San Francisco Symphony, à jouer en duo avec le Cube. Il interpréta un extrait du concerto pour violon en *la* mineur de Bach. Steve recula, laissant les deux interprètes sous le feu des projecteurs. Durant plus de cinq minutes, il régna dans la salle de concert une atmosphère aussi intime que dans un salon. Lorsque Kobialka leva son archet, le public se leva spontanément pour l'ovationner. Un troisième projecteur se braqua alors sur Steve qui s'inclinait, une rose à la main, devant la foule en adoration.

Cette présentation en avant-première suscita des réactions aussi démesurées que le spectacle en lui-même. Des noms qui faisaient autorité, comme Stewart Alsop, Dick Shaffer et Michael Murphy annoncèrent que grâce à cet ordinateur, NeXT pèserait entre 200 et 300 millions de dollars d'ici à 1990. Shaffer se dit « converti ». Abstraction faite des spécialistes – qui se livraient volontiers à des prédictions enflammées –, les journalistes les plus sérieux avalèrent sans broncher tout ce que Steve leur avait raconté sur sa nouvelle machine. Je l'ai moi-même qualifiée d'« éblouissante » dans l'article en une du *Wall Street Journal*, allant jusqu'à écrire qu'elle était « relativement bon marché ». Comme le voulait Steve, je la comparais aux stations de travail existantes, sans me soucier du prix qu'il s'était engagé à respecter auprès des universités qui devaient être ses principaux clients.

Ce qui nous a échappé à tous, c'est que cet ordinateur n'avait quasiment aucune chance sur le marché. Steve avait si mal géré l'entreprise qu'au bout du compte, le NeXT se contentait d'être un peu moins cher que la plupart des stations de travail et présentait quelques améliorations marginales qui ne compensaient pas ses nombreux défauts. Les principes fondateurs de la société étaient en lambeaux, les objectifs fixés lors des premiers séminaires réduits en miettes. Dès le début,

Jobs s'était entendu répéter avec insistance que la machine ne devait pas dépasser la barre des 3 000 dollars. Plus récemment, ses contacts dans les universités lui avaient dit qu'elle devait plutôt être commercialisée à moitié prix. Les universités n'étaient pas prêtes à débourser 10 000 dollars pour un système NeXT au grand complet alors qu'un Mac coûtait 2 500 dollars et une station de travail Sun d'entrée de gamme 5 000 dollars. Il avait déjà perdu la partie, mais peu d'entre nous s'en rendaient compte.

———

LES PRINCIPAUX CONCURRENTS de Steve ne se laissèrent pas berner par le faste de la présentation. Chez Sun Microsystems, on ne prit pas le lancement au sérieux. Scott McNealy, le CEO originaire de Detroit qui jouait au hockey pendant son temps libre, n'avait pas pour habitude de mâcher ses mots. Il estimait que les adeptes des stations de travail n'avaient que faire des jolies polices de caractères et du boîtier en magnésium de Steve. « On leur donne ce qu'ils veulent et ils se fichent d'avoir de jolies icônes. »

Si Steve avait eu de la lucidité et ne serait-ce qu'une once d'humilité en créant NeXT, il se serait rendu compte que Sun était son concurrent le plus redoutable – et peut-être le modèle à suivre. Scott McNealy, un des quatre cofondateurs qui avait lancé l'entreprise en 1982, était devenu CEO en 1984. Il n'avait que trois mois de plus que Steve, mais semblait bien plus expérimenté. Son père avait été CEO d'American Motors, le constructeur automobile aujourd'hui disparu, particulièrement réputé pour ses modèles originaux comme la Nash Rambler ou l'AMC Pacer. Quand il était petit, Scott fouillait le soir dans la mallette de son père alors que celui-ci avait le dos tourné. McNealy était aux antipodes de Steve Jobs. Outre son parcours scolaire et universitaire, c'était un sportif enragé. Il aimait la country et le heavy metal, et non Bob Dylan et les Beatles. McNealy était un irrésistible farceur qui parlait parfois sans réfléchir, mais il dirigeait sa société avec une maturité qui chez Steve n'était que feinte.

Sun avait atteint la barre du milliard de chiffre d'affaires en quatre ans. McNealy avait eu l'intelligence de cibler une clientèle qui avait de l'argent – les départements R&D des entreprises, les militaires américains et les laboratoires gouvernementaux, une clientèle moins prestigieuse mais bien plus fortunée que les universités que convoitait Steve. Sun avait ensuite visé Wall Street, qui découvrait depuis peu les possibilités qu'offraient les ordinateurs pour identifier les opportunités de transactions rapides. Ces clients ne s'intéressaient pas à l'aspect des ordinateurs, du moment qu'ils avaient de grands écrans et pouvaient exécuter simultanément des tâches informatiques multiples.

Sun avait réussi en identifiant le besoin réel du marché, en sortant le produit correspondant exactement à cette attente et en vendant ses machines à un prix relativement raisonnable. NeXT avait échoué sur ces trois points. En fait, NeXT ne vendit son premier ordinateur qu'un an après cette tapageuse avant-première au Davies Hall – quatre ans après que Steve eut créé la société. McNealy était rigoureux, économe et opportuniste. Les objectifs de Steve étaient confus, il était dépensier et mettait parfois du temps à réagir. McNealy s'était associé avec les autres cofondateurs de Sun pour vendre le plus de machines possible, être au service de ses clients et gagner beaucoup d'argent. Steve avait fondé NeXT parce qu'il était furieux contre John Sculley et Apple, qu'il avait désespérément besoin d'une revanche et qu'il estimait que c'était son devoir – et son droit imprescriptible – de continuer à surprendre le monde. Lorsqu'il avait créé NeXT, il y avait un créneau à prendre ; le succès de McNealy le prouvait. Mais Steve était encore jeune et immature et se considérait comme le seul être digne d'intérêt dans le secteur informatique. Il se regardait dans le miroir alors que, depuis le début, McNealy regardait autour de lui pour voir ce dont le monde avait réellement besoin.

Ce n'était pas le seul leader de l'informatique à n'être aucunement impressionné par le NeXT. Bill Gates refusa de développer des logiciels pour le NeXT malgré les tentatives répétées quoiqu'embrouillées de Steve, qui s'efforçait de le convaincre que ce serait aussi profitable pour Microsoft que leur collaboration avec Mac (depuis des années,

Microsoft était le principal développeur d'applications de Mac).
Lorsque Bill était venu pour la première fois à Palo Alto pour voir
ce que Steve préparait chez NeXT, ce dernier l'avait laissé poireauter
dans le hall une demi-heure avant de venir le chercher. Entamée avec
aigreur, la relation entre Microsoft et NeXT devait se révéler inexis-
tante. Gates envoya promener Steve un nombre incalculable de fois
et sans ménagement. « Développer des logiciels pour cette bécane ?
déclara-t-il à *InfoWorld*. Je vais pisser dessus, oui. » Dans la mesure
où les logiciels Microsoft étaient en passe de devenir la norme dans
la quasi-totalité des domaines de l'informatique, ce refus de soutenir
NeXT en développant des versions adaptées de ses applications mar-
ginalisait effectivement l'entreprise.

Gates ne se montra guère plus tendre après la prestation du
Davies Hall. « Tout bien considéré, dit-il, la plupart de ces caractéristiques sont sans intérêt. » Un an plus tard, il déclara à propos du
NeXT : « Si vous voulez du noir, je vais vous chercher un pot de
peinture. » Gates se souvient encore du moment où il a assuré une
fois pour toutes à Steve qu'il était hors de question que Microsoft
écrive des logiciels pour NeXT. « Il n'était pas furieux, m'a-t-il dit
récemment. Il était dépité. Il ne savait pas quoi dire, ce qui ne lui
ressemblait pas. Il savait que je disais peut-être vrai. Et si c'était le
cas, ce n'était pas demain la veille que les gros cubes noirs allaient
changer le monde. »

———

VERS LA FIN du spectacle du Davies Hall, Steve Jobs révéla ce qui aurait
dû être le scoop de la soirée : le colosse de l'informatique, IBM, avait
décidé d'installer le système d'exploitation NeXTSTEP sur certains
de ses modèles de stations de travail techniques. Le fait que la plus
grande entreprise informatique du monde utilise le système d'exploitation révolutionnaire de Steve offrait une caution incontestable.

Le contrat entre les deux sociétés stipulait qu'IBM achetait le droit
d'utiliser NeXTSTEP comme interface graphique pour 60 millions de

dollars – ce qui ne représentait qu'une bagatelle pour IBM, mais un fonds de roulement crucial pour NeXT, qui voyait fondre au fil des années l'argent des investisseurs. Beaucoup de gens étaient persuadés que l'accord pouvait avoir des répercussions plus larges, et Steve ne faisait rien pour les en dissuader. IBM avait déjà conclu un partenariat avec Microsoft pour développer conjointement un nouveau système d'exploitation destiné aux futurs PC, appelé OS/2. En révélant sa collaboration avec NeXT, IBM laissait entendre que l'entreprise avait du mal à accepter son partenariat quasi exclusif avec Microsoft. (Et quelques mois après l'annonce de cet accord avec NeXT, il s'avéra que la coopération entre IBM et Microsoft se heurtait à de réelles difficultés.) La perspective alléchante était qu'à terme, le système d'exploitation de Steve puisse équiper non seulement les stations de travail, mais également les ordinateurs personnels du plus redoutable concurrent d'Apple. Si cela avait été le cas, Steve aurait alors parfaitement réussi son *come-back*.

Mais de toute évidence, avec IBM, Steve ne sut jamais véritablement tirer parti des cartes qu'il avait en main. Il affichait un comportement juvénile mêlé d'orgueil et d'incertitude. Jobs pouvait faire preuve de force et d'audace, comme lorsqu'il avait arraché à IBM une promesse d'investissement avant même qu'un seul responsable de Big Blue n'ait posé les yeux sur NeXTSTEP. Mais il pouvait aussi se montrer tout simplement grossier. Arrivant ainsi en retard à un rendez-vous prévu avec un groupe de cadres d'IBM qui avaient fait le déplacement, Steve avait interrompu les discussions en lançant avec dédain : « Votre UI [interface utilisateur] est merdique. » Dan'l Lewin qui retrouvait Steve avant chaque réunion avec IBM pour mettre soigneusement au point leur stratégie ne savait jamais à quoi s'attendre de la part de son boss. Parfois, Steve sapait tout le travail qu'ils avaient effectué tous les deux en amont. « Il arrivait que je lui donne littéralement des coups de pied sous la table, se rappelle Lewin. Un jour, par exemple, dans une réunion, il est allé leur balancer : "Je ne vois vraiment pas pourquoi vous voulez nous aider." »

D'un point de vue psychologique et émotionnel, il était aussi compliqué pour Steve de signer avec IBM que de supplier Bill Gates d'apporter son soutien au NeXT. Steve avait toujours estimé que NeXTSTEP était le pilier du fantastique ordinateur qu'il avait créé. Il voulait être le héros et non le partenaire mineur d'une société informatique plus puissante que la sienne. Si les gens d'IBM utilisaient son système d'exploitation et vendaient beaucoup d'ordinateurs équipés de leur version de NeXTSTEP, la gloire retomberait sur eux et non sur lui.

Il n'est guère étonnant, par conséquent, que Steve n'ait rien fait pour que cette relation décisive se déroule au mieux. Il fit capoter l'accord avec IBM en ne se comportant pas toujours en partenaire loyal. Bill Lowe, un vétéran d'IBM qui avait contribué de façon majeure à relancer le PC en 1981, était à l'origine du partenariat. Mais Lowe prit sa retraite en 1990 et fut remplacé par James Cannavino. Cannavino supposa naturellement qu'IBM pouvait utiliser la version 2.0 de NeXTSTEP sur ses machines. Mais Steve, qui n'avait pas même rencontré Cannavino, exigea qu'IBM rajoute de l'argent, ce qui aboutit à une nouvelle série d'interminables négociations. Il dépassait les bornes. Cannavino cessa de répondre à ses appels et abandonna le projet sans que ce soit annoncé officiellement. IBM fut légèrement déçu de devoir renoncer à ce « plan B » qu'il avait imaginé pour créer une véritable alternative à la nouvelle interface graphique Windows de Microsoft. Mais pour NeXT, ce fut un coup fatal qui anéantit sa dernière chance d'atteindre l'envergure qui aurait fait de lui, comme l'avait dit Steve en 1985, « la nouvelle grande entreprise du monde ».

Désabusé, Lewin démissionna de NeXT quelques mois avant la cessation de l'accord. Ce fut le premier des cinq employés à quitter le navire, parmi ceux qui avaient intégré NeXT à l'origine. « Du temps de NeXT, le monde nous appartenait. Et ça a coulé à cause de Steve », raconte Lewin. Steve l'invita à déjeuner deux mois après sa démission. « Bon, maintenant que tu t'en vas, dis-moi ce que tu penses réellement ? lui demanda-t-il. — Au train où ça va, tu vas vider les caisses jusqu'au dernier penny », lui répondit l'ancien directeur commercial.

À l'époque, NeXT possédait encore 120 millions de dollars en liqui-dités. « Cette boîte n'a aucune chance. Tu es peut-être majoritaire à 51 %, ou 58 %, peu importe, mais plus de la moitié de la société travaillait pour moi. Et si je me suis battu avec toi, c'est que je suis convaincu de savoir ce qu'il faut faire pour diriger la boîte. Si tu veux réussir, il faut que tu écoutes ceux qui t'entourent. Autrement, tu es fichu. »

Quelques mois plus tard, George Crow, un autre cofondateur, démissionna également, fatigué d'avoir à supporter les fureurs de Steve devant les retards de développement matériel. Susan Barnes partit en 1991, plus ou moins à la même époque. Elle était lasse de gérer les finances de Steve qui n'avait aucune rigueur en matière fiscale et était incapable de réfréner ses dépenses. « C'était typique : son optimisme visionnaire contre mon réalisme, dit Barnes. Il croyait toujours qu'on allait franchir le cap. Et je lui répétais chaque fois que rien ne l'indi-quait dans le *business model.* »

Dès que Barnes présenta sa démission, Steve lui coupa l'accès au téléphone et aux mails sans la prévenir. Un an plus tard, Rich Page quitta la société, puis Bud Tribble, le mari de Susan Barnes, appela Scott McNealy chez Sun pour lui demander s'il avait besoin d'un développeur logiciel très expérimenté. Quelques jours plus tard, Tribble alla travailler pour la société qui incarnait ce qu'aurait dû être NeXT. Six ans à peine après les séances exaltantes de brainstorming dans la vieille maison de Woodside, les renégats étaient tous partis, abandonnant leur rock star à son sort.

D ans l'euphorie qui suivit son départ d'Apple et la création de NeXT, à l'automne 1985, Steve se rendit compte qu'il avait en tête une autre perspective passionnante. Il n'arrêtait pas de repenser au Lucasfilm Graphics Group, l'équipe de génies de l'image de synthèse qu'il avait suggéré à Apple de racheter au printemps. À la pointe de la technologie, en quête d'un objectif plus ambitieux, le groupe présentait un profil idéal pour Steve. Il avait une image jeune : ses outils informatiques avaient permis au département Industrial Light & Magic de créer des effets spéciaux pour des films réalisés par d'autres studios, tels que *Star Trek II : La Colère de Khan* ou *Le Secret de la pyramide*. Steve était persuadé qu'il avait un potentiel économique considérable. Les procédés extraordinaires de manipulation des images en 3D mis au point par l'équipe pouvaient parfaitement être adaptés aux hôpitaux, aux entreprises et aux universités que ciblait NeXT. Cela pouvait même être révolutionnaire. Il imaginait à long terme que la loi de Moore entraînerait inexorablement une baisse des coûts de traitement telle que de simples utilisateurs pourraient un jour manipuler des images en 3D. Et le groupe avait un autre atout que Steve trouvait « super », pour reprendre un adjectif qu'il employait à tout bout de champ : son équipe. « Il voulait garder la cohésion du groupe, raconte Susan Barnes. Il avait un mal fou à imaginer qu'une équipe talentueuse aussi soudée puisse être menacée d'éclatement. À se dire que cette incroyable dynamique intellectuelle naturelle puisse disparaître. » Steve décida donc de retourner voir la société dans ses locaux du comté de Marin. C'est une décision qui changea sa vie. Mais pas comme il s'y attendait.

George Lucas, qui faisait face à un divorce coûteux, avait décidé que le Graphics Group était un luxe dont il pouvait se séparer sans que cela nuise à ses films. Mais il réclamait des dizaines de millions de dollars pour vendre le groupe et Steve ne voulait pas y mettre plus de 5 millions. Steve s'aperçut que Lucas était un négociateur coriace. Tout d'abord, il ne se chargeait pas lui-même des discussions. Il laissait ses subordonnés parler à Steve et ses banquiers, ce qui rajoutait un délai supplémentaire dans les négociations. Par ailleurs, Lucas courtisait une série d'autres acheteurs potentiels, dont Siemens, Hallmark, Electronic Data Systems, filiale de General Motors, et Philips. Mais comme il ne parvenait pas à trouver d'accord, Steve finit par se retrouver en position de force car il avait nettement moins besoin du groupe que Lucas n'avait besoin d'argent. Par conséquent, il n'hésita pas à se montrer lui-même intraitable. « À un moment, raconte Barnes qui participait aux tractations, les délais n'en finissaient plus et il est allé dire à un de leurs dirigeants : "Je vous emmerde." Un membre de l'équipe de Lucas lui a dit : "On ne traite pas comme ça un vice-président exécutif. — Moi si, lui a-t-il répondu. Et vous aussi, je vous emmerde." »

Comme il le prouva à plusieurs reprises au cours de sa carrière, Steve n'avait pas froid aux yeux quand il négociait. Le fait qu'il soit prêt à quitter à tout instant la table des négociations fut payant. Craignant de ne rien obtenir, l'équipe de Lucas céda. Steve paya 5 millions cash en promettant d'injecter 5 autres millions en capital dans la société. Il expliqua à *BusinessWeek* que le rachat de Pixar représentait une volonté de pénétrer un secteur (l'image de synthèse en 3D) qui était « aussi exaltant que le secteur de l'ordinateur personnel en 1978 ». Selon Edwin Catmull, le dirigeant de Graphics Group qui devint président de Pixar, « il voyait Pixar comme le noyau de NeXT ».

Il s'avéra que Steve avait raison de miser sur l'importance de la technologie pionnière de Pixar. Au cours des dix années suivantes, la capacité à manipuler des images en 3D devait tout transformer, des plannings de vol aux explorations pétrolières, en passant par la médecine, la météorologie et l'analyse financière. Malheureusement pour Steve, les experts de ce domaine se servaient plutôt des stations de travail ultra-perfectionnées produites par Sun Microsystems et Silicon Graphics, et non par Pixar ou NeXT.

Cependant, Pixar fut une réussite révolutionnaire. Ce qui n'était à l'origine qu'un pari improbable lui en apprit davantage sur la technologie grand public que son expérience chez Apple ou NeXT. Pixar lui permit de poser les bases de deux de ses grandes forces : sa capacité à se battre face à l'adversité et celle de tirer le meilleur parti d'une innovation qui le plaçait en tête de tous ses concurrents dans ce domaine. En d'autres termes, cela lui apprit non seulement à garder son sang-froid et à se protéger quand il était acculé, mais également à foncer pour faire la course en tête. C'est aussi là qu'il découvrit, bien que progressivement et à son corps défendant, que la meilleure méthode de management consiste parfois à renoncer à tout contrôler pour laisser aux gens talentueux l'espace dont ils ont besoin pour réussir.

Ce que Steve ignorait en 1986, c'est que Pixar allait lui apporter davantage qu'une simple technologie à intégrer à NeXT. Il lui fallut pour cela presque dix ans, mais l'aventure de Pixar lui permit de redécouvrir l'estime de lui-même, fit de lui un milliardaire et le mit au contact de gens qui lui en apprirent davantage sur le management que tous ceux avec lesquels il avait été amené à travailler. Sans les leçons qu'il tira de son expérience chez Pixar, il n'y aurait jamais eu la belle revanche d'Apple.

L'évolution d'un CEO

Steve Jobs et Steve Wozniak en 1979. Ils avaient fondé Apple cinq ans plus tôt et la société connaissait un essor fulgurant. Mais les meilleures années de leur collaboration étaient déjà derrière eux. *Ted Thai/Polaris.*

Une réunion de la fondation Seva, en 1979, que Steve soutint en apportant une contribution de 5 000 dollars. Son grand ami Larry Brilliant est au centre avec son petit garçon, Joseph ; la femme de Brilliant, Girija, est un peu à droite, penchée en arrière, les bras croisés. Le Dr Venkataswamy, l'ophtalmologue indien dont les opérations de la cataracte étaient financées par la fondation, est debout à gauche de Wavy Gravy, assis au premier plan, avec la casquette à hélice. Ram Dass, l'auteur du best-seller *Remember, ici et maintenant : Namasté !*, est accroupi à l'extrême gauche. *Avec l'aimable autorisation de la fondation Seva.*

Lee Clow, ici en compagnie de Steve lors de la remise d'un trophée de communication pour le spot triomphal « 1984 » diffusé lors du Super Bowl, était un des plus proches collaborateurs de Steve. Steve pensait que le directeur de création de Chiat\Day était un véritable génie. *Avec l'aimable autorisation de Lee Clow.*

Regis McKenna fut le plus proche conseiller de Steve au début de sa carrière. Cet as du marketing contribua à forger l'image indélébile d'Apple. © *Roger Ressmeyer/Corbis*

Les dissidents qui quittèrent Apple pour fonder NeXT Computer : (au second plan) Rich Page, Steve et George Crow ; (au premier plan) Dan'l Lewin, Bud Tribble et Susan Barnes. « J'ai bien pesé le risque de quitter mon job chez Apple pour aller travailler avec lui, dit Lewin. Mais je me disais que si je ne rejoignais pas NeXT, je risquais de passer ma vie à me répéter : "Eh merde, j'aurais dû me lancer dans l'aventure." »
© Ed Kashi/VII/Corbis

Avie Tevanian intégra NeXT en sortant de Carnegie Mellon University et travailla pour Steve pendant seize ans dans la start-up, puis chez Apple. Lors d'une réception en l'honneur de sa promotion au poste de chef de la technologie logicielle en 2003, il reçut une collection encadrée des CD de divers logiciels dont il avait été l'architecte. Avec l'aimable autorisation de Wen-Yu Chang.

John Rubinstein, dit Ruby, travailla également pour Steve chez NeXT et Apple, où il supervisa l'ingénierie matériel. Ruby contribua de façon essentielle à accélérer la dynamique de la firme, permettant ainsi à Apple de sortir de nouveaux produits année après année. On le voit ici en compagnie de Steve, lors de son mariage en 2001, qui eut lieu dix jours avant le lancement de l'iPod. *Avec l'aimable autorisation de Jon Rubinstein.*

Juste avant la mort de Steve, Eddy Cue participa au lancement de l'iPhone 4S, lors d'une conférence organisée sur le site de Cupertino. « Ce qui me plaisait dans le fait de travailler avec Steve, raconte Cue, c'est qu'on se rendait compte qu'on pouvait accomplir l'impossible. Chaque fois. » *Avec l'aimable autorisation de Kevork Djansezian/Getty Images.*

Katie Cotton, qui fut longtemps la directrice de communication d'Apple, coordonna la stratégie qui consistait à limiter les interviews de Steve à une poignée de médias et de journalistes. *Avec l'aimable autorisation de Brent Schlender.*

En 2007, Steve assista à un cours donné par Andy Grove à Stanford University. L'ancien CEO d'Intel fut un des grands conseillers de Steve. Lorsque Steve l'appela en 1997 pour lui demander s'il devait accepter le poste de CEO par intérim d'Apple, Grove grommela : « Écoute, Steve, je me fous d'Apple. » *Avec l'aimable autorisation de Denise Amantea.*

Steve déjeunait trois ou quatre fois par semaine avec son principal collaborateur, Jony Ive. Le directeur du design était sur la même longueur d'ondes que le CEO et dès leur première rencontre, Steve avait compris que Jony était une « perle rare ».
© *Art Streiber/AUGUST*

Aux Oscars de 2005, la bande des *Indestructibles* de Pixar pose sur le tapis rouge. John Lasseter est devant, au milieu, entouré de sa femme, Nancy, et de la femme de Jobs, Laurene. Le réalisateur Brad Bird est à gauche, avec sa femme Elizabeth Canney. Steve est à l'arrière, avec un sourire de pitre.

En observant le président de Pixar à l'œuvre, Steve apprit des principes de management adaptés aux entreprises axées sur la créativité qui contribuèrent à assouplir son comportement lorsqu'il revint chez Apple. © *Michael Macor/San Francisco Chronicle/Corbis*

En 2004, Steve jura qu'il ne vendrait jamais Pixar à Disney. Mais l'année suivante, Disney nomma Bob Iger à la place de Michael Eisner au poste de CEO. Iger, sur la droite, en 2005, lorsque Steve et lui annoncèrent que les programmes d'ABC pourraient désormais être téléchargés sur l'iTunes Music Store et visionnés sur l'iPod d'Apple, s'employa peu à peu à effacer les longues années de méfiance réciproque entre Disney et Pixar. Steve et lui devinrent très amis. Disney racheta Pixar en 2006. *Avec l'aimable autorisation de la Walt Disney Company.*

Tim Cook intégra Apple en 1998 et succéda à Steve Jobs au poste de CEO. Originaire d'Alabama, Cook est discret et rigoureux et c'est souvent vers lui que Steve se tournait dans les situations les plus délicates. Ils nouèrent une grande amitié. Un jour, Steve appela la mère de Cook pour qu'elle persuade son fils de fonder une famille. © *Kimberly White/Corbis.*

Les présentations de Steve étaient toujours soigneusement mises en scène, en particulier celle de 2010, où il lança l'iPad. Le décor chaleureux évoquait la simplicité de l'appareil, son côté intime, mais le petit canapé en cuir était également une concession à la santé fragile de Steve. © *Kimberly White/Corbis.*

PIXAR FORMAIT UN des plus curieux assortiments d'informaticiens au tempérament artistique jamais rassemblés. Le noyau du groupe s'était constitué dans une université de Long Island qui dépendait du New York Institute of Technology. Le fondateur du NYIT, Alexander Schure, était un millionnaire excentrique et un universitaire iconoclaste. Son établissement offrait un éventail de cours destinés aux vétérans de retour du front et aux étudiants qui cherchaient à échapper à la guerre du Vietnam. Mais le véritable rêve de Schure était de créer un studio d'animation pour concurrencer Disney, bien que ses compétences en la matière soient pour le moins discutables. Son seul film, qu'il avait autofinancé, *Tubby the Tuba*, avait été un fiasco. Cependant, à la fin des années 1970, Schure était quasiment le seul à subventionner les travaux des spécialistes en infographie, si bien que les précurseurs de ce domaine commencèrent à affluer au NYIT. Schure réunit ainsi une équipe remarquable, parmi laquelle figuraient Jim Clark, qui fonda par la suite Silicon Graphics et Netscape Communications, Lance Williams, qui devint directeur scientifique de Walt Disney Animation Studios, ainsi qu'Edwin Catmull, Ralph Guggenheim et Alvy Ray Smith, qui occupèrent tous des postes clés chez Pixar.

Bien qu'il ait réuni l'équipe, Schure ne la dirigeait pas réellement, ce qui était idéal pour un groupe de chercheurs universitaires sûrs de leur talent qui avaient simplement besoin de temps et d'équipement pour mettre en pratique leurs idées révolutionnaires. Basée dans un grand garage reconverti situé dans une immense propriété de North Shore, à Long Island – sur les terres de Gatsby le Magnifique –, l'équipe touchait à tout ce qui avait trait à l'informatique et aux images en 3D, des casques de réalité virtuelle au texturage (technique sur laquelle repose la précision de détails des images de synthèse), en passant par la possibilité de créer des personnages anthropomorphiques inspirés des objets du quotidien pour des spots publicitaires. Ralph Guggenheim, qui prit par la suite la tête de la branche cinéma de Pixar, dit un jour que c'était une « grande communauté de geeks ». Dès le début, ils partageaient tous le rêve de créer un long-métrage d'animation en images de synthèse. Tant et si bien que lorsqu'un représentant de George Lucas appela Guggenheim en lui demandant si cela l'intéressait de contribuer à former une branche de Lucasfilm pour permettre au réalisateur de *Star Wars* d'intégrer des images de synthèse dans ses films, l'équipe prit aussitôt la route de San Rafael en Californie, une ville du comté de Marin située de l'autre côté de la baie de San Francisco, plus connue pour abriter la prison d'État de San Quentin. Baptisée Graphics Group, la nouvelle entité avait pour mission d'inventer des outils informatiques qui puissent aider Lucas à créer des films audacieux et visuellement étourdissants.

Tout comme à Long Island, l'équipe était dirigée par Edwin Catmull. Celui-ci était un informaticien qui avait passé sa jeunesse dans l'Utah, et avait lui-même caressé le rêve de devenir animateur. Mais, estimant qu'il n'était pas assez doué en dessin pour réussir, il avait délibérément choisi de se spécialiser dans le domaine tout récent de l'infographie à l'université d'Utah, à Salt Lake City, avant d'intégrer le NYIT.

Le plus important aux yeux de Steve Jobs, c'est qu'à force de chapeauter cette drôle de bande, Catmull avait appris à gérer des talents créatifs de manière efficace et inventive. Pendant des années, Catmull se surprit souvent à regretter d'avoir renoncé à faire des films d'animation. Mais après avoir aidé ce groupe aussi singulier que brillant à traverser un certain nombre de crises, il finit par considérer le management comme une forme d'art et par admettre que c'était dans ce domaine qu'il était le plus utile. Par la suite, il fut reconnu comme un des plus grands managers de son temps ; en 2014, il publia un remarquable best-seller de management, intitulé *Creativity, Inc.*, qui explique comment diriger des équipes créatives. En fait, ce barbu discret et mesuré à l'allure professorale en sait plus long sur les techniques de management et de motivation des talents créatifs que tous les managers que j'ai pu rencontrer, que ce soit Akio Morita chez Sony, Andy Grove d'Intel, Bill Gates, Jeffrey Katzenberg ou Herb

Kelleher de Southwest Airlines, entre autres. Sa réussite allait avoir une grande influence sur Steve.

À l'instar de Schure, Lucas laissait l'équipe relativement tranquille. Au début des années 1980, il était à l'apogée de sa carrière et construisait Skywalker Ranch, le centre névralgique de son empire cinématographique, dans la région laitière située au nord de San Rafael, baptisée par pure coïncidence Lucas Valley. Il était plongé dans la réalisation des deuxième et troisième épisodes de la saga de *Star Wars* et des deux premiers *Indiana Jones*. L'équipe de Catmull développa du matériel et des logiciels qui accéléraient la réalisation de certains effets spéciaux numériques et réduisaient leurs coûts. Mais ils caressaient toujours le projet de se servir des ordinateurs pour créer un long-métrage d'animation. C'est dans cette perspective que Catmull persuada John Lasseter, un jeune animateur désabusé, de créer une série de petits films d'animation qui révèlent le potentiel des images en 3D. Sachant que Lucas préférait que l'équipe se concentre sur la conception d'outils et ne tenait pas à ce qu'elle réalise ses propres films, Catmull recruta Lasseter en camouflant le poste sous l'intitulé « Concepteur d'interface ». « Il savait qu'à la gestion, ils auraient tellement peur de se ridiculiser qu'il n'y en aurait pas un pour oser demander : "C'est quoi ça ?" », raconte Lasseter.

Les courts-métrages, dont certains ne duraient que trente secondes, furent présentés lors de la conférence annuelle de SIGGRAPH[1], offrant au groupe un véritable coup publicitaire. Des petites merveilles, comme *Les Aventures d'André et Wally B.* et *Luxo Jr.*, prouvaient à l'évidence les extraordinaires capacités techniques du groupe de Lucas. Elles révélaient également le talent rare de Lasseter pour raconter des histoires

---

1. Le SIGGRAPH est la première manifestation mondiale dédiée aux images numériques et aux technologies de l'interactivité, pour y présenter le meilleur de l'informatique graphique et de la création numérique. Elle rassemble un salon professionnel, une exposition de projets innovants « Emerging Technologies », des conférences scientifiques de haut niveau avec des leaders mondiaux des effets spéciaux, de l'animation, du jeu vidéo, des SIG (sémiologie graphique) et du Web.

et anthropomorphiser des objets du quotidien comme la Luxo Jr., la petite lampe articulée haute comme trois pommes qui finit par être intégrée dans le logo de la société.

Largement financée et livrée à elle-même, l'équipe noua des liens étroits. Catmull dirigeait la structure de façon collégiale et non bureaucratique. Lorsque Lucas décida de vendre la branche, Catmull se démena pour trouver un acheteur qui soit prêt à conserver le groupe dans son ensemble. Lasseter était courtisé par Jeffrey Katzenberg, qui regrettait d'avoir laissé s'envoler un tel talent après avoir vu les courts-métrages. Mais Catmull avait su créer une culture d'entreprise si agréable que Lasseter préférait rester là, comme la plupart des employés.

———

UNE FOIS QUE Steve eut conclu l'accord de rachat de ce qui était appelé à devenir Pixar, il se retrouva dans une situation qu'il n'était pas près de rencontrer à nouveau. Chez Apple, il était le jeune rebelle, le fondateur qui pour le meilleur ou pour le pire déterminait la culture d'entreprise. Chez NeXT, tout tournait également autour de lui, il était le noyau et le visionnaire de l'entreprise. Mais chez Pixar, Steve ne pouvait pas façonner la culture. Il n'était pas le fondateur et, même s'il en était le propriétaire, il ne pouvait transformer la société pour qu'elle reflète son image et sa sensibilité. Elle avait déjà une culture. Elle avait déjà un leader. Son équipe soudée qui collaborait harmonieusement savait exactement ce qu'elle voulait. Et Catmull n'était pas prêt à laisser le jeune propriétaire tout gâcher.

Catmull savait que Jobs avait la réputation de tout contrôler. Il s'était même opposé dans un premier temps à ce que Lucas lui vende le groupe, bien qu'il ait apprécié la visite qu'il lui avait rendue chez lui, à Woodside, à l'automne 1985. Lorsque le rachat se concrétisa, il se mit à observer Steve avec calme et circonspection. Ayant eu affaire aux manies de Schure et Lucas, il se sentait de taille à supporter un troisième protecteur. Il savait que ce ne serait pas nécessairement facile.

Au fil du temps, il apprit à connaître Steve Jobs, mieux que personne peut-être, et finit par si bien le comprendre qu'à son tour il devint un de ses plus précieux mentors.

Il ne tarda pas à repérer à la fois le potentiel de Steve et son immaturité. « Il était intelligent. Sacrément intelligent, dit Catmull. Avec lui, on ne pouvait rien préparer, il était trop futé. Alors je me contentais de lui dire : "Voilà le problème", sans jamais imposer de point de vue. » Il voyait que Jobs était naturellement à l'aise dans son rôle de dirigeant d'une grande entreprise. « Quand je le regardais dans la salle, au milieu de gens haut placés, il était évident qu'ils étaient tout de suite sur la même longueur d'ondes. Ils avaient une façon bien à eux de discuter et de régler les questions. Steve savait s'y prendre avec ces gens-là. »

Le revers de la médaille était une immaturité et un irrespect susceptibles de se manifester à tout instant. « Au début, Steve ne savait pas s'y prendre avec les gens qui n'avaient pas de pouvoir, comme s'il avait du mal à les cerner. Quand ils entraient dans la pièce, se souvient Catmull, Steve les jaugeait rapidement pour voir si c'était ou non des abrutis. Et il ne s'en cachait pas. Il leur disait des horreurs comme s'il voulait voir à qui il avait affaire. Et le pire, c'est que s'ils n'étaient pas à la hauteur, il le leur faisait bien sentir. J'y ai échappé, mais je l'ai vu faire avec d'autres. Franchement, ce n'était pas correct. »

Catmull estimait cependant qu'il pouvait changer. « Parfois, Steve était sidéré par les réactions qu'il suscitait. Je l'entends encore me dire : "Qu'est-ce qui leur prend ?" Ce qui signifiait qu'il ne s'attendait pas à ce résultat. C'était de la maladresse et non de la méchanceté. »

Catmull et Alvy Ray Smith, un autre cofondateur, mirent au point une stratégie pour satisfaire leur nouveau patron tout en évitant de l'avoir en permanence sur le dos. La principale tactique consista à le maintenir physiquement à distance. Pixar conserva ses petits bureaux de San Rafael, à une bonne heure et demie de route du siège de NeXT, dans la Silicon Valley. Tous les lundis matin ou presque, Catmull, parfois accompagné de Smith, empruntait le Golden Gate Bridge et traversait la péninsule pour faire le point avec Jobs. L'arrangement convenait parfaitement à Steve qui détestait les embouteillages de l'I-280 en direction du nord. Catmull venait systématiquement avec son ordre du jour, mais Steve orientait les discussions comme il l'entendait. Il incitait constamment Catmull à considérer les procédés de Pixar comme des outils matériels et logiciels exceptionnels qui pouvaient être commercialisés et vendus au prix fort. Une de ses premières initiatives fut de convaincre l'équipe de créer ce qui s'appela le Pixar Image Computer, qui en réalité n'était pas un ordinateur mais un processeur graphique que l'on pouvait brancher sur une station de travail technique. Il s'occupa même de son design, en insistant pour lui donner la forme d'un cube. Si ce n'est que ce cube devait avoir une finition granit.

Les pixariens appréciaient son enthousiasme, mais à la sortie des réunions, Catmull et Smith se disaient souvent que Steve ne comprenait pas réellement leur société. « Steve ne connaissait strictement rien à notre travail et il ne savait même pas gérer une petite société, explique Catmull. Il savait gérer une société de produits grand public, mais au départ, il n'avait rien d'intéressant à dire [sur Pixar] et pas mal de conseils qu'il nous a donnés se sont avérés désastreux. Mais il faut dire qu'on n'était pas très malins non plus. » Ils ne partageaient pas son optimisme quant aux multiples applications grand public possibles de leur incroyable procédé. Pour avoir longtemps travaillé sur les images en 3D, ils savaient les difficultés que cela représentait et se contentaient d'occuper un créneau ultra-spécialisé du marché. Ils ne partageaient pas non plus l'objectif de Steve. S'ils vendaient des logiciels et du matériel d'image de synthèse, c'était uniquement pour maintenir l'entreprise à flot jusqu'à ce qu'ils parviennent à créer un long-métrage d'animation. Steve affirma par la suite qu'il avait toujours été persuadé que Pixar finirait par créer du contenu de qualité, mais c'était loin d'être le cas. Son ambition était de faire de Pixar une société informatique prospère qui puisse idéalement être complémentaire de NeXT.

Même le plus habile des stratèges d'entreprise aurait eu du mal à transformer Pixar en une société informatique indépendante. Et à la fin des années 1980, Steve Jobs était loin d'être expérimenté dans ce domaine. En ce qui concerne Pixar, ses idées n'étaient quasiment d'aucune utilité. Ainsi, il décida que la société devait diversifier sa clientèle en s'attaquant au marché des hôpitaux, qui était inondé d'images en haute résolution comme les radiographies. L'entreprise recruta un grand nombre de commerciaux pour courtiser les milieux médicaux et signa même un accord avec le fabricant hollandais Philips, qui lui garantit d'utiliser son propre réseau pour placer les machines dans les hôpitaux. Mais le Pixar Image Computer valait la somme exorbitante de 135 000 dollars et de surcroît, devait être branché sur une station de travail haut de gamme de Sun Microsystems qui coûtait environ 35 000 dollars (NeXT n'avait pas encore commercialisé ses propres stations de travail). Le principal client de Pixar était Disney, qui acheta quantité de machines ainsi que le logiciel Pixar appelé CAPS, qui permettait au géant de l'animation de gérer le stockage des cellules exécutés à la main par ses animateurs et de suivre leur progression. Le procédé convenait parfaitement à Disney, mais le système haut de gamme de Pixar était trop coûteux et trop difficile à programmer pour les usages industriels plus terre à terre.

Alvy Ray Smith, le cofondateur de Pixar, pouvait se montrer aussi insolent que Steve et ne cachait pas le mépris que lui inspiraient la plupart des lubies de son patron. Alvy Ray, dont les compétences en images de synthèse surpassaient de loin les maigres connaissances de Steve, était fatigué d'entendre ce dernier pontifier sur telle ou telle grande stratégie. Ils en vinrent inévitablement au clash. Ils se disputèrent violemment comme deux petits coqs dans une cour de récréation pour savoir qui avait le droit de se servir d'un tableau blanc en réunion de conseil d'administration et finirent par s'injurier de façon grotesque. Steve eut beau lui présenter ses excuses, Smith en avait assez. Il démissionna peu après pour fonder sa propre société, puis accepta un poste de chercheur chez Microsoft.

L'entreprise vendait aussi un logiciel professionnel appelé Render-Man, qui permettait aux graphistes d'appliquer des textures et des couleurs à la surface des objets numérisés en 3D à l'écran avec une finesse de rendu et une résolution telles qu'elles pouvaient être intégrées dans des images de film classiques. Comme tout ce que faisait Pixar, le logiciel était d'une qualité incomparable. C'est avec RenderMan (installé sur des stations de travail Silicon Graphics) que les informaticiens de Steven Spielberg créèrent la peau couverte d'écailles et les crocs ivoire des dinosaures effrayants de *Jurassic Park*. RenderMan joua un rôle crucial dans l'essor du secteur des images de synthèse en 3D, contribuant à enrichir des films comme *Abyss*, *Terminator III*, *Alien III*, ainsi qu'*Aladdin*, *La Belle et la Bête* et *Le Roi lion* de Disney. Pixar en sortit même une version adaptée au Macintosh. Mais, aussi fabuleux soit-il, le logiciel ne put jamais assurer à lui seul l'indépendance financière de Pixar.

———

EN 1990, IL paraissait de plus en plus absurde que Pixar subsiste en tant que société. Steve Jobs était loin d'être un richissime magnat. Les actions qu'il avait vendues après avoir quitté Apple lui avaient rapporté 70 millions de dollars et il avait fait quelques investissements judicieux. Mais après avoir financé Pixar et NeXT pendant plusieurs années, il ne lui restait qu'une petite part de cette fortune. Le chiffre d'affaires de Pixar stagnait et Steve signait chèque sur chèque pour empêcher la société de couler. Le chef d'entreprise informatique le plus célèbre au monde état en passe de sombrer dans la semi-obscurité qui entoure un certain nombre de météores du high-tech voués à un succès sans lendemain. Il aurait été plus que logique de fermer ce projet parallèle ruineux, mais Steve s'obstina.

Il avait des raisons personnelles. La plus évidente, c'est qu'il se refusait absolument à admettre qu'il avait échoué. Après son départ humiliant d'Apple et l'absence de réussite tangible de NeXT, Steve s'évertuait à maintenir sa réputation en promettant des avancées révolutionnaires qui n'en étaient pas. Les unes étaient des proclamations révélant « prochainement » la sortie d'un produit qui ne pouvait être qu'incroyablement génial, comme le premier ordinateur NeXT Cube. Les autres relevaient davantage de l'« accréditation » et annonçaient le soutien d'un grand bailleur de fonds, l'achat d'un ordinateur ou d'un logiciel par une entreprise renommée ou, dans le cas de Pixar, un grand prix de graphisme.

Mais les annonces ne pouvaient à elles seules déjouer la réalité, et la légende de Steve Jobs délaissait peu à peu ses réussites passées pour se pencher sur ses échecs présents. La fermeture de Pixar n'aurait fait qu'accélérer le mouvement. À un moment où sa carrière professionnelle était au plus bas, Steve ne pouvait tout simplement pas prendre ce risque. « Steve nous a dit un jour que lorsqu'il avait lancé NeXT, il n'avait rien à prouver, raconte Catmull. Je n'y crois pas une seule seconde. On savait pertinemment qu'il avait tout à prouver avec NeXT. On était son seul autre pari, et il nous a dit que nous étions si difficiles à gérer qu'il n'avait plus voulu miser ailleurs. »

La raison majeure pour laquelle Steve tenait à maintenir Pixar en activité, c'est qu'il continuait à croire en cette petite bande de génies et en leurs leaders. L'entreprise paraissait n'avoir aucun avenir, mais Steve éprouvait un véritable respect pour Catmull et Lasseter. Il admirait les compétences commerciales et managériales de Catmull. Quant à Lasseter, c'était un de ces rares génies qui ont le don de rendre la vie éclatante et riche de possibilités.

« Steve traitait surtout avec Edwin, se rappelle Lasseter, parce qu'ils avaient des affaires à régler ensemble, et moi je n'étais qu'animateur dans le bâtiment d'à côté. La première fois où j'ai vraiment échangé avec lui, c'était à SIGGRAPH, en 1986. On était à Dallas, début août, et il faisait une chaleur d'enfer. Les projections de SIGGRAPH étaient comme des concerts de rock. Les gens faisaient la queue six heures avant. Et on ne pouvait pas resquiller, sinon ça provoquait un esclandre. Mais voilà que Steve se pointe avec sa petite amie et me dit : "Hé, John, on est vraiment obligés de faire la queue ?" Du coup, j'ai discuté avec le vigile et j'ai inventé toute une histoire pour expliquer qu'il fallait absolument que je fasse entrer Steve Jobs et sa petite amie avant tout le monde. Le vigile nous a fait passer devant une véritable marée humaine. »

Jusqu'ici, les seuls moments où le succès de Steve se concrétisait, c'était lorsqu'il débarquait dans une université et voyait tout un labo rempli de ses ordinateurs. Mais là, c'était autre chose. Il se serait cru dans un grand concert de rock dans un stade.

« Pendant la projection, les gens s'emballent pour des boules de cristal qui rebondissent à l'écran, ce genre de choses. Des trucs purement techniques. Il n'y a aucune histoire. Et puis soudain, c'est le tour de notre petite *Luxo Jr.* Vous savez, la petite lampe qui fait des bonds. Ça ne dure qu'une minute et demie mais, avant même la fin, les gens nous acclament. On considère que c'est un moment historique de l'infographie, car c'était la première fois qu'un film en images de synthèse 3D touchait le public grâce à son histoire et ses personnages et non parce qu'il avait été fabriqué avec un ordinateur. Le public s'est levé pour l'ovationner avant que ce soit fini. Les gens savaient que c'était totalement novateur.

« Et Steve s'est tourné vers moi en ouvrant grands les yeux, poursuit Lasseter en écarquillant lui-même les yeux, style : "C'est génial ! Waouh ! J'adore !" Il n'avait jamais connu une réaction aussi spontanée du public. Il y a pris goût. "J'adore", comme il disait. Ça nous a rapprochés. Et puis il y avait aussi le fait que j'avais eu le cran de resquiller devant six mille personnes prêtes à m'écharper ! À partir de ce jour-là, nos rapports ont changé. »

« *Luxo Jr.* a été une vraie percée », m'a confié Steve plusieurs années après. S'il y avait bien quelqu'un pour qui il éprouvait une admiration sans bornes, c'était Lasseter, dont le talent artistique était à ses yeux la preuve irréfutable de la conception qu'il se faisait des ordinateurs : des outils capables de libérer et mettre en valeur la créativité des hommes. Malgré son côté juvénile (son bureau est peuplé d'une telle quantité de jouets qu'il pourrait faire office de musée Pixar et sa garde-robe est exclusivement constituée de jeans et de centaines de chemises hawaïennes bariolées), Lasseter était un homme mûr et sûr de lui, qui n'était aucunement difficile. Il ne demandait jamais conseil à Steve sur l'aspect créatif de ses courts-métrages, et il écoutait posément son patron exposer ses opinions avant de suivre sa propre idée. Mais il était également capable de faire des compromis si nécessaire, au lieu d'insister pour que tout soit parfait : voyant par exemple qu'il ne pouvait pas peaufiner un court-métrage intitulé *Tin Toy* à temps pour SIGGRAPH, il avait préféré montrer ce qu'il pouvait et compléter le reste avec des dessins au trait.

Lasseter vivait dans la crainte que Steve ne liquide sa petite équipe d'animation. Tout en continuant à signer des chèques pour financer Pixar, Steve faisait régulièrement des coupes dans les budgets et gelait les salaires. « Si je m'en souviens bien, mon salaire n'a pas bougé de 1984 à 1989, raconte Lasseter. Et j'étais sûr qu'ils allaient se débarrasser de l'animation. À un moment, ils envisageaient de licencier au département matériel, je crois, et il y avait pas mal de récriminations du style : "Et l'animation ? Ils ne rapportent pas d'argent." Alors j'ai demandé au responsable du département logiciel, un type qui s'appelait Mickey Mantle, comme le joueur de base-ball : "Quand est-ce que le couperet va tomber ? Quand est-ce qu'ils vont fermer l'animation ?" Et il m'a répondu : "Ça ne risque pas, John. — Comment ça ?" je lui ai demandé. Et Mickey m'a dit : "Dans le secteur des logiciels et des ordinateurs, les licenciements sont courants, c'est le business. Ça dépend des aléas du marché. Mais quand les gens pensent à Pixar, ils ne pensent pas à nos ordinateurs ou à nos logiciels. Ils pensent aux courts-métrages que vous faites. C'est ce qui fait l'image de Pixar dans le reste du monde. Alors, si Pixar devait arrêter de faire des films et licencier toute l'équipe animation, ça indiquerait au monde entier que Pixar est fini. C'est pour ça qu'il n'y a aucun risque qu'ils ferment l'animation." »

C'était d'autant moins probable que l'équipe de Lasseter récoltait des récompenses de plus en plus prestigieuses. Quand ce dernier était allé voir Steve pour qu'il avalise le budget du court-métrage intitulé *Tin Toy*, son patron s'était contenté de lui dire : « Sors-moi un truc génial. » Le court-métrage d'une durée de cinq minutes qui met en scène un petit tambour mécanique vivant dans la crainte d'un bébé baveux qui s'amuse à balancer ses jouets aux quatre coins de la pièce se révéla bel et bien génial : le 29 mars 1989, à Los Angeles, *Tin Toy* remporta l'oscar du Meilleur court-métrage d'animation. Peu après, Steve invita tous ceux qui avaient participé à la réalisation de *Tin Toy* à dîner chez Greens, un célèbre restaurant végétarien de San Francisco.

« Il était tellement fier, raconte Lasseter. Je me rappelle avoir attrapé l'oscar pour le poser devant lui. "Tu m'as demandé de sortir un truc génial. Voilà." » C'est lors de ce dîner que Nancy et moi, nous avons fait la connaissance de Laurene – Steve et elle sortaient ensemble depuis quelques mois. C'était agréable d'être avec eux ce soir-là, car Steve avait l'air si amoureux. Il a tenu Laurene enlacée toute la soirée et il était si heureux, si follement heureux, comme si la vie n'était que bulles de champagne, qu'effervescence. Il était tellement euphorique. Il avait remporté un oscar et il avait trouvé une femme merveilleuse. »

AVEC LE RECUL, 1989 est l'année où commença à se dissiper le chaos dans lequel sa folle impétuosité de jeunesse avait entraîné Steve, même si ses ennuis professionnels n'étaient pas près de disparaître. L'oscar qu'avait remporté Pixar était un gage dont il pouvait légitimement se vanter dans son métier. Mais ce qui lui permit véritablement de rebondir fut de rencontrer celle qui allait devenir sa femme. Steve vit Laurene pour la première fois lors d'une conférence qu'il donnait à la Stanford Business School, où elle était étudiante en MBA. « Elle était là, au premier rang de la salle de conférences, et je ne pouvais pas la quitter des yeux, m'a-t-il raconté peu après. Je perdais le fil de mes pensées et j'avais la tête qui tournait. » Il la suivit dans le parking et l'invita à dîner. Ils sortirent ensemble le soir même. Et à part quelques rares voyages d'affaires, ils ne se quittèrent plus jusqu'à la fin de sa vie.

Ils étaient faits l'un pour l'autre. Laurene avait perdu son père quand elle était très jeune. Comme Steve, elle était issue d'un milieu modeste et avait grandi à West Milford dans le New Jersey, où comme lui, elle avait appris à s'en sortir seule. Elle avait réussi, à force de travail, à intégrer les meilleures universités, University of Pennsylvania et par la suite la Stanford Business School. Elle était intelligente, distinguée et très sportive, c'était une grande lectrice aux goûts éclectiques qui s'intéressait aussi bien à la littérature, l'art, la nutrition, qu'à la politique ou la philosophie, et contrairement à Steve, elle suivait les compétitions et les matchs professionnels. Après ses études, elle s'était essayée au milieu de la haute finance à Manhattan, mais n'avait pas trouvé cela passionnant ; elle avait quitté Goldman Sachs au bout de deux ans pour faire des études de commerce afin de déterminer ce qu'elle voulait faire par la suite.

Steve avait été en couple avec plusieurs femmes, dont la chanteuse Joan Baez et Chrisann Brennan. Mais Laurene, une longue liane à la blondeur californienne, le regard perçant, avait une profondeur de caractère qui le touchait comme il ne l'avait jamais été. Au fil du temps, certaines de ses petites amies s'étaient révélées en manque d'affection, mais ce n'était pas le cas de Laurene. Dans leur couple, elle était aussi autonome que lui. Et elle ne s'intéressait ni à sa fortune, ni au faste de la vie mondaine auquel il avait accès. Ils reconnaissaient tous deux la valeur du travail, ce qui permettait à Laurene d'accepter plus facilement les longues journées de Steve. Et avec les années, le fait qu'ils soient tous les deux issus d'un milieu modeste prit une importance majeure : quand ils eurent des enfants, Steve et Laurene s'efforcèrent de les élever en leur transmettant des valeurs aussi normales que possible, malgré leur fortune croissante.

Leur relation fut d'emblée passionnelle, comme on pouvait s'y attendre de la part de deux personnalités aussi fortes. Mais Steve finit par surmonter son angoisse de célibataire et demanda Laurene en mariage le jour de l'an 1990, avec à la main un « bouquet de fleurs des champs qu'il avait lui-même cueillies », comme elle devait le raconter lors de la cérémonie d'adieu, vingt et un an plus tard. Elle prit Steve au sérieux ce matin-là et au cours des années qui suivirent, en découvrant le bouddhisme et les livres qui l'avaient influencé à l'époque de sa quête spirituelle. Et ce fut Kobun Chino Otogawa, le moine zen qui avait été le gourou de Steve pendant plusieurs années, qui officia à leur mariage le 18 mars 1991, à l'Ahwahnee Lodge, dans le Yosemite National Park. Elle était enceinte de leur premier enfant, Reed, qui vit le jour en septembre de cette même année.

———

IL S'AVÉRA QUE Mickey Mantle avait raison : Lasseter n'avait pas de souci à se faire pour son département. Steve y avait réellement « pris goût », pour reprendre l'expression de Lasseter. Si bien que lorsqu'il se résolut à limiter ses pertes, il n'abandonna pas Pixar. Il décida plutôt de se séparer du département matériel pour 2 millions de dollars afin de concentrer les activités sur les logiciels et l'animation. Début 1991, Steve avait réduit les effectifs de cent vingt à quarante-deux salariés – licenciant tous les commerciaux qu'il avait tenus à embaucher et se retrouvant avec quasiment le même nombre d'employés que lorsqu'il avait racheté l'entreprise en 1986.

Ce fut une période éprouvante. Le prix à payer pour continuer à financer l'entreprise était très lourd : Steve racheta pour une bouchée de pain les actions attribuées à l'origine aux employés, privant ceux qui restaient de l'intéressement à long terme sur lequel ils avaient misé au départ. Steve essaya par la suite de décrire cette période comme un tournant extraordinaire, où la passion avait triomphé de la sombre réalité des mauvais chiffres de vente de matériel qu'affichait Pixar. « J'ai rassemblé tout le monde, m'a-t-il raconté, et je leur ai dit : "Au fond, nous sommes faits pour produire du contenu. Débarrassons-nous de tout le reste. Lançons-nous. C'est la raison pour laquelle j'ai racheté Pixar. C'est la raison pour laquelle vous êtes là, pour la plupart d'entre vous. Lançons-nous. C'est une stratégie plus risquée, mais cela nous apportera bien plus et c'est ce que notre cœur nous dicte de faire." » Ce discours de motivation eut bel et bien lieu, mais si quelques employés y puisèrent de l'inspiration, la plupart d'entre eux sentirent que ces belles paroles masquaient la réalité de ce qui venait de se passer et ce qu'ils allaient devoir faire pour sauver la société. Catmull qui, à l'instar de Lasseter, avait perdu l'essentiel de sa participation au capital de l'entreprise, m'a confié que c'était une période totalement déprimante : « Ça a été un des moments les plus durs de ma vie. À cette époque-là, Steve avait déjà investi près de 50 millions de dollars dans Pixar. »

Amputée des deux tiers de ses effectifs, la société dépendait dorénavant de trois sources de revenus : le système de gestion numérique des images CAPS, RenderMan, qui était désormais présenté dans une nouvelle version qui permettait de créer des images en 3D sur des Mac, et la publicité, une nouvelle manne introduite par l'équipe d'animation. Pixar avait décroché quelques campagnes sur Madison Avenue, dont Listerine, Trident, Tropicana et Volkswagen. Imaginés par Lasseter et d'autres animateurs comme Andrew Stanton (qui réalisa par la suite *1001 Pattes*), les spots publicitaires de Pixar étaient loufoques et pleins d'entrain. Ils témoignaient de l'extraordinaire talent avec lequel la société parvenait à anthropomorphiser des objets, comme cette tablette de chewing-gum dansante du spot Trident. Par ailleurs, ils forçaient les animateurs à respecter des budgets et des délais stricts, « une rigueur que nous avions vraiment besoin d'acquérir », reconnaît Catmull. Ajoutés aux courts-métrages de plus en plus élaborés de Lasseter, ils montraient qu'en termes de technique et d'écriture, Pixar était en passe de pouvoir concrétiser son rêve de réaliser un long-métrage. Mais la société était encore loin d'engranger le chiffre d'affaires nécessaire pour être indépendante.

C'est alors qu'à la même époque, Peter Schneider, qui était à la tête de Walt Disney Feature Animation, passa voir John Lasseter. Pour la troisième fois en trois ans, il essaya de le débaucher. Mais Lasseter refusa de quitter Pixar. « Je vivais dans la région de San Francisco, raconte-t-il. J'inventais des trucs nouveaux. Je me suis dit que je préférais rester là. Je gardais un mauvais souvenir des années que j'avais passées chez Disney. » Il dit à Schneider qu'il n'envisagerait de travailler avec Disney qu'à une seule condition : si le studio réalisait un film avec Pixar.

Chapitre 6
Une visite de Bill Gates

Le 21 juillet 1991, en début d'après-midi, cinq personnes avaient rendez-vous chez Steve Jobs, à Palo Alto. En ce dimanche d'été, il faisait une chaleur torride. La température dépassait les trente-cinq degrés et à en juger par l'atmosphère étouffante qui régnait dans la maison, Steve Jobs n'avait pas trouvé le temps de mettre la climatisation. Il était rentré précipitamment d'un week-end avec Laurene à l'Ahwahnee Lodge, dans le Yosemite Park, où ils s'étaient mariés quelques mois auparavant.

Steve avait acheté la maison récemment. Ni Laurene ni lui ne voulaient élever leurs enfants dans une immense demeure vétuste isolée dans les collines de Woodside. Ils préféraient que ceux-ci grandissent dans un endroit plus central, et le quartier d'Old Palo Alto présentait l'avantage d'être calme, ombragé et à deux pas des écoles et du centre-ville. De plus, le premier enfant de Steve, Lisa – qui était à présent adolescente –, habitait à proximité, chez sa mère. La maison se distinguait par d'énormes poutres en bois qui avaient servi à mouler les blocs de béton du Golden Gate Bridge, mais elle n'avait rien d'ostentatoire, du moins pour la région de la baie de San Francisco. (John Lasseter la surnomme avec espièglerie « la maison d'Hansel et Gretel »). Jusqu'à la fin de ses jours, ce fut le refuge de Steve.

Steve et Laurene y firent quelques ajouts et quelques transformations au fil des années, mais rien de majeur, et ils finirent par acquérir un terrain attenant pour agrandir le potager et le jardin qu'ils cultivaient tous les deux. En ce mois de juillet, le potager n'était planté que depuis peu, mais il regorgeait déjà de tomates, de tournesols, de haricots verts, de choux-fleurs, de basilic et de salades de toutes sortes. Ils avaient semé des herbes folles originaires de Californie du Nord en bordure de la propriété, située à l'angle de deux rues. Au début, certains voisins avaient protesté, mais la plupart d'entre eux avaient fini par apprécier la végétation qui changeait de couleur et d'aspect au fil des saisons. Au printemps, les fleurs sauvages jaillissaient au milieu des plantations et en été, les herbes folles miroitaient au vent. Il n'y avait pas de mur autour de la propriété, juste une petite clôture en bois qui bordait le trottoir. Il n'y avait pas même de garage. Steve et Laurene se servaient rarement de la lourde porte d'entrée en bois. La plupart des visiteurs se garaient dans la rue derrière la Porsche ou la Mercedes de Steve, passaient par le portail du jardin et frappaient à la porte de la cuisine, si elle n'était pas grande ouverte pour aérer la demeure.

C'était la première fois que je lui rendais visite dans cette maison, où je devais souvent revenir au cours des dix années suivantes. Steve avait insisté pour que nous passions, le photographe George Lange, son assistant, et moi, par la porte de la cuisine qui était effectivement grande ouverte. L'invité d'honneur n'avait pas été prévenu qu'il valait mieux emprunter cette entrée, à moins qu'il n'ait simplement oublié. Il a débarqué avec un quart d'heure de retard et s'est servi du gros heurtoir de la porte d'entrée pour annoncer son arrivée. Je suis allé lui ouvrir avec Steve, et Bill Gates a fait signe de repartir au chauffeur de sa limousine noire. Nous nous sommes serrés la main et il est entré.

La maison était bien plus petite que la demeure Jackling de Woodside, et meublée de façon tout aussi minimaliste, du moins à cette époque. Une demi-douzaine de tirages d'Ansel Adams qui n'avaient pas encore été accrochés étaient adossés contre les murs du salon. Une chaîne hi-fi d'audiophile était installée dans un meuble vertical, ainsi que deux colonnes d'enceinte soigneusement placées contre un mur, et une centaine de vinyles étaient posés par terre, les uns dans des cartons, les autres négligemment appuyés à côté de la chaîne.

Les seuls sièges étaient deux Eames Lounge Chairs classiques avec leurs repose-pieds. Bill et Steve ont pris les fauteuils, je me suis assis sur un repose-pieds. Bill se levait de temps à autre pour s'installer sur l'autre repose-pieds ou déambuler un moment alors que Steve est resté assis les jambes repliées sous lui pendant la majeure partie de la séance. George circulait dans toute la pièce, en prenant en photo les deux hommes qui discutaient.

Nous étions réunis pour la première des deux seules interviews conjointes que les deux dirigeants acceptèrent de donner. (La seconde eut lieu seize ans plus tard, à la tribune d'une conférence consacrée à l'industrie high-tech.) J'avais organisé cette rencontre censée constituer la pièce maîtresse d'un dossier spécial de *Fortune* qui célébrait le dixième anniversaire de la commercialisation du premier PC d'IBM et interrogeait l'avenir de cette jeune industrie. Je n'avais pas eu grand mal à convaincre Bill de faire cette interview. Il était prêt à interrompre ses vacances au bord de la mer avec son amie Ann Winblad, une ancienne codeuse originaire du Minnesota qui était devenue « capital-risqueuse ». Comme Bill, elle partait toujours avec une pile de gros livres à lire dont ils pouvaient discuter ensemble. Bill sortait déjà depuis plusieurs années avec Melinda French qui allait devenir sa femme, mais dès le début de leur idylle, il l'avait prévenue qu'il avait l'intention de continuer à prendre sa « semaine de réflexion » en compagnie d'Ann Winblad.

Steve, en revanche, s'était fait désirer. Contrairement à Gates, il avait insisté pour fixer certains paramètres, et en premier lieu que la réunion se déroule sur son territoire. Bill devait venir chez lui à Palo

Alto, et seulement ce dimanche-là. L'interview violait la règle de base qu'imposait désormais Steve en matière de publicité : il acceptait de se mettre en avant uniquement pour les articles qui faisaient la promotion des produits de sa société. Si je voulais assister librement et en exclusivité à un événement où il n'avait rien à vendre, j'avais intérêt à me plier à ses conditions.

———

LES PARCOURS ENTRECROISÉS de Bill Gates et Steve éclairent toute l'histoire de l'ordinateur personnel et permettent de mieux comprendre comment Steve put connaître un tel échec chez NeXT et plus encore, rencontrer un succès aussi éclatant à son retour chez Apple. Si *Fortune* envisageait cette interview comme une rétrospective, elle se transforma pour l'essentiel en une discussion qui laissait présager dans quelles directions les deux dirigeants allaient entraîner le monde de l'informatique. Bill et Steve étaient deux hommes très différents qui avaient des approches tout aussi différentes de l'informatique, reflétant parfaitement leur personnalité. *Fortune* avait raison de voir en eux les cofondateurs de la révolution de l'ordinateur personnel, mais en 1991, on pouvait difficilement prévoir que ces mêmes hommes allaient continuer à modeler cette industrie pendant encore vingt ans. Ce fut pourtant le cas : pendant trente-cinq ans, de la création de l'Apple II à la mort de Steve en 2011, leurs philosophies divergentes contribuèrent à définir le design, la fonction et le marketing de tous les produits, des Smartphones aux iPod, en passant par les ordinateurs portables bas de gamme, les ordinateurs de bureau et jusqu'aux imposants ordinateurs centraux qui soutenaient la productivité des entreprises du Fortune 500.

En 1991, leurs différences avaient placé les deux trentenaires (Steve, qui avait trente-six ans, avait huit mois de plus que Bill) sur des trajectoires opposées. C'est bien simple, la carrière de Steve plongeait en chute libre, alors que celle de Bill connaissait un essor sans précédent. Preuve évidente du pouvoir croissant de Bill : pour cette interview censée passer en revue les dix années qui s'étaient écoulées depuis la commercialisation du premier IBM PC, *Fortune* n'avait pas même envisagé d'inviter quelqu'un d'IBM. Et ce, parce que Gates était parvenu à neutraliser Big Blue avant même qu'il ne produise son premier micro-ordinateur, en persuadant la firme d'acheter la licence de son système d'exploitation MS-DOS, sans clause d'exclusivité. Grâce à cette brillante manœuvre, en 1991, c'était Gates et non IBM qui détenait l'avenir du secteur.

Si Bill avait ainsi court-circuité IBM, c'est qu'il avait compris un fait qui avait échappé à Big Blue : le logiciel que recherchait IBM – le système d'exploitation – pouvait devenir la pierre angulaire de toute l'industrie informatique. Un système d'exploitation gère le flux de données dans un ordinateur et permet aux programmeurs d'accéder aux fonctionnalités câblées de traitement de données. C'est l'intermédiaire indispensable entre d'une part le programmeur qui a une tâche à accomplir et d'autre part les semi-conducteurs et les systèmes de circuits qui le lui permettent. Ce que Bill avait compris, et que personne d'autre n'avait vu, c'est qu'un système d'exploitation standardisé pouvait présenter en définitive un énorme avantage pour l'industrie informatique, et donc un potentiel tout aussi considérable pour son gestionnaire.

C'était en 1981. Durant les dix années qui s'étaient écoulées depuis, Steve s'était entêté à vouloir produire une série d'ordinateurs révolutionnaires, alors que Gates mettait à exécution un plan bien plus ambitieux. IBM avait donné une crédibilité instantanée au concept de l'ordinateur personnel, ce qu'Apple n'était jamais parvenu à faire, particulièrement dans le monde de l'entreprise. Les ventes de ses ordinateurs avaient rapidement distancé celles de ses concurrents, dont Apple. La prolifération de ces IBM PC avait propagé le MS-DOS de Microsoft, qui avait pour seul rival le système d'exploitation propriétaire qu'Apple utilisait sur ses machines. Mais Apple refusait de céder la licence de son système d'exploitation aux autres fabricants, qui s'étaient empressés d'attaquer IBM sur son propre terrain. Les nouveaux concurrents, comme Compaq, Dell et Gateway, étaient des entreprises agressives dotées d'une structure légère, qui prenaient les deux éléments standards de l'IBM PC – le MS-DOS de Microsoft et le microprocesseur d'Intel – pour produire des clones qui étaient des machines plus rapides et plus innovantes que celles d'IBM, trop rigides. C'est Compaq, par exemple, et non IBM, qui introduisit le concept d'un PC portable, ouvrant ainsi tout un nouveau pan de marché.

Gates encourageait les fabricants de clones en leur cédant la licence du MS-DOS aux mêmes conditions qu'à IBM. Et ses développeurs s'efforçaient d'améliorer constamment le système d'exploitation. Par la suite, le MS-DOS servit de base à Windows, le système d'exploitation capable de prendre en charge le type d'interface graphique que Steve avait été le premier à lancer sur le Lisa et le Mac, et Windows devint la norme de la quasi-totalité des ordinateurs personnels autres que ceux d'Apple. En 1991, les systèmes d'exploitation de Bill Gates équipaient 90 % des ordinateurs de la planète. Et quelle société détenait les 10 % restants ? Apple, qui perdait du terrain année après année en termes de pertinence, d'innovation et d'importance.

Pour Microsoft, l'hégémonie de ses systèmes d'exploitation s'avéra payante à de nombreux égards. Les premières versions de ses applications, comme Word ou Excel, avaient été entièrement conçues pour fonctionner sur MS-DOS puis Windows, donnant à Microsoft un avantage incontestable sur les autres éditeurs de logiciels, comme WordPerfect et Lotus, qui produisaient aussi des applications axées sur la productivité. En 1990, Gates avait réuni toutes ses applications bureautiques dans un pack baptisé Microsoft Office. Les ventes d'Office étaient si importantes que les autres développeurs de logiciels se trouvèrent de plus en plus marginalisés. En 1991, Microsoft dominait de loin le marché mondial de l'édition de logiciels. Et Bill n'avait pas l'intention de s'arrêter en si bon chemin. Il s'apprêtait à placer Microsoft dans une telle position de suprématie que seul le gouvernement pouvait couper court aux ambitions de l'entreprise.

Naturellement, toute cette réussite avait modifié l'image de Bill Gates auprès du public. Au début des années 1980, Bill faisait en quelque sorte figure d'humble vassal d'IBM et Apple. À cette époque, Steve incarnait à lui seul le rêve doré de l'industrie informatique : au lendemain de l'introduction en Bourse d'Apple, les parts qu'il détenait dans la société qu'il avait fondée valaient 256 millions de dollars. Quand Microsoft effectua son entrée en Bourse en mars 1986, les 45 % de participation au capital que détenait Gates atteignirent 350 millions de dollars. Au moment de notre interview, il était devenu le plus jeune milliardaire du monde. Steve, en revanche, voyait peu à peu son compte en banque se vider, à mesure qu'il s'efforçait en vain de dénicher une autre innovation de génie. À présent, Bill régnait en maître et on voyait mal comment Steve Jobs pouvait à l'avenir jouer un rôle majeur dans l'industrie informatique.

———

EN THÉORIE, L'INTERVIEW avait des chances de virer au pugilat. Les deux hommes avaient la réputation – à bien des égards méritée – d'être des concurrents aussi ombrageux qu'impitoyables.

On oublie souvent que Bill Gates avait parfois un caractère difficile. Depuis qu'il a démissionné de ses fonctions de CEO de Microsoft en 2000, pour se métamorphoser en philanthrope international, le grand public voit en lui un sage altruiste, bienveillant et rigoureux qui a décidé de s'attaquer à des problèmes de santé publique et d'éducation d'une extraordinaire difficulté. Bill avait déjà toutes ces qualités en 1991, mais à l'époque, il luttait contre ses concurrents de l'industrie informatique, il ne se préoccupait pas d'investir dans un traitement contre la malaria, d'inciter les pays à s'attaquer au sida, de fournir de l'eau potable et de trouver des solutions pour aider les paysans à lutter contre le réchauffement climatique. Gates mettait en œuvre une stratégie qui consistait à assurer l'omniprésence de Windows, en faisant en sorte que le système équipe toutes les plates-formes informatiques, et vivait dans la crainte paranoïaque de laisser des failles qui permettent à ses concurrents de percer le rempart qu'il avait dressé autour de l'entreprise. « Je n'ai jamais rien entendu d'aussi con », lançait-il ainsi à des collaborateurs lorsque leur analyse n'était pas à la hauteur de ses attentes, avant d'enfoncer le clou en secouant la tête d'un air exaspéré et en marmonnant : « Non mais c'est dingue. » Bill se croyait plus intelligent que tout le monde, non sans raison, bien souvent. Il était prêt à exposer les arguments de ses décisions, mais il valait mieux ne pas avoir besoin qu'il les réexplique. Cela pouvait provoquer une avalanche de sarcasmes ou, pire, une colère larvée qui pouvait resurgir plus tard de façon cinglante.

Les deux hommes s'étaient régulièrement et même allègrement attaqués en public, et persisteraient pendant de nombreuses années. Steve traitait Bill de béotien qui n'avait strictement aucun sens esthétique et guère plus d'originalité. Il n'en démordit jamais. Pour Bill, m'a-t-il dit à plusieurs reprises, le seul moyen de résoudre les problèmes, c'était d'injecter de l'argent et du personnel, ce qui expliquait que les logiciels Microsoft soient si médiocres et alambiqués. (Steve passait soigneusement sous silence l'argent qu'il avait jeté par les fenêtres chez NeXT.) Bill, quant à lui, ne mâchait pas ses mots et disait de Steve que c'était un loser qui devait sa déchéance à la stupidité de ses décisions. Il s'acharnait à répéter que NeXT n'avait strictement aucun intérêt. Par la suite, dans les années 1990, lorsque Jobs soutint la procédure du département de la Justice américain visant à limiter le monopole de Microsoft, Gates inclut Steve à plusieurs reprises parmi la bande de « losers » qui se « lamentaient » du succès de sa société, mérité selon lui.

Mais en ce dimanche de juillet, ils se sont tenus convenablement, ont plus ou moins évité les heurts et se sont abstenus d'insister sur la disparité flagrante de fortune et de pouvoir qui existait entre eux. Steve était trop fier pour admettre la suprématie de Bill, lequel était trop bien élevé pour se gausser des difficultés que traversait Steve. Ils s'accordaient un respect mutuel, prenaient chacun en compte les qualités de l'autre. Comme il n'y avait aucun enjeu et que le plus grand magazine économique du pays était là pour les congratuler, ils n'ont pas laissé éclater leur animosité.

Face à face, cet après-midi-là, ils ont exprimé leurs griefs – et il y en avait un certain nombre. Lorsque Bill a accusé John Sculley de vouloir céder la licence du système d'exploitation pour que d'autres fabricants puissent créer des clones d'Apple, Steve s'en est pris à la fois à Sculley et Gates. « Ça ne m'intéresse pas de produire des PC, a-t-il dit, en critiquant la standardisation imposée par Bill. Il y a des dizaines de millions de gens qui utilisent pour rien des ordinateurs qui sont bien moins bons qu'ils ne devraient l'être. » Cette remarque a donné lieu à la seule véritable insulte qui les a fait rire tous les deux. Arguant que la domination de Microsoft constituait une entrave à l'innovation dans le secteur informatique, Steve a déclaré : « Dans le monde du MS-DOS, il y a des centaines de gens qui font des PC.

— Oui, a répondu Bill.

— Et des centaines de gens qui font des applications pour ces PC.

— Oui.

— Mais ils doivent tous passer par un minuscule orifice appelé Microsoft pour entrer en contact.

— C'est un orifice très large, a répondu Bill qui a éclaté de rire en se renversant dans son fauteuil. Je n'arrête pas de te dire qu'on l'agrandit… Ce n'est même pas un orifice. On n'aurait pas dû se servir de ce terme.

— Il a déjà servi, a répliqué Steve avec un sourire gamin.

— Quel orifice ? a demandé Bill en lui rendant son sourire, avant de se ressaisir et de se redresser. Enfin… »

Bill était le plus stable et le plus cohérent des deux. Il avait une vision aussi sûre de l'histoire de l'industrie informatique que de la direction que celle-ci allait prendre. « En 1975, quand j'ai lancé la société, a-t-il expliqué en présentant cette extraordinaire prévision comme la simple expression de ce qui aurait dû être évident pour tout le monde, j'ai écrit qu'il y avait deux aspects techniques essentiels en termes de production d'ordinateur. D'une part, les puces, d'autre part, les logiciels. » Il a poursuivi : « L'approche que j'ai du marché du PC est la même depuis toujours. » Il ne s'est excusé en aucune façon de la réussite de Microsoft. Sans aller jusqu'à admettre le quasi-monopole de sa société, il a affirmé avec véhémence que la standardisation opérée autour de son système d'exploitation et des puces Intel était avantageuse pour tout le monde. « Pour ce qui est des puces, de nos jours, les dernières avancées technologiques sont facilement et rapidement accessibles aux consommateurs, a-t-il dit. Dès qu'Intel lance un nouveau microprocesseur, quelques semaines plus tard, deux cents fabricants sortent une nouvelle machine, et on peut venir s'en acheter une dans un magasin d'informatique. C'est pareil avec les logiciels. Les volumes sont si imposants que des logiciels incroyables, dix fois plus performants que tout ce qu'on trouvait sur le marché il y a encore cinq ans, sont vendus à peu près au même prix. Même dans les catégories les plus insolites, on a un choix de logiciels invraisemblable. »

Étant donné la situation précaire dans laquelle se trouvait Steve, il n'était pas étonnant qu'il soit davantage sujet à des changements d'humeur. Il a concédé volontiers quelques erreurs, allant même jusqu'à admettre que Bill avait raison de dire qu'Apple aurait dû prendre plus au sérieux l'IBM PC. Puis il est allé plus loin. « L'événement précis qui a déterminé la place d'Apple dans l'industrie dans les années 1980, ce n'était pas le Macintosh, a-t-il annoncé. Ça, c'était un événement positif. Non, l'événement négatif qui a déterminé la place d'Apple, c'est l'Apple III. C'est la première fois de ma carrière que j'ai vu un produit animé d'une dynamique qui lui était propre se développer bien au-delà de ce qui était nécessaire pour satisfaire la demande des consommateurs. Le projet a pris dix-huit mois de plus que prévu, il était trop sophistiqué et un peu trop cher. C'est intéressant de se demander ce qui se serait passé si l'Apple III avait été un bon produit, une simple version améliorée de l'Apple II avec quelques fonctionnalités additionnelles pour qu'il soit plus adapté à l'entreprise. [Au lieu de quoi] Apple a laissé une brèche. » Un peu après, il a expliqué clairement qu'il en était en grande partie responsable : « Une des raisons pour lesquelles l'Apple III a eu des problèmes, c'est que j'ai pris quelques-uns des meilleurs éléments qui travaillaient sur le projet pour qu'ils essaient de trouver comment on pouvait concrétiser ce que j'avais vu chez Xerox [au PARC]. »

C'était un aveu fascinant. Steve ne s'appesantissait jamais sur ses erreurs passées, et pourtant, durant cette discussion publique avec un ami que tout le monde, sauf lui, considérait alors comme le leader de l'industrie, il s'est montré littéralement contrit. Plus tard, au cours de la conversation, il a même sorti un article qu'il avait déchiré dans un *Newsweek* pour s'assurer que Bill n'était pas vexé par les déclarations du journaliste qui affirmait que Steve n'était plus ami avec lui. « Je l'ai arraché et j'allais t'appeler quand j'ai appris qu'on allait se voir, a-t-il dit en brandissant la page comme un avocat plaidant une cause. C'est entièrement faux, et je ne sais pas où il est allé chercher ça. »

Steve s'est passionné pour la discussion lorsque s'est posée la question de savoir si l'industrie informatique sortirait un jour un micro-ordinateur aussi révolutionnaire que le Mac. C'était le type de produits qui l'intéressait le plus, naturellement. Il avait toujours voulu créer des appareils qui renouvellent totalement le secteur. « En gros, a-t-il expliqué, l'industrie informatique prend ce qui existe, le reconditionne ou améliore les performances. Aujourd'hui, je crois que c'est une bonne chose, ce qui n'était pas le cas avant. Mais je crois aussi que le secret et la véritable nécessité pour la santé de l'industrie, c'est de contrebalancer cette amélioration progressive par des avancées majeures. Ce qui m'inquiète, c'est de savoir ce qu'elles vont être et d'où elles vont provenir. » Un peu après, il a ajouté : « Le chef de file a besoin qu'on lui botte les fesses de temps à autre. [De plus,] pour celui qui innove en s'écartant de la norme, c'est génial. S'il a raison, il peut toucher une fortune et peut-être même apporter sa contribution au monde. »

Bill n'était pas particulièrement obsédé par ce qui était révolutionnaire. Il savait que les innovations technologiques avaient leur place et qu'étant donné la nature même du secteur des technologies de pointe – et celle de l'homme –, ces avancées majeures étaient inévitables. Mais au cours de l'interview, il a souligné que ce qui le préoccupait réellement, c'était la difficulté que représentait ce type de bouleversements pour la clientèle professionnelle de ses logiciels. « Tout ce que je veux, c'est une voiture adaptée aux routes d'aujourd'hui, a-t-il expliqué. Je suis dans ce modèle d'évolution. » Les investissements astronomiques dans lesquels s'étaient lancées les entreprises américaines pour s'équiper en micro-ordinateurs et en logiciels indispensables pour mener leurs activités généraient « une dynamique tout à fait particulière, a-t-il dit. D'ici cinq ans, on ne trouvera plus de logiciels de gestion adaptés à six types d'ordinateurs de bureau dans un magasin Egghead Software. À mon avis, on devrait trouver des logiciels uniquement pour le type d'ordinateur qui dominera le marché, à la limite pour un ou deux autres. Au-delà de trois, ce serait invraisemblable ».

Lorsque Steve avait quitté Apple en 1985, la compétition dans le secteur du matériel informatique avait essentiellement pris la forme d'une lutte entre les fabricants pour concevoir la meilleure machine. Celui qui y parviendrait l'emporterait sur le marché, croyait-on. Mais six ans plus tard, la donne avait entièrement changé et Steve commençait à peine à le mesurer en voyant les difficultés qu'il connaissait avec le NeXT. L'enjeu était désormais de servir une clientèle d'entreprises dotée de millions d'ordinateurs. Ces sociétés étaient de plus en plus dépendantes de leurs micro-ordinateurs qui utilisaient des applications conçues sur mesure destinées à les aider à effectuer des opérations complexes concernant un volume de données important. Ils avaient besoin que ces applications fonctionnent sur chaque poste. Recréer ces données pour s'adapter, mettons, à un ordinateur NeXT qui ne fonctionnait pas avec le système d'exploitation Windows, aurait représenté un coût exorbitant, non seulement le coût financier lié à la reprogrammation, mais le manque à gagner qu'aurait signifié le temps de la remise à jour. Ce n'était pas les gadgets qui intéressaient les entreprises. Pour tout dire, elles étaient même un peu effrayées par ceux-ci. Non, ce qu'elles voulaient, c'est plus de puissance, plus de rapidité et surtout, de la fiabilité.

Parmi les journalistes de la presse courante qui consacraient des articles à cette nouvelle industrie, rares étaient ceux qui comprenaient véritablement que les ordinateurs personnels étaient déjà en train de

redevenir des machines institutionnelles. La raison en est essentiellement qu'au début des années 1990, la plupart des journalistes avaient
facilement tendance à s'emballer à la perspective de disposer de logiciels éducatifs, de pouvoir gérer leur argent, de planifier leurs recettes
dans la cuisine « numérique » ou encore d'imaginer que des architectes
amateurs puissent concevoir une maison sur leur propre ordinateur.
Comment ne pas être enthousiaste à l'idée que les gens aient plus de
pouvoir, que l'ordinateur soit un prolongement du cerveau, un « vélo
de l'esprit », pour reprendre l'expression de Steve ? Cette vision de
l'informatique était répercutée à longueur de colonnes et Steve savait
la déployer mieux que personne. Bill Gates restait indifférent à cette
conception romanesque. Pour lui, c'était une utopie naïve qui passait à côté des services bien plus complexes que les micro-ordinateurs
pouvaient rendre aux entreprises. Le marché des particuliers peut être
extrêmement profitable – pour dire les choses simplement, il y a beaucoup plus d'individus qu'il n'y a d'entreprises et si on leur vend le
bon produit, cela peut rapporter beaucoup d'argent. Mais à l'époque,
les micro-ordinateurs relativement bon marché n'étaient pas encore
assez puissants pour attirer la majorité des consommateurs, ni changer leur vie de manière significative. En ce qui concernait le marché
des entreprises, en revanche, c'était une tout autre histoire. Bill Gates
mit à profit toute son intelligence stratégique pour cibler le volume
de ventes potentiel que représentait la masse d'ordinateurs de bureau
des milliers d'entreprises de toutes tailles. Ces sociétés payaient au
prix fort la fiabilité et l'homogénéité qu'offraient les PC Windows.
Elles appréciaient les améliorations progressives et Bill savait les leur
apporter. Steve avait beau faire semblant de s'y intéresser, le cœur n'y
était pas. La seule chose qui le passionnait, c'était l'idée de toutes les
perspectives qu'un ordinateur plus performant pouvait encore offrir à
son utilisateur.

L'interview mettait clairement en évidence cette différence fondamentale entre les deux parents de l'ordinateur personnel. Ce qui, en
revanche, n'apparaissait pas aussi clairement et que Bill ne révéla à
aucun moment, c'est que sa connaissance approfondie des besoins

informatiques des entreprises allait transformer l'industrie du secteur au cours des années à venir, marginalisant davantage ceux qui, comme Steve, choisissaient de privilégier l'esthétique des micro-ordinateurs et le plaisir qu'ils pouvaient procurer. Bien que personne ne l'ait souligné à l'époque, Bill s'apprêtait à éliminer la dimension personnelle du PC. Paradoxalement, il laissait ainsi à Steve un champ libre qu'il pourrait investir par la suite.

———

LES ANNÉES 1990 promettaient d'être l'ère Microsoft, dominée par une unique entreprise qui dicterait l'orientation de toute l'industrie informatique. Microsoft avait bien un partenaire clé, Intel, dont les puces équipaient la quasi-totalité des machines qui fonctionnaient sous le système d'exploitation Windows. Mais l'association de Windows et d'une série croissante d'applications bureautiques donnait à Microsoft un accès aux grandes entreprises, avec lequel Intel ne pourrait jamais rivaliser. Si l'amélioration constante des performances des puces Intel donnait la cadence, obligeant inexorablement la technologie à progresser, Windows et les autres logiciels Microsoft modelaient la physionomie de l'informatique d'entreprise. En satisfaisant toutes les attentes, des plus grandes entreprises du Fortune 500 aux petits commerces, Bill Gates devenait le roi de l'informatique. Andy Grove, le CEO d'Intel, se trouvait relégué non sans regret dans le rôle du sage prodiguant ses conseils.

Gates et Grove avaient exploité ensemble un facteur dont Steve n'avait pas tenu compte. En se projetant dans l'avenir, ils avaient compris que l'architecture des micro-ordinateurs était appelée à connaître une telle évolution de ses performances, qu'elle absorberait presque tous les autres aspects de l'informatique. Par le passé, les machines professionnelles haut de gamme étaient fondées sur des conceptions brevetées qui ne bénéficiaient pas des économies d'échelle liées à la standardisation des pièces. Gates et Grove savaient qu'au bout du compte – et cela irait très vite –, les coûteux systèmes personnalisés des stations de travail techniques seraient remplacés par des cartes mères de micro-ordinateurs boostées et qu'il en irait de même des mini-ordinateurs, des ordinateurs centraux et même des super-ordinateurs, ces machines rares et hors de prix utilisées dans tous les domaines, de la modélisation climatique au contrôle d'engin nucléaire. (Par exemple, le Watson d'IBM, la machine qui a battu en 2011 le champion toute catégorie Ken Jennings au célèbre jeu-questionnaire « Jeopardy », est un ordinateur basé sur une architecture semblable à celle d'un micro-ordinateur.) Par conséquent, la quasi-totalité des ordinateurs sur lesquels les entreprises comptaient pour gérer leurs opérations les plus critiques finirent par adopter l'architecture électronique d'un micro-ordinateur version améliorée.

Ils étaient tous bien moins coûteux et bien plus faciles à programmer et à faire fonctionner que les encombrants ordinateurs centraux, car ils étaient fabriqués avec les mêmes semi-conducteurs que ceux des micro-ordinateurs, et leur système d'exploitation était généralement une variante de Windows. Ils bénéficiaient ainsi des économies d'échelle croissantes annoncées par la loi de Moore, à laquelle venait s'ajouter l'essor fulgurant du marché des micro-ordinateurs.

Au cours des années 1990, Microsoft devint le gestionnaire incontesté de l'informatique d'entreprise. Et les grandes entreprises appréciaient la standardisation opérée par la société. Elles se jetèrent dans une fuite en avant pour améliorer la productivité grâce à l'informatique et dépensèrent des billions de dollars. En 1991, les dépenses informatiques des entreprises s'élevaient à 124 milliards de dollars, ce qui représentait à peine 2 % du PIB. En 2000, ce pourcentage avait plus que doublé, atteignant 4,6 %. Le principal bénéficiaire de cette évolution fut Microsoft ; au cours de cette même période, son chiffre d'affaires passa de 1,8 milliard de dollars à 23 milliards de dollars, ses bénéfices bondirent de 463 millions à 9,4 milliards de dollars et le cours de ses actions augmenta de 3 000 %.

Enlisé chez NeXT, Steve ne profita quasiment pas du butin généré par cette frénésie. Il vendit bien quelques ordinateurs à des entreprises, et, lorsqu'Internet devint un immense réseau planétaire, le logiciel WebObjects de NeXT se révéla un outil très utile pour les entreprises qui voulaient développer des sites personnalisés. Mais ce n'était que des miettes. Pour l'essentiel, Steve resta sur le banc de touche à regarder son vieil ami et ennemi juré, bien plus adapté aux exigences du marché des entreprises, devenir sans doute le plus grand dirigeant d'entreprise du monde.

———

AU BOUT DE deux heures et demie, l'interview s'est conclue. Je suivais les deux hommes depuis des années, mais en voyant ces concurrents dynamiques et déterminés à discuter ensemble, j'avais eu l'impression de les découvrir pour la première fois en trois dimensions. Leur interaction produisait une sorte d'effet de parallaxe qui m'avait permis de mieux les cerner et les apprécier l'un et l'autre. Peut-être était-ce parce qu'ils n'avaient rien à vendre que je les percevais de façon plus nuancée. Leur proximité et leur compétitivité innée avaient donné lieu à des réactions spontanées, des traits d'humour, des remarques incisives, et même des marques d'amitié qu'ils auraient peut-être hésité à manifester dans un autre contexte.

George Lange qui avait passé la majeure partie de l'entretien à tourner autour d'eux, l'appareil à la main, tenait à présent à « shooter » la photo de couverture. Nous n'avions pas beaucoup de temps – Bill voulait à tout prix attraper le vol de Seattle qu'il avait prévu de prendre à l'aéroport de San Francisco. Après avoir envisagé de les photographier dehors, George s'était dit que la courbe majestueuse de l'escalier du salon fonctionnerait mieux.

Il leur a expliqué à tous les deux les raisons de son choix. Bill ne se montrait jamais difficile pour les photos de presse – l'essentiel, pour lui, c'était que ça aille vite. Mais Steve se voyait comme un spécialiste de la photographie. Lorsque je proposais un papier pour *Fortune*, c'était systématiquement sur les photos que les négociations étaient les plus âpres. Steve avait des avis de toutes sortes sur les clichés qui devaient accompagner les articles, et en particulier sur l'approche stylistique de la couverture. Il pouvait faire preuve d'une vanité invraisemblable au sujet de ses portraits et voulait toujours avoir le dessus, cherchant à imposer non seulement le photographe, mais la manière dont il serait photographié. Cette fois-là, cependant, il n'a pas fait d'histoires. George l'a regardé et s'est exclamé : « Mais Steve, vous êtes pieds nus ! Vous ne voulez pas mettre des chaussures pour la couverture de *Fortune* ? » Steve a haussé les épaules et répondu : « OK. » Il a grimpé l'escalier quatre à quatre, attrapé des baskets et il est redescendu en les portant aux pieds – les lacets défaits.

Après la séance, j'ai dit à Bill que je le conduirais à l'aéroport avec mon break Volvo. Il fallait juste attendre une minute que George nous prenne en photo tous les trois dans le jardin de Steve pour l'éditorial du magazine. Puis on a filé à l'aéroport. On a à peine échangé quelques mots – je voyais bien qu'il était passé à autre chose et pensait déjà à ce qui l'attendait. « Vous vous entendez bien, tous les deux, lui ai-je fait remarquer. — Pourquoi ne s'entendrait-on pas ? », a-t-il répondu. Il était préoccupé, mais toujours aussi poli. « Merci, je suis ravi d'avoir fait ça », m'a-t-il dit en descendant rapidement de voiture.

De toutes les couvertures que j'ai pu faire avec Bill ou Steve, la photo de George est ma préférée. Une rampe en fer forgé s'enroule autour des jeunes magnats de l'informatique, perchés côte à côte sur l'escalier, Steve une marche au-dessus de Bill. Ils me semblent avoir une expression naturelle qui révèle leur personnalité. Bill a la mine réjouie du gamin qui a piqué de la confiture. Quant à Steve, qui aurait été capable de vendre le Golden Gate Bridge à n'importe qui (excepté à Bill, évidemment), il affiche le sourire espiègle d'un jeune homme brillant qui ne pourra jamais s'empêcher de faire des bêtises.

Malgré ses soucis d'affaires, Steve avait des raisons de sourire. S'il était à la dérive d'un point de vue professionnel, il commençait à se poser et sa vie privée lui procurait de grandes satisfactions. Sa fille Lisa vivait depuis peu avec Laurene et lui. De sa part, c'était une façon complexe de se faire pardonner l'immaturité et l'irresponsabilité avec lesquelles il avait refusé dans un premier temps de reconnaître sa paternité. Et si Steve était un homme atypique, l'arrivée prochaine de son fils Reed le mettait dans un état de surexcitation on ne peut plus normal. Naturellement, Reed était le premier enfant qu'il avait souhaité et, à sa naissance en septembre, Steve réagit comme bon nombre de pères : il se mua en expert de la question, avec ce sérieux si comique pour ceux qui sont déjà passés par là. « C'étaient des jeunes parents comme les autres, se rappelle Mike Slade. Ils avaient tout faux. Ils étaient tous les deux hippies. Du coup, le bébé était tout le temps fourré dans leur lit, uniquement nourri au sein. Résultat, qu'est-ce qu'il faisait le bébé ? Ben tiens, il braillait tout le temps et il avait tout le temps faim. Et au bout d'une semaine, on aurait cru des rescapés d'un camp de prisonniers.

« Steve est devenu un peu comme un bébé, lui aussi, poursuit Slade. Il ne dormait pas de la nuit, et ça l'a aussitôt rendu fou. On aurait dit qu'il s'agissait d'une méthode de torture sortie tout droit du manuel de la CIA. Sérieux. Reed n'avait pas même une semaine que c'était déjà : "Il faut que je recrute un président et un directeur des opérations. Il le faut absolument. Oh, je n'en peux plus." » Mais cette réaction ne faisait que refléter le bonheur tout ce qu'il y a de plus ordinaire que lui procurait son fils et le sérieux avec lequel il avait l'intention de l'élever.

Steve avait une autre raison d'être heureux, même si personne ne s'en rendait compte à l'époque, pas même lui.

La stratégie de Bill – faire en sorte que Microsoft oriente le secteur vers une standardisation qui réponde aux besoins des entreprises – remodela en profondeur le paysage informatique des années 1990. Les stations de travail furent bel et bien absorbées par les micro-ordinateurs. Les ordinateurs centraux ne furent plus que de vastes séries de cartes mères basées sur l'architecture des micro-ordinateurs. Les géants de l'époque, comme Dell, Compaq, HP et Gateway, sortirent des ribambelles de machines quelconques qui rivalisaient uniquement en termes de vitesse, de puissance et de délais de livraison. Les milliards de gens qui employaient des PC de par le monde interagissaient quotidiennement sur des boîtiers interchangeables équipés des mêmes microprocesseurs et effectuaient leurs tâches grâce à des applications pilotées par le même système d'exploitation.

Apple qui s'était démarqué en produisant des ordinateurs individuels véritablement uniques était en train de sombrer peu à peu sous la conduite de Sculley et de la succession des malheureux CEO placés à sa tête qui avaient décidé de s'attaquer au même marché que tous les autres. À la fin des années 1990, c'était à croire que le scénario orwellien du spot « 1984 » s'était réalisé. Big Business dirigeait le secteur informatique. Les employés réduits au rang de robots utilisaient ce qu'on leur imposait. L'ordinateur personnel n'avait plus de personnel que le nom. Année après année, Microsoft étendait inévitablement, inexorablement sa morne domination. Microsoft semblait devoir régner à jamais. L'ascension de Bill Gates était aussi monotone que l'informatique qu'il inspirait. C'est du moins ce que Steve pensait du travail de son rival, qui réussissait bien mieux que lui.

Naturellement, toute cette standardisation laissait le champ libre à qui voulait créer des machines qui plaisent aux gens et non répondre en premier lieu aux besoins des entreprises. Quelqu'un comme Steve Jobs. À l'époque de notre interview, Steve était encore désorienté. Il éprouvait une amertume si tenace d'avoir été traité ainsi par Sculley et le conseil l'administration d'Apple, une telle déception devant les difficultés de NeXT et la place de second plan qu'occupait la société, et un tel besoin égocentrique de jouer un rôle majeur dans une industrie dont l'orientation était dictée par un autre que lui, qu'il ne voyait pas comment sortir de l'impasse dans laquelle il se trouvait. Au cours des quelques années qui suivirent, il poursuivit son objectif en s'efforçant d'imposer NeXT et Pixar sur le marché. Mais peu à peu, il s'engouffra dans la brèche créée par Bill – soit une société prête à créer une fois de plus des machines incroyablement géniales pour les gens comme vous et moi. Et lorsque Steve finit par l'investir en déployant tout son talent, cela lui valut une adulation que Gates ne devait jamais connaître.

Chapitre 7
La chance

WOODY
Oh, Buzz, tu viens de tomber de haut. Tu n'as pas les idées en place.

BUZZ
Non, Woody, pour la première fois au contraire, j'ai les idées en place.
C'est toi qui avais raison, je ne suis pas un *ranger* de l'espace. En fait,
je ne suis qu'un jouet, un jouet minable, stupide et insignifiant.

WOODY
Hé, une petite minute ! Moi je trouve qu'un jouet, c'est beaucoup plus
qu'un *ranger* de l'espace.

BUZZ
Tu parles…

WOODY
Non, c'est vrai ! Écoute, en face il y a un enfant qui trouve que tu es
le meilleur ! Et pas parce que tu es un *ranger* de l'espace,
mais parce que tu es un jouet ! Tu es son jouet !

(extrait de *Toy Story*)

Quelques mois après l'interview de 1991 avec Bill et Steve, je suis parti m'installer avec ma famille à Tokyo, pour prendre la tête du bureau Asie de *Fortune*. Une des raisons pour lesquelles j'avais sauté sur le poste de Tokyo, c'est qu'au début des années 1990, l'industrie informatique avait quelque peu perdu de son intérêt depuis que Microsoft et Intel, rassemblés sous l'appellation Wintel, avaient d'une certaine façon gagné la guerre informatique. L'innovation stagnait et l'avenir promettait d'être un simple jeu de réduction de coûts et d'optimisation des divers clones PC présentés par Dell, Gateway, Compaq, HP et leurs homologues. Apple était plus ou moins hors course.

À mon retour dans la Silicon Valley, trois ans plus tard, beaucoup de choses avaient changé. Bill Clinton avait évincé George Bush père de la présidence au bout d'un seul mandat. La fortune de Bill Gates dépassait les 10 milliards de dollars et d'après le magazine *Forbes*, il était à présent l'homme le plus riche du monde, détrônant de justesse Warren Buffet. John Sculley avait été chassé d'Apple (mais la société était toujours hors course). Et le secteur informatique redevenait intéressant. Netscape Communications avait sorti des versions bêta du premier *browser* Internet commercial, appelé par la suite navigateur, et les termes « World Wide Web », « dot.com » et « URL » devenaient de plus en plus courants. De toute évidence, Internet pouvait bouleverser tout le paysage informatique, ce qui était idéal pour un journaliste spécialiste du monde de l'entreprise et des technologies de pointe.

En juillet 1994, j'ai envoyé un mail à Steve pour lui annoncer que *Fortune* m'avait rapatrié de Tokyo avec ma famille et que je passerais le voir un jour pour prendre des nouvelles, une fois que j'aurais loué un bureau et que je me serais installé. Quelques semaines plus tard, le téléphone a sonné chez nous, alors que j'étais seul, occupé à revernir le parquet.

« Bonjour, Brent, c'est Steve », a-t-il dit de cette voix chantante à la nonchalance californienne qu'il prenait souvent au téléphone, et dont le ton était si faussement enjoué qu'on aurait cru un enregistrement. Puis il a repris ses vieilles habitudes. « Alors comme ça, vous êtes de retour. Qu'est-ce qui s'est passé ? *Fortune* était gêné d'avoir mis

John Sculley en couverture en le présentant comme un sauveur la semaine même où il a été viré ? », m'a-t-il demandé en gloussant. Ça recommence, me suis-je dit. C'est lui qui m'interviewe.

« Passez donc me voir, a-t-il ajouté. On peut aller se balader. » Je lui ai répondu que j'avais quelque chose à finir, mais que je pouvais être chez lui dans une heure. « OK », m'a-t-il répondu, et sur ce, il a raccroché.

Quand je suis arrivé chez lui, Steve tourniquait dans sa cuisine, vêtu de sa tenue d'été habituelle, vieux short en jean effrangé, avec les fonds de poche blancs qui ressortaient aux endroits déchirés, et tee-shirt à manches longues délavé portant le logo de NeXT. (Il ne portait pas encore les sous-pulls noirs dessinés sur mesure par Issey Miyake.) Il était pieds nus, évidemment. Un magnifique chow-chow était étalé de tout son long sous une longue table de ferme placée au milieu de la pièce. Le chien m'avait remarqué, mais visiblement, je ne l'intéressais guère.

« Ça ne doit pas être un chien de garde », ai-je dit en cherchant à attirer l'attention de Steve. Il s'est retourné et, fait rarissime au cours des dizaines de fois où j'ai été amené à le voir en rendez-vous ou à le croiser au fil des années, il a parlé de choses et d'autres pendant quelques minutes. Le temps de me dire que c'était un très vieux chien, que Laurene était à nouveau enceinte et que Reed et elle n'étaient pas là.

« Je voulais vous dire que je suis vraiment content du premier film d'animation de Pixar », a-t-il déclaré en tirant un tabouret avec le pied et en s'asseyant. Puis il m'a fait signe de prendre place. « Ça s'appelle *Toy Story* et ça sera terminé d'ici un an. Je n'exagère pas en vous disant que c'est complètement différent de tout ce qu'on a vu jusqu'à présent. Disney envisage d'en faire son grand film de l'été, l'an prochain. »

QUAND ON FAIT l'inventaire de toutes les industries que Steve est censé avoir révolutionné, on cite souvent le cinéma, car Pixar a porté à l'écran une forme artistique entièrement inédite. Je ne suis pas de cet avis. Ce sont John Lasseter et Edwin Catmull qui ont apporté au cinéma l'image numérique en 3D et renouvelé le genre du film d'animation.

Il n'en demeure pas moins que Steve joua un rôle décisif dans la réussite de Pixar. Son influence était restreinte, dans la mesure où Pixar était l'œuvre de Catmull et Lasseter, et non la sienne. Mais paradoxalement, cette restriction lui laissa le champ libre pour faire ce pour quoi il avait le plus de dispositions et il y parvint brillamment.

Ce qu'il apprit en regardant Lasseter, Catmull et leur équipe incroyablement talentueuse exercer leur magie joua également un rôle déterminant dans sa vie. Chez Pixar, et plus particulièrement lorsque la société se lança réellement dans la réalisation de films, Steve assimila peu à peu une approche du management qu'il devait mettre à profit à son retour chez Apple, en 1997. C'est au cours de ces années qu'il apprit à négocier avec davantage de subtilité, sans pour autant perdre son invraisemblable culot. C'est là qu'il commença à comprendre que travailler en équipe ne consistait pas seulement à réunir de petits groupes, sans pour autant perdre sa capacité à diriger et inspirer ses troupes. Et c'est là qu'il apprit à se montrer plus patient, sans perdre de sa force de motivation légendaire.

Steve eut beaucoup de chance que tout se passe aussi bien chez Pixar, une petite société de second plan qu'il avait achetée quasiment sur un coup de tête, qui réussit dans un domaine qu'il n'avait pas l'intention d'exploiter à l'origine et qui lui rapporta bien plus que son véritable métier. Edwin Catmull s'est intéressé de près au rôle que joue la chance dans la réussite des entreprises et à la façon dont les hommes d'affaires peuvent en tirer parti. « L'essentiel, dit-il, c'est d'y être prêt et de créer une culture qui puisse s'adapter à l'imprévu. Ça arrive toujours à un moment ou à un autre. Ce qui change tout, c'est la manière dont on y réagit. » Steve sut réagir, parce que sa plus grande chance fut de travailler avec Lasseter et Catmull. À bien des égards, sa réaction aux principes qu'il apprit à leur contact fut l'élément catalyseur de la réussite qu'il connut par la suite chez Apple.

———

JOHN LASSETER ENTRETENAIT une relation d'amour-haine avec Disney. Quand il était adolescent, il avait travaillé à Disneyland et, après être sorti du California Institute of the Arts, il y avait décroché un poste d'animateur. S'il appréciait le privilège de travailler aux côtés de certains grands animateurs de l'histoire de Disney, il avait du mal à supporter la rigueur du management. « On était laminés par la direction, se rappelle-t-il. En bref, ils m'ont viré. »

D'où l'ultimatum de Lasseter, lorsque Peter Schneider de Disney essaya pour la troisième fois de le convaincre de revenir à Burbank. Schneider eut le mérite de le prendre au sérieux et fit venir Catmull dans ses bureaux. Il lui expliqua qu'il était temps, à son avis, que Pixar fasse son propre film pour Disney. Catmull laissa entendre qu'à ce stade, Pixar ne pouvait guère faire plus qu'un spécial d'une demi-heure pour la télévision. Schneider répliqua d'un ton ironique que si Pixar était capable de sortir trente minutes de grand spectacle, le studio était bien capable d'en sortir soixante-quinze. Catmull s'étrangla, puis il accepta.

C'était à présent à Steve de négocier un accord avec Jeffrey Katzenberg, le puissant directeur du département cinéma chez Disney. Ces tractations avec Disney constituaient un test décisif qui allait mettre à l'épreuve ses talents de négociateur et sa capacité à se discipliner. Katzenberg et Jobs savaient que Disney avait davantage de poids dans la négociation. Le célèbre studio était en plein milieu d'une période faste. À partir de 1989, l'équipe de Katzenberg avait réalisé succès après succès cinq années consécutives[1] : *La Petite Sirène*, *La Belle et la Bête*, *Aladdin*, *L'Étrange Noël de Monsieur Jack* (basé sur

---

1. On a beau parlé de cinq années consécutives, on est encore dans cette période de faste et pour le moment, seuls *La Petite Sirène* et *La Belle et la Bête* sont sortis. Nous sommes en 1991, d'où l'occurrence, deux paragraphes plus tard, à la naissance de Reed en septembre 1991.

une histoire originale d'un autre animateur qui avait également quitté le studio, Tim Burton) et *Le Roi lion*. Katzenberg avait beau admirer le talent de Lasseter et regretter qu'il ne veuille pas réintégrer Disney, il savait que le studio pouvait tout à fait se passer d'un film Pixar.

Lasseter, Catmull et le reste de l'équipe se rendaient parfaitement compte que leur seule chance de maintenir la société à flot était sans doute de réaliser un film avec Disney. Les négociations étaient donc leur dernier espoir et leur sort était entre les mains de Steve. Catmull et Lasseter ne se faisaient pas de souci. Depuis des années, Steve était le porte-parole de Pixar dans toutes les négociations. « Il était coriace, se souvient Lasseter. Dès qu'il entrait dans la salle, il demandait : "Lequel d'entre vous est le décisionnaire d'achat pour les ordinateurs ?" Si on lui répondait : "Personne", il les envoyait tous promener. "Je n'accepte de négocier qu'avec des gens qui peuvent conclure l'affaire", disait-il, et il s'en allait. On disait toujours que Steve prenait une grenade et la balançait dans la pièce avant de faire son entrée. Il attirait tout de suite l'attention sur lui. »

Mais le seul fait de mettre Katzenberg et Jobs dans la même pièce pouvait être catastrophique. Les deux hommes avaient des ego démesurés et ils étaient l'un et l'autre habitués à obtenir ce qu'ils voulaient. Katzenberg était persuadé qu'il serait le prochain président de Disney et se sentait pleinement responsable de la réussite de ses animateurs. Intelligent, autoritaire, intransigeant vis-à-vis de ses subordonnés et pourtant sympathique, tout comme Steve, Katzenberg était convaincu du bien-fondé de ses opinions. Il entama la première séance de négociations avec Pixar dans une salle de réunion située à côté de son bureau, en posant un panier plein de jouets de bébé devant Steve, qui avait récemment assisté à la naissance de Reed. C'était certes un cadeau, mais aussi une manière claire d'affirmer qu'il détenait le nerf de la guerre.

D'après Susan Barnes, Steve entamait toutes les négociations en sachant exactement ce qu'il devait obtenir et quel était le rapport de force avec la partie opposée. Quand il avait négocié avec Lucas, il avait su tirer profit du besoin d'argent de ce dernier. Cette fois, Steve savait d'emblée que Katzenberg avait plus de poids et que Pixar avait besoin de conclure l'affaire pour survivre. Il attaqua avec un certain culot en annonçant qu'il voulait que Pixar soit associé à tous les bénéfices générés par le film, ce qu'aucun réalisateur de studio débutant ne pouvait obtenir. Katzenberg refusa sur-le-champ.

Ils étaient totalement en désaccord sur la valeur de Pixar. Jobs était convaincu que les procédés de Pixar pouvaient révolutionner le modèle économique du cinéma d'animation, estimant qu'ils pourraient baisser les coûts des films d'animation de façon radicale. Il était choqué par la vision de Disney qu'il jugeait passéiste. « Ils ont tort de ne pas apprécier le procédé technologique, m'a-t-il confié. Ils sont à côté de la plaque. » Katzenberg, qui connaissait bien mieux le secteur que Steve, n'était pas de cet avis. « Le procédé de Pixar ne m'intéressait pas, m'a-t-il confié quelques années plus tard. Ce qui m'importait, c'était le talent de conteur de Lasseter. La lampe Luxo exprimait plus d'émotion et d'humour en cinq minutes que la plupart des films en deux heures. » Quant à la possibilité de réduction des coûts, il n'était pas plus optimiste que cela. « Cette idée que cette technologie est un nouveau modèle économique pour le cinéma d'animation, c'est n'importe quoi. Ça m'étonnerait. Les artistes et les scénaristes vont vouloir continuer à améliorer le procédé, si bien que la technologie d'aujourd'hui sera obsolète d'ici dix ans. » Évidemment, Katzenberg avait raison. On aura beau injecter tous les procédés technologiques possibles et imaginables dans la création d'un film d'animation, si l'on veut qu'il soit bon, il faudra toujours y mettre le prix. Pixar réalisa *Toy Story* pour 20 millions de dollars (sans compter ce que dépensa Disney pour la promotion et la distribution). Le film Pixar de 2013, *Monstres Academy*, aurait coûté environ 200 millions de dollars, marketing compris.

Ce genre de divergences personnelles et philosophiques qui opposaient Steve aux pontes de Disney, était les mêmes qu'il n'avait pas su gérer chez NeXT, et sa colère et sa rancœur avaient alors contribué à faire capoter le projet de partenariat avec IBM. « Les dirigeants d'IBM n'y connaissaient rien en informatique. Rien », continuait-il à pester dans les dernières années, toujours aussi furieux. Durant ces négociations, il leur avait fait savoir ce qu'ils pensaient d'eux, dépassant les bornes une fois de plus. Mais avec Katzenberg, il fit preuve de plus de retenue. Il exposa ses arguments et tint bon quand c'était nécessaire. Katzenberg demanda que Pixar cède à Disney les droits de tous ses procédés 3D, ce que Steve refusa. Mais pour l'essentiel des clauses, il accepta, au lieu de s'emporter contre son puissant interlocuteur. Pixar n'obtenait pas la propriété des films et des personnages. La société n'obtenait pas non plus de part des recettes générées par les vidéos, car Steve ne mesurait pas encore le marché colossal des vidéos à caractère familial. Il décrocha néanmoins une opportunité : Disney financerait la réalisation de *Toy Story* et aurait une option sur les deux films suivants. Pixar toucherait 12,5 % des recettes – et s'offrait un second souffle. La bande de Catmull et Lasseter allait enfin pouvoir réaliser un long-métrage.

———

STEVE ADORAIT PIXAR et il était ravi de voir l'équipe se lancer dans la réalisation de ce qui allait devenir *Toy Story*. Ce qui lui plaisait moins, en revanche, c'était de perdre de l'argent. Il admit même par la suite qu'il n'aurait jamais acheté Pixar s'il avait su qu'il dépenserait une telle fortune pour maintenir la société à flot. Aussi, dans les années 1990, avant comme après avoir conclu l'accord avec Disney, il essaya de vendre Pixar, mais les acheteurs éventuels étaient essentiellement intéressés par les procédés technologiques de la société et non par son potentiel cinématographique. Catmull vit Steve négocier avec des entreprises aussi diverses que Hallmark, Silicon Graphics et Microsoft, qui avaient chacune une vision précise de ce que les logiciels Pixar pouvaient apporter à leur propre offre. Mais aucun accord ne fut jamais concrétisé. Chaque fois, Steve refusait de baisser le prix exorbitant qu'il réclamait pour la société. En voyant ces échecs répétés, Catmull finissait par se demander si Steve avait réellement l'intention de vendre. « Je comprenais qu'on en arrive là. Certains accords tenaient debout.

Ce n'était pas ce dont on rêvait, mais il fallait bien trouver un moyen de s'en sortir », raconte-t-il. Mais aucune des transactions n'aboutit. « Après, je me suis dit : "À quoi ça rimait, tout ça ? Était-ce une façon pour lui de confirmer qu'il était capable de faire ce qu'il fallait ?" » Catmull en vint à penser que Steve avait peut-être fait échouer inconsciemment les accords les uns après les autres par loyauté envers Pixar. « Il avait sa propre définition de ce que signifiait tenir parole. Plus je connaissais Steve, plus je me rendais compte que ça jouait un rôle complexe. Mais Steve n'était pas du genre à s'autoanalyser. »

Catmull n'aborda jamais les transactions avec Steve d'un point de vue aussi psychologique. « Dès qu'on entrait dans des considérations plus ou moins psychologiques, il disait simplement : "Je suis qui je suis." » La loyauté de Steve n'est donc qu'une hypothèse. Mais ces spéculations reflètent la complexité de ce qu'éprouvait Steve à l'époque. Il perdait beaucoup plus d'argent qu'il ne l'aurait jamais imaginé, d'autant que chez NeXT, la situation ne s'arrangeait pas. Pourtant, il était loin d'être démuni : il avait amplement de quoi subvenir aux besoins de sa famille et faire ce qu'il aimait. Et à mesure que *Toy Story* progressait, il était de plus en plus emballé par Pixar, qui lui offrait un répit salutaire, loin des exigences et des tensions de NeXT.

Steve se mit à passer chez Pixar une fois par semaine, même s'il n'avait pas grand-chose à y faire. Catmull se chargea de recruter après la signature de l'accord – ce qui aurait pu être déstabilisant dans la mesure où Pixar avait été récemment obligé de réduire drastiquement ses effectifs, en raison de la vente du département matériel. Mais Catmull évita de réitérer la « période débile » de Pixar.

Steve n'intervint pas dans l'écriture de *Toy Story*. Lasseter, Andrew Stanton, Pete Docter et Joe Ranft collaborèrent au scénario, avec l'aide d'autres scénaristes, dont Joss Whedon, qui créa par la suite la série télévisée *Buffy contre les vampires* et réalisa des films comme *Avengers*. L'équipe de *Toy Story* se révéla remarquablement productive et extrêmement soudée. Stanton dirigea le second film de Pixar, *1001 Pattes*, ainsi que *Le Monde de Nemo* et *Wall-E*. Docter réalisa quant à lui *Monstres & Cie* et *Là-haut*, et Ranft fut coscénariste et chef scénariste sur une série de longs-métrages jusqu'à sa mort dans un accident de voiture en 2005. Les quatre hommes formèrent le cœur de ce que Catmull appelait le Brain Trust – un groupe de scénaristes, de réalisateurs et d'animateurs de Pixar, chargés d'apporter une critique constructive à tous les réalisateurs des films de la société. C'est un concept unique : le Brain Trust n'a strictement aucune autorité et les réalisateurs n'ont pas d'autre obligation que d'écouter l'avis de ses membres. C'est un outil qui s'est révélé très efficace pour remodeler des films comme *Les Indestructibles* ou *Wall-E*. Steve n'a jamais fait partie du groupe. Catmull le maintenait à l'écart des discussions, craignant que sa forte personnalité ne fausse la donne.

Regarder Lasseter, Stanton, Docter et Ranft concevoir *Toy Story*, c'était, pour Steve, assister au processus créatif dans toute son essence – autrement dit, ponctué d'échecs et d'impasses. Il se montrait toujours encourageant. « Quand on merdait, raconte Catmull, il ne disait pas : "Vous avez merdé, les mecs !" Non, chaque fois, c'était : "Comment faire pour avancer ?" Quand on est sur le fil du rasoir, il y a des fois où ça se passe bien, d'autres fois où ça se passe moins bien. Si tout se passe bien, c'est qu'on se fait des illusions. » Steve en était persuadé. Cela changeait nettement de Katzenberg, dont les critiques sévères entraînaient le film sur une autre voie, lui donnant une tournure plus sarcastique que ne le souhaitait l'équipe. La situation finit par s'envenimer à un tel point avec Disney, qu'après une projection désastreuse un vendredi de la fin 1993, Schneider stoppa la production. Pendant trois mois, Lasseter et ses coscénaristes se retirèrent pour réécrire le scénario. Pendant ce temps, Steve et Catmull veillèrent à ce que l'équipe de création reste groupée et soit rémunérée. Et une fois que la production de *Toy Story* reprit, Jobs batailla pour obtenir une rallonge afin d'intégrer les changements imposés par la nouvelle version du scénario. La question du budget le conduisit à des joutes épiques avec Katzenberg, mais en définitive, il parvint avec Catmull à arracher un peu plus d'argent à Disney.

« Je crois que ça encourageait Steve de nous voir collaborer, nous améliorer en travaillant ensemble, explique Lasseter. C'est une des choses qui avait le plus changé quand il est revenu chez Apple. Il était plus ouvert au talent des autres, prêt à se laisser inspirer et stimuler, mais aussi ouvert à l'idée de leur inspirer l'énergie de réaliser des prouesses dont ils ne se savaient pas capables. »

———

AU COURS DES années qui suivirent son mariage et la naissance de ses enfants, Steve noua quelques amitiés très fortes. Il en parlait peu, ou du moins ne se livrait jamais à des confidences personnelles. S'agissant de sa vie privée, Steve était très strict à l'égard des journalistes : ceux d'entre nous qui y avaient accès devaient s'engager à ne rien révéler, à moins que Steve ne nous autorise à raconter telle ou telle anecdote. Edwin Catmull et John Lasseter devinrent très proches de Steve et firent partie du petit cercle d'amis précieux dont il s'entoura jusqu'à la fin de sa vie.

« Il m'a tout de suite plu », m'a un jour confié Steve au sujet d'Edwin. Intellectuellement, il se sentait sur un pied d'égalité avec lui. « Edwin est un type réservé, et cette réserve peut passer pour de la faiblesse, mais en fait c'est une force. Edwin est très réfléchi et extrêmement intelligent. Il est habitué à fréquenter des gens très intelligents et quand on fréquente des gens très intelligents, on a tendance à les écouter. »

Steve écoutait Catmull. S'il donnait parfois l'impression d'avoir la science infuse, en réalité, Steve s'efforçait constamment d'apprendre. L'allure professorale, l'apparence soignée, Edwin avait dix ans de plus que Steve, et jouait auprès de lui autant le rôle d'un mentor que d'un collaborateur. Edwin lui montra comment naissait un film en lui détaillant tous les aspects et les étapes d'une manière cohérente. Il était capable de creuser avec lui le procédé de l'animation en 3D. Et il lui expliquait ses décisions managériales avec une sincérité, une sensibilité et une rationalité que respectait Steve. Depuis des années, Edwin s'était efforcé de recruter des gens qu'il jugeait plus intelligents que lui et ses efforts avaient fini par payer.

Si cette amitié sincère et discrète perdura aussi longtemps, c'est en grande partie grâce à la maturité de Catmull. « Steve et moi, on ne s'est jamais disputés, raconte-t-il. On a eu des désaccords ; parfois, c'était lui qui gagnait, parfois c'était moi. Mais même au début, quand il n'était pas franchement doué dans ses rapports avec les autres, j'avais toujours l'impression qu'il traitait d'un sujet, et non de savoir qui avait tort ou raison. Chez beaucoup de gens, les idées sont empêtrées dans leur ego et ça les empêche d'apprendre. Il faut se dissocier de l'idée. Steve était comme ça. »

Les deux hommes se côtoyèrent et collaborèrent pendant vingt-six ans. Catmull dit avoir vu d'énormes changements au fil des années, tout en reconnaissant que Steve refusait de l'admettre. « Pour moi, Steve cherchait toujours à évoluer, mais il ne l'exprimait pas comme tout le monde et il n'en parlait pas aux gens. Il voulait vraiment changer le monde. Chez lui, ce n'était pas une question de cheminement intérieur. »

La relation que Steve entretenait avec Lasseter était différente, plus enjouée. Leur amitié débuta réellement lorsque *Toy Story* fut sur les rails et que le département animation de Lasseter apparut non plus comme un plaisir coûteux mais comme l'avenir de la société. Steve et lui étaient de la même génération et tous deux avaient une famille qui s'agrandissait. « Nous avons eu des enfants en même temps, raconte Lasseter, ça a joué aussi. »

Au début de leur amitié, le fait que Steve soit le patron et le plus riche des deux lui donnait un peu le rôle d'un grand frère. Au printemps 1995, les Lasseter invitèrent la famille Jobs à passer le week-end dans leur maison de Sonoma. Steve caressait le projet audacieux d'introduire Pixar en Bourse au lendemain de l'avant-première de *Toy Story,* qui était prévue pour Thanksgiving. Le premier soir, lorsque les enfants furent endormis, Laurene alla se coucher de bonne heure et Steve resta jusqu'à quatre heures du matin à expliquer à John et sa femme Nancy ce qu'étaient les stock-options. « Moi, j'ai fait mes études à CalArts, je n'y connaissais rien. Du coup, il nous a fait un cours de première année de commerce sur les actions, comment ça marche, pourquoi les entreprises les vendent, ce qui est avantageux pour les gens, le fait qu'après on est redevable vis-à-vis des actionnaires, qu'on doit faire des rapports d'activité, tout ça. Il a parlé de l'introduction en Bourse, de la façon dont ça se préparait, des stock-options. Il a tout expliqué en long, en large et en travers. »

Le lendemain matin, Steve et John étaient dans la véranda de la maison et admiraient la jolie vue – que venait gâcher la Honda Civic de John qui datait de 1984 et affichait 340 000 kilomètres au compteur. « La peinture de la carrosserie était grillée par le soleil, raconte Lasseter. Les sièges étaient défoncés – je les recouvrais avec des tee-shirts. Steve était venu avec leur Jeep Cherokee. Maintenant, il connaissait les routes que je devais emprunter tous les jours. »

« Ne me dis pas que c'est ta voiture, lui dit Steve.

— Mais si.

— Tu fais l'aller-retour chez Pixar en passant par ces routes au volant de ça ? »

Lasseter hocha piteusement la tête.

« OK. Non, non, non. C'est juste pas possible.

— Écoute, lui répondit Lasseter, honnêtement, je n'ai pas les moyens de me racheter une voiture maintenant. On vient juste d'acheter la maison et on ne peut absolument pas se le permettre. Là, maintenant, je ne peux pas. »

« Je pense qu'il devait se dire : "Merde alors, j'ai tout misé sur ce type et il a une caisse pourrie, si jamais un poids lourd lui rentre dedans, bam ! il est mort" », m'a confié Lasseter,

« OK, dit Steve, on va trouver une solution. »

Le mois suivant, Lasseter s'aperçut qu'une petite prime avait été ajoutée à son salaire. « Je veux que ça te serve à te racheter une voiture, lui dit Steve. Ça doit être une voiture solide et tu dois avoir mon accord. » John et Nancy choisirent une Volvo et Steve donna son accord.

Lasseter est un des meilleurs conteurs au monde et Steve adorait ce côté-là chez lui. Le réalisateur abordait la construction des films avec le même savoir-faire que Steve mettait à concevoir de nouveaux équipements informatiques. Les deux hommes étaient attachés l'un et l'autre à la perfection des détails. Un jour, pendant la réalisation de *1001 Pattes*, John et Andrew Stanton me parlèrent des recherches qu'ils avaient effectuées pour recréer la vision que les insectes ont du monde. Après avoir adapté des arthroscopes à des caméras vidéo, l'équipe s'était rendue dans des environnements naturels de toutes sortes pour promener le câble muni de l'optique au ras du sol afin de voir à quoi ressemblait le monde vu par une fourmi. Ils s'aperçurent entre autres que l'herbe est généralement translucide et qu'en la traversant, la lumière devient vaguement verte. Comme on peut accentuer tout ce que l'on veut dans les films d'animation, Stanton et son équipe décidèrent de rehausser la lumière dans laquelle baignait le monde des insectes.

Steve était fasciné par ce soin apporté aux moindres détails. Il adorait la trame des récits et les mosaïques visuelles que Lasseter composait pour les films Pixar et admirait la manière dont les animateurs se surpassaient chaque fois. Lasseter et lui partageaient la même curiosité enfantine et la même minutie obsessionnelle. Steve découvrait chez Pixar que l'on pouvait allier les deux pour concevoir petit à petit, patiemment, une œuvre d'art qui survive longtemps à ses créateurs.

Quelques semaines avant l'introduction en Bourse de Pixar, Steve invita Lasseter à dîner dans un de ses restaurants japonais préférés, Kyo-ya, au Palace Hotel de San Francisco. « Après ça, on est restés une éternité à bavarder sur le trottoir, se souvient Lasseter. On a bien dû passer une heure à discuter de choses et d'autres. Je lui disais que j'étais inquiet, que l'introduction en Bourse me faisait peur. J'aurais bien aimé qu'on attende le second film. Et il a regardé au loin, comme il faisait des fois, et il a dit : "Les ordinateurs qu'on fait chez Apple, c'est quoi leur durée de vie ? Trois ans ? Cinq ans, à tout casser. Mais, si tu fais bien ton boulot, ce que tu crées peut durer à jamais." »

DÈS LA FIN de 1994, Steve renonça à vendre Pixar. Il ne voulait pas céder le contrôle d'une entreprise qui promettait de devenir très intéressante une fois que *Toy Story* serait sorti. Mais ce n'est qu'en assistant le 1ᵉʳ février 1995, à la conférence de presse organisée à New York pour le dernier dessin animé de Disney, *Pocahontas*, qu'il mesura l'ampleur que pouvait prendre l'événement. Ce n'était pas une conférence de presse comme une autre. Elle se tenait sous un immense chapiteau dans Central Park et le maire Rudy Giuliani et Michael Eisner, le CEO de Disney, annoncèrent que le 10 juin, *Pocahontas* serait projeté en avant-première sur place, dans le parc, et que cent mille personnes pourraient y assister gratuitement. Et l'avant-première n'était qu'une entrée en matière – Disney consacra plus de 100 millions à la campagne de marketing de *Pocahontas*, entièrement dessiné à la main.

Steve écarquilla les yeux. Lui qui aimait les lancements de produits spectaculaires, il trouvait soudain que ses présentations faisaient pâle figure à côté de ce coup d'éclat. C'est à ce moment-là qu'il commença à échafauder sérieusement le projet audacieux de faire entrer Pixar en Bourse. Il avait pour objectif de lever suffisamment de fonds pour que le studio puisse financer ses propres productions, et pouvoir ainsi être pleinement associé à Disney au lieu d'être cantonné au rôle de sous-traitant.

Naturellement, c'était à Steve et non à Catmull ou Lasseter de s'occuper de régler les détails d'une introduction en Bourse. Il avait récemment embauché un directeur financier du nom de Lawrence Levy, un brillant avocat de la Silicon Valley, qui avait exercé dans le domaine du droit des brevets. Il passa des semaines avec lui à étudier tous les aspects du système de financement et de comptabilité du cinéma pour mieux comprendre comment les studios gagnaient de l'argent. Ils poussèrent le zèle jusqu'à se rendre à Hollywood pour interroger des dirigeants de studios sur les budgets des films et les accords de distribution. Ils se rendirent compte aussitôt que de ce point de vue, du moins, Pixar était loin de pouvoir réussir une introduction en Bourse. Ses résultats financiers étaient désastreux – la société avait accumulé des pertes de 50 millions au fil des années, tout en générant un faible chiffre d'affaires. Ses sources de revenus potentielles semblaient limitées et risquées. Pixar était essentiellement dépendant d'une seule entreprise, Disney, qui était l'unique détenteur de la licence de CAPS, et ne reverserait à Pixar que 12,5 % des recettes de tous les films qu'ils étaient susceptibles de réaliser et commercialiser ensemble. De plus, Pixar semblait progresser à un pas de tortue, et avait passé près de quatre ans sur un film qui n'était pas encore bouclé. Le cinéma était en soi imprévisible. Et enfin, le studio reposait sur la créativité d'une poignée de gens comme Lasseter et Stanton, qui étaient certes renommés, mais n'avaient pas réalisé grand-chose.

Steve avait également des doutes sur le potentiel commercial de *Toy Story*, principalement fondés sur ce que disaient les responsables marketing de Disney. « Disney est venu nous faire une présentation marketing, raconte Lasseter. Ils nous ont dit qu'ils comptaient organiser une grande campagne de promotion chez Sears. Steve a regardé autour de lui et lancé : "Est-ce qu'il y en a un parmi vous qui est allé chez Sears récemment ? Un seul ?" Il n'y a pas une main qui s'est levée. "En ce cas, pourquoi signer avec eux ? Pourquoi ne pas choisir des produits qui nous plaisent ? On pourrait signer avec Rolex ? Les chaînes haut de gamme de Sony ?" Et ils répondaient en gros : "Euh… nous, on fait comme ça." Il a démonté toutes leurs idées. Il était tellement logique. Pourquoi s'associer à des produits qu'on détestait ? » (Au bout du compte, le plus grand sponsor fut Burger King.)

Tant que Pixar n'avait pas soumis le prospectus préalable à l'entrée en Bourse auprès de la Securities and Exchange Commission (SEC), Steve était libre de faire tout le battage qu'il voulait autour de Pixar dans la presse économique. Mais j'ai tout de même été surpris quand il m'a téléphoné un samedi matin. Il me proposait de venir chez lui, mais cette fois avec Greta et Fernanda, mes deux filles, qui avaient alors dix et neuf ans. « Je garde Reed, ce matin, m'a-t-il dit, et j'ai un truc génial à leur montrer. »

En arrivant, nous avons été accueillis à la porte de la cuisine par Reed, alors âgé de trois ans, qui était enveloppé de foulards en soie rouge et bleu et hurlait : « Je suis une sorcière ! » Steve a préparé du jus de fruit et des bols de pop-corn pour les enfants, tandis que Reed tourbillonnait autour de lui. Puis nous avons suivi les trois enfants dans la salle de télévision, où Steve a mis une cassette dans le magnétoscope. Après une série d'ébauches de story-boards, une des toutes premières versions couleur de *Toy Story* a surgi à l'écran, accompagnée d'une bande-son. J'avais vu des story-boards alignés sur les murs de Pixar, mais encore rien en animation. C'était vraiment spectaculaire, je n'avais jamais rien vu de pareil à l'écran. Les trois enfants étaient assis par terre devant la télé, fascinés. Ils ont tout regardé de bout en bout, même si la moitié seulement était achevée, le reste étant complété par des dessins au trait ou des rendus imparfaits.

À la fin du film, Steve m'a annoncé que le conseil d'administration n'en avait pas vu autant. Pour le coup, j'avais du mal à le croire. (Lasseter m'a appris par la suite qu'il le montrait à tout le monde : « Il était impossible ! » L'ami de Steve, Larry Ellison, le milliardaire qui avait fondé Oracle, a raconté qu'il en avait vu onze versions différentes.) Steve s'est aussitôt tourné vers les enfants, pour réaliser une étude de marché à la Jobs. « Qu'est-ce que vous en pensez ? a-t-il demandé aux filles. C'est aussi bien que *Pocahontas* ? » Greta et Fernanda ont vigoureusement acquiescé de la tête. « Et est-ce que c'est aussi bien que *Le Roi lion* ? » Fernanda a réfléchi une seconde, puis elle a répondu : « Il faut que je revoie *Toy Story* cinq ou six fois avant de me décider. »

Steve était enchanté de cette réponse.

———

LE 9 AOÛT, Steve eut de nouveau de la chance lorsqu'une société du nom de Netscape Communications entra en Bourse. Le produit de Netscape, le premier navigateur Internet répandu sur le marché, était révolutionnaire, mais il était difficile d'en faire un produit véritablement rentable. Qu'à cela ne tienne, l'enthousiasme du public pour les technologies de pointe et cette nouvelle merveille appelée Internet étaient en passe de se déchaîner. Les actions Netscape furent proposées à 28 dollars et atteignirent 58,25 dollars à la clôture des marchés, offrant à la jeune entreprise une capitalisation de 2,9 milliards de dollars.

Après l'entrée en Bourse de Netscape, le pari de Pixar ne semblait plus aussi risqué. Robertson Stephens, une banque d'investissement de San Francisco, accepta de souscrire à l'offre publique initiale et de soumettre le prospectus à la SEC en octobre. Steve décida de jouer avec le feu en fixant la date de la cotation en Bourse de Pixar au 29 novembre 1995, une semaine à peine après la première de *Toy Story*. Si le film avait été un échec, l'introduction en Bourse aurait été un désastre et tous les efforts de Steve pour consolider l'assise financière de Pixar auraient été vains.

Mais ce ne fut pas le cas, évidemment. Le film était un chef-d'œuvre impérissable, à la fois drôle et émouvant, à telle enseigne qu'il est aujourd'hui classé parmi les cent plus grands films américains par l'American Film Institute. Et l'entrée en Bourse une semaine plus tard fut également un extraordinaire succès, qui permit de lever 132 millions de dollars et donna à la société une capitalisation de 1,4 milliard de dollars. Lasseter, Catmull, Steve et d'autres « pixariens » se réunirent pour suivre l'événement dans les bureaux de Robertson Stephens dans le centre de San Francisco. Peu après l'ouverture de la séance, alors que le cours de l'action dépassait le prix d'introduction fixé à 22 dollars par la banque, Catmull vit Steve décrocher le téléphone dans le bureau d'à côté. « Allô, Larry ? dit-il lorsqu'il eut son ami Ellison au bout du fil. J'ai réussi. » Steve qui possédait 80 % de la société était milliardaire.

———

STEVE AIMAIT BIEN confronter ses impressions et jouer au plus fin avec Ellison, qui était à l'époque un des hommes les plus riches au monde (et l'est toujours). L'argent n'était pas ce qui le motivait le plus chez Pixar. Ce qui l'enthousiasmait, c'était de participer de nouveau à la création d'un produit d'une réelle beauté qui avait du succès et était basé sur une technologie de pointe dont le potentiel était apparemment illimité. Il était ravi d'être de nouveau un des architectes d'un projet que le monde s'accordait à reconnaître comme étant d'une incroyable créativité. Il y avait une éternité qu'il n'avait pas éprouvé un tel sentiment. Depuis le lancement du Macintosh.

L'incroyable succès de *Toy Story*, et plus généralement de Pixar, était également capital sur un plan personnel. Il avait toujours voulu faire des produits qu'il aimait et qu'il jugeait utiles. C'est en partie pour cette raison qu'il n'avait jamais retrouvé la même magie chez NeXT ; contrairement à Bill Gates, Steve ne pouvait s'investir totalement dans la création d'un produit qui était adapté à un marché précis mais ne suscitait chez lui aucun enthousiasme. L'ordinateur NeXT et les logiciels ultérieurs étaient admirables et n'étaient pas dépourvus d'une certaine élégance, mais ils étaient destinés à des institutions et non à des gens. Avec *Toy Story*, il avait contribué pour la première fois de sa vie à un produit que des familles avec de jeunes enfants comme la sienne pouvaient également apprécier. Laurene était enceinte de leur fille Erin, la deuxième de leurs trois enfants. Steve se réjouissait à l'idée que *Toy Story* puisse plaire à des enfants, et même à leurs enfants à eux.

Avec le recul, le fait que *Toy Story* ait marqué le début de la renaissance professionnelle de Steve semble d'une pertinence absurde. La trame du film instaura la formule de Pixar : un personnage sympathique cause sa propre perte, le plus souvent par orgueil. Mais il (ou elle, lorsque Pixar réalisa *Rebelle*) surmonte ses défaillances grâce à sa bonté, son courage, sa vivacité d'esprit, son inventivité ou un mélange de tout cela, et parvient ainsi à se racheter, devenant alors un jouet plus accompli (ou un insecte, une voiture, un poisson, une princesse, un monstre, un robot, une souris, voire un super-héros !). Incidemment, la déchéance du héros s'accompagne souvent d'un exil quelconque, comme dans *Toy Story*, où Woody expédie « malencontreusement » Buzz dans le jardin de Sid, avant de voler à sa rescousse pour l'arracher *in extremis* aux mains de cet enfant diabolique. Le parallèle est évident avec l'exil de Steve banni d'Apple.

Toy Story lui redonna également confiance en lui. Pour avoir discuté avec Steve à plusieurs reprises au cours des mois qui suivirent l'introduction en Bourse, je voyais bien qu'il était fou de joie que tout se soit aussi bien passé. Il parlait de Pixar – et de sa contribution à sa réussite – avec une réelle fierté. Il attribua généreusement un grand nombre d'actions gratuites à Catmull et Lasseter et distribua personnellement en décembre une prime s'élevant à un mois de salaire à tous les employés de Pixar. Évidemment, certains jugèrent qu'ils n'avaient pas reçu suffisamment d'actions. Et Steve exagéra son mérite dans la soudaine réussite de Pixar. Mais même Alvy Ray Smith, l'ancien associé de Catmull qui était parti après s'être disputé avec Steve, admit par la suite que Pixar n'aurait jamais pu réussir sans lui. « On aurait dû couler, déclara Alvy à un journaliste. Mais j'avais l'impression que Steve ne pouvait accepter une nouvelle défaite. Ç'aurait été insupportable pour lui. » Steve savourait pleinement le succès de Pixar, mais il ne s'empressa pas moins de passer à autre chose. S'il tenait à ce point à s'entretenir avec moi après l'ouverture du capital de Pixar, c'est qu'il avait une autre idée en tête. Il pensait de plus en plus souvent à son ancienne société de Cupertino.

Chapitre 8

Abrutis, salauds et perles rares

Grâce au succès aussi étourdissant qu'improbable de *Toy Story* et en raison de l'introduction en Bourse de Pixar, Steve était de retour sur le devant de la scène. Il monopolisait l'attention, mais Catmull et Lasseter n'y accordaient pas grande importance. À présent que Pixar avait une assise financière solide, ils étaient tous les deux ravis de se lancer dans leur prochain film, *1001 Pattes*, sans avoir à se soucier du sort de la société. Aux yeux du monde extérieur, Steve semblait avoir retrouvé son aura magique. Le succès de *Toy Story* avait donné une touche charmante à la légende de Steve Jobs.

La question était à présent de savoir si le triomphe qu'il venait de remporter avec Pixar était une exception. Pour un homme dont le nom allait être par la suite synonyme des grands come-back américains, le Steve Jobs de 1996 avait eu remarquablement peu de succès avec les nouvelles versions des produits qu'il avait lancés. L'Apple II avait été suivi de l'Apple III et du Lisa, qui avaient été des échecs. Le Mac n'avait rencontré le succès que dans la version plus robuste présentée par John Sculley. Le plus grandiose de ses projets, NeXT, la société qu'il avait conçue comme une version idéalisée d'Apple, s'était révélé une véritable déception.

Il s'était racheté avec Pixar. Mais Steve avait déjà atteint des sommets. Allait-il négocier la suite plus habilement que par le passé ? Commettrait-il les mêmes erreurs ? Ou, pour reprendre le langage de Pixar, tirerait-il les leçons de ce qu'il avait appris en exil, comme Woody dans *Toy Story* ? Pourrait-il réfréner son ego, se montrer sociable, vaincre ses ennemis et devenir un véritable héros ?

———

APRÈS LE FIASCO de l'accord avec IBM, en 1992, les quatre dernières années de NeXT avaient été une sorte de tragi-comédie. Steve avait essayé tellement de stratégies que la société errait à la dérive. Il avait créé un ordinateur plus abordable en forme de carton à pizza, baptisé NeXTstation, mais celui-ci n'avait jamais réussi à s'imposer sur le marché. Avec son équipe, il avait alors décidé de concevoir un autre modèle, basé sur un microprocesseur appelé PowerPC – qui devait également être utilisé sur les dernières versions des Mac. Mais au bout du compte, ils décrétèrent qu'il n'y avait pas véritablement de marché pour ce produit qui ne vit jamais le jour. Mike Slade, qui avait occupé à une époque les fonctions de directeur marketing repensait avec nostalgie à son ancien employeur Microsoft qu'il comparait à l'équipe new-yorkaise des Yankees. « Travailler chez NeXT, c'était comme être premier lanceur chez les Miami Marlins en 1998, une équipe qui a gagné, quoi, cinquante matchs ? À cette époque-là, Steve était plus ou moins tombé dans l'oubli. Il était comme Brian Wilson [après avoir plaqué les Beach Boys], un type sur le déclin, un has been. Dans le monde du high-tech, il était hors course. Steve s'était trompé de business. Il était fait pour vendre des produits à des consommateurs, et non aux responsables informatiques des entreprises. »

Steve avait un sens inné du marketing, mais dans une société qui n'avait pas créé un seul produit compétitif, c'était peine perdue. Un jour, il annonça à Slade qu'il voulait « chercher la bagarre » avec Sun. Il lui ordonna donc de demander à deux programmeurs de créer une application de base de données relativement basique, l'une utilisant un ordinateur NeXT équipé du logiciel de la société, l'autre une station de travail Sun avec Solaris, le système d'exploitation de Sun basé sur Unix. Slade filma leur travail en vidéo. Le programmeur de NeXT termina sa tâche en un temps record, battant de loin son homologue qui travaillait sur la station Sun, et eut même le temps de faire quelques parties de jeux vidéo. La vidéo, qui finit par sortir, montre le programmeur du Sun à court de temps, marmonnant : « Euh, j'ai deux ou trois trucs à finir. » NeXT fit ensuite paraître huit pleines pages de publicité dans le *Wall Street Journal*, qui engloutirent rapidement la totalité du budget annuel de marketing. Résultat ? « Un coup de pub démentiel, exactement comme l'avait prédit Steve », raconte Slade en se retenant de pouffer de rire. Scott McNealy, le CEO de Sun, se plaignit aux médias du marketing « immature » de Steve. « Ce que les gens ne comprenaient pas, dit Slade, c'est que Steve pouvait être aussi génial quand il devait voir petit. J'avais élaboré toute une stratégie de marketing complexe, et il m'a dit : "Non. La seule solution, c'est de chercher la bagarre." Et il avait raison. »

S'il lui arrivait d'avoir des traits de génie, il avait encore du mal à saisir tous les tenants et les aboutissants de la gestion d'entreprise. Ses erreurs de management atteignirent des sommets lorsqu'il recruta un Britannique volubile du nom de Peter van Cuylenburg pour diriger les affaires courantes. L'histoire de PVC, comme on le surnommait, révèle la confusion dans laquelle se trouvait parfois Steve. Ayant décidé sur un coup de tête qu'il devait à tout prix recruter un président, Steve passa en revue une série de candidats à peine sélectionnés avant de se tourner vers van Cuylenburg, un ancien de Xerox et Texas Instruments qui avait déjà refusé par fax un poste qu'on lui proposait. Steve clama son adoration. « Si je devais me faire renverser en traversant la rue, je serais rassuré de savoir que je laisse NeXT entre [les] mains [de Peter] », déclara-t-il au *New York Times*.

En définitive, ce fut van Cuylenburg qui se fit renverser, au sens figuré. Il avait promis d'impulser à NeXT une stratégie claire, mais ce ne fut pas le cas. Obnubilé par les détails, van Cuylenburg se heurta à l'opposition de certains employés qui jugeaient qu'il s'intéressait plus à la procédure qu'au produit. Pire encore, Steve et lui étaient fréquemment en désaccord. Des investisseurs comme Canon (qui avait investi 100 millions de dollars en 1989) se plaignaient de ne pas savoir qui dirigeait la société, de Jobs ou de van Cuylenburg. En outre, le personnel était sceptique – au moins deux dirigeants étaient persuadés que van Cuylenburg essayait de vendre la société à Sun Microsystems à l'insu de Jobs. Van Cuylenburg s'en défend et Scott McNealy, qui était à l'époque le CEO de Sun, dément que les deux entreprises aient jamais été prêtes à conclure un accord. Mais une chose est sûre, les deux hommes ne formaient pas une équipe de management efficace. PVC ne fit pas long feu chez NeXT.

Peu après son départ, Steve, qui avait toujours été un fou de matériel informatique, prit la décision douloureuse de stopper la production du NeXT. Le design des ordinateurs lui importait plus que tout et il tirait une grande fierté de la beauté et de la fonctionnalité des machines qu'il supervisait. Mais malgré leur élégance, les NeXT ne se vendaient pas. Steve ferma à contrecœur le département matériel, licencia la moitié du personnel et céda les actifs restants, outil de production et matériel, à Canon lors d'une transaction menée par Rubinstein. Le bâtiment de l'usine de Fremont en lui-même fut mis sur le marché afin d'être loué ou vendu comme un simple entrepôt, retrouvant ainsi sa vocation d'origine. C'était la fin du rêve de Steve : voir NeXT créer le meilleur ordinateur au monde. « On s'est perdus dans la technologie », devait-il me confier plus tard.

Il fallait voir la vérité en face, NeXT était un échec et l'échec de NeXT était principalement dû à Steve. Sa carrière était au plus bas. Il était désespéré d'avoir échoué et contrairement à son habitude, il ne cachait pas sa déception. Un jour, Edwin Catmull lut un communiqué de presse de NeXT annonçant, raconte-t-il, que NeXT était « très heureux de vendre des logiciels destinés à contrôler les serveurs informatiques ou les bases de données du gouvernement, un truc sans intérêt. En lisant ça, je me suis dit : "Oh non, ça doit démolir Steve." Alors je l'ai appelé. On s'est retrouvés dans un restaurant japonais de Palo Alto et je lui ai dit : "Ça ne te ressemble pas, Steve." Et il m'a répondu : "Ne m'en parle pas ! J'ai horreur de ça. Les responsables informatiques sont sympa, mais je n'en peux plus !" ».

En public, Steve s'efforçait de décrire cette mutation comme un pari audacieux sur les logiciels de la société, et en particulier le système d'exploitation NeXTSTEP qui n'avait aucun concurrent, disait-il. Mais cette fois, le sophisme n'échappa pas aux médias ni aux concurrents soi-disant inexistants, comme Microsoft.

Steve ne ferma pas définitivement la société. Tout comme il n'avait jamais totalement renoncé à Pixar, il ne renonça jamais vraiment à NeXT. Et tout comme chez Pixar, il décida de mener deux stratégies distinctes. Il essaya de refiler la société à Sun (une fois de plus), Hewlett-Packard, et même Oracle, la société de Larry Ellison, mais rien ne se concrétisa. En même temps, il continuait à faire pression sur Avie Tevanian et son équipe logiciel. Steve était sincèrement persuadé d'avoir la meilleure équipe de développeurs de systèmes d'exploitation et il espérait encore que le monde des stations de travail adopterait le système d'exploitation NeXTSTEP. Les ingénieurs s'employaient donc à éliminer les bugs et à le porter sur d'autres architectures de microprocesseurs, comme la série des Pentium d'Intel ou le PowerPC d'IBM et Motorola. Steve voulait à tout prix trouver un moyen de rembourser ses investisseurs qui avaient apporté près de 350 millions en fonds de roulement. Si jamais il ne leur restituait pas intégralement ce qu'ils avaient investi, il perdrait toute crédibilité en tant qu'entrepreneur s'il voulait un jour recréer une nouvelle société informatique. Steve attendait donc de voir ce qu'allait donner NeXTSTEP – et l'équipe d'ingénieurs de génie d'Avie.

En 1996, leurs efforts commencèrent à porter leurs fruits, fût-ce modestement. L'équipe de Tevanian avait développé un autre logiciel qui recevait un accueil très favorable. WebObjects était un outil destiné à concevoir des sites web commerciaux et d'autres applications en ligne grâce à des modules de code prédéfini appelés « objets » qui accéléraient le processus de développement et permettaient de réutiliser des composants standard. Cette caractéristique était particulièrement utile pour concevoir des boutiques en ligne et le Web regorgeait désormais de développeurs et de codeurs travaillant en entreprise qui concevaient des sites interactifs avec un aspect commercial. La croissance était telle que les ventes de licences WebObjects généraient à présent un chiffre d'affaires plus important que NeXTSTEP. NeXT pouvait enfin faire valoir un résultat d'exploitation positif, aussi modeste soit-il. Steve persuada même la banque d'investissement Merrill Lynch de soutenir une éventuelle ouverture du capital. Une fois de plus, une société de Steve trouvait ses marques en se reconvertissant dans une voie qu'il n'avait pas envisagée.

À PEU PRÈS à la même époque – le 1er avril 1996, pour être précis –, un ancien capitaine de l'Air Force du nom de Fred Anderson arriva au siège d'Apple Computer, au 1 Infinite Loop, à Cupertino, pour prendre ses fonctions de directeur financier. La situation était désastreuse.

« La société était au bord du gouffre », se rappelle-t-il.

Anderson, alors âgé de cinquante-deux ans, avait occupé un poste similaire chez ADP, une société de services informatiques basée à Roseland dans le New Jersey. ADP était une machine bien huilée. Mais il n'y avait pas plus terre à terre dans le monde du high-tech que son activité, qui consistait à fournir des services de gestion de données à de grandes entreprises. Anderson y avait passé quatre ans et avait déjà réglé ce qui était du ressort de ses compétences. Il s'ennuyait. Pourtant, sa femme, Marilyn, et lui avaient passé des années à rénover et agrandir leur maison de style Tudor à Essex Fells, dans le New Jersey, et il s'adaptait peu à peu à la vie des banlieues résidentielles que menaient la plupart des gros bonnets de la côte Est.

Il ne cherchait pas particulièrement un nouveau poste. Mais il fut contacté par un cabinet de recrutement de cadres mandaté par Apple Computer. La société de Cupertino fit tout pour le débaucher, peu après que le CEO Michael Spindler eut brusquement licencié le précédent directeur financier en novembre 1995.

Fred Anderson et sa femme avaient toujours eu un faible pour Apple Computer. À le voir, on n'aurait jamais imaginé qu'il puisse être ce qu'on appellerait aujourd'hui un « *fanboy* » d'Apple. Il avait tout du directeur financier soporifique : grand, placide, bien coiffé, avec un penchant pour les pantalons à pinces et les chemises à monogramme impeccablement repassées, ou lorsqu'il s'encanaillait, pantalon en toile beige et polo. Mais sa femme et lui étaient de fervents utilisateurs de Macintosh et depuis sa création, ils avaient toujours éprouvé de l'affection, de l'amour presque, pour la marque à la pomme. Fred était originaire de Californie du Sud et Marilyn avait fait ses études à Stanford, en plein milieu de la Silicon Valley. Ils rêvaient depuis longtemps de retourner s'installer sur la côte Ouest.

Anderson écouta donc ce qu'Apple avait à dire. Son recrutement fut mouvementé, comme tout chez Apple à l'époque. Les représentants de la marque ne prirent pas la peine de le prévenir qu'au moment même où ils cherchaient à le recruter, la société essayait de négocier une fusion avec Sun Microsystems. Anderson aurait peut-être pu se douter que quelque chose ne tournait pas rond lorsqu'une des premières fois où Spindler, un Allemand bourru surnommé « le Diesel », lui avait téléphoné, le dirigeant était en convalescence à l'hôpital, où il avait été admis pour de sérieux problèmes de santé liés au stress. Spindler fut évincé quelques semaines plus tard et Anderson fit alors l'objet de toutes les attentions d'Apple qui voulait en faire le premier recrutement majeur de son successeur au poste de CEO, Gil Amelio, un ancien dirigeant d'une entreprise de semi-conducteurs qui était membre du conseil d'administration d'Apple depuis moins d'un an.

Au bout du compte, ce ne furent pas les arguments de Spindler, ni ceux d'Amelio qui emportèrent sa décision. Anderson se persuada tout seul d'accepter le poste d'Apple, en employant le même raisonnement que Steve Jobs avait utilisé pour convaincre John Sculley en le provoquant avec cette formule restée célèbre : « Vous voulez passer votre vie à vendre de l'eau sucrée ou essayer de changer le monde ? » Anderson était séduit par la perspective de contribuer à sauver de l'oubli une des plus grandes *success stories* américaines. « Au fond de moi, quelque chose me disait : "Je n'ai vraiment pas envie de voir mourir cette société", confie-t-il. C'était la raison numéro un. Je savais que ma femme et moi étions passionnés par les produits de la marque et j'étais sûr qu'il y avait une fidèle clientèle de passionnés qui ne voulait pas qu'Apple meure. Ce que j'espérais, c'est qu'on retrouve cette même passion chez les employés et qu'ils se battent pour sauver la société. Mais pour être honnête, je n'en étais pas sûr. Quand j'ai dit à ma femme que j'avais envie d'accepter le poste d'Apple, elle m'a regardé et m'a dit : "Tu es fou ? Tu as déjà un poste fabuleux." »

Le fait est qu'Apple se débattait depuis longtemps dans de sérieuses difficultés et la situation empirait d'année en année. La stratégie « orientée marché » de John Sculley n'avait produit aucune avancée technologique majeure. Son envie de prouver à tout prix qu'il était aussi novateur que Steve ne faisait qu'entraver les efforts d'Apple. La plus coûteuse des initiatives malencontreuses du CEO fut la création d'une nouvelle catégorie d'équipement micro-informatique avec un appareil mobile, appelé Newton, qui fut tourné en dérision en raison des erreurs incongrues que commettait son logiciel de reconnaissance de l'écriture tant vanté. Le fiasco coûta d'autant plus cher à la marque que Sculley décida d'ouvrir une série de boutiques Apple pour vendre l'appareil condamné d'avance. Le Macintosh que Sculley prenait soin de faire évoluer apportait à la société une certaine couverture financière. Mais les parts d'Apple sur le marché de la micro-informatique diminuaient, alors que celles de Windows ne cessaient d'augmenter.

Le conseil d'administration d'Apple finit par se lasser des ratés de Sculley et le limogea brusquement en 1993. Il fut remplacé par Spindler, le directeur commercial allemand dont la stratégie consista à singer Bill Gates et à céder la licence du système d'exploitation du Macintosh à d'autres fabricants pour tenter tardivement de contrer

Windows. Mais cette stratégie échoua et les clones à bas prix ternirent l'image mythique de fabricant de matériel haut de gamme dont avait toujours bénéficié Apple. Spindler, qui conserva l'« orientation marché » du développement produit chère à Sculley, laissa également la gamme de produits Apple s'étendre de façon incontrôlable, à mesure que les ingénieurs expérimentaient divers gadgets ciblant des marchés potentiels qui justifiaient à leurs yeux de nouveaux modèles de Macintosh entièrement repensés.

Le pire cauchemar d'Apple demeurait cependant Microsoft. La société de Bill Gates était devenue un mastodonte et la sortie de Windows 95 lui permit de s'attribuer officiellement le rôle de moteur de l'innovation, jusque-là réservé à Apple. Le marketing de Microsoft surpassa même Apple dans la démesure. Gates lança cette version historique de son système d'exploitation standard en orchestrant une campagne internationale présentée par Jay Leno sous un immense chapiteau blanc dressé sur le site de Microsoft et diffusée par satellite dans quarante-trois villes du monde entier où avaient été organisés des rassemblements. Ce lancement en grande pompe incita des dizaines de milliers d'utilisateurs à faire la queue pendant des heures, voire des jours, pour être parmi les premiers à acheter le logiciel et l'installer sur leur ordinateur dès sa commercialisation, le 24 août à minuit. L'hymne officiel de la campagne était « Start Me Up », des Rolling Stones.

Depuis huit ans, Apple avait tenté à de nombreuses reprises de moderniser son système d'exploitation, mais en vain. Divers projets désignés par des noms de code tels que Pink, Gershwin et Copland avaient été abandonnés en cours de route et quelques joint ventures plus ou moins boiteux n'avaient abouti à rien, dont l'un avec IBM curieusement baptisé Patriot Partners. L'ennui, c'est que les capacités de Windows 95 excédaient de loin celles du System 7 vieillissant d'Apple. Parmi celles-ci, figuraient des fonctionnalités au nom hyper technique, comme le « multitâche préemptif », qui permettait à plusieurs applications d'opérer simultanément sans interférer les unes avec les autres ou la sauvegarde automatique des documents, mais le système affichait surtout des performances bien supérieures en termes de vitesse, de stabilité et de fiabilité. Microsoft était allé jusqu'à engager le graphiste qui avait conçu à l'origine les icônes de l'écran du Macintosh pour rendre Windows 95 plus attrayant. Windows 95 innovait également avec le bouton « Démarrer » qui permettait aux utilisateurs de comprendre par eux-mêmes comment lancer les programmes et gérer les dossiers de l'ordinateur. Du jour au lendemain, les ventes d'Apple s'effondrèrent et les stocks de machines invendues et de composants inutilisés commencèrent à s'accumuler. Pire encore, Apple semblait avoir perdu instantanément toute la magie qui lui donnait depuis vingt ans une image de marque jeune et dynamique. Après Windows 95, il fallut attendre 2002 pour qu'Apple affiche deux années consécutives une hausse de son chiffre d'affaires.

Lorsque au printemps 1996, Spindler fut débarqué pour être remplacé par Amelio, chez Apple, la débâcle était générale et les ventes chutaient à une vitesse alarmante. Stoppée dans sa croissance, l'entreprise à court d'argent commençait à subir de grosses pertes. Ses capacités de production, ses stocks et ses effectifs dépassaient de loin ses besoins et ses moyens. Aucune nouveauté prometteuse ne se profilait dans l'immédiat et encore moins à long terme. On ne saurait donc s'étonner que Spindler ait été si stressé et qu'il ait été limogé. Qu'Amelio et Mike Markkula, administrateur de longue date d'Apple, aient immédiatement redoublé leurs efforts pour trouver un acheteur comme Sun Microsystems, la vénérable AT&T, ou même IBM. Qu'ils aient envisagé de déposer le bilan. Et qu'ils aient eu besoin d'un grand directeur financier.

Anderson donna sa démission à ADP en mars et passa un mois à conseiller Apple avant de venir s'installer sur la côte Ouest avec sa femme. Il savait qu'Apple était en très mauvaise posture, mais ce n'est qu'en arrivant au siège de Cupertino qu'il mesura la gravité de la situation. Rien dans sa carrière ne l'avait préparé à pareille déroute. ADP affichait depuis trente-cinq ans une croissance à deux chiffres. Son précédent employeur, le fabricant de mini-ordinateurs MAI Basic Four, avait connu des revers, mais rien de comparable au bourbier dans lequel se trouvait Apple. En l'espace de six mois, Apple dont les comptes étaient jusque-là légèrement bénéficiaires, avait plongé, présentant des pertes qui s'élevaient à près de 750 millions de dollars au premier trimestre 1996. La société ne tarderait pas à être techniquement en défaut de paiement à hauteur de centaines de millions de dollars prêtés par les banques. Dès le premier jour, Anderson fut choqué d'apprendre qu'Amelio avait demandé à des conseillers juridiques spécialisés en faillite de se tenir prêts. Quel directeur financier d'une entreprise du Fortune 500 un tant soit peu sensé irait se fourrer dans un guêpier pareil ?

STEVE OBSERVAIT DE loin les difficultés dans lesquelles se débattait Apple et maugréait en privé comme un homme aigri brouillé avec les siens, soucieux, pestant de voir la célèbre société qu'il avait cofondée risquer de couler du fait de son incompétence. Après dix ans d'exil, il restait très attaché à la première société qu'il avait fait naître et à bon nombre de ses employés. « Il adorait Apple, explique John Lasseter. Il n'a jamais cessé de l'aimer. Ça lui faisait mal au cœur de voir ce qui se passait. » En effet, si Steve avait tenu toutes ces années à conserver une action Apple, c'était pour recevoir les informations destinées aux actionnaires et s'il lui en prenait l'envie, pouvoir assister à l'assemblée générale annuelle. Il n'avait jamais véritablement coupé le cordon.

En 1995, son ami milliardaire Larry Ellison lui avait suggéré de lancer une OPA hostile pour racheter purement et simplement la société et prendre le contrôle afin de la gérer comme ils l'entendaient. Ellison lui avait souvent proposé de lever la majeure partie des fonds, pour que Steve ne risque pas d'y perdre ses biens personnels (Pixar n'était pas encore entré en Bourse). « Steve est le seul à pouvoir sauver Apple, m'a-t-il dit. Nous en avons parlé à plusieurs reprises, je suis prêt à l'aider, il n'a qu'un mot à dire. Je peux lever les fonds en une semaine. » Mais Steve avait décliné sa proposition. Malgré tout l'attrait d'Apple, il avait pris une décision pragmatique. Entre la sortie de *Toy Story* et l'introduction en Bourse, c'était une année décisive pour Pixar. Il essayait de sauver NeXT. Et Laurene était enceinte de leur deuxième enfant. Cela faisait beaucoup.

Avec le recul, le rejet de cette offre fut la première d'une série de décisions sages, réalistes, soigneusement pesées, qu'il prit avant de retourner chez Apple. L'opportunisme, l'intuition et la manipulation jouèrent certes un rôle décisif dans son retour au sein de sa société préférée. Mais c'est grâce à la patience et à la maturité qu'il avait acquises qu'il put alors se montrer un meilleur dirigeant d'entreprise.

———

LA PREMIÈRE TÂCHE officielle de Fred Anderson fut d'annoncer qu'Apple avait perdu 750 millions de dollars au cours du trimestre précédant son arrivée. Apple était bel et bien au bord du gouffre.

Ces pertes effarantes déclenchèrent les clauses de remboursement anticipé d'une partie de la dette prévues dans les accords de prêts avec les banques. Mais si Apple s'y était pliée, la société se serait trouvée rapidement dans ce que l'on appelle par euphémisme une « crise de liquidités » – en d'autres termes, elle n'aurait plus eu assez d'argent ni à sa disposition ni en banque pour effectuer les remboursements exigés et régler les autres factures et le salaire des employés. Anderson savait donc qu'il devait rapidement convaincre les banques d'Apple aux États-Unis, au Japon et en Europe de renoncer provisoirement à exiger le remboursement des emprunts. Puis il devait s'attaquer à une double opération afin de maintenir les banques à distance : d'une part établir un plan de recapitalisation afin de lever des fonds sur le marché obligataire, d'autre part mettre en place un plan de restructuration afin de réduire de façon drastique les frais d'exploitation. Là encore, le terme de restructuration est un euphémisme. La meilleure manière de réduire rapidement les coûts est de licencier des employés. Un grand nombre d'employés.

Avant même la fin du mois d'avril, Anderson avait rendu visite en personne à toutes les banques qui avaient accordé des emprunts

à Apple pour leur demander de se montrer indulgentes et leur présenter son projet de restructuration et de recapitalisation. Il alla
également voir les principales banques d'investissements d'Apple
– Goldman Sachs, Morgan Stanley et Deutsche Bank – pour élaborer
une offre de titres de créance destinée à lever 661 millions de dollars
que la société emploierait à rembourser les banques qui lui avaient
prêté de l'argent et à financer pour partie les opérations en cours.
C'était en réalité un nouvel emprunt, si ce n'est que cette fois, il était
accordé par des investisseurs et à un taux relativement plus élevé, mais
cela donnait le temps à Apple de remettre de l'ordre dans ses affaires
et de tailler dans les effectifs. L'objectif de la restructuration était
d'éliminer à terme la moitié des onze mille employés à plein-temps
de la société, pour permettre à Apple d'équilibrer ses comptes avec des
ventes s'élevant environ à 5,5 milliards de dollars, soit la moitié des
ventes annuelles de 1985. En d'autres termes, Anderson estimait que
la moitié de l'entreprise devait disparaître avant de pouvoir espérer
un sursaut. Il y eut trois vagues de licenciements au cours des deux
années qui suivirent.

Le plan de restructuration et de recapitalisation donna au CEO
Gil Amelio tout à la fois un sursis et une certaine marge de manœuvre
pour régler l'autre problème majeur d'Apple : l'absence d'innovation
technologique. Il fallait qu'il achète un système d'exploitation de pointe
existant qu'Apple puisse adapter au Macintosh pour lui permettre
de faire jeu égal avec la nouvelle version améliorée de Windows 95
de Microsoft. De la part d'Apple, ce serait clairement l'aveu de son
incapacité à créer par elle-même une technologie compétitive, mais
du moins, cela laisserait espérer d'autres options que la fusion ou la
faillite.

Afin de pouvoir développer rapidement une version perfectionnée
du Macintosh OS, Amelio chercha des sociétés qui avaient conçu une
version opérationnelle d'Unix fonctionnant sur des microprocesseurs
connus. Sun et plusieurs autres sociétés, dont IBM, Apollo (qui faisait désormais partie de Digital Equipment Corporation), NeXT et
une obscure start-up de la Silicon Valley du nom de Be Inc., avaient

tous conçu leurs propres versions de BSD Unix – développé par le cofondateur de Sun, Bill Joy – et avaient réussi à les adapter à des machines équipées de puces de la même famille que les microprocesseurs qu'Apple avait utilisés sur le Lisa et le Macintosh. Les sociétés qui se contentaient de développer des logiciels étaient plus intéressantes car elles étaient suffisamment bon marché pour être rachetées et suffisamment petites pour être absorbées. NeXT était une possibilité, mais elle était dirigée par Steve Jobs, que beaucoup de membres du conseil d'administration jugeaient encore *persona non grata*, et il était peu probable que cela convienne. À l'inverse, Be Inc. semblait être une perspective tentante. Et ce, parce que Be Inc. était dirigé par Jean-Louis Gassée, qui avait été chargé du développement des nouveaux produits chez Apple avant de partir en 1990 après un différend avec Sculley.

―――

JEAN-LOUIS GASSÉE était le spécialiste ventes et marketing d'Apple qui avait prévenu John Sculley que Steve projetait de le renverser à l'automne 1985, conduisant le CEO à annuler son voyage et à imposer une réorganisation de l'entreprise qui avait quasiment mis à l'écart le jeune cofondateur. Aux yeux de Steve, le sort de Gassée était scellé : depuis ce jour, il avait toujours considéré le Français comme un traître. Leur inimitié n'était guère surprenante. Gassée avait en commun avec Steve un côté rusé : il était éloquent, charismatique, et maniait l'hyperbole avec talent, se faisant passer pour un expert du high-tech alors qu'il n'avait pas plus de formation d'ingénieur en informatique que Steve. Comme Steve, il avait le don d'inspirer des réactions virulentes. « S'il y a bien un chieur de première en ce bas monde, s'il y en a qui se défend au jeu des chieurs, déclare un vétéran d'Apple qui a travaillé avec les deux, c'est celui qui a appris sous la coupe du maître. »

Ils avaient d'autres points communs. Peu après avoir quitté Apple, Gassée s'était empressé de lancer sa propre société informatique en emmenant avec lui plusieurs collaborateurs clés d'Apple. Sa stratégie d'entreprise rappelait l'approche de Steve chez NeXT. Be Inc. avait pour objectif de concevoir une architecture matérielle et logicielle révolutionnaire pour un ordinateur que Gassée appelait le BeBox, qui devait intégrer un système d'exploitation – BeOS – possédant certaines caractéristiques essentielles d'Unix. Ce qui faisait l'originalité du BeOS et de l'ordinateur BeBox, cependant, c'est qu'ils étaient conçus pour pouvoir fonctionner également avec le Macintosh OS existant et opérer comme un « clone » de Mac. Fondamentalement, l'objectif était de concevoir un ordinateur deux en un.

Tout comme NeXT, cependant, Be Inc. n'avait pas réussi à imposer son matériel sur le marché et ne vendit que deux mille ordinateurs avant de mettre un terme à ce pan de son activité en 1996, pour se concentrer sur la vente de son logiciel qui représentait une alternative aux systèmes d'exploitation des Mac d'Apple et des clones fabriqués par d'autres constructeurs. Gassée se disait qu'en devenant un simple éditeur de logiciels, Be Inc. adoptait un positionnement qui pouvait séduire des constructeurs de matériel susceptibles de s'en porter acquéreurs. Il y avait plusieurs prétendants éventuels parmi les sept sociétés qui fabriquaient des clones de Mac, dont Motorola et PowerHouse Systems qui employait l'ancien directeur du département matériel de NeXT, Jon Rubinstein.

Lorsque Gassée apprit qu'Amelio s'était mis en quête d'un système d'exploitation à acheter, il eut un choc. Tout semblait le pousser à céder sa société à Apple, même s'il devait s'attendre à y croiser de nouveaux visages. « Je cherchais une issue, se souvient-il, et sur ce, Amelio est arrivé. » Mais Gassée commit une sérieuse erreur tactique en essayant d'exploiter au maximum la situation. Amelio proposa de racheter Be Inc. pour environ 100 millions de dollars, ce qui était un prix raisonnable pour une société qui n'avait pas réellement fait ses preuves. Mais Gassée visa trop haut et rejeta la proposition d'Amelio, ainsi qu'une contre-proposition de 120 millions de dollars.

Je suis tombé sur Gassée un soir de semaine, à la fin du mois d'octobre 1996, dans un lieu improbable, un restaurant appelé le Buffalo Grill (aujourd'hui fermé) situé dans un centre commercial de San Mateo, à 25 kilomètres au nord de Palo Alto où il habitait.

Le centre commercial était loin de tout et ce n'était pas le genre d'endroit où on pouvait espérer croiser des personnalités de la Silicon Valley. C'était précisément la raison pour laquelle Gassée avait choisi ce restaurant.

J'étais accompagné de ma femme et je lui ai suggéré de rejoindre notre table pendant que je saluais Jean-Louis, que j'étais amené à fréquenter en dehors de mon métier car nos filles étaient dans la même classe, à Palo Alto. Il était manifestement plongé en pleine conversation ; comme il ne m'avait pas remarqué, je lui ai donné une claque dans le dos en lui lançant quelque chose du style : « Qu'est-ce vous faites par ici ? Vous n'avez pas de bon restaurant à Palo Alto ? » Gassée a eu un mouvement de recul comme s'il avait vu un fantôme. C'est alors que j'ai regardé autour de la table et que j'ai reconnu les autres. Il y avait là Ellen Hancock, une ancienne d'IBM qui était désormais vice-présidente exécutive R&D d'Apple et directrice scientifique, Doug Solomon, vice-président senior chargé de la planification stratégique et du développement chez Apple, et le capital-risqueur David Marquardt (qui siégeait également au conseil d'administration de Microsoft). Je savais que Marquardt était le principal conseiller de Be Inc. pour les questions financières, et sa société était le plus gros investisseur de Be Inc. S'il y avait bien quelque chose que le petit groupe voulait éviter, c'était d'être repéré par un journaliste économique. Je n'avais jamais vu Gassée, d'ordinaire si bavard, rester à ce point sans voix.

Quand j'ai rejoint Lorna à notre table, je lui ai confié que cette rencontre m'avait mis mal à l'aise. Ma première réaction était de me dire que ce devait être une sorte de réunion au sommet destinée à ramener Gassée dans l'équipe de direction d'Apple. Mais dans ce cas, pourquoi Ellen Hancock, qui était depuis peu chez Apple, était-elle là, et non Gil Amelio ? « Qu'est-ce qu'en penserait Steve, à ton avis ? » m'a demandé Lorna. En rentrant, je l'ai donc appelé chez lui.

La conversation a été relativement brève. Quand j'ai demandé à Steve ce qui se passait d'après lui, il s'est tout de suite énervé. « Jean-Louis Gassée est un type malfaisant, a-t-il lâché d'un ton sec. C'est rare que je dise ça, mais ce type est malfaisant. » Puis il a ajouté en substance que, quels que soient les projets d'Apple, ils devaient à tout prix éviter d'avoir affaire à Gassée ou son système. « Ça fait dix ans qu'on est là-dessus chez NeXT et le BeOS, c'est de la merde. C'est sûr. Les systèmes d'exploitation s'améliorent avec le temps et le BeOS est trop récent, il n'a pas été assez testé pour être valable. » Ça ne répondait pas vraiment à ma question, mais une chose était sûre, j'avais réussi à le mettre en rogne. Je lui ai demandé de me prévenir s'il avait du nouveau. Évidemment, il n'en a rien fait. Je ne lui ai reparlé qu'en décembre, lorsque je l'ai appelé pour savoir s'il souhaitait commenter le rachat surprise de NeXT par Apple, pour un montant total de 429 millions de dollars, en numéraire et en actions, dans l'article que je consacrais à l'événement.

———

STEVE ÉTAIT PASSÉ à l'action bien avant mon coup de téléphone. Au début de l'automne, Avie Tevanian l'avait mis au courant qu'Apple cherchait un système d'exploitation et Steve avait aussitôt rendu visite à ses banquiers pour voir s'il avait intérêt à essayer de vendre NeXT à Apple. « On avait le sentiment d'avoir une génération d'avance sur tous les autres et c'était l'occasion de réussir sur le marché du grand public », raconte Tevanian. Tout le monde savait que le NeXTSTEP OS avait été porté sur les microprocesseurs PC d'Intel ; ce que l'on savait moins, en revanche, c'est qu'Avie et son équipe l'avaient aussi fait fonctionner sur des ordinateurs équipés du PowerPC. Les principaux microprocesseurs non propriétaires n'avaient plus de secret pour Avie et ses collaborateurs, et on ne pouvait pas en dire autant des programmeurs de Be Inc. Quelques mois auparavant, Steve avait dit à Avie de laisser tomber le projet du PowerPC ; Avie demanda à son équipe de le reprendre et de mettre les bouchées doubles pour s'assurer que l'OS soit prêt à être présenté à Apple.

Steve approcha Apple en jouant un triple jeu. Premièrement, il voulait réellement torpiller Gassée. « Steve m'en voulait de m'être rallié à Sculley, se rappelle Gassée. Il disait que je l'avais poignardé dans le dos et je ne sais quoi encore. » Un soir, à Palo Alto, en sortant du restaurant Il Fornaio, Steve passa devant une table de responsables logiciel, dont Gassée. « Alors, Jean-Louis, il paraît que tu vas sauver Apple », lui dit-il avant de franchir la porte. Gassée n'imaginait pas une seconde qu'Apple puisse être intéressé par NeXT. Il croyait que l'accord était dans la poche.

Deuxièmement, Steve voulait protéger et rembourser ses investisseurs. Troisièmement, il voulait s'assurer que les principaux collaborateurs qui lui étaient restés fidèles chez NeXT trouvent des postes qui leur conviennent. Comme Susan Barnes me l'a confié un jour : « Si vous n'étiez pas bon, il se devait de vous virer pour le bien de l'équipe. Si vous étiez bon, il vous devait d'être fidèle. » La question du prix était certes importante, mais ce qui était essentiel, c'est ce que l'acquéreur voulait faire des systèmes de NeXT et comment il comptait intégrer les ingénieurs qui les avaient conçus. Steve savait qu'il devait convaincre Amelio que ce qu'Apple gagnerait de plus précieux était les collaborateurs de NeXT.

Amelio était une proie facile et Steve le savait. Il le considérait comme un type pompeux qui aimait profiter des avantages de sa position de CEO, mais ne connaissait pas grand-chose aux micro-ordinateurs. Pour le convaincre, Steve usa donc de tous ses talents de flatteur. Lors d'une présentation nette et précise au CEO et Ellen Hancock, le 2 décembre, il expliqua qu'il était prêt à tout pour conclure un accord et qu'il était sûr que la raison l'emporterait et qu'ils choisiraient NeXT. Le 10 décembre, Avie et lui donnèrent ce qui était de l'aveu même d'Amelio une démonstration « éblouissante » du système d'exploitation de NeXT lors d'une finale contre Be Inc. qui se déroulait au Garden Court Hotel à Palo Alto.

Dix jours plus tard, Steve empochait l'accord, qui fut scellé dans sa cuisine et lui permit de lâcher NeXT en obtenant bien plus qu'il ne l'aurait jamais espéré. Avie était assuré d'avoir un rôle clé dans le développement de la stratégie des logiciels système d'Apple et une place dans l'équipe de direction d'Amelio. Le prix était conséquent, grâce au récent succès de WebObjects, et d'autant plus comparé à la somme qu'Amelio avait offerte à Gassée : Steve et ses investisseurs toucheraient 429 millions de dollars répartis en numéraire et en actions Apple. « L'argent n'était pas la question, explique Gassée, qui reconnaît s'être montré trop gourmand pour Be Inc. C'était de faire revenir Steve. Il avait le choix entre faire revenir Steve ou ne pas le faire revenir, et il a pris la bonne décision. Ils avaient des capacités qu'on n'avait pas. »

La plupart des actions furent distribuées à Steve, qui accepta de devenir conseiller spécial d'Amelio. La Macworld Expo, le salon annuel de San Francisco, devait avoir lieu quelques semaines plus tard et il proposa de faire une des prestations dont il avait le secret après le discours d'ouverture d'Amelio pour marquer publiquement son « retour » dans la société qu'il avait contribué à faire naître.

Un samedi de la fin décembre, Steve m'a invité chez lui. Il s'était déjà attelé à son texte pour la Macworld et voulait savoir ce qui aurait le plus d'effet. Mais il voulait aussi parler d'Amelio. « Amelio est un abruti, si vous saviez », a-t-il lâché. Ce qui l'exaspérait le plus, c'est qu'Amelio n'avait pas la moindre idée de ce que c'était de vendre à des gens qui marchent, qui respirent. « Tout ce qu'il connaît, c'est le secteur des puces, où les clients se comptent sur les doigts d'une main, a-t-il pesté. Ce ne sont pas des gens, ce sont des entreprises, et ils achètent les puces par dizaines de milliers. »

J'ai rappelé à Steve que, quelques mois auparavant, il m'avait confié qu'avec Larry Ellison, ils avaient envisagé de lancer une OPA hostile contre Apple. « Si c'est vraiment un abruti, pourquoi rester ? Vous ne pouvez pas prendre votre argent et vous en aller ?

— Je ne peux pas laisser Avie et les autres comme ça en leur balançant : "Salut, c'était sympa." Et puis, a-t-il ajouté, je vois bien qu'il y a encore un tas de gens vraiment bien chez Apple. C'est juste qu'à mon avis, Amelio n'est pas le dirigeant qu'il leur faut.

— En ce cas, pourquoi pas vous ? », ai-je dit, posant la question à laquelle tout le monde pensait. Steve s'est montré on ne peut plus évasif. Je ne l'avais jamais vu aussi peu sûr de lui.

———

CERTAINS ONT TOUJOURS été persuadés que Steve avait tout fait pour orchestrer son retour triomphal à la tête d'Apple, qu'il avait mis en œuvre une stratégie longuement mûrie. Gil Amelio est de ceux-là. Bill Gates aussi.

La vérité est plus subtile. Au cours des dix années précédentes, Steve avait appris à se montrer moins impulsif. Par le passé, il lui était souvent arrivé de viser trop haut. Il voulait à présent suivre une voie en avançant pas à pas, et si son instinct l'entraînait vers une destination qu'il jugeait préférable à celle qu'il s'était fixée, il y allait. Steve passa les mois qui suivirent le rachat de NeXT à observer Amelio et à examiner de plus près la situation d'Apple, avec l'approche méthodique et réfléchie qu'il manifesta par la suite quand il fut de retour aux commandes.

Les deux hommes en qui Steve avait le plus confiance chez Apple après le rachat de NeXT s'accordent à dire qu'il n'avait pas l'intention de devenir le CEO de la société. Avie Tevanian était à présent chef du département logiciel, alors que Jon Rubinstein, dit « Ruby », avait été nommé sur les conseils de Steve à la tête du département matériel. « En venant chez Apple, on ne pensait pas travailler pour Steve, dit Tevanian. Ça n'avait pas vraiment l'air de l'intéresser. » Steve leur répéta à plusieurs reprises qu'il ne tenait pas à prendre le poste et encore moins à faire du lobbying pour le décrocher.

Pour Avie et Ruby, le transfert chez Apple n'avait rien d'idyllique. Quelques semaines après l'accord de rachat, ils étaient à peine installés dans leurs nouvelles fonctions qu'Apple annonçait une perte de 120 millions de dollars au cours du dernier trimestre 1996. « J'ai demandé à Steve : "Dans quel pétrin on s'est fourrés ?", raconte Tevanian. C'était évident que c'était Apple qui était au bord du gouffre, pas NeXT. On pourrait croire qu'avec nous deux, Steve voulait simplement placer ses pions. Mais s'il nous a fait venir, c'est que c'était la décision qui s'imposait. Il connaissait les autres. Si Apple était dans une galère pareille, c'était à cause d'eux. »

« Ça n'avait rien de machiavélique, je crois, ajoute Ruby, un natif de New York à la silhouette élancée de marathonien. Quand je suis arrivé, j'ai regardé autour moi et je me suis dit : "C'est pas vrai, dans quoi je suis allé me fourrer ?" »

Dans les semaines qui ont suivi la conversation que j'avais eue avec Steve en décembre, nous nous sommes retrouvés à plusieurs reprises à la table de sa cuisine pour une série d'entretiens privés. Steve me décrivait ce qu'il voyait chez Apple, espérant que je fasse un papier sur la situation désastreuse qui régnait à Cupertino. Il parlait librement, en me priant cependant de ne pas le citer. « Comment se fait-il que ce soit pour moi un devoir de loyauté de m'assurer qu'un article dénigre ma propre société ? », a-t-il demandé à un moment. La question était de pure forme.

La principale raison était que plus il côtoyait Amelio, plus il se rendait compte que le Dr Gil et son équipe ne pourraient jamais ramener Apple au premier plan. Il était consterné par ce qui se passait chez Apple et estimait que le conseil d'administration était aussi responsable qu'Amelio. Il avait du mal à croire que les administrateurs aient pu imaginer une seule seconde que l'austère Michael Spindler, dit « le Diesel », puisse être un leader inspirant, tout comme il avait été sidéré d'apprendre qu'ils avaient nommé quelqu'un comme Amelio. Il avait la certitude que ce dernier avait manœuvré pour décrocher le poste en se présentant comme un spécialiste du redressement. « Mais comment peut-il redresser la boîte alors qu'il déjeune seul dans son bureau dans de la porcelaine qu'on dirait sortie tout droit de Versailles ? »

Amelio sciait la branche sur laquelle il était assis. Au lieu de s'adapter à Apple, il voulait visiblement imposer sa personnalité à la société. Il s'était entouré de cadres dirigeants issus de l'industrie des semi-conducteurs qu'il connaissait si bien et se montrait médiocre en public. Lors d'un dîner auquel assistait Larry Ellison, Amelio avait voulu décrire les problèmes de son entreprise aux autres convives en mettant la situation en perspective. « Apple est un bateau, dit-il. Il y a un trou dans la coque et il prend l'eau. Mais il y a aussi un trésor à bord. Et le problème, c'est que les gens rament dans tous les sens.

Mon boulot, c'est de faire en sorte que tout le monde rame dans le même sens. » Une fois qu'Amelio fut parti, Ellison se tourna vers la personne attablée à côté de lui et demanda : « Mais qu'en est-il du trou ? » Steve ne se lassait pas de raconter cette histoire.

Steve était injuste envers Amelio. S'il lui déclara que c'était une bonne chose d'avoir obtenu un nouveau financement de 661 millions de dollars, il ne lui accordait quasiment aucun autre mérite, alors que c'était Amelio qui avait approuvé la restructuration décisive menée par Anderson. Et lorsqu'il admettait qu'il y avait certains bons résultats au sein de la société, il les attribuait aux employés qui avaient vérita-blement « l'esprit Apple » – celui que Woz et lui avaient insufflé des années auparavant –, et non à Amelio.

Mais Steve n'avait pas totalement tort au sujet d'Amelio, comme je le découvris par la suite en écrivant un papier sur Apple pour *Fortune* début 1997. Alors que la société avait cruellement besoin d'un solide leadership, elle était entre les mains d'un CEO particulière-ment empoté. Elle avait une vingtaine d'équipes de marketing, qui ne communiquaient pas les unes avec les autres. Sa gamme de produits proliférait. Le programme de cession de licences aux clones de Mac était absurde. Et Amelio laissait la situation dégénérer.

Son manque de leadership éclata au grand jour lors de la Macworld de San Francisco, le 7 janvier 1997. L'interminable discours d'ouver-ture d'Amelio était calamiteux. À l'époque, Apple organisait quatre Macworld par an, les trois autres se tenant plus tard dans l'année à Tokyo, Paris et Boston. Ces discours étaient pour Apple l'occasion de présenter les nouveautés et de rassembler les développeurs et les consommateurs. Introverti, le torse carré, la démarche raide, Amelio s'était efforcé d'adopter une tenue branchée en renonçant à ses cos-tumes rayés assortis de richelieu perforés pour mettre une chemise beige à col officier, une veste sport et des mocassins. Le temps fort du discours devait être l'annonce officielle du rachat de NeXT et le retour de Steve en tant que consultant. Steve, qui avait fait quant à lui des efforts vestimentaires et portait un pantalon noir à pinces, un spencer assorti et une chemise blanche boutonnée jusqu'en haut, observait en coulisses Amelio qui dissertait à n'en plus finir d'une voix mono-corde. Agrippant le bord du pupitre de côté, le CEO débita pendant plus d'une heure un texte écrit à l'avance qui ne faisait quasiment aucune allusion aux problèmes financiers d'Apple. Malgré l'aide du téléprompteur, il perdait le fil. À un moment, feignant la désinvolture, il ôta sa veste, laissant apparaître de larges auréoles de transpiration sous ses aisselles, comme l'acteur Albert Brooks dans une célèbre scène de *Broadcast News.*

Lorsque Amelio se décida enfin à le présenter, Steve fut accueilli par un tonnerre d'applaudissements. Cela faisait six ans qu'il ne s'était pas produit devant un large public et il saisit l'occasion. Contrairement à Amelio, il se montra bref, calme et précis. Il promit de tout faire pour aider Gil, s'il le lui demandait, et fit le serment de contribuer à redonner tout leur attrait aux produits Apple. Il parla sans notes, arpentant tranquillement le devant de la scène pour qu'on puisse bien le voir. Il se montra encourageant, déterminé et cependant volontaire-ment vague. Il ne voulait pas faire de promesses claires ; il n'était pas sûr de vouloir poursuivre l'aventure avec Apple.

« Au début, raconte Anderson en évoquant cette époque, Steve ne voulait tout simplement pas s'engager. Amelio faisait toujours des réu-nions officielles et Steve y a assisté une fois, juste après la Macworld. C'était barbant, et Steve n'aimait pas la tournure que ça prenait. Alors, au beau milieu de la réunion, il s'est levé et il est parti. Je sais ce qu'il se disait : "Ce type est un abruti." »

C'est exactement ce que m'a répété Steve quelques semaines après la Macworld. « Je sais bien que je l'ai déjà dit, mais Amelio est un abruti de première. Il n'y a pas pire que lui pour diriger Apple. Je ne sais pas qui il y aurait de mieux, mais en tout cas pas lui. »

———

TOUT COMME RUBINSTEIN et Tevanian chez NeXT, Lasseter et Catmull étaient des « perles rares ». Aussi, durant les premiers mois de 1997, alors qu'il observait de près le malheureux Amelio, Steve décida qu'il voulait assurer leur avenir en renégociant le contrat de distribution de Pixar avec le CEO de Disney, Michael Eisner – le seul autre homme, à part Jean-Louis Gassée, que Steve m'ait décrit comme un être « malfaisant ». (C'était des années après, alors que les relations entre Pixar et Disney étaient au plus bas.)

Toy Story était devenu sans conteste le blockbuster des fêtes de fin d'année de la saison 1995-1996, engrangeant en définitive 361 millions de recettes dans le monde. Pixar avait récolté 45 millions. C'était un montant important pour un premier film, mais bien maigre comparé à ce qu'empochait Disney pour le financement et la distribution du film. De plus, Pixar ne touchait aucun pourcentage sur les droits vidéo, qui seraient naturellement considérables pour un film familial aussi apprécié.

Le prochain film de Pixar, *1001 Pattes*, étant sur les rails, Steve décida de réparer cette injustice. Avec les 130 millions de liquidités que lui avait rapportées l'entrée en Bourse, Pixar n'avait plus besoin de Disney pour financer ses films. Et dans la mesure où la société pouvait payer ses productions, pourquoi devait-elle se contenter de toucher 12,5 % des recettes ? Steve voulait déchirer l'accord qui avait sauvé la société cinq ans auparavant.

« À Hollywood, personne ne veut prendre de risque », m'a-t-il confié un an plus tard. Il était réellement fier d'avoir étudié Hollywood de près avec Lawrence Levy et d'en avoir appris suffisamment pour comprendre comment Pixar pouvait obtenir un accord avantageux dans une industrie qui prospérait sur le dos des petits investisseurs éblouis par les paillettes. « On ne peut pas trouver en bibliothèque un livre qui s'intitule *Le Modèle économique de l'animation*, expliquait Steve. Et si on n'en trouve pas, c'est pour la bonne raison qu'il n'y a qu'une seule compagnie [Disney] qui ait jamais su s'y prendre, et ils ne tiennent pas forcément à expliquer à tout le monde à quel point c'est lucratif. »

Steve passa un coup de fil à Eisner et fila à Hollywood pour renégocier. « Ce qu'on voulait faire avec ce nouveau contrat allait bien au-delà de ce qui s'était jamais fait [hormis chez Disney], s'est-il vanté. Et c'était bien plus sophistiqué, parce qu'à Hollywood, il y a très peu de relations entre les sociétés de production. Il y a des relations entre des sociétés et des individus, par exemple entre un grand studio et Steven Spielberg, ou une petite société de production comme Amblin, mettons, et un studio. Mais il y a très peu de relations entre les sociétés. Mais c'est comme ça que nous voulions nous considérer. En termes de production de films d'animation, nous voulions nous estimer comme les égaux du département animation de Disney. »

En apparence, sa demande semblait arrogante, irréaliste et ingrate. Cela faisait à peine plus d'un an que *Toy Story* était sorti, et sans l'appui et le soutien financier de la plus grande société de production de films d'animation au monde, le film ne se serait sans doute jamais fait. Mais comme souvent lorsque Steve négociait, l'audace de ses exigences allait de pair avec une évaluation claire et précise de la situation. Presque six ans plus tôt, lorsque Katzenberg était à la tête du département animation et que Disney était tout-puissant, Steve avait rapidement accepté leurs conditions. Mais à présent, Eisner était en conflit avec Katzenberg qui créait DreamWorks Animation avec l'intention de surpasser Disney Animation. Son nouveau studio avait déclenché une guerre des talents qui avait entre autres valu à John Lasseter de recevoir une série d'offres de la part de Disney et DreamWorks, qui se livraient à une véritable surenchère.

C'était l'occasion rêvée et Steve s'en empara calmement. L'introduction en bourse et *Toy Story* avaient fondamentalement changé la nature de leurs relations : Pixar détenait bien plus de pouvoir à présent et Eisner ne pouvait rien faire. La menace tacite de Steve était claire : soit Pixar obtenait un nouvel accord, soit le studio s'en irait une fois expiré l'accord existant qui portait sur trois films. Perdre Lasseter et Pixar au profit de Katzenberg ou d'un autre studio aurait été désastreux pour Disney. En définitive, la négociation fut moins tendue qu'on n'aurait pu le craindre. « Le fait qu'on débarque en annonçant qu'on pouvait financer la moitié des films, disons que ce n'était pas souvent qu'ils entendaient ça, m'a expliqué Steve. Ça a plu à Michael, et soudain, on n'était plus une société de production, mais un cofinancier. »

Si Eisner était choqué par le culot de Steve, les termes du nouvel accord étaient équitables et accordaient à chaque parti la moitié de tous les bénéfices. Le 24 février 1997, un nouvel accord portant sur cinq films fut signé. Peu à peu, Steve réglait les dernières affaires laissées en suspens durant les dix ans qu'avait durée sa traversée du désert.

———

L'ARTICLE QUE J'AI publié dans *Fortune* en mars 1997 souleva chez Apple une indignation quasi générale. Intitulé « Il y a quelque chose de pourri à Cupertino », il dépeignait une entreprise en proie à la plus grande confusion. Il contenait quelques anecdotes peu flatteuses au sujet d'Amelio et se montrait également critique à l'égard de ses deux prédécesseurs, Sculley et Spindler, ainsi que du conseil d'administration d'Apple. Amelio me traita de « boucher de la littérature » dans ses Mémoires intitulés *On the Firing Line: My 500 Days at Apple.*

Ce papier, ainsi que d'autres échos tout aussi critiques dans la presse, vint s'ajouter au matraquage en règle qu'Amelio subissait depuis la Macworld. La mise en cause du conseil d'administration contraignit les directeurs à réagir. Celui qui avait à l'époque le plus de crédibilité et d'autorité était le président du conseil, Edgar S. Woolard Jr, CEO du géant de la chimie DuPont. Plus il découvrait l'étendue du désastre chez Apple, plus il était convaincu qu'Amelio n'était pas l'homme de la situation. « Edwin s'est mis à poser des questions, du style : "Comment va le moral, Fred ?", raconte Anderson. Et je lui disais : "Ça craint, Edwin." » Anderson ne cacha rien au président : la stratégie était mal conçue, la société n'atteindrait pas ses objectifs et il avait l'intention de partir si Amelio restait.

Pendant ce temps, Steve avait décidé de torpiller Amelio. Il l'exprima on ne peut plus clairement le 26 juin lorsque, après l'expiration du délai de six mois qu'avait exigé Amelio, il largua toutes les actions qu'il avait obtenues en vendant NeXT à Apple, sans même prendre la peine d'aviser qui que ce soit. Là encore, il conserva une seule action afin d'avoir le droit d'assister à l'assemblée générale d'Apple.

Ce n'était en rien une prise de bénéfices. Le million et demi d'actions avaient perdu 13 millions de dollars en l'espace de six mois. Mais cette vente constituait en soi un vote de défiance assourdissant. Amelio eut l'impression d'être poignardé dans le dos, et c'était le cas. Le 4 juillet, Edgar Woolard appela Amelio dans son chalet du lac Tahoe pour lui annoncer qu'il était viré. Puis le président téléphona à Steve pour lui demander s'il acceptait de revenir au poste de CEO.

Steve avait coupé l'herbe sous le pied d'Amelio. Ayant décrété que c'était un abruti, il n'avait eu aucun scrupule à le faire. (En privé, il le traitait également de *doperino* – crétino, en d'autres termes). Mais ce n'est pas pour autant qu'il était prêt à accepter de diriger Apple. D'après sa femme, Laurene, Steve était toujours aussi partagé à la perspective de retourner chez Apple. Ils passèrent des heures à débattre de la question. Elle était persuadée qu'il était le seul à pouvoir sauver la société et savait qu'il aimait toujours Apple. Elle savait aussi que son mari n'était jamais aussi épanoui que lorsqu'il s'attaquait à une tâche importante qui le passionnait. Mais Steve de son côté n'était pas sûr. Les longues années passées à s'efforcer de sauver NeXT et Pixar l'avaient rendu modeste. Pixar était en plein essor. La déception de NeXT pouvait être jetée aux oubliettes de l'histoire. Mais voulait-il réellement se lancer à la rescousse d'Apple, alors que la société n'avait plus grand-chose à voir avec celle qu'il avait fondée ? Avait-elle réellement les gens et les ressources pour être compétitive ? Voulait-il vraiment travailler aussi dur, alors que ses enfants étaient encore petits ? Était-il prêt à risquer ce qui restait de sa réputation en se battant contre des moulins ? Telles étaient les questions qui s'agitaient dans son esprit. Il lui fallait s'assurer que la « véritable » Apple subsistait un tant soit peu, ne serait-ce que pour envisager d'en assumer la responsabilité suprême.

Steve l'ignorait à l'époque, mais ce tâtonnement était un progrès décisif. Il parvenait à une approche plus nuancée, plus mesurée de la prise de décision. Il acceptait plus facilement d'attendre – non sans impatience, parfois – de voir ce qui arrivait, au lieu de se lancer sur un coup de tête dans quelque nouvelle entreprise, où il croirait une fois de plus pouvoir stupéfier le monde. Si nécessaire – comme lorsque l'occasion de vendre NeXT à Apple s'était présentée –, il était capable de frapper vite. Mais dorénavant, il allait agir avec un mélange fascinant d'interventions rapides et engagées et de réflexion prudente.

Il annonça à Woolard qu'il ne voulait pas du poste, du moins pas pour le moment, et lui proposa de l'aider à recruter quelqu'un d'autre. Cette nuit-là, incapable de trouver le sommeil, il appela son ami et confident Andy Grove à deux heures du matin. Il lui expliqua qu'il hésitait à retourner chez Apple au poste de CEO et détailla par le menu les tourments qui l'agitaient. La conversation s'éternisait et Grove, qui voulait se rendormir, finit par l'interrompre en grommelant : « Écoute, Steve, je me fous d'Apple. Décide-toi. »

———

LORSQUE STEVE REJETA l'offre de Woolard, le conseil d'administration annonça que Fred Anderson serait chargé de l'exploitation, devenant *de facto* CEO par intérim. Anderson ne tenait pas à conserver définitivement le poste, mais contrairement à Steve, il était persuadé qu'il y avait encore beaucoup de choses à sauver chez Apple. Tout d'abord, il avait réussi à sortir la société de sa crise financière. Mais plus encore, en quinze mois, il avait appris à connaître tous les acteurs clés, dont certains n'hésitaient pas à se plaindre d'Amelio auprès de lui. Parmi ceux-ci se trouvait le jeune responsable du design, un Britannique du nom de Jonathan Ive, dit « Jony », qui avait le sentiment de gaspiller son talent chez Apple. Il invita Anderson à venir voir le labo de design qu'Amelio n'avait pas encore visité. « Ils faisaient des trucs incroyables là-dedans, raconte Anderson. C'est vraiment là que j'ai commencé à me poser des questions sur Amelio et son manque de leadership. »

Anderson savait qu'il n'était pas la solution. « J'avais le sens des affaires, et disons que je me débrouillais bien en finance et en gestion, mais les produits, ce n'était pas mon domaine. Je ne suis pas ingénieur », explique-t-il. Comme Woolard, il avait dû rapidement s'adapter à Steve Jobs, bien que le début de leur relation ait été mouvementé.

« La première fois où j'ai eu affaire à lui, c'était à l'époque du rachat de NeXT, raconte Anderson. Un soir, durant les négociations, il m'a appelé chez moi à une heure du matin, hors de lui, et s'est mis à fulminer, hurler des gros mots, délirer. J'étais au lit avec ma femme et je me suis dit : "C'est dément." Comme il ne se calmait toujours pas, j'ai fini par lui dire : "Excusez-moi, Steve, mais il est une heure du matin, alors je vais raccrocher." Et j'ai raccroché. » Comme souvent dans ces cas-là, Steve apprécia cette attitude de fermeté. Anderson et lui finirent par avoir un tel respect l'un pour l'autre que le directeur financier devint un des acteurs clés de l'équipe qui fit renaître Apple. « Même si Steve n'était pas un ingénieur, se souvient Anderson, il avait un sens extraordinaire de l'esthétique, c'était un visionnaire et il avait le charisme nécessaire pour rallier les troupes. J'ai fini par me dire que la seule personne qui pouvait réellement ramener Apple au premier plan, c'était Steve. Il comprenait l'esprit Apple. Il nous fallait un guide spirituel qui permette à Apple de redevenir un grand constructeur avec une force de marketing extraordinaire. Et à cette époque-là, il n'y avait personne de cette envergure, doté de ces compétences, qui soit prêt à se charger d'Apple. Il fallait absolument qu'on ait Steve. »

Lorsque Woolard annonça la nomination d'Anderson, il mentionna également que Steve serait un « conseiller à la tête de l'équipe ». Bien qu'elle puisse paraître curieuse, la formulation se révéla juste. « Cette fois, il a vraiment retroussé ses manches », raconte Anderson. Le noyau de la nouvelle structure – Anderson, Tevanian, Rubinstein, Jobs et Woolard, qui se mit en quête d'un nouveau CEO – était soumis à une pression considérable, d'autant que la Macworld Expo de Boston devait se tenir un mois plus tard, le 6 août. D'ici là, la société devait être en mesure de présenter une stratégie claire à ses développeurs, faute de quoi la bonne volonté suscitée par le retour de Steve risquait de céder la place à l'impression qu'Apple était encore en plein chaos. Et avec la réputation de Steve, les promesses en l'air et les visions éthérées ne suffiraient pas. À force de brasser de l'air du temps de NeXT, Steve avait perdu une grande part de sa crédibilité. Cette fois, il devait se montrer capable d'agir rapidement, avec perspicacité, pragmatisme et précision, sinon le marché, la presse, les développeurs et les clients d'Apple risquaient de leur rire au nez en se disant qu'on leur avait déjà fait le coup.

Steve en avait bien conscience. Il commença par exiger que le conseil d'administration réévalue toutes les stock-options des employés pour les rétablir à 13,81 dollars, le cours atteint à la clôture du marché le 7 juillet, le jour où l'éviction d'Amelio avait été annoncée. C'est la signature de Steve et non celle d'Amelio qui figurait au bas de la note de la direction « à l'attention de tous » faisant part de la décision. C'était un geste spectaculaire, car les titres des employés avaient plongé si bas qu'il était peu probable qu'ils puissent reprendre un jour de la valeur. Du jour au lendemain, bon nombre des huit mille employés d'Apple qui avaient survécu aux deux premières vagues de licenciement retrouvèrent l'espoir de faire fortune un jour. (Financièrement, Steve n'en tira aucun bénéfice car il ne possédait pas de titres.)

Son second geste majeur fut de convaincre Woolard de la nécessité de remplacer la quasi-totalité du conseil d'administration – celui-là même qui venait d'évincer Amelio et de ramener Steve au premier plan. Steve ne lui en était aucunement reconnaissant. Il était convaincu que le groupe d'administrateurs était responsable des difficultés d'Apple au même titre qu'Amelio. Il voulait un conseil d'administration qui lui apporte le soutien dont il avait besoin pour effectuer de véritables changements au sein de l'entreprise. Initialement, il demanda la démission de tout le monde à l'exception de Woolard, mais ce dernier le persuada de conserver également Gareth Chang, le CEO de Hughes Electronics. Les autres seraient remplacés par Larry Ellison, le fondateur d'Oracle, Jerry York, ancien d'IBM et directeur financier de Chrysler, Bill Campbell, le CEO d'Intuit, et Steve lui-même. Cependant, Steve garda le secret. Il tenait à annoncer le remaniement lors du discours d'ouverture de la Macworld à Boston, afin de pouvoir le présenter à sa manière.

Tout en s'employant à redéfinir la planification des produits et à préparer une nouvelle vague de licenciements avec l'équipe, Steve s'attela à la mission particulière que lui avait confiée Anderson : convaincre

Bill Gates de continuer à soutenir le Macintosh en développant de nouvelles versions de ses applications bureautiques comme Excel et Word, que Microsoft devait rassembler dans une suite bureautique baptisée « Office ».

Au début de 1997, Gates avait déclaré qu'il ne pouvait pas garantir que Microsoft développe une nouvelle version d'Office pour le Mac. Sa réticence était compréhensible. Les ventes du Macintosh avaient chuté de façon si spectaculaire depuis le lancement de Windows 95 que Gates avait du mal à justifier le coût que représentait ce soutien. Les logiciels conçus pour le Macintosh rapportaient de juteux bénéfices à Microsoft, mais à mesure que les ventes du Mac plongeaient, Gates était de moins en moins enthousiaste à l'idée de soutenir Apple.

« Il était absolument essentiel de parvenir à un accord avec Microsoft pour pouvoir sauver Apple, raconte Anderson. Mais Amelio n'avait pas réussi. » Si Gates envoyait promener Steve, Apple risquait de se retrouver dans la même position que NeXT en 1988. Sans les applications de Microsoft, qui étaient devenues *de facto* les outils standard qu'employaient la plupart des entreprises, Apple pouvait se retrouver hors course, comme NeXT.

Apple agita cependant une menace durant les négociations. La société était depuis des années en litige avec Microsoft pour infraction aux brevets, arguant que Windows, qui reproduisait largement les conventions de l'interface graphique utilisateur du Mac, violait les droits de propriété intellectuelle d'Apple. De nombreux observateurs estimaient que les arguments d'Apple étaient solides, et Gates voulait régler l'affaire. Mais Amelio avait exigé une série de contrats annexes et n'était jamais parvenu à conclure un marché.

Lorsque Steve appela Bill, il s'en tint à l'essentiel. Il expliqua qu'il était prêt à abandonner les poursuites relatives aux brevets, mais qu'il y aurait un prix à payer. Non seulement il voulait que Microsoft annonce publiquement que la société s'engageait pour cinq ans à fournir Office pour le Mac, mais il voulait aussi que son puissant rival soutienne publiquement et financièrement la nouvelle équipe de direction d'Apple en achetant 150 millions de dollars d'actions sans droit de vote. Autrement dit, Steve ne sollicitait pas de prêt, il lui demandait de joindre l'acte à la parole en mettant la main au portefeuille.

« C'était typique, raconte Gates. Ça faisait un moment que je négociais avec Amelio, et Gil voulait six trucs différents, la plupart sans importance. Gil était compliqué, je l'appelais, je lui faxais des documents pendant les vacances. Et sur ce, Steve arrive, il jette un œil à l'accord et me dit : "Voilà les deux choses que je veux, et de toute évidence, voilà ce que tu veux de ton côté." Et l'accord a été conclu très rapidement. »

Le marché fut bouclé littéralement à la dernière minute, juste avant que Steve ne donne le discours d'ouverture de la Macworld dans une salle de Boston, le Castle. Contrairement à ses habitudes, son allocution fut relativement courte, une demi-heure à peine. Il n'avait pas de produits à présenter, pas de démonstration à faire. Il prononça à la place l'équivalent d'un discours sur l'état de l'Union, version entreprise. Steve était visiblement tendu et arpentait la scène comme un lion en cage. Il portait un tee-shirt blanc à manches longues sous un gilet sans manches noir mal boutonné – le bouton du bas n'avait pas de boutonnière, si bien qu'un pan du gilet était plus bas que l'autre. À deux ou trois reprises, il eut du mal à manier la télécommande qui faisait défiler les diapositives sur l'énorme écran qui se trouvait derrière lui. Mais une fois lancé, il donna une de ses présentations les plus concises, envoyant ainsi un message clair : chez Apple, l'heure était au changement.

L'essentiel de son allocution tenait davantage de la conférence que de la présentation. Il énuméra ce qu'il fallait faire selon lui pour rétablir Apple. Il contesta les principales critiques à l'encontre d'Apple : sa technologie était hors course, la société était incapable d'être performante, et si désorganisée qu'elle était ingérable. « Apple est extraordinairement performante, mais pas là où il faut », lança-t-il malicieusement. Si la société semblait être dans un tel chaos, c'est qu'elle n'avait plus de véritable leadership depuis des années. Dans l'immédiat, le problème le plus grave, ajouta-t-il, c'était que ses ventes reculaient. Pour y remédier, Apple devait mieux cibler son marché, revaloriser sa marque et s'appuyer sur des partenariats. « Commençons par le haut. » Il présenta alors le nouveau conseil d'administration et décrivit les qualités de chacun des nouveaux administrateurs, se contentant de mentionner au passage qu'il y figurerait. Il précisa que le président ne serait nommé qu'une fois qu'ils auraient trouvé un nouveau CEO.

Au bout d'une vingtaine de minutes, il aborda la question des partenariats. Il voulait parler des relations d'Apple avec une entreprise en particulier, Microsoft. Le nom de la société de Bill Gates fut accueilli par des applaudissements tièdes accompagnés de quelques huées. Mais il s'empressa d'exposer les cinq points d'un accord qui allait prouver au monde que « Microsoft sera à nos côtés », ajoutant ensuite : « Il faut nous défaire de l'idée que pour gagner, Apple a besoin que Microsoft soit perdant. » Le public se fit peu à peu à l'idée, et seule l'annonce que sur les futurs Mac, le navigateur par défaut serait Internet Explorer souleva des huées. Lorsque Steve présenta Bill qui apparut sur l'écran en duplex de Seattle, la foule obligea le CEO de Microsoft à attendre la fin des applaudissements avant de faire sa brève allocution.

L'intervention de Bill s'avéra une des pires mises en scène de Steve. Son visage affichant ce léger sourire vaguement satisfait qu'il peut avoir s'étalait sur près de 2 mètres sur l'énorme écran placé au-dessus de Steve. Il regardait Steve, l'air de dire : « Désolé, les petits, je suis certes ravi de vous honorer de ma présence, mais de là à faire le déplacement pour chanter en chœur autour de votre petit feu de camp, il ne faut pas charrier. » La comparaison avec le spot « Big Brother » d'Apple était inévitable. Discrètement dévoilé à la fin de l'intervention, le nouveau slogan ne fut guère relevé par les médias qui couvrirent l'événement. Un des thèmes sur lesquels Steve était revenu à plusieurs reprises était l'importance de changer de regard, de remettre en question ses partis pris. En d'autres termes, il incitait les gens à penser « différent », « *Think Different* ». Il fallut attendre encore quelques mois pour que les publicités reprennent le slogan. Mais Steve était déjà emballé par l'idée d'en faire le cri de ralliement du nouvel Apple. Et pour tout dire, il était déjà emballé par l'idée de revenir à plein-temps chez Apple.

« Je regardais Bob Dylan quand j'étais jeune et je le voyais toujours en mouvement, m'a-t-il raconté un an plus tard, essayant de m'expliquer de manière détournée ce qui l'avait poussé à replonger chez Apple. Si on regarde les vrais artistes, s'ils deviennent vraiment bons, ils se rendent compte qu'ils peuvent faire ça toute leur vie, et qu'ils peuvent réussir aux yeux du monde, mais sans vraiment réussir à leurs propres yeux. C'est là que les artistes décident qui ils sont. S'ils continuent à risquer l'échec, ce sont toujours des artistes. Dylan et Picasso ont toujours risqué l'échec.

« Pour moi, cette histoire d'Apple, c'est un peu ça. Je ne veux pas échouer, évidemment. Quand je suis arrivé, je ne savais pas que la situation était aussi désastreuse, mais j'avais plein de choses à prendre en compte. Je devais envisager les conséquences sur Pixar, sur ma famille, sur ma réputation, tout ça. Et puis je me suis dit : "Tant pis, c'est ça que je veux faire." Et si je fais de mon mieux et que j'échoue, au moins, j'aurai fait de mon mieux. »

Steve attendit septembre pour annoncer qu'il prenait officiellement les rênes de l'entreprise. Cependant, il accepta uniquement de devenir le CEO « par intérim », ou iCEO, comme il le disait, parce qu'il ne savait pas encore trop où ça le mènerait. « C'était incroyable, se souvient Gates. NeXT le constructeur informatique disparaît. NeXT l'éditeur de logiciels n'a aucun avenir. Mais le conseil d'administration d'Apple donne les clés à Steve tout en se disant : "Dommage que les méthodes habituelles de sauvetage d'entreprise n'aient pas marché. Misère, qu'est-ce qu'on est en train de faire ? C'est peut-être notre seule chance, mais ça fait frémir ! Allons-y !" »

Chapitre 9
Peut-être fallait-il être fou

Lors d'un Salon, le 6 octobre 1997, trois semaines exactement après que Steve eut annoncé qu'il acceptait le titre de iCEO, on demanda à Michael Dell, le milliardaire qui avait fondé l'entreprise de production à la demande de clones de PC, ce qu'il ferait s'il était nommé à la tête d'Apple Computer. « Qu'est-ce que je ferais ? brailla le CEO, qui avait dix ans de moins que Steve. Je mettrais la clé sous la porte et je rembourserais les actionnaires. » Steve lui envoya aussitôt un mail : « Les CEO sont censés avoir de la classe », écrivit-il. Mais à peine un an et demi auparavant, il m'avait plus ou moins dit la même chose : « Apple est loin de valoir le prix de ses actions. »

La suggestion désinvolte de Dell n'était pas seulement le reflet d'une idée reçue : elle semblait bien plus sage que de mettre la société entre les mains de Steve Jobs. Rien ne prouvait qu'avec ses antécédents Steve ait les compétences nécessaires pour redresser une situation aussi calamiteuse que celle d'Apple. Jusque-là, il s'était montré imprévisible, incapable de rigueur et colérique. Les seules fois où il avait réussi, c'était à la tête de petites équipes, or Apple avait des milliers d'employés dispersés dans le monde, de Cupertino à l'Irlande en passant par Singapour. Il avait joué les divas et jeté l'argent par les fenêtres, et les circonstances semblaient exiger un CEO inflexible qui soit convaincu des vertus de la patience, de la rigueur, et de la nécessité de réduire les effectifs de toute urgence. Steve était peut-être un génie – le succès de Pixar semblait le confirmer. C'était peut-être un opportuniste – le rachat de NeXT par Apple en témoignait visiblement. Mais un grand CEO ? Un vrai leader ? Le scepticisme général était compréhensible.

Et pourtant, à l'automne 1997, face à une débâcle qui aurait donné du fil à retordre aux plus grands dirigeants du monde, Steve montra peu à peu ce qu'il avait appris durant les douze ans qui s'étaient écoulés depuis son départ d'Apple. Il avait acquis de la rigueur lorsqu'il avait sauvé NeXT et négocié un accord pour Pixar puis son introduction en Bourse. Il avait compris l'importance de la patience. Il avait appris aux côtés d'Edwin Catmull certains principes de management adaptés à la gestion d'une entreprise foisonnant de talents créatifs. Il avait assisté à la lente et complexe élaboration d'un produit extraordinaire en voyant John Lasseter et son équipe à l'œuvre progresser peu à peu en se fiant à leur intuition avec plus ou moins de bonheur, jusqu'à ce que la simple idée de faire un film sur des jouets devienne le chef-d'œuvre qu'est *Toy Story*. Rien ne laissait présager que tout cela le marquerait aussi profondément, et lui-même aurait été bien en peine de l'expliquer. Dès lors, il allia cette nouvelle perspective aux talents qu'il avait su montrer par le passé et, au fil de décisions mûrement réfléchies, prépara lentement, prudemment le come-back d'Apple.

« JE L'AI APPELÉ deux ou trois fois après qu'il a vendu NeXT à Apple, raconte Lee Clow, et chaque fois, il m'a dit qu'il n'était pas sûr de vouloir y retourner, que c'était un bazar effroyable, qu'Amelio était un abruti. Et puis un jour, pendant l'été, je reçois un coup de fil.

C'était Steve. "Salut, Lee, tu sais quoi ? il me dit. Amelio a démissionné !" Comme s'il était le premier surpris. "Tu peux passer ? On a du boulot." »

Ce n'était rien de le dire. Les malheurs d'Apple paraissaient sans fin.

Rien n'allait ou presque. Selon l'exercice arrêté au 26 septembre 1997, Apple avait perdu la somme phénoménale de 816 millions de dollars[1]. Son chiffre d'affaires annuel s'était effondré, chutant vertigineusement à 7,1 milliards de dollars après avoir atteint 11 milliards de dollars sur l'exercice 1995. La constante érosion du volume des ventes avait entamé la confiance des investisseurs et, depuis 1995, les actions avaient perdu près des deux tiers de leur valeur : un paquet d'actions acheté 3 000 dollars à la fin de 1995 ne valait plus qu'environ 1 000 dollars.

Certains chiffres étaient même plus inquiétants. Jamais le secteur micro-informatique n'avait connu une période aussi faste : 80 millions de micro-ordinateurs avaient été vendus en 1997, soit 14 % de plus que l'année précédente. Cependant, les ventes de Mac avaient chuté de 27 %, à 2,9 millions de machines, ce qui représentait pour Apple une minuscule part de marché de 3,6 %. Dans une large mesure, Apple ne pouvait s'en prendre qu'à elle-même : les quelques acheteurs qui n'optaient pas pour des PC se fournissaient souvent auprès des constructeurs de plus en plus nombreux qui produisaient des clones du Macintosh.

Mais la raison essentielle pour laquelle la demande s'était infléchie, c'est que les produits Apple étaient dépassés, onéreux et de moins en moins performants. Faute de bénéficier des avantages techniques d'un système d'exploitation de pointe, Spindler et Amelio avaient laissé les équipes marketing commander toutes sortes de modèles différents du Macintosh, espérant que des ordinateurs avec des spécificités particulières séduiraient des créneaux de consommateurs. C'était un véritable fiasco, qui avait inondé le marché d'un éventail superflu de Mac légèrement différents qui, chaque fois, nécessitaient des composants et des

---

1. Il s'agit ici du revenu net de l'entreprise pour l'année écoulée, soit 1996.

techniques d'assemblage uniques, et donnaient lieu à des messages marketing incohérents et souvent contradictoires.

Il y avait une ribambelle d'autres ratages. Apple avait dépensé près d'un demi-milliard de dollars pour concevoir et promouvoir le Newton de Sculley, mais n'était parvenue à en vendre que 200 000 depuis son lancement en 1993. Cela n'avait pas empêché Amelio de donner au Newton un petit frère, doté cette fois d'un clavier, pour les élèves du primaire. Baptisé eMate, c'était un curieux appareil d'un bleu-vert translucide qui ressemblait à un ordinateur portable pour les enfants, avec un couvercle arrondi et une fente sur le côté en guise de poignée. Là encore, il ne se vendit pas bien. Convaincue qu'Apple se devait d'offrir une solution globale aux entreprises, la société conti-nuait à vendre ses propres imprimantes. Mais sa seule contribution au produit était la coque en plastique qu'elle avait dessinée pour recouvrir les moteurs d'imprimante qu'elle se procurait auprès de Canon. Apple vendait généralement les machines à perte. Un hybride Mac/TV des-tiné aux étudiants et un ordinateur multimédia/console de jeux vidéo appelé Pippin bouclaient cette triste série de produits mal conçus, qui obéissaient à une simple logique de marketing. Ce fouillis d'offres hétéroclites était le reflet d'une société qui avait perdu son âme et son originalité. À l'hiver 1997, des centaines de milliers de machines invendues prenaient la poussière dans les entrepôts.

———

CE COUP DE téléphone à Clow marqua la première décision majeure que prit Steve en tant qu'iCEO. Steve décida qu'Apple avait besoin d'une campagne de publicité pour réaffirmer les valeurs fondamentales de la marque : la créativité et le pouvoir de l'individu. Elle devait se démarquer radicalement des publicités timides et embrouillées qu'Apple offrait aux consommateurs depuis des années. Cette campagne devait être un hymne à Apple – non ce que la marque était devenue à l'été 1997, mais la société qu'avait imaginé Steve lors de sa fondation. À première vue, l'objectif paraissait scandaleux, peut-être même ruineux face aux pertes affichées par la société et aux licenciements. Mais Steve y tenait. C'est pourquoi Clow fit le voyage du quartier de Venice, à Los Angeles, où était située l'agence TBWA\Chiat\Day jusqu'au siège d'Apple à Cupertino.

Techniquement, Steve mit Clow en concurrence avec deux autres agences pour décrocher le budget Apple. « Mais en gros, il m'a dit que, si je lui sortais quelque chose de bien, c'était pour nous », raconte Clow. Lee avait plusieurs avantages sur ses concurrents. Tout d'abord, évidemment, il avait créé la publicité la plus mémorable de l'histoire d'Apple (et peut-être même de l'histoire de la publicité), le spot « 1984 » diffusé lors du Super Bowl annonçant le lancement du premier Mac. Ensuite, il s'entendait bien avec Steve. Ils étaient tous les deux issus d'un milieu modeste, n'avaient pas fait de longues études et détestaient les conventions propres à la culture d'entreprise. Si Steve avait renoncé au look Birkenstock pour adopter l'uniforme jean et tee-shirt standard, Clow venait au bureau en chemise hawaïenne et se baladait en skateboard dans les couloirs. De plus, Clow admirait le brio de Steve, et son caractère difficile ne l'effrayait pas. « Au début, je travaillais avec Jay Chiat, raconte-t-il, et Jay était capable de piquer des colères monstrueuses. Il était aussi agressif que Steve. Mais ils poursuivaient le même objectif : l'excellence à tout prix. Et tant qu'on essayait de se surpasser, Jay nous fichait la paix, comme Steve. Ils savaient tous les deux qu'il y aurait pas mal de ratages. »

Lorsque vint le moment de présenter le résultat, Clow et son équipe avaient préparé « Think Different ». Steve eut une légère hésitation en découvrant les premiers panneaux de la campagne qui associaient le slogan à des photos de créateurs ou de précurseurs atypiques. Il craignait qu'une campagne célébrant le génie individuel ne soit soupçonnée d'être uniquement conçue pour souligner le génie créatif de Steve et qu'elle n'en souffre. Mais il choisit tout de même Chiat\Day. « Il avait un esprit de décision qui changeait de l'équipe d'avant, raconte Clow. Il ne demandait pas l'accord d'un quelconque responsable marketing, l'autorisation d'un comité. Avant, on ne savait jamais qui prenait les décisions. Avec Steve, c'était totalement différent. C'était juste entre lui et moi. Ça n'arrive jamais dans les entreprises, il n'y

a aucun CEO qui s'investisse comme lui. » Les semaines suivantes
furent tendues et virent se succéder plusieurs versions de la campagne. Jusqu'à la veille au soir du lancement, Steve se tracassa pour le
moindre détail. Clow tenait à ce qu'Apple se serve de l'enregistrement
que Steve avait fait de l'émouvant poème en prose qui développait le
slogan de la campagne. Il envoya au studio qui devait passer le spot à
l'occasion de la première diffusion télé de *Toy Story* la version de Steve
et une autre lue par l'acteur Richard Dreyfuss. Le matin même, Steve
appela Clow pour lui dire qu'il fallait absolument passer la version
de Dreyfuss. « Si on passe la mienne, ça va parler de moi. Et il ne
faut surtout pas. Il s'agit d'Apple. » Ce n'était pas là la décision d'un
égocentrique obsédé par lui-même. « C'est bien pour ça que c'est lui
le vrai génie, confie Clow, et que moi, je ne suis que le publicitaire. »

Le jour de la diffusion, ce fut donc Richard Dreyfuss qui accompa-
gna en voix off une série de portraits d'Albert Einstein, John Lennon,
Pablo Picasso, Martha Graham, Miles Davis, Frank Lloyd Wright,
Amelia Earhart, Charlie Chaplin et Thomas Edison entre autres :

> *Aux fous. Aux marginaux. Aux rebelles. Aux dissidents.*
> *Aux anticonformistes.*
>
> *Ceux qui voient les choses différemment. Ils n'aiment*
> *pas les règles. Ils ne respectent pas le statu quo. Vous*
> *pouvez les citer, les désapprouver, les glorifier ou les*
> *dénigrer.*
>
> *Mais vous ne pouvez pas les ignorer. Car ils changent*
> *les choses. Ils inventent. Ils imaginent. Ils soignent.*
> *Ils explorent. Ils créent. Ils inspirent. Ils font avancer*
> *l'humanité.*
>
> *Peut-être faut-il être fou pour faire ce qu'ils font.*
>
> *Comment expliquer autrement que l'on puisse*
> *contempler une toile vierge et voir un chef-d'œuvre ?*

Entendre dans le silence une chanson qui n'a jamais été écrite ? Ou observer une planète rouge et imaginer un laboratoire roulant ?

Nous fabriquons des outils pour ces gens.

Là où certains ne voient que folie, nous voyons du génie. Car seuls ceux qui sont assez fous pour penser qu'ils peuvent changer le monde y parviennent.

La campagne qui fut déclinée en affiches, en panneaux publicitaires, en spots télévisés et en annonces dans la presse fut saluée à l'unanimité. Le trait de génie de « Think Different » était de faire l'éloge d'une philosophie de la contre-culture de telle manière que chacun ou presque puisse s'y associer. Le message était l'équivalent publicitaire du produit Apple idéal – tout à la fois audacieux, ambitieux et accessible. Il était sincère.

Le discours que Steve travailla avec Clow et d'autres équipiers de TBWA\Chiat\Day était tourné vers l'extérieur et définissait les qualités de l'acheteur Apple, et non d'une machine en particulier. Il n'y était même fait aucune mention des ordinateurs. Juste d'« outils », créés pour les créatifs. La clarté et la simplicité de la campagne tranchaient sur la masse des autres publicités informatiques et faisaient à nouveau souffler ce vent de fraîcheur qui avait fait le succès d'Apple à l'origine. La campagne de 100 millions de dollars entama le long et nécessaire travail de renouvellement de l'image de marque qui allait durer des années.

Elle eut aussitôt deux effets positifs. D'une part, Think Different engagea un processus qui permit aux employés d'Apple de retrouver leur fierté. Des panneaux et des affiches furent exposés sur le site de Cupertino. La version narrée par Steve fut présentée dans une vidéo destinée à promouvoir la campagne au sein de la société, et lorsque Apple reçut l'Emmy Award pour la meilleure campagne télévisée de 1998, la société distribua à tous les employés un livret commémoratif de cinquante pages. « On s'adressait autant aux employés qu'au reste du public », dit Clow. Il était d'autant plus difficile de les motiver que Steve fermait des départements d'Apple et licenciait des milliers de salariés. Mais pour la première fois depuis des années, Think Different donna aux employés rescapés l'impression que l'avenir s'éclairerait peut-être.

Think Different permit aussi à Apple de gagner du temps à un moment où la société n'avait pas grand-chose de tangible à montrer. Évidemment, Steve savait qu'il devrait sortir des nouveautés qui soient à la hauteur de la campagne. Mais à l'automne 1997, il n'en avait pas. La campagne servit d'écran à Steve et son équipe qui purent ainsi se lancer tranquillement dans la longue tâche qui les attendait.

Bien que la voix off ne soit pas celle de Steve, certains journalistes estimèrent que Think Different offrait un nouvel exemple de la grandiloquence du dirigeant et qu'à ce titre la campagne était plus inquiétante qu'autre chose. Mais avec le recul, il est évident qu'elle n'avait rien de grandiloquent, bien au contraire : c'était le premier pas d'un dirigeant qui dorénavant n'avancerait plus que pas à pas, sans brûler les étapes. « Il était incroyablement rigoureux, se souvient Fred Anderson. Il était passionné, à la fois patient et impatient. » Steve avait commencé peu à peu à évoluer.

———

PENDANT QUE LA campagne Think Different détournait l'attention du public, Steve s'employait à débarrasser Apple de ses oripeaux. La restructuration toucha tous les secteurs de la société. Exit la gamme des Newton et des eMate, ainsi que les boutiques, et les équipes d'ingénieurs et de marketing qui en étaient chargées. (L'ironie du sort voulut que l'ancien CEO d'Apple, Amelio, revienne voir Steve au siège d'Apple à la fin 1998 en lui offrant de racheter les actifs et la propriété intellectuelle de la branche du Newton dont l'exploitation avait été gelée. Quelques jours après l'entrevue, Steve m'a confié qu'il avait été éberlué à l'idée qu'Amelio veuille relancer le Newton. Mais le lui vendre aurait été, selon lui, « une plaisanterie cruelle ». « Je peux être méchant, mais pas à ce point. Il est hors de question que je le laisse s'humilier plus encore – ni humilier Apple. » Le Newton resta donc au point mort. Cependant, les principaux ingénieurs qui l'avaient conçu furent conservés pour la plupart.)

Exit les contrats qui accordaient la licence du MacOS aux fabricants de clones. Steve ne supportait pas que d'autres puissent mettre la main sur son système d'exploitation et il n'avait accepté le poste d'iCEO qu'à condition de pouvoir éliminer les clones. Parmi les multiples décisions que prit Steve pour stabiliser la société, ce fut la plus onéreuse. Pour éviter les poursuites auxquelles Apple s'exposait en abrogeant les contrats, la société dut payer les fabricants de clones pour qu'ils disparaissent sans faire de vagues. Le plus important, Power Computing, avait raflé 10 % du marché des compatibles MacOS. Apple lui avait versé 110 millions en numéraire et en actions et avait recruté certains de ses ingénieurs.

Exit les stocks. Tim Cook rejoignit l'équipe en mars 1998 après avoir été débauché de Compaq – où il était surnommé « l'Attila des stocks » – pour occuper les fonctions de responsable des opérations d'Apple. Cook était un grand échalas originaire d'Alabama qui avait de faux airs d'intellectuel malgré son goût pour le sport – il pratiquait le cyclisme et la course de fond. Cook s'exprimait calmement avec un léger accent traînant, mais c'est peut-être le haut responsable le plus intraitable qu'ait eu Apple. S'il travaillait dans l'ombre, son rôle fut crucial dans la restructuration de la société. Neuf mois après son arrivée, Apple avait réduit les stocks d'invendus du Mac, passant d'une valeur de 400 millions à 78 millions de dollars. C'est à Cook que l'on doit ce qui reste peut-être le geste le plus emblématique de la volonté manifeste de Steve d'évacuer au plus vite les dernières années encombrantes d'Apple : la destruction au bulldozer de dizaines de milliers de Mac invendus dans une décharge au début 1998.

Exit, enfin, une nouvelle vague de 1 900 salariés. C'était la dernière tranche de la refonte opérée par Anderson. Au total, Anderson avait réduit les effectifs de la société de 10 896 à 6 658 salariés à plein temps. Steve m'a confié qu'il lui était plus pénible de licencier des employés depuis qu'il avait des enfants. « Je continue à le faire parce que ça fait partie de mon boulot. Mais quand je regarde les gens dans ces moments-là, je les vois un peu comme des gamins de cinq ans, un peu comme je regarde mes enfants. Et je me dis que ça pourrait être moi, ce gars qui va rentrer annoncer à sa femme et ses enfants qu'il a été viré. Ou un de mes enfants dans vingt ans. Avant, ça ne me touchait pas à ce point. »

Mais, s'il était devenu plus sensible, il était aussi plus rigoureux. Si Steve poursuivait sans relâche la réduction des effectifs, Anderson notait cependant une profonde différence entre l'iCEO et ses prédécesseurs : Steve tenait à tout prix à préserver les objectifs majeurs de l'entreprise. Mais la société qu'il dirigeait ne devait compter que les meilleurs dans ses rangs – il voulait que le personnel d'Apple reflète la même excellence que les équipes de Pixar. « Quand je suis retourné chez Apple, j'ai été impressionné de voir qu'à peu près un tiers des gens qui travaillaient là étaient au top niveau – des gens qu'on ferait tout pour recruter, m'a-t-il confié. Malgré les ennuis d'Apple, ils étaient restés, ce qui était un miracle. C'était le bon karma d'Apple. C'était grâce à ces gens qui étaient restés là malgré tout. Il y avait un autre tiers qui étaient très bons – des gens solides dont toutes les entreprises ont besoin. Et puis il y avait un dernier tiers qui n'avait pas de chance. Je ne sais pas s'ils pouvaient s'améliorer ou non, mais il fallait qu'ils partent. Malheureusement, beaucoup d'entre eux étaient à des postes de management. Non seulement ils ne faisaient pas ce qu'il fallait faire, mais en plus ils faisaient faire des imbécillités aux autres. » La détermination inflexible de Steve était cruciale : tant que ses plus proches collaborateurs savaient qu'il ferait tout ce qui était en son pouvoir pour redresser la société, ils resteraient soudés autour de lui. Il était totalement investi et travaillait avec autant d'acharnement que les autres. « Les six premiers mois, ç'a été l'horreur. J'étais à bout. »

Même si Steve avait eu la rigueur nécessaire pour ajuster les effectifs de l'entreprise, rien ne garantissait qu'il soit réellement à même de faire progresser Apple. Bien qu'il ait ouvertement refusé de toucher un salaire, Steve était un pari aussi risqué qu'onéreux. Sur les 816 millions de dollars de pertes affichées en 1997, 450 millions étaient imputables au rachat de NeXT et à la liquidation de Power Computing. On mesure mieux ce que représente ce chiffre si l'on songe qu'Apple avait payé plus d'un demi-milliard de dollars deux acquisitions dont la valeur de l'actif quelques mois à peine après le rachat s'élevait à peine à un cinquième de cette somme. Pour résumer la chose de façon plus éloquente, Apple avait déboursé plus d'un demi-milliard de dollars pour réembaucher Steve Jobs.

———

QUELQUES MOIS AVANT le retour aux commandes de Steve, je lui avais demandé quelle était pour lui la priorité numéro un d'Apple. Était-ce un nouveau système d'exploitation, à présent qu'ils avaient Avie Tevanian pour le concevoir ? « Pas du tout, avait-il répondu avec une véhémence à laquelle je ne m'attendais pas. Ce dont Apple a besoin avant tout, c'est de sortir un nouveau produit innovant, pas nécessairement une nouvelle technologie. L'ennui, c'est que je ne pense pas qu'ils sachent encore fabriquer des produits vraiment bien. » Il s'est interrompu comme s'il mesurait la dureté de ses propos, et a ajouté brusquement : « Je ne dis pas qu'ils en sont incapables. »

Cette fois, Steve ne se mit pas en tête de tout résoudre en lançant une nouvelle machine révolutionnaire. Cela changeait radicalement de ce qu'il avait tenté de faire chez NeXT et chez Apple, la première fois. À l'inverse, il redéfinit toute la gamme de produits dans les grandes lignes. Avant de demander à ses ingénieurs d'imaginer un nouveau produit, il voulait s'assurer qu'ils comprennent la place qu'il occuperait dans le projet d'ensemble d'Apple. Il voulait que tout le monde ait la même feuille de route et que le plan d'action soit totalement limpide. Il ne pouvait se permettre le flou stratégique qui avait entravé le développement du NeXT.

L'objectif essentiel était de simplifier les ambitions d'Apple pour que la société puisse consacrer tout le talent de ses ingénieurs et son capital marque à un petit nombre de produits phares et quelques marchés étendus. Si l'on veut mieux comprendre comment Steve a pu réduire de façon aussi drastique les offres d'Apple, il faut s'imaginer les ordinateurs personnels comme des appareils protéiformes qui peuvent être programmés pour devenir n'importe quel outil : traitement de texte, super-calculateur, tableau interactif, bibliothèque de recherche, système de gestion des stocks, outil d'apprentissage et ainsi de suite. La machine n'a pas besoin d'avoir une forme particulière pour effectuer ces tâches. Tout ce qu'il lui faut, c'est être équipée d'un logiciel puissant et adaptable. Or, au milieu des années 1990, les capacités des logiciels se développaient à une vitesse fulgurante grâce à l'émergence de réseaux locaux et à l'essor d'Internet. Un logiciel capable de vous connecter à d'autres utilisateurs et à des bases de données hébergées sur des ordinateurs éloignés devient bien plus important qu'une application strictement limitée à ce qui est stocké dans votre ordinateur.

Steve décida de prouver qu'Apple pouvait devenir une société rentable en offrant uniquement quatre produits basiques : deux modèles d'ordinateurs de bureau, un destiné aux particuliers, l'autre aux professionnels, et deux portables, destinés aux deux mêmes clientèles. C'était tout. Quatre cases, ou « quadrants », quatre gammes de produits. Finis les ingénieurs travaillant sur des projets similaires, les chaînes de production superflues ou les argumentaires de vente destinés à inciter les consommateurs à acheter des produits dotés de caractéristiques inutiles. À présent qu'ils n'avaient plus que quatre produits basiques à concevoir, les ingénieurs et les designers d'Apple allaient pouvoir s'employer à créer des matériels et des logiciels uniques.

Cette décision capitale fut une des plus controversées de cette période. Les employés étaient indignés que leurs projets favoris soient écartés – dont certains d'une grande valeur étaient développés depuis des années par Apple. Certaines technologies apportaient un avantage tangible aux consommateurs, mais si elles ne rentraient pas dans la structure dite en quadrants de Steve, elles étaient abandonnées – l'entreprise devait rester concentrée sur un nombre restreint d'objectifs.

L'équipe dirigeante comprenait la nécessité des quadrants, même si cela l'obligeait à éliminer des projets chers à des collaborateurs qu'elle respectait. Et le reste du personnel finit par l'accepter. Les employés se rendaient compte que cette structure en quadrants les situait exactement à l'opposé de la stratégie des fabricants de PC qui produisaient à la chaîne des machines toutes aussi quelconques les unes que les autres, bien que plus rapides et plus puissantes. Les quadrants renvoyaient Apple à sa vocation historique : fournir au marché haut de gamme, aussi bien celui des particuliers que des entreprises, des produits à la pointe de la technologie.

Mais ce que la stratégie des quadrants n'était pas est un point tout aussi essentiel. Ce n'était pas une tentative de résoudre tous les problèmes avec une machine incroyablement révolutionnaire. Steve avait été échaudé à deux reprises. Il avait suffisamment de sagesse à présent pour voir que les innovations majeures n'étaient pas la solution pour le moment. Les clients d'Apple – passés, présents et potentiels – devaient déjà avoir la preuve que la société était viable, qu'elle était capable de produire et de commercialiser des produits fiables et uniques, et ce dans la durée, et qu'elle pouvait réaliser des bénéfices. Ce n'est qu'une fois ces objectifs atteints – et Steve était le premier à admettre que cela prendrait des années – qu'il pourrait envisager d'exploiter les technologies émergentes pour innover une fois de plus.

———

« LA MISSION, C'ÉTAIT sauver Apple, raconte Jon Rubinstein. Quand on est arrivés, la société était moribonde. Alors on s'est dit qu'il fallait sauver Apple, ça en valait la peine. C'était aussi simple que ça. »

Steve dirigea la nouvelle Apple grâce à un noyau extraordinairement solide et motivé, composé d'Anderson, Cook, Rubinstein et Tevanian, ainsi que le directeur commercial Mitch Mandich qui venait de NeXT, le directeur marketing Phil Schiller, un ancien d'Apple que Steve avait récupéré chez Adobe, et Sina Tamaddon, un responsable logiciel de NeXT qui avait également décroché des marchés importants. Hormis

Mandich qui partit en 2000, c'est cette même équipe, à laquelle vint s'ajouter Jony Ive, le directeur du design, qui resta aux commandes jusqu'au milieu des années 2000. Avec la réputation de sale caractère de Steve et ses antécédents de manager, c'est incroyable qu'ils soient restés ensemble aussi longtemps.

Steve n'avait pas recours aux méthodes qu'emploient souvent les dirigeants pour consolider leurs équipes. Il ne les invitait pas à dîner. « Au comité de direction, on s'entendait bien, raconte Tevanian, mais c'étaient des relations qu'on avait nouées par nous-mêmes. Pas par l'intermédiaire de Steve. Je peux compter sur les doigts d'une main le nombre de fois où on est allés dîner ensemble, le plus souvent dans un restaurant indien du quartier. »

Steve ne leur faisait que rarement part de ses impressions. « Au moment du procès antitrust États-Unis contre Microsoft, raconte Tevanian, Microsoft avait exigé qu'on produise devant la cour mon dossier personnel de chez Apple. Me voilà donc avec notre avocat, George Riley, et il me dit : "J'ai récupéré votre dossier aux ressources humaines." Il le sort et il ne contient qu'une feuille, rien d'important. Il me fait : "Où est votre dossier ? Vos évaluations annuelles, tout ça ?" Je lui ai dit que je n'avais jamais eu d'évaluation annuelle. »

« Steve ne croyait pas aux évaluations, se souvient Jon Rubinstein. Il avait horreur de toutes ces formalités. Il nous disait : "Je vous donne mon avis en permanence, pourquoi vous voulez une évaluation ?" À un moment, j'ai recruté un coach de dirigeant pour pouvoir mener des évaluations à 360° avec mon équipe. C'était vraiment un type bien et j'ai essayé de convaincre Steve de lui parler, mais il a refusé. Il m'a même demandé : "Mais à quoi ça te sert ? C'est une perte de temps !" »

Steve ne les abreuvait pas de compliments et ne les tenait pas à la disposition des journalistes qui s'intéressaient aux coulisses de ce qui allait être un extraordinaire come-back. Non qu'il voulût à tout prix tirer la couverture médiatique à lui. Plus maintenant. Quand il avait une vingtaine d'années, à l'époque de son bref moment de gloire, il rêvait d'être sous le feu des projecteurs : son « amitié » avec Yoko Ono et Mick Jagger, le sentiment grisant de posséder un penthouse au San Remo, à Manhattan, l'attention du *Time*, de *Rolling Stone* et de *Playboy* étaient autant de preuves qu'il avait laissé loin derrière lui le milieu modeste dont il était issu et sa jeunesse banale dans une banlieue de la Californie du Nord. Quand il avait fondé NeXT, il avait brièvement courtisé la presse pour donner un coup de pouce à sa start-up. Mais à partir du milieu des années 1990, l'idée de jouer de sa célébrité ne l'attirait plus guère. Il rêvait que la qualité de son travail soit reconnue, mais la célébrité en soi ne l'intéressait pas. Il ordonna à Katie Cotton, sa directrice de communication chez Apple, de s'en tenir à une ligne de conduite stricte et de faire savoir qu'il n'accorderait d'entretiens qu'à quelques publications, parmi lesquelles *Fortune*, le *Wall Street Journal*, *Time*, *Newsweek*, *BusinessWeek* et le *New York Times*. Quand il avait un produit à vendre, il choisissait avec Cotton parmi cette poignée de parutions dignes de confiance celle qui décrocherait le papier. Et son histoire, Steve venait la raconter seul.

J'ai souvent évoqué avec Steve sa réticence à mettre ses plus proches collaborateurs sur le devant de la scène, car j'avais demandé à plusieurs reprises l'autorisation de leur parler, la plupart du temps en vain. Il m'expliquait parfois qu'il ne voulait pas qu'on sache quels étaient les collaborateurs les plus compétents chez Apple, car il ne voulait pas qu'ils soient débauchés par d'autres sociétés. C'était parfaitement hypocrite : dans la Silicon Valley, tout le monde connaissait tout le monde et les talents du high-tech étaient suivis d'aussi près que le cours de la Bourse. Ce qui était vrai, en revanche, c'est que Steve estimait être le seul à pouvoir parler aussi bien de ses produits, de sa société. Il avait un sens inné du spectacle en toutes circonstances, et la plupart des interviews n'étaient pour lui qu'un spectacle comme un autre. Il avait un talent extraordinaire pour improviser des discours ou des théories, avec chaque fois la certitude qu'il pouvait profiter de l'occasion pour promouvoir la société. Il accordait une importance extrême à l'aspect des articles qui lui étaient consacrés, car il estimait que les photos, la typographie et la maquette contribuaient à exprimer le message qu'il voulait faire passer.

Sous l'impulsion de Steve, Apple développa une des identités de marque les plus claires au monde. Si sa politique agaçait certains membres du comité de direction, il était difficile de nier son succès. Travailler avec lui, c'était accepter toute une série de comportements excentriques. Des mesures qui semblaient dictées par l'égoïsme s'avéraient souvent bénéfiques pour la société. Des stratégies qui paraissaient chimériques au premier abord pouvaient bien se révéler visionnaires. Les plus proches collaborateurs de Steve apprirent à anticiper et à supporter son caractère imprévisible. Ils savaient qu'ils travaillaient pour un être à part.

Steve veillait à sa manière à ce qu'ils sachent toute l'estime qu'il avait pour eux. Il lui arrivait de demander à l'un ou l'autre de faire une longue balade avec lui, sur le site d'Apple ou près de chez lui, à Palo Alto. « C'était important, ces balades, se souvient Ruby. On se disait que Steve était une rock star, alors c'était un peu un honneur de passer du temps en tête à tête avec lui. » Steve dédommageait aussi généreusement ses principaux collaborateurs en prévoyant des contrats à long terme lucratifs remplis de stock-options pour le cercle rapproché. « Il savait vraiment s'entourer de gens de valeur et les motiver d'un point de vue philosophique et financier. Il faut trouver le juste équilibre. Il faut savoir donner juste assez de motivation financière pour que les gens ne t'envoient pas te faire voir en te disant qu'ils n'en peuvent plus. »

Steve comprenait également que la satisfaction personnelle d'avoir réalisé quelque chose de fabuleux était la meilleure des motivations pour une équipe aussi talentueuse. « Il fallait être convaincu que ça allait prendre du temps, que ça ne s'arrangerait pas du jour au lendemain, m'a confié un jour Tevanian. Et que d'ici à deux trois ans on regarderait le chemin parcouru et on se dirait : "Ça y est, on y est arrivés." Si on n'y croyait pas, on était fichus. Parce que ç'a été très douloureux, beaucoup de gens disaient : "Ça va planter, ça ne marchera jamais, il y a ça qui ne va pas, et puis ça non plus", il y avait toujours quelque chose qui n'allait pas. Mais il fallait juste se dire que, si on continuait à persévérer, à travailler, à donner le meilleur de nous-mêmes, ça marcherait. » Le sauvetage d'Apple fut une réussite dont tous les membres de l'équipe allaient être fiers toute leur vie.

« Il s'investissait totalement, dit Rubinstein. C'est ce qui faisait de lui un grand manager quand ça n'allait pas. Au début de cette époque-là d'Apple, c'était fantastique d'être là tous ensemble, solidaires. »

« Quand c'était dur, ajoute Avie, il pesait quasiment toutes les décisions. Il mesurait soigneusement toutes les répercussions. » S'il n'hésitait jamais à affirmer son point de vue avec force, sa manie de se tracasser en permanence exaspérait ses collaborateurs, qui n'en pouvaient plus de le voir retarder des projets importants à force de pinailler sur des détails insignifiants, hésitant ainsi pendant des heures à changer les connecteurs des souris et des claviers. Mike Slade, qui avait occupé un temps les fonctions de directeur du marketing chez NeXT, rejoignit Apple en 1998 en qualité de consultant de Steve. « Les gens voient en lui une espèce de Michel-Ange, dit-il. Mais c'était un angoissé de première, on aurait dit un petit vieux tout décrépit qui tient sa boutique et qui est là à se demander : "Est-ce que je baisse encore de 5 cents ?" Un vrai chiffonnier. »

Il se consacrait entièrement à sa tâche et organisait son emploi du temps pour s'assurer que ses collaborateurs clés soient tout aussi investis. Tous les lundis matin à neuf heures, il convoquait le comité de direction, l'*executive team* – surnommée l'ET – dans une salle de réunion située dans le bâtiment 1 du site d'Apple. Leur présence était obligatoire. Il faisait le tour de la table en suivant un ordre du jour qu'il avait lui-même rédigé et distribué, posant à chacun des questions spécifiques sur des projets en cours et se tenant au courant des derniers développements. Ils devaient être prêts à répondre à toutes les questions relatives à leur domaine qu'il était susceptible de leur poser. Pour certains, comme Fred Anderson ou Nancy Heinen, la directrice juridique, c'était parfois la seule fois de la semaine où ils voyaient Steve. D'autres, en revanche, savaient qu'ils devaient s'attendre à être soumis à un suivi rigoureux. Ils devaient à leur réussite passée le privilège d'être là, mais Steve n'avait que faire du passé. Avec Steve, dit Edwin

Catmull, « le passé peut servir de leçon, mais le passé c'est le passé. Sa question à lui, c'était toujours "Comment faire pour avancer ?" »

C'est pourquoi Steve pouvait aussi bien asséner : « C'est de la merde ! » que poser une question précise ou se lancer dans une discussion approfondie. Il voulait des réponses judicieuses, et refusait de perdre du temps en politesses alors qu'il était plus simple d'exprimer clairement son avis, si critique soit-il.

« Si on enrobe les choses, c'est qu'on ne veut pas passer pour un sale con. C'est de la vanité », explique Jony Ive, un Britannique à la carrure de boxeur qui s'exprime avec clarté et a tendance à se pencher vers vous quand il vous parle. Ive, qui était directeur du design, écopait comme les autres des critiques à l'emporte-pièce de Steve. Chaque fois qu'il était blessé, il se disait que « ceux qui enrobent ce qu'ils pensent ne se préoccupent peut-être pas tant que ça de ce que les autres éprouvent. Ils veulent seulement ne pas passer pour des salauds. Mais s'ils attachaient vraiment de l'importance au travail, ils seraient moins vaniteux, et en parleraient franchement. Steve était comme ça. C'est pour ça qu'il disait : "C'est de la merde !" Mais le lendemain ou le surlendemain, il pouvait revenir en disant : "Jony, j'ai repensé à ce que tu m'as montré et en fait, je trouve ça très intéressant. Il faut qu'on en reparle." »

Steve présentait la chose ainsi : « Tu recrutes des gens qui sont plus compétents que toi dans certains domaines, et il faut bien leur faire comprendre que, si jamais tu as tort, ils doivent de te le dire. Les équipes dirigeantes d'Apple et de Pixar n'arrêtent pas de se disputer. Chez Pixar, tout le monde est transparent. Ils disent ce qu'ils pensent et chez Apple, ça commence à venir. » Ses collaborateurs les plus proches savaient que les critiques acerbes de Steve n'étaient pas dirigées contre eux personnellement. Ils avaient tous appris, pour reprendre l'expression de Susan Barnes, à « dépasser les hurlements pour comprendre la raison de ces hurlements ». C'est ce que Steve attendait d'eux et il comptait sur eux pour lui tenir tête quand il avait tort. « Je me suis battu avec lui pendant seize ans, se souvient Rubinstein. Ça en devenait presque comique. Je me rappelle, un matin de Noël, on est là à se hurler dessus au téléphone et, derrière nous, nos compagnes sont toutes les deux là à dire : "Allez, il faut qu'on y aille, raccroche !" Il poussait toujours des gueulantes pour un oui ou pour un non. Un jour, on s'est engueulés comme du poisson pourri. J'étais là avec mon Caddie au Target de Cupertino, si je m'en souviens bien, et j'achetais du papier toilette ou je ne sais plus quoi. Et on était au téléphone avec Steve, à se hurler dessus. C'est comme ça qu'on fonctionne. J'ai grandi à New York. Ma famille, c'est du pur Woody Allen. Vous vous rappelez la scène d'*Annie Hall* où ils sont sous les montages russes de Coney Island ? C'est ça, ma famille. Du coup, ça ne me dérangeait pas qu'on se dispute en permanence. C'est sans doute une des raisons pour lesquelles on collaborait si bien. »

À près de 1 400 kilomètres de là, au nord de la côte pacifique, Bill Gates, qui avait épaulé Apple en investissant 150 millions de dollars et en s'engageant à fournir des logiciels pour le Mac, regardait avec intérêt la société chancelante lutter pour sa survie. « C'était une équipe bien plus mûre, observe-t-il. Avec l'équipe Mac, ou même chez NeXT, dès que Steve piquait une crise, ils filaient tous dans leur coin. Mais cette fois, l'équipe dirigeante d'Apple résistait en se serrant les coudes. Quand Steve s'en prenait à l'un deux en lui balançant : "Ton boulot c'est de la merde et tu n'es qu'un imbécile", il fallait que l'équipe se décide : "OK, est-ce qu'on le laisse partir ou est-ce qu'on tient vraiment à lui ?" Et ils pouvaient aller voir Steve après et lui dire : "Allez, on aura du mal à trouver quelqu'un d'à peu près aussi compétent que ce type. Va le voir pour t'excuser." » Et il y allait, mais sa virulence n'en restait pas moins incroyable.

« C'est une équipe de haut vol qui a connu l'enfer et qui s'est soudée dans l'adversité, poursuit Gates en repassant au présent. Franchement, on peut prendre un à un les membres de cette équipe et se dire : "OK, celui-là a bien mérité son salaire, lui aussi, lui aussi." Il n'y a aucune faiblesse dans l'équipe, il n'y a pas de plan B, ni d'autre équipe en perspective. Juste cette équipe-là. »

Steve avait rassemblé une équipe à la fois suffisamment solide pour l'accepter tel qu'il était et suffisamment autonome pour contrebalancer ses faiblesses. Ils avaient développé leurs propres tactiques pour le gérer, lui. « C'était un peu comme si on avait un ennemi commun », dit Rubinstein. Les membres de l'équipe se retrouvaient régulièrement pour voir comment ils pouvaient convaincre Steve d'autoriser les décisions qui leur semblaient les plus judicieuses, trouver un moyen de surmonter ou de contourner les décisions les plus autoritaires ou inconsidérées de Steve et essayer d'anticiper les orientations qu'il allait prendre. Ils avaient le sentiment que Steve se doutait de ce qui se tramait dans son dos. « Il savait qu'il pouvait compter sur nous pour faire en sorte que ça marche, dit Tevanian, même quand il y avait des frictions ou des problèmes. On a eu des problèmes vraiment sérieux, et il savait qu'il pouvait compter sur nous pour faire ce qu'il fallait. »

Je l'observais de près, le regardant tout à la fois élaborer ses stratégies patiemment, sans relâche, et persuader cette équipe impressionnante de les mettre en œuvre. Ses échecs passés en tant que manager me laissaient sceptique mais j'étais intrigué. Un jour, je lui ai demandé s'il prenait plaisir à bâtir des entreprises, puisqu'il se lançait pour la troisième fois. « Pas franchement, non », m'a-t-il répondu, l'air de me prendre pour un imbécile. Mais s'il n'éprouvait aucun plaisir à mettre sur pied des entreprises, une chose est sûre, il expliquait de façon très convaincante et raisonnée les raisons qui le poussaient à persévérer. « La seule raison, pour moi, de bâtir une entreprise, c'est que cette entreprise fabrique des produits. Ce n'est qu'un moyen. Au fil du temps, on s'aperçoit que, si l'on veut continuer à fabriquer de grands produits, il est essentiel de bâtir une entreprise très solide et une assise très solide de talent et de culture dans l'entreprise.

« L'entreprise est une des inventions les plus extraordinaires de l'homme, une construction abstraite d'une force incroyable. Il n'empêche que pour moi, ce qui compte, ce sont les produits. C'est travailler avec des gens vraiment drôles, intelligents, créatifs et de fabriquer des choses fabuleuses. Ce n'est pas une question d'argent. Une entreprise, c'est donc un groupe de gens qui peuvent faire bien plus que de fabriquer un grand produit révolutionnaire. C'est un talent, c'est une capacité, c'est une culture et c'est une manière de travailler ensemble pour fabriquer le suivant, et encore le suivant, et celui d'après. » Un talent, une capacité, une culture et un point de vue : la société qu'il récréait allait avoir toutes ces qualités, comme les produits qu'elle fabriquerait.

———

STEVE SAVAIT QU'IL devait sortir la prochaine nouveauté d'Apple en 1998. Il ne pouvait guère espérer que les millions d'investisseurs d'Apple attendent des années, comme Perot et Canon l'avaient fait chez NeXT. Mais Apple n'avait pas de grande application logicielle à dévoiler et il était hors de question que Steve présente du matériel hérité d'Amelio. Il lui fallait quelque chose de nouveau, qui porte suffisamment sa marque pour indiquer que l'heure était au changement. Le secteur du micro-ordinateur était privé de créativité et d'enthousiasme depuis si longtemps qu'on le surnommait simplement le « box » business – puisque c'est ainsi qu'on appelait les ordinateurs dans le jargon informatique, des « box ». Steve ne pouvait pas se contenter d'un simple ordi de plus.

Il trouva ce qu'il cherchait dans l'antre du labo de recherche, dans un bâtiment situé à plusieurs blocs du siège de la société. C'est là que Jony Ive, le designer qui avait tellement impressionné Fred Anderson, travaillait sans relâche. Ive, le directeur du design d'Apple, ne faisait pas encore partie du cercle rapproché de Steve. Entreprenant, modeste, Ive, qui avait trente ans à l'époque où Steve était arrivé, en 1997, avait travaillé sur des projets Apple pour l'agence de design Tangerine, quand il vivait encore à Londres, en 1992. Fils d'un orfèvre qui enseignait au lycée professionnel de Chingford, dans la banlieue de Londres, Ive avait été attiré dès son plus jeune âge par le design industriel et avait poursuivi ses études à Newcastle dans un institut universitaire aujourd'hui rebaptisé Northumbria University. Il s'y était pris de passion pour Dieter Rams, le légendaire directeur du design de Braun, le fabricant de petit électroménager allemand, qui avait été dans les années 1970 l'un des pionniers de ce que l'on nomme de nos jours le design durable et qui critiquait violemment la pratique industrielle de l'obsolescence programmée. Rams, qui dessine encore des meubles pour l'éditeur de mobilier Vitsœ, était célèbre pour ses « Dix principes du bon design ». Selon lui, un bon design est :

1. innovant
2. ce qui rend un produit utile
3. esthétique
4. ce qui rend un produit compréhensible
5. discret
6. honnête
7. durable
8. précis jusque dans ses moindres détails
9. respectueux de l'environnement
10. aussi peu de design que possible

À l'époque où Amelio était aux commandes, j'avais rendu visite à Jony sur son lieu de travail, baptisé le Design Lab. Après le retour de Steve, le labo fut rapatrié dans le complexe d'Infinite Loop et devint une zone interdite aussi fermée que Los Alamos à l'époque du Manhattan Project. Mais du temps d'Amelio, il était accessible et le jour où j'étais venu, un vendredi, en fin d'après-midi, il ne restait plus qu'Ive dans les locaux. Dans tous les coins s'entassaient des maquettes en plastique gris ou en mousse des innombrables Mac relativement ordinaires qu'il avait conçus avec son équipe. Durant ces années, il avait pour objectif de reconditionner les ordinateurs en leur donnant une ligne savamment épurée et non de créer des designs radicalement innovants. Il n'y avait que deux exceptions, l'une et l'autre frappantes.

Il m'avait tout d'abord montré l'eMate, sa version surprenante du MessagePad Newton pour les élèves du primaire. L'appareil à écran rabattable ressemblait à une espèce de moule. Ses courbes subtiles lui donnaient un côté ludique, mais ce qui attirait l'œil, c'était sa coque en plastique bleu-vert translucide dont la couleur vibrante semblait éclairée de l'intérieur.

L'autre projet extraordinaire que m'avait présenté Jon était le prototype d'une machine en édition limitée qu'Apple devait sortir pour commémorer avec un certain retard le vingtième anniversaire de la marque. À l'époque, le 20th Anniversary Macintosh était sa plus grande fierté. C'était l'exemple même d'une approche conceptuelle totalement novatrice du design industriel. Jony et son équipe avaient placé le cœur d'un ordinateur portable haut de gamme dans une dalle verticale légèrement incurvée, qui comportait sur la partie haute un écran couleur LCD et sur la partie basse un lecteur CD-Rom vertical, le tout encadré de deux enceintes spécialement conçues par Bose. Il intégrait les toutes dernières innovations technologiques, dont la télévision câblée, un tuner FM et la connectique nécessaire pour que l'ordinateur puisse faire office de poste de télévision ou de radio. Ive et son équipe avaient également conçu un bloc en forme de conque à poser au sol pour loger l'alimentation, un caisson de basse et un amplificateur performant pour que l'ordinateur puisse donner la richesse acoustique d'une chaîne hi-fi de haute puissance sans générer une chaleur excessive ni sembler encombrant. L'ensemble était digne de figurer au département des sculptures du Museum of Modern Art de New York. (Un exemplaire finit d'ailleurs par atterrir dans les collections de design industriel du musée.) La machine faisait rêver les technovores.

Le jour où Steve décida de faire une petite incursion dans le labo de design, Ive était stressé et inquiet. « La toute première fois qu'on s'est rencontrés, il parlait déjà de réembaucher Hartmut Esslinger [le fondateur de Frog Design qui avait dessiné le premier Mac], raconte Ive. S'il est venu au labo, c'était essentiellement pour me virer, je pense. Et c'est ce qu'il aurait dû faire, si on voit les produits qu'on commercialisait à l'époque et qui n'étaient franchement pas réussis. » Si Steve ne fut pas passionné par les produits et les prototypes, Ive en revanche lui fit une forte impression. Sérieux, discret, Ive peut avoir un charme fascinant quand il décrit ce qu'il essaie d'accomplir avec son accent anglais très gentleman. Comme Steve, Ive a le don d'exprimer clairement des idées complexes. Steve fut aussitôt impressionné.

« Vous connaissez Jony. C'est un ange, m'a confié Steve à la fin de 1997. Il m'a tout de suite plu. Et dès notre première rencontre, j'ai tout de suite su qu'Amelio avait gaspillé son talent. »

Fait également essentiel, Jony fut impressionné par Steve. Des milliers d'employés d'Apple qui voulaient abandonner le navire en perdition d'Amelio avaient envoyé leur CV dans la Silicon Valley et Jony avait décidé de se mettre également en quête d'un autre poste. Mais il s'aperçut rapidement que Steve et Amelio étaient aux antipodes l'un de l'autre. « Amelio prétendait être le roi du redressement d'entreprise, se souvient Ive. Par conséquent, tout ce qui l'intéressait, c'était le redressement, qui consiste essentiellement à ne pas dépenser d'argent. Pour ne pas perdre d'argent, l'idée, c'est de ne pas en dépenser. Mais Steve avait un objectif totalement différent et il n'en a jamais changé. Il est resté le même du premier jour où je l'ai rencontré jusqu'à la fin : le produit. Nous sommes convaincus que, si nous faisons du bon travail et si le produit est bon, les gens l'aimeront. Et nous sommes convaincus que, s'ils l'aiment, ils l'achèteront. Si nous avons une gestion efficace d'un point de vue opérationnel, nous gagnerons de l'argent. » C'était aussi simple que cela. Jony décida donc de rester chez Apple, décision qui déboucha sur une des collaborations les plus étroites et les plus créatives de toute la carrière de Steve, plus symbiotique encore que le binôme qu'il formait au début avec Steve Wozniak.

Néanmoins, Steve élimina les deux projets chers à Jony. L'eMate disparut ainsi que toute trace du Newton (à l'exception de quelques brevets) et le 20th Anniversary Macintosh dut déclarer forfait après s'être vendu uniquement à 12 000 exemplaires. Les produits ne rentraient pas dans ses quadrants. « Et puis, m'a-t-il confié un jour, je n'aime pas la télévision. Apple ne refera jamais de télé. » C'est ainsi que Jony affronta pour la première fois la rigueur inflexible des décisions de Steve. Comme Avie, Ruby, Fred et Tim avant lui, il avait compris que Steve représentait pour Apple la meilleure chance d'avenir et qu'une fois admis dans son cercle on allait jusqu'au bout avec lui, quels que soient les aléas rencontrés en chemin.

———

IL Y EUT cependant une chose qui intrigua particulièrement Steve dans le labo de design : la curieuse texture et l'aspect étrangement translucide de la coque en plastique de l'eMate. C'est ce détail qui fit germer l'idée de l'iMac, le premier produit de la nouvelle ère Steve Jobs chez Apple.

D'un point de vue technologique, l'iMac ne représentait pas une rupture radicale avec le passé. Mais en étroite collaboration avec Steve, Ive conçut une esthétique extraordinaire qui, pour la première fois depuis des années, donna du caractère au micro-ordinateur. L'iMac était une coque tout en rondeur faite d'un matériau similaire à celui de l'eMate. À travers le plastique translucide « Bondi Blue » – baptisé ainsi car le bleu évoquait les eaux tropicales de Bondi Beach près de Sydney, en Australie –, l'utilisateur découvrait l'intérieur de l'ordinateur, avec ses câbles rigoureusement alignés et ses circuits imprimés chargés de puces qui ressemblaient à des plans de ville en 3D. L'ordinateur et l'écran étaient logés dans un unique bloc arrondi muni à l'arrière d'une ouverture qui permettait d'accéder à l'intérieur afin d'effectuer des réparations ou des modifications et qui faisait également office de poignée. Steve adorait la poignée qui lui rappelait le premier Mac, malgré son peu d'utilité : la machine pesait plus de 17 kilos, il était donc peu probable qu'on la balade comme un portable d'un endroit à l'autre. Mais avec la poignée, sa forme et sa semi-transparence turquoise, l'iMac était un concentré de fantaisie. C'était exactement le type de nouveauté qu'il lui fallait pour différencier une fois de plus Apple des fabricants du « box business », les Dell, Compaq, HP et IBM.

Deux autres décisions, l'une technique, l'autre dictée par le marketing, contribuèrent à distinguer l'iMac de la masse de dalles rectangulaires couleur de mastic. Steve et Jon Rubinstein optèrent pour un lecteur de CD-Rom à la place d'un lecteur de disquette, en dépit du fait que la plupart des gens stockaient encore leurs données sur des disquettes. On pouvait acheter séparément un lecteur de disquette externe à brancher sur l'iMac, mais Steve estimait que la plupart des logiciels seraient désormais présentés sur des disques optiques CD-Rom, technologie qui supplantait de plus en plus les disques vinyles et les cassettes dans l'industrie de la musique. Il avait également la certitude qu'en l'espace d'un an ou deux des lecteurs de CD-Rom enregistrables rendraient superflus les lecteurs de disquettes. Comme il l'avait déjà fait auparavant, il misait sur le fait que les utilisateurs accepteraient de se tourner vers l'avenir malgré l'inconvénient de devoir convertir leurs données dans un nouveau format. Cette fois, il avait raison.

La seconde décision notable fut d'insérer la lettre *i* devant Mac. L'iMac était conçu pour être connecté à Internet, par l'intermédiaire de ports qui pouvaient accueillir une ligne téléphonique ou, pour ceux qui avaient la chance d'y avoir accès, une connexion à un réseau Ethernet à part entière. Il comportait un modem intégré en équipement de série, alors que la plupart des autres constructions le proposaient en option. Steve avait anticipé que les acheteurs verraient dans ce Mac « Internet » un ordinateur tourné vers l'avenir de l'informatique qui était clairement axé sur Internet. Mais le *i* était plus que cela. Le *i* était personnel, c'était le *i* de l'individu, le *I* de la première personne en anglais – c'était « mon » ordinateur et peut-être même l'expression de mon identité. Et quelle expression audacieuse, fraîche, transparente, différente. C'était le type même d'ordinateur que l'on imaginait entre les mains d'un individu qui pouvait penser « différent ».

De nombreux critiques de la presse informatique en plein essor se moquèrent avec mépris en disant que l'iMac n'était ni plus rapide, ni plus puissant que les machines de ses concurrents. Ces mêmes critiques n'aimaient pas non plus le fait que cette chose ronde et bleue ressemble davantage à un jouet qu'à un ordinateur. Mais ils se trompaient du tout au tout. Le design révolutionnaire de l'iMac exprimait exactement le type de message rassurant, convivial et différenciant que Steve voulait transmettre. En un seul produit, Apple renforçait sa position de spécialiste de l'ordinateur « personnel ». L'iMac rappelait de manière éclatante que les micro-ordinateurs étaient des outils pour les gens, et qu'ils devaient à la fois refléter et enrichir la personnalité des individus. C'est pour cette raison que l'iMac obtint un succès immédiat et s'écoula à près de 2 millions d'exemplaires au cours des douze premiers mois de production, devenant ainsi le premier véritable best-seller depuis des années.

Son succès fut essentiel à la stratégie de reprise de Steve. Steve était revenu chez Apple avec la conviction que le design pouvait jouer un rôle crucial dans le renouveau d'Apple. L'iMac venait étayer sa théorie. « Quand on a fait le premier iMac, m'a-t-il raconté par la suite, on s'est heurtés à une résistance incroyable de la part des ingénieurs matériel. Beaucoup de gens pensaient que ce n'était pas un Mac, que ce serait un échec. Mais dès qu'ils ont vu qu'il s'imposait sur le marché, la plupart ont commencé à changer d'avis et se sont dit : "OK, il faut croire que le design, ça compte." Ils ont retrouvé le plaisir de la réussite. » L'iMac de Steve et Jony amorça de façon audacieuse le redressement d'Apple, permettant à la société de gagner un répit à un moment où la plupart des observateurs la donnaient quasiment pour morte.

Une des grandes défaillances de Steve durant ses premières années à la tête d'Apple avait été son incapacité à offrir de solides successeurs au Mac ou même à l'Apple II. Mais ce ne fut pas le cas avec l'iMac. Un an à peine après son lancement, la société commercialisa une nouvelle version en cinq couleurs acidulées. L'ordinateur était encore plus séduisant que le Bondi Blue, car il était équipé d'une simple fente pour les CD en remplacement du tiroir peu commode du modèle précédent. Et ses couleurs optimistes et éclatantes s'intégraient parfaitement dans le marketing d'Apple, qui continuait à redéfinir l'image d'une marque innovante, joyeuse et créative.

Mais Steve ne se contenta pas de se concentrer sur l'iMac – là encore, c'était une erreur qu'il aurait commise autrefois. Il veilla à ce que son équipe remplisse les trois autres quadrants de son plan stratégique avec la même maestria. Les tours, ainsi qu'on appelait les ordinateurs de bureau destinés aux professionnels, étaient les machines les plus rentables. Équipées de puces plus rapides, disposant de davantage de mémoire, de meilleures cartes graphiques, d'emplacements pour ajouter des disques durs, des graveurs de CD et d'autres périphériques, elles étaient destinées à une utilisation intensive – d'où le nom de Power Mac. C'étaient de grosses machines posées au sol et reliées à un écran installé sur le bureau, et elles étaient si rapides qu'Apple les présentait comme les premiers « super-ordinateurs personnels ». Les Power Mac étaient encombrants, mais le design d'Ive donnait l'impression qu'ils étaient élégants et relativement maniables – ils avaient même deux doubles poignées imitant celles de l'iMac et un côté qui s'ouvrait pour faciliter l'accès à l'intérieur. Le modèle d'entrée de gamme valait au moins 1 000 dollars de plus que l'iMac, mais il présentait également une marge bénéficiaire bien plus élevée.

Là encore, Steve évita l'erreur qu'il avait commise la première fois chez Apple. Il ne prétendit pas que le Power Mac était l'ordinateur idéal pour toutes les entreprises, en essayant d'évincer les PC du marché. Il cibla la catégorie plus dynamique des petites entreprises qui émergeaient avec l'essor de l'économie d'Internet : les ingénieurs, les architectes, les éditeurs, les agences de publicité, les concepteurs de sites Web et ainsi de suite. C'était un milieu qui pouvait accepter de penser « différent », voire s'en réjouir, alors que le secteur dominant des grandes entreprises redoutait les changements radicaux et potentiellement néfastes qu'Internet laissait présager.

Les portables bénéficièrent du même génie que l'iMac et les tours, tant sur le plan du design que de la technologie. Les modèles destinés aux particuliers, appelés iBook, reprenaient la fantaisie de l'iMac avec un design arrondi à écran rabattable qui rappelait la forme de l'ancien eMate. Les PowerBook haut de gamme destinés aux professionnels étaient également arrondis, mais ils étaient recouverts d'une coque noire caoutchouteuse et équipés d'un microprocesseur PowerPC qui permit à Apple de revendiquer brièvement le titre de « portable le plus rapide au monde ». L'effet cumulé de ces iMac revitalisés fut aussi simple qu'impressionnant : trois ans après avoir échappé de justesse à la mort, Apple s'était de nouveau imposée comme la société la plus créative, si ce n'est la seule créative, du secteur informatique. « Quand on est retournés chez Apple, m'a raconté Steve à cette époque-là, notre secteur était dans le coma. Il n'y avait pas beaucoup d'innovation. Chez Apple, nous nous acharnons à redonner un nouvel élan à cette innovation. Le reste de l'industrie du micro-ordinateur rappelle Detroit dans les années 1970. Leurs voitures étaient des vrais paquebots. Depuis, Chrysler a innové en inventant le monospace et en popularisant la Jeep, et Ford est revenu dans la course avec la Taurus. Parfois, les expériences de mort imminente aident à voir plus clair. »

Le redressement, cependant, n'alla pas sans un certain nombre d'échecs qui coûtèrent cher à la marque. Apple avait réussi à prendre le virage d'Internet en rendant l'accès au Web aussi simple que n'importe quelle autre fonctionnalité du Mac. Mais l'eWorld d'Apple, la suite de services en ligne sur abonnement qui équipait les nouveaux iMac, fut un fiasco, malgré une interface conviviale qui suggérait qu'il était aussi simple de se connecter que de circuler d'un quartier à l'autre. En réalité, l'eWorld se contentait d'offrir un service de messagerie et la possibilité de télécharger des logiciels, et en pratique ce n'était guère plus facile d'utilisation qu'EarthLink et AOL, qui étaient fournis sur les PC Wintel.

Plus onéreux fut l'échec d'un des projets favoris de Ruby et Steve qui y collaborèrent en se disputant sans cesse, le Power Mac « Cube », qui fut lancé en 2000. Rappelant le design du NeXT Cube, en huit fois plus petit, le Cube G4 d'Apple avait un design si extraordinaire, si épuré, que le Museum of Modern Art en fit également l'acquisition. Malheureusement, rares furent les foyers et les bureaux qui en firent autant.

Steve adorait le Cube. Il intégrait une grande puissance – pas suffisante cependant pour être destiné à une utilisation réellement intensive – dans un cube translucide de 19,5 centimètres de côté. Ses câbles se branchaient sur le premier écran plat d'Apple de grande dimension. Mon écran avait 25 pouces et trônait à côté du Cube comme une sculpture minimaliste. Mais, cette fois, Steve fit des erreurs semblables à celles qu'il avait commises chez NeXT. Il négligea certaines des particularités techniques exigées par le design épuré auquel il tenait.

Pire encore, le Cube paraissait affligé d'une multitude de problèmes de fabrication. Sa coque en plastique transparent se fendillait souvent, tare rédhibitoire pour ce qui semblait être un chef-d'œuvre du design. Mon Cube ne s'est jamais fendillé ; en revanche, l'écran finit par présenter un défaut pour le moins singulier : des fourmis et d'autres insectes parvenaient à se glisser par des interstices du cadre transparent qui entourait l'écran et, une fois à l'intérieur, ils ne pouvaient plus ressortir. Au fil du temps, les deux pieds transparents de l'écran se remplirent de carcasses d'insectes, mais l'effet n'était pas aussi esthétique que ces mouches préhistoriques préservées dans l'ambre. Il m'est arrivé de taquiner Steve en lui parlant de l'hospitalité que son écran manifestait à l'égard des bestioles, mais ça ne l'amusait guère. Le Cube fut loin d'atteindre les chiffres qu'il escomptait et il y mit fin prématurément.

———

STEVE S'ÉTAIT ENTOURÉ d'une équipe mûre, chevronnée et rigoureuse, constituée de gens qui n'hésitaient pas à défendre farouchement leurs idées. Et pour une fois, il leur laissait un certain pouvoir – l'envergure d'Apple était telle qu'il ne pouvait simplement pas prendre toutes les décisions lui-même. Peu à peu, l'organisation se structura de façon qu'il puisse obtenir les informations dont il avait besoin sans avoir à contrôler les secteurs de la société où son rôle était moins décisif. Il pilotait la société au travers de l'équipe dirigeante (même s'il rassemblait de temps en temps les cent employés occupant les postes les plus élevés) et les réunions du comité de direction, le lundi matin, devinrent le pivot de la semaine. Cette délégation des pouvoirs fonctionnait relativement bien. Sur les questions financières, par exemple, « je faisais appel à lui quand j'en avais besoin », explique Anderson. Steve s'efforçait de rester attentif à l'évolution de la société alors en plein essor sans pour autant l'étouffer.

Par ailleurs, il aimait bien avoir un confident – quelqu'un avec qui plaisanter en dehors du cadre des responsabilités de la vie d'entreprise. Après le retour de Steve, ce fut Mike Slade qui joua ce rôle pendant quelques années. De son propre aveu, Slade n'est en rien un génie « créatif », comme Lee Clow ou Woz. Mais il était en prise avec la réalité, il disait ce qu'il pensait et il était à la fois suffisamment facile à vivre et indépendant d'esprit pour se permettre d'échanger des boutades avec Steve. Il avait également précisé qu'il ne voulait pas faire partie de la direction d'Apple, ce qui contribuait à préserver les relations amicales qu'il entretenait avec Steve. Il faisait parfois du jogging avec lui au petit matin et même du roller avec Laurene et lui.

Slade, qui était basé à Seattle, débarquait à Cupertino tous les lundis et les mardis. Il n'avait personne sous sa responsabilité, et Steve avait annoncé à son équipe qu'il n'avait pas d'autorité particulière. Mais lorsqu'il était chez Apple, il était quasiment en permanence aux côtés de Steve. Le lundi débutait par la réunion de l'équipe de direction. Puis ils allaient tous les deux déjeuner à la cafétéria avant de faire un tour au labo de design. Slade s'efforçait de prendre part à la discussion. « Jony disait des trucs du style : "Je ne suis pas sûr que ça s'articule bien avec le concept de design. Qu'est-ce que tu en penses, Steve ?" raconte Slade en riant. Et moi j'étais là : "Ouais, c'est cool. Je peux avoir un Coca, là ?" Ils me demandaient : "Tu crois qu'au niveau de l'opacité on est bons ?" Et moi j'étais là à me demander : "Mais qu'est-ce que je fais là ?" » Naturellement, Slade en savait plus qu'il ne veut bien l'admettre. Mais Steve aimait bien son sens de l'humour et son réalisme, il se laissait aller plus facilement avec lui qu'avec l'équipe dirigeante. « Slade jouait les fous du roi », dit Ruby, qui finit également par se lier d'amitié avec le consultant.

La plupart du temps, le lundi, après avoir rendu visite à Ive, ils allaient voir Avie et l'équipe qui travaillait sur le nouveau système d'exploitation d'Apple, baptisé OS X. Ce système révolutionnaire allait être le volant du développement extraordinaire de la décennie suivante, de la suite d'applications iLife et iOS – le système d'exploitation affiné qui donna naissance à l'iPhone et à l'iPad – jusqu'à l'émergence de la nouvelle industrie des logiciels destinée à produire les millions d'applications conçues pour ces appareils.

Si c'était avant tout les gadgets et les ordinateurs de Steve qui retenaient l'attention, le système qui les faisait tourner était tout aussi crucial. Steve disait toujours que le premier avantage compétitif d'Apple était d'avoir su créer ce qu'il appelait le *whole widget*, le tout complet, organique : la symbiose parfaite entre matériel et logiciel qui déterminait en soi une expérience utilisateur de qualité. Dans le monde des PC, le matériel et les logiciels provenaient de différentes entreprises qui n'étaient pas toujours dans les meilleurs termes, dont IBM, les fabricants de clones PC, Microsoft et Intel.

Sans un nouveau système d'exploitation qui puisse surpasser Windows, le Macintosh ne pourrait jamais opérer un retour en force. Le système existant était basé sur une technologie développée quinze ans auparavant pour le premier Mac et produisait à l'écran un effet vieillot, tant sur le plan de l'aspect que de la convivialité.

Du temps de NeXT, Avie avait conçu une version d'Unix qui était plus conviviale pour les utilisateurs tout en conservant la qualité et le sérieux d'un environnement informatique d'envergure internationale. Là encore, l'objectif était de créer un tout cohérent et elle avait donc été conçue pour s'adapter parfaitement au Cube NeXT. Mais lorsque la société avait été forcée de se rabattre sur l'édition de logiciels, Avie et son équipe s'étaient dit que, s'ils voulaient vendre l'OS de NeXT, le seul moyen était d'essayer d'attirer les utilisateurs des stations de travail des autres fabricants, comme Sun, IBM ou Sony, et peut-être même des micro-ordinateurs standards. Ils avaient donc créé des versions opérationnelles expérimentales sur des stations de travail Sun équipées de microprocesseurs SPARC, sur d'autres micro-ordinateurs et stations de travail techniques équipées des meilleurs microprocesseurs Pentium PC d'Intel et même sur le microprocesseur PowerPC qui était à présent le cœur des derniers Macintosh d'Apple.

Apple bénéficia à double titre de cette expérience de « portage » de l'OS NeXT sur d'autres machines. D'une part, Tevanian et son équipe arrivèrent à Cupertino avec le code source et le savoir-faire nécessaire pour apporter leur soutien à l'entreprise en difficulté quel que soit le microprocesseur utilisé dans les Macintosh à venir. Apple avait déjà changé de microprocesseurs par le passé et Steve voulait se réserver cette possibilité si nécessaire. Ses anciens programmeurs de NeXT s'étant familiarisés avec les arcanes de plusieurs plates-formes informatiques, ils pourraient l'aider à prendre une décision plus objective si jamais il était amené à opérer un nouveau changement. Leur impartialité était la garantie qu'ils l'encourageraient à adopter l'architecture susceptible de tirer le meilleur parti de leur système d'exploitation – en d'autres termes, celle qui leur permettrait de concevoir le meilleur *whole widget* possible. Steve avait là un atout maître dans sa manche dont il joua habilement durant de longues années.

D'autre part, et ce qui était plus important encore dans l'immédiat, tout le travail qu'ils avaient accompli chez NeXT avait fait de Tevanian et de ses collaborateurs une équipe de haut vol. Leur première mission était de moderniser l'aspect et la convivialité de NeXTSTEP tout en s'assurant que le système d'exploitation reste fiable et présente suffisamment de similarités avec le système Apple d'origine pour que les utilisateurs de Mac puissent migrer vers le nouveau système sans trop de gêne. L'autre priorité, c'était de préserver la compatibilité avec les applications fonctionnant sous l'ancien Mac OS 9, du moins à court terme. Enfin, ils devaient concevoir des outils destinés à aider les développeurs de logiciels à adapter leurs anciennes applications à OS X, voire à les réécrire pour pouvoir profiter de ses capacités de façon optimale.

Le développement de tout nouveau système d'exploitation comporte des difficultés multiples et variées, et bien qu'OS X fût essentiellement une version modifiée d'un système existant, son « Apple-isation » représentait une tâche colossale. Steve en avait conscience et se gardait d'imposer des délais impossibles à ses programmeurs. Il les supervisait avec un mélange de patience et d'impatience qui reflétait à la fois sa détermination et son respect. Il résulta de leur collaboration un système d'exploitation qui alliait la perception intuitive que Steve avait des besoins des consommateurs moyens et un code dense, fiable et flexible écrit par certains des plus grands programmeurs au monde. Un système qui conservait à l'écran tout l'attrait qui valait à la marque d'avoir une clientèle de passionnés qui lui restaient fidèles contre vents et marées.

Steve était particulièrement attentif à l'aspect et à la convivialité du système d'exploitation. Durant les réunions de l'après-midi consacrées à l'OS X auxquelles Slade assistait avec Steve, chacun des membres de l'équipe placés directement sous la responsabilité de Tevanian était reçu dans une salle fermée afin de présenter les derniers développements de l'aspect d'OS X dont il était chargé. « On décortiquait OS X à n'en plus finir, raconte Slade. Pixel par pixel, caractéristique par caractéristique, écran par écran. Est-ce que l'effet génie était bien ? Jusqu'où pouvait-on agrandir les icônes du dock ? Quel caractère choisir ? Toutes les semaines, l'ordre du jour consistait à faire valider l'aspect et la convivialité de chaque caractéristique par Steve.

« Il n'y avait rien dans le système d'exploitation qu'il ne validait pas, poursuit Slade. C'était exactement l'inverse de ce qui se passait chez Microsoft, où ils se basaient sur un cahier des charges de 500 pages [détaillant toutes les fonctionnalités que doivent créer les développeurs de logiciels]. Nous aussi, on avait un cahier des charges, mais Steve ne le regardait jamais. Il regardait seulement le produit. »

Quand il y avait quelque chose qu'il n'aimait pas, Steve demandait à un développeur d'interface graphique du nom de Bas Ording de faire une simulation de ce qu'il voulait. « Bas était un vrai génie, raconte Slade. Il tapotait pendant une minute et demie, il tapait sur une touche, et hop – on visualisait ce qu'avait demandé Steve. Ce type était génial. Ça faisait rire Steve. Il annonçait : "Codage en cours !" »

Le développement d'OS X était d'autant plus difficile qu'il fallait s'assurer que le nouveau système d'exploitation ne rende pas instantanément inutilisables les anciennes applications. La question de la rétrocompatibilité est une des difficultés majeures des sociétés informatiques – c'était un réel problème auquel Apple avait été confrontée dans les années 1980, lorsque les clients de l'Apple II avaient jugé que leurs logiciels fonctionnaient mal sur l'Apple III.

Steve était persuadé que les consommateurs d'Apple s'adapteraient plus facilement qu'on ne le pensait, car ils étaient bien plus enthousiasmés par leur Mac que les clients de Microsoft par leur PC. Il pensait qu'ils seraient prêts à franchir le pas et à adopter un nouveau système d'exploitation, quitte parfois à devoir racheter ordinateur et logiciels. Et il avait raison. Dans les dix années qui suivirent, Apple, qui cherchait avant tout à ce qu'OS X conserve sa modernité et son efficience, renonça peu à peu à prendre en charge les divers reliquats hérités des précédentes générations de matériels et de logiciels chers à une minorité qui exprimait parfois son mécontentement. La plupart des clients du Mac estimèrent cependant qu'une plate-forme en constante évolution valait bien la peine de faire quelques compromis.

Néanmoins, Steve et Avie firent de leur mieux pour que la transition vers OS X soit aussi anodine que possible. Ils exploitèrent en particulier un nouveau moyen de proposer les mises à jour. De plus en plus d'ordinateurs étant connectés en permanence au Web, Apple pouvait fréquemment mettre à jour les logiciels de leurs utilisateurs afin d'apporter des améliorations, des modifications et des corrections de bugs directement *via* Internet. Cela s'appliquait non seulement aux systèmes d'exploitation mais à toutes les applications, et c'était tout aussi pratique pour les utilisateurs que pour les développeurs de logiciels qui adorent fignoler leur travail une fois qu'il est « fini ». Avie et son équipe furent parmi les premiers développeurs de système d'exploitation grand public à tirer parti de cette possibilité, et leur démarche influa sur les attentes de centaines de millions de gens, des responsables informatiques aux utilisateurs de Smartphones à l'affût de la dernière version de leur jeu préféré.

De fait, lorsque OS X fut enfin lancé en septembre 2000, Apple présenta le système comme une version « bêta publique », sous-entendant qu'il s'agissait d'un projet en cours. Il était commercialisé à 29,95 dollars – soit le cinquième du prix courant d'une nouvelle version d'un système d'exploitation. Du point de vue du marketing, c'était une décision habile qui laissait supposer que les premiers à l'adopter soumettraient OS X à un galop d'essai et devaient s'attendre à quelques bugs et de légers défauts. Cela donnait également le temps à Apple de trouver comment gérer ces mises à jour en ligne. Et durant cette période, Avie et son équipe se servirent d'Internet pour présenter de multiples mises à jour qui améliorèrent le système. Cette forme de maintenance et de correction des logiciels en ligne devint rapidement la norme de l'industrie informatique. Elle modifia également les attentes des consommateurs, qui n'accepteraient plus de devoir patienter des mois que leurs fournisseurs de logiciels résolvent les problèmes.

Entre le répit que leur accordait le succès de l'iMac, le noyau Unix sur lequel leur système était basé et leur expertise en matière de codage, Avie et ses programmeurs avaient pu viser très haut. Aussi, lorsque OS X fut enfin prêt, il permit au Mac de faire des choses qu'aucun PC n'avait jamais pu faire. Les utilisateurs raffolaient des améliorations évidentes dans la présentation, comme la capacité de continuer à visionner une vidéo tout en déplaçant une fenêtre sur l'écran avec la souris. Et d'un point de vue esthétique, OS X était véritablement une réussite, avec son écran qui créait l'illusion de la 3D, et où les fenêtres semblaient projeter une ombre sur les objets au second et à l'arrière-plan. Il était compatible avec la plupart des anciens programmes du Mac, surtout lorsque leurs utilisateurs effectuaient quelques légères modifications faciles à télécharger et à installer. Mais derrière tout cela, il y avait Unix, le noyau de système d'exploitation que les geeks adorent tripatouiller.

Avec OS X, Apple s'était enfin doté d'une structure logicielle hautement compétitive. Les Mac plantaient bien moins que les PC. Un programme détraqué n'endommageait pas tout le système. Les ordinateurs paraissaient presque à l'abri des virus. Et le système de fichiers était facile à utiliser et donnait aux utilisateurs le choix entre trois formats de liste pour visualiser et localiser leurs fichiers. Sous le capot, OS X était le socle logiciel de pointe qui allait permettre à Steve de créer tout ce qu'il voulait au cours des années suivantes.

———

COMME LE DIT Ruby, la mission était de sauver Apple. Et au début de l'année 2000, quasiment tout semblait indiquer que Steve et son équipe avaient réalisé cet objectif. Ils avaient reconstruit et régénéré la gamme d'ordinateurs de la marque. Ils avaient entrepris de fournir aux utilisateurs un socle logiciel fiable et moderne. Le moral était au beau fixe et la société avait retrouvé sa vocation. Mais plus encore, Steve avait visiblement changé, en tant que leader et manager. Durant les trois ans et demi qui s'étaient écoulés depuis son retour, il avait pu mesurer que cette approche plus progressive du développement informatique pouvait être la source d'un équilibre susceptible d'inscrire la réussite d'une entreprise dans la durée.

C'est du moins ce qu'il semblait. En septembre 2000, Apple publia un rapport de résultats catastrophique. En dépit de tous ces nouveaux produits et de cette technologie novatrice, les ventes de la société poursuivaient leur baisse. Le cours de l'action chuta, passant de 63 dollars début septembre à 15 dollars à la fin de l'année. Les piètres ventes du Cube étaient de toute évidence la plus grande déception, mais le marasme était général. Steve semblait avoir quasiment atteint les limites du développement du micro-ordinateur. Il avait remis le navire à flot, calfaté les brèches laissées par Amelio et fédéré les équipes en fixant le cap à suivre. Apple était de nouveau rentable. Mais pour achever le redressement de la firme, il lui fallait recommencer à créer de nouveaux produits susceptibles de déstabiliser le secteur et d'ouvrir de nouvelles opportunités. En attendant, à la clôture de l'exercice 2000, les ventes trimestrielles d'Apple étaient inférieures à celles qu'affichait la société à son arrivée. Et la majeure partie des bénéfices engrangés par les actionnaires depuis son retour s'étaient évaporés. Pour reprendre le titre d'un article que j'avais écrit pour *Fortune*, Steve était le prince grisonnant d'un royaume qui rétrécissait. Il fallait que les choses changent.

Chapitre 10
Se fier à son intuition

B ill Gates fut le premier à tracer l'avenir d'Apple dans ses grandes lignes. C'était le 5 janvier 2000, lors du Consumer Electronics Show (CES) à Las Vegas. Naturellement, il voulait présenter la stratégie de Microsoft et non celle d'Apple. Mais la réalité fut tout autre. Le CES était alors un salon en plein essor. Durant des années, il avait été le rendez-vous des fabricants produisant toutes sortes d'objets, des enceintes auto aux chaînes hi-fi et aux télévisions, jusqu'aux jeux électroniques de football qui bipaient quand on pressait les boutons, aux caméras vidéo et aux systèmes de sécurité pour les habitations. L'arrivée des sociétés informatiques avait transformé l'événement qui allait devenir en l'espace de quelques années le plus grand Salon high-tech au monde, pouvant attirer jusqu'à cent cinquante mille visiteurs et paralysant quasiment Sin City durant toute une semaine, en janvier.

Ce soir-là, au Las Vegas Hilton Theater, Gates s'exprima devant une salle comble, où se pressaient plus de trois mille personnes à qui il révéla que Microsoft se préparait à entrer « dans l'ère "électronique grand public plus" ». Les PC équipés du système d'exploitation Windows allaient devenir l'élément central de « centres média domestiques » connectés à Internet qui interagiraient avec les équipements des consommateurs et même les appareils électroménagers, tous équipés de logiciels Microsoft. Ce serait un véritable atout pour les consommateurs, expliqua-t-il, qui bénéficieraient alors d'un « accès personnalisé et pratique à leur contenu de musique, d'information et de divertissement préféré, ainsi qu'à leurs photos de famille et leurs mails, au travers de toute une gamme d'appareils électroniques grand public, dont la télévision, le téléphone, les chaînes hi-fi, le système audio de leur voiture et les Pocket PC. »

Le discours était une projection, un avertissement et un plan d'action. Gates préfigurait ce que serait la maison de demain une fois qu'un certain nombre de phénomènes se seraient réalisés et conjugués. Il y aurait davantage de connectivité entre les équipements, l'accès à toute une nouvelle gamme de contenu numérique et de programmation *via* Internet, de nouveaux jeux interactifs pour jouer chez soi, et des appareils avec des écrans réactifs et des logiciels intelligents qui remplaceraient de simples gadgets électroniques avec des boutons. Voilà ce que nous allons faire de votre monde, annonçait Gates aux constructeurs d'appareils électroniques. Ça va arriver, que ça vous plaise ou non. Alors rejoignez-nous, vous autres les vétérans du four à micro-ondes, de l'autoradio, du casque et de la télévision. C'est la solution de votre avenir, qui soit en dit en passant nous appartient !

Tel était à l'époque le pouvoir du dirigeant incontesté de l'empire informatique. Microsoft était parvenu à ce point à infiltrer en profondeur puis contrôler tous les aspects de la technologie numérique déterminante sur le plan mondial qu'aux yeux de l'immense majorité du public du CES il était évident que, si Microsoft avait décrété que c'était l'avenir, il en serait ainsi. La conséquence manifeste, que Gates s'était bien gardé d'évoquer, c'est ce serait une extraordinaire aubaine pour Microsoft qui, en établissant le cahier des charges auquel devraient se conformer les constructeurs d'équipements de toutes sortes, assurerait sa domination sur le meilleur des mondes qui se profilait à l'horizon.

En imposant sa loi sur le marché des nouveaux appareils électroniques grand public, Gates aurait pu résoudre son problème majeur : Microsoft n'affichait plus le taux de croissance galopant de 25 % qu'appréciaient les investisseurs du secteur du high-tech. Il faut se rappeler qu'à l'époque où Bill et Steve s'étaient lancés dans le secteur, l'informatique était encore le fief des IBM et Digital Equipment Corporation de ce monde, qui vendaient leurs grosses machines à des prix prohibitifs à une centaine de grandes entreprise, de gouvernements et d'universités. À mesure que la loi de Moore faisait baisser les prix, les fabricants de micro-ordinateurs avaient pu écouler leurs produits auprès d'une multitude de petites, moyennes et grandes entreprises qui avaient désormais les moyens d'investir dans des ordinateurs puissants susceptibles d'améliorer leurs performances. Mais numériquement parlant, le plus grand marché potentiel était relativement inexploité. Une fois que l'on réussit à vendre de l'informatique directement aux consommateurs et que l'on introduit de l'informatique dans des produits qui entrent dans leur vie quotidienne, les volumes prennent une tout autre ampleur. Songez un peu : selon des chercheurs du Gartner Group, 355 millions d'ordinateurs personnels – serveurs, ordinateurs de bureau et portables – ont été vendus dans le monde en 2011. Environ 1,8 milliard de portables ont été vendus la même année. Et c'est compter sans tous les autres appareils informatiques ou connectés, dont les consoles de jeux vidéo, les baladeurs, les lecteurs MP3, les radios, les thermostats, les GPS et tous les objets qui deviennent intelligents grâce à l'informatique connectée.

Gates, qui est peut-être un des meilleurs analystes stratégiques au monde, avait anticipé cette évolution. Et il escomptait bien que Microsoft s'imposerait sur ce marché, tout comme la firme s'était imposée dans le secteur de l'informatique. Qui d'autre en effet pouvait déterminer les normes des interactions numériques entre les appareils ? Telle était la stratégie de Gates : imaginer l'avenir et le concrétiser. Il avait des préoccupations et des ambitions d'une telle envergure qu'à côté celles de Steve faisaient pâle figure. Il voulait les logiciels de

Microsoft sur des milliards d'appareils ; Steve cherchait seulement à vendre quelques milliers de Mac supplémentaires chaque mois. Gates était le seul à pouvoir raisonnablement envisager de régner sur son ère de l'« électronique grand public plus », qui en dépit de ce nom maladroit, était clairement inéluctable. Il était puissant et extrêmement intelligent : malgré son penchant pour les discours aussi prolixes qu'abscons, il avait merveilleusement réussi à dépeindre l'avenir de l'informatique tel que nous le connaissons aujourd'hui, quelque quinze ans plus tard. Steve Ballmer et lui n'avaient plus qu'à mettre en œuvre la stratégie. S'ils y parvenaient, ils effectueraient la transition et mettraient le cap sur cet avenir, permettant ainsi à Microsoft de retrouver le taux de croissance qu'appréciaient tant les investisseurs.

Nul ne le savait à l'époque, mais le discours que fit Gates à Las Vegas en ce matin de janvier marqua l'apogée de l'hégémonie de Microsoft. Le 31 décembre 1999, la firme valait 619,3 milliards de dollars, avec des actions à 58,38 dollars. Sa valeur ne devait jamais dépasser ce seuil.

Ce fut une société qui luttait encore pour survivre en marge de l'industrie informatique qui accomplit la vision de Gates. Elle y parvint en progressant pas à pas, en suivant d'instinct l'évolution de la technologie et en faisant preuve d'opportunisme. Au cours des quelques années qui suivirent, Steve impulsa à Apple une tout autre cadence. Personne ne s'en doutait alors, mais l'avenir appartenait à Apple, non à Microsoft.

———

LORSQUE LA NOUVELLE de l'ambitieuse présentation de Bill au CES parvint à Cupertino, Avie Tevanian et Jon Rubinstein persuadèrent Steve d'organiser une réunion d'urgence du comité de direction au Garden Hotel, dans le centre de Palo Alto, pour reconsidérer l'orientation d'Apple. « Bill Gates parlait déjà de ce que nous avons appelé par la suite notre stratégie de la "plate-forme numérique", raconte Mike Slade. Alors j'ai copié son discours et je l'ai balancé à Steve à la réunion. Je lui ai dit : "C'est à nous de le faire, tu ne crois pas ? On ne peut pas laisser ça à Microsoft. Ils vont merder !" »

Les employés d'Apple n'avaient jamais jugé Microsoft capable de créer autre chose que des technologies grand public laides, compliquées et mal ficelées. Leur animosité remontait à des dizaines d'années. Bien que les applications de Microsoft, Word, Excel et PowerPoint aient contribué dans une large mesure au succès du Mac, Cupertino jugeait que la création dérivée que constituait Windows était un péché impardonnable. À son retour, en 1997, Steve s'était montré pragmatique en proposant d'abandonner les poursuites engagées depuis des années par Apple à l'encontre de Microsoft pour conclure le marché avec Gates. Mais les gens de Cupertino persistaient à penser que Windows était un plagiat pur et simple des idées d'Apple. Pire encore, ils estimaient que c'était un vol qui manquait d'élégance et qui avait été imposé au monde avec une brutalité qu'Apple méprisait autant qu'elle l'enviait.

L'équipe de Steve était sincèrement persuadée qu'un monde défini par la vision dite « électronique grand public plus » de Microsoft ne pouvait qu'être aussi laid que le nom barbare dont il avait été affublé. En 2000, pour se convaincre de la maladresse dont pouvait faire preuve la firme de Gates lorsqu'elle s'efforçait de sympathiser avec de vrais humains et non la clientèle d'entreprises qui était la seule dont elle s'était jamais réellement souciée, il suffisait d'ouvrir Word, Excel ou PowerPoint sur un PC où l'on était accueilli par un « concierge » interactif baptisé « Clippy ». Un trombone anthropomorphique parlant, destiné à jouer le rôle d'une fonctionnalité d'aide conviviale auprès des utilisateurs de la suite bureautique Office. Pour bon nombre d'utilisateurs, Clippy était une abomination paternaliste et inepte que l'on avait toutes les peines du monde à supprimer de l'écran de son PC. Il figura par la suite en bonne place au classement des cinquante pires inventions du monde établi par le magazine *Time*, aux côtés de l'agent orange, des subprimes et de la Ford Pinto.

L'équipe d'Apple ne pouvait accepter l'idée de laisser les créateurs de Clippy déterminer l'aspect et la convivialité du nouveau monde d'informatique, de communication et de médias numériques grand public qui se dessinait. Elle voulait que les nouvelles technologies numériques grand public soient tenues de respecter une élégance, une beauté et une simplicité exemplaires. Apple avait toujours montré un sens de l'esthétique et du design qu'aucun de ses concurrents n'avait su égaler. Il suffisait de comparer un iMac au PC moyen.

Gates savait qu'il n'aurait jamais la sensibilité esthétique de Jobs. « Steve attendait des choses extraordinaires de son travail et des produits qu'ils créaient, dit-il. Il était sensible au design. Quand j'entre dans une chambre d'hôtel, je ne vais pas me dire : "Oh, le design de la table est horrible, ils auraient pu faire bien mieux." Quand je regarde une voiture, je ne me dis pas : "Oh, si j'avais dessiné cette voiture, j'aurais fait ceci ou cela." Les gens comme Jony Ive et Steve Jobs voient tout comme ça. Moi, je regarde un code et je me dis : "OK, l'architecture est bonne", mais c'est juste une autre façon de concevoir le monde. Ce qu'il y avait de plus naturel, de plus inné chez lui, c'est de savoir déterminer avec une intuition extraordinaire si un produit répondait aux exigences requises. Il avait des critères d'exigence extrêmement élevés pour décider que quelque chose était de la merde ou pas. » Et si l'on se fiait à ces critères, l'équipe dirigeante de Steve avait raison : Microsoft et Apple avaient une vision radicalement différente de ce qui constituait un design acceptable – et plus encore un design de génie. Si ces applications et ces appareils étaient appelés à devenir aussi omniprésents que le proclamait Gates, c'était l'occasion ou jamais d'établir une norme d'esthétique aussi bien fonctionnelle que stylistique du mode d'interaction entre l'utilisateur moyen et les technologies numériques.

Apple s'était déjà essayée à ce marché en plein essor avec une application bien conçue mais mal choisie baptisée iMovie. Elle avait été lancée au moment précis où les Caméscope numériques à prix abordables des constructeurs japonais comme Sony, JVC ou Panasonic commençaient à être commercialisés. Steve s'était dit qu'une application simple et élégante de montage vidéo était exactement ce dont les acheteurs avaient besoin. iMovie était une application sophistiquée qui simplifiait considérablement le montage des vidéos amateur aux images saccadées pour en faire des films soignés, quasiment professionnels. Mais si iMovie était la preuve qu'Apple était capable de créer des logiciels grand public en prise avec l'époque, il démontrait également que le marché grand public, lui, pouvait être diaboliquement imprévisible. iMovie était une solution élégante à un problème que les consommateurs ne rêvaient pas encore de résoudre.

En octobre 1999, Steve profita du lancement d'une nouvelle génération d'iMac survitaminés pour présenter iMovie. Mais les ventes avaient du mal à décoller. Aussi, en décembre 1999, lors d'une réunion de l'équipe dirigeante, Steve distribua un des premiers prototypes de Caméscope Sony à six des hauts responsables, en leur demandant à chacun de tourner un film amateur de quatre minutes, de le monter et de faire en sorte qu'il soit prêt à être visionné une semaine après. Il choisirait le meilleur pour le projeter lors de sa présentation à la Macworld de janvier 2000 afin de prouver que n'importe qui pouvait maîtriser iMovie en l'espace d'un week-end.

« Fred [Anderson], Ruby [Jon Rubinstein], Avie [Tevanian], Tim [Cook], Sina [Tamaddon] et moi, nous avons tous fait un film de quatre minutes. Pour être franc, ce n'était pas une mince affaire, même pour des geeks comme nous, raconte Slade. Il fallait tourner le film, puis transférer la vidéo sur l'iMac, la monter, ajouter de la musique, le générique, puis retransférer le tout sur le Caméscope parce qu'il n'y avait pas assez de place sur le disque dur pour contenir à la fois les séquences vidéo originales et le film terminé, et on n'avait pas encore de graveur de DVD. Pour beaucoup d'entre nous, c'était une stratégie ridicule.

« Mais les films étaient plutôt drôles, reconnaît-il. À l'époque, mes enfants étaient petits, et je les ai montrés en train de jouer dans les feuilles un jour d'automne avec en bande-son "Tupelo Honey" de Van Morrison. Steve avait fait le sien avec ses enfants, lui aussi. Quant à Fred, apparemment il avait une vie si peu passionnante qu'il avait filmé son matou. Celui de Tim racontait qu'il essayait de s'acheter une maison à Palo Alto et que l'immobilier était hors de prix. Mais pour moi, le meilleur, c'était celui de Ruby. Il était parti en voyage d'affaires à Dallas cette semaine-là, pile le jour de son anniversaire, alors il a fait un film totalement pince-sans-rire sur les temps forts de la journée, avec des scènes où on le voyait seul dans sa chambre d'hôtel, dans des salles de réunion et d'autres endroits aussi palpitants,

et partout où il allait, il disait : "Joyeux anniversaire, Jon. Youhou !"
Et Sina a fait un très joli film sur ses enfants qui jouaient avec leurs
animaux et sautaient sur le lit sur une chanson de Green Day. » (C'est
celui que choisit Steve pour la Macworld.)

Les petits films étaient peut-être drôles à voir, mais pour la plupart
d'entre eux, il avait fallu des heures pour les créer. Le montage vidéo,
même simplifié par iMovie, était un processus qui exigeait du temps, du
sérieux et du talent. C'était le genre de choses que les parents pouvaient
faire uniquement dans leurs rares moments de loisir, le week-end, s'ils
avaient du temps devant eux. Ce n'est qu'après la réunion au Garden
Court demandée par Avie et Ruby que Steve reconnut qu'Apple avait
besoin de créer une application grand public bien plus simple qu'iMovie, et dont les utilisateurs puissent se servir tous les jours. Lors de la
réunion, l'idée d'une application de gestion de contenu musical avait
fait l'unanimité. Au lieu de camper sur ses positions en réclamant que
l'on multiplie les efforts pour imposer iMovie sur le marché, Steve
choisit de suivre son équipe dans le monde de la musique numérique.
La grande question, cependant, était de savoir si Apple pouvait rattra-
per le temps perdu et débarquer alors que la fête battait déjà son plein.

———

CE N'ÉTAIT PAS étonnant que Steve ait été attiré par iMovie, car c'était
une application essentiellement destinée aux parents. Depuis la naissance d'Eve, en 1998, Laurene et lui avaient désormais trois enfants
et, au tournant du XXIe siècle, la famille menait une vie relativement
normale et bien réglée.

Steve avait une grande capacité à compartimenter et à se concentrer
qui lui était précieuse pour opérer le redressement d'Apple, et cette
même qualité lui permettait d'établir un équilibre entre sa vie professionnelle et sa vie de famille. À l'époque où il pilotait le projet Mac ou
dirigeait NeXT, l'objectif qu'il s'était donné de créer une innovation
révolutionnaire avec une petite équipe l'obligeait souvent à passer des
soirées entières au bureau. Mais son rôle chez Apple n'était plus le

même : maintenant qu'il était à la tête de milliers de salariés, il dirigeait l'entreprise au travers d'un petit groupe de hauts responsables. Au lieu d'être en permanence sur le dos de ses ingénieurs et programmeurs, il pouvait effectuer une grande part de ses tâches par mail. Il réussissait donc à être de retour pour le dîner quasiment tous les soirs et passait du temps avec Laurene et les enfants avant de retourner travailler sur son ordinateur jusqu'à des heures tardives.

À l'époque, il était sur ma liste de contact iChat, et au milieu de la nuit, je voyais régulièrement à l'écran le point vert affiché à côté de son nom, ce qui signifiait qu'il était connecté sur son Mac. (iChat était l'application de chat vidéo d'Apple et il nous arrivait de l'utiliser pour discuter affaires, même si son fils Reed, qui avait une dizaine d'années, se glissait parfois derrière Steve pour me faire des grimaces pendant que nous parlions.)

Sur une échelle évaluant le temps que les parents passent avec leurs enfants par rapport à celui qu'ils consacrent à leur travail, Steve aurait largement fait partie de la seconde catégorie. Laurene et lui avaient toujours su qu'il travaillerait énormément – quand ils s'étaient mariés, le principe était déjà acquis. « Nous ne sortions pas beaucoup ni l'un ni l'autre, confie Laurene. Pour nous, ça n'a jamais vraiment eu d'importance. » Laurene travaillait souvent à ses côtés le soir, tout d'abord sur Terravera, une petite société d'alimentation bio qu'elle vendit par la suite, puis sur College Track, sa première organisation philanthropique. Ils avaient des bureaux contigus : elle lui soumettait des idées et fréquemment, le soir, il passait une heure ou deux à discuter d'Apple avec elle. Ils regardaient souvent une émission avant de dormir, le plus souvent *The Daily Show*, présentée par Jon Stewart, qui avait été lancée en 1999. C'était essentiellement Laurene qui se chargeait de l'éducation des enfants, mais ils s'organisaient de façon que Steve y participe le plus possible. La famille passait régulièrement Noël à Hawaï, principalement dans un bungalow du Kona Village Resort.

Outre cet emploi du temps qui tenait compte de la charge de travail de Steve, le couple s'efforçait de donner à ses enfants ce que Steve appelait lui-même une « vie normale ». Laurene et lui avaient créé un environnement conforme tout au plus au mode de vie des classes aisées. Au fil des années, leur quartier s'était de plus en plus peuplé de gens riches et célèbres (Larry Page, de Google, habitait juste à côté, et Steve Young, le légendaire quarterback des San Francisco 49ers, était un de leurs voisins), mais Steve et Laurene faisaient en sorte que leur maison soit aussi accueillante que possible. Il n'y avait pas de mur autour de la propriété. La porte d'entrée donnait directement sur la rue. Les enfants se baladaient dans le quartier. Ils faisaient du vélo en famille.

Steve et Laurene finirent même par ajouter des meubles au compte-gouttes. « Tout ce qu'on raconte est malheureusement vrai, soupire Laurene sans pouvoir s'empêcher de rire, cependant. Il mettait vraiment un temps fou à se décider pour ce genre de choses, mais il faut dire que moi aussi. » Si on voyait bien ici et là quelques traces de la présence des enfants, la maison était habituellement bien mieux rangée que chez moi – c'est l'avantage d'avoir du personnel. Même si l'intérieur était agréable, j'ai toujours pensé que le cœur de la maison était le grand jardin avec son potager sur lequel donnait la cuisine. Il ne ressemblait en rien aux jardins paysagers qui agrémentaient les propriétés du quartier et faisait tout le charme de l'endroit. Quand je venais, il m'arrivait de surprendre Steve qui venait de faire du jardinage ou Laurene qui rentrait avec un des enfants, un panier de légumes et de fleurs à la main.

C'était le refuge de Steve. S'il arrivait que ses collègues viennent lui rendre visite, il faisait en sorte de maintenir la presse à l'écart de sa vie privée. Comme avec les autres journalistes qui le connaissaient bien, il était entendu que toutes les conversations que nous pouvions avoir au sujet de sa famille étaient confidentielles – quand j'avais raconté dans *Fortune* que mes enfants étaient venus voir *Toy Story* avec son fils Reed, je lui en avais au préalable demandé l'autorisation.

Mais Steve et Laurene ne se cachaient aucunement du voisinage. On les croisait régulièrement dans le centre de Palo Alto. *Fortune* avait son bureau de la Silicon Valley dans Emerson Street, non loin d'un bâtiment que Steve avait acheté pour avoir un bureau à proximité de chez lui. Il ne s'en servait pas souvent, mais dans ces cas-là, il n'était pas rare de le voir se balader avec un collaborateur ou faire des courses. (Lorsque *Fortune* prit entre autres mesures de réduction des coûts la décision de fermer son bureau, j'en ai parlé à Laurene, qui a loué les locaux pour abriter le siège d'une organisation à but non lucratif qu'elle venait de fonder, Emerson Collective.) Un jour, j'étais tombé sur Steve et nous avions fini par aller acheter un nouveau vélo à Laurene pour son anniversaire. Steve savait déjà ce qu'il voulait et cela n'avait pas pris longtemps. Nous étions allés chez Palo Alto Bicycles, dans University Avenue, et dix minutes plus tard, nous en étions ressortis. « Je ne demanderais jamais à Andrea de se charger de ce genre de choses, m'avait-il en parlant de son assistante de longue date. J'aime bien acheter moi-même les cadeaux pour ma famille. »

Ces rencontres banales avec un homme qui, pour reprendre la formule concise de Catmull, « s'écartait tellement de la moyenne » étaient si mémorables qu'après la mort de Steve des dizaines de gens les évoquèrent sur Quora, un site de questions-réponses particulièrement apprécié dans la Silicon Valley. Tim Smith, un designer, racontait ainsi comment son vieux coupé Sunbeam Alpine était tombé en panne devant l'allée des Jobs. Laurene était venue lui apporter une bière et, alors qu'il essayait de trouver une solution, lui avait proposé d'appeler un de leurs amis qui connaissait bien les Sunbeam. Quand l'ami en question était arrivé – en smoking, s'apprêtant à aller à une soirée –, Steve était sorti de la maison avec Reed. Steve était monté dans la voiture et avait essayé de la faire démarrer pendant que son ami s'efforçait en vain de relancer le moteur. Comme le raconte en ligne Smith : « Je m'interromps un instant – c'est une image incroyable, un moment qu'on ne veut pas oublier. C'est une belle soirée d'automne à Palo Alto. Ta voiture est en panne. Un ami de Steve, en tenue de soirée, bricole ton moteur, la tête sous le capot. Tu bavardes avec sa femme qui est d'une simplicité et d'une gentillesse extraordinaires. Steve est dans la voiture avec son fils, et il essaie de la faire démarrer. C'est rare de se retrouver à côté de gens comme Jobs, et encore plus dans une situation aussi ridicule que celle-là, où on s'aperçoit qu'en réalité ce sont des gens bien. Des gens normaux, drôles, charitables, authentiques. Qui n'ont rien à voir avec l'image que la presse en donne. Steve n'est pas le despote hystérique du business et du design que les médias décrivent en permanence. Enfin, si, peut-être, mais pas tout le temps. »

C'était un aspect de la vie de Steve que l'on voyait rarement et il ne faisait rien pour que cela se sache. Le mythe répandu qui voulait que Steve soit un égocentrique brillant et ambitieux, prêt à écarter tout ce qui pouvait se dresser sur son chemin, à sacrifier n'importe qui, n'importe quoi pour sa carrière, allait malheureusement de pair avec l'idée que ce devait être un mauvais père, un ami déloyal, un homme incapable de sollicitude et d'amour. Ce stéréotype était on ne peut plus éloigné de l'homme que je connaissais.

À l'opposé de cette caricature, et contrairement à la plupart des CEO que j'ai pu interviewer pour *Fortune* et le *Wall Street Journal*, Steve m'a toujours paru humain et spontané, avec une tendance à se montrer d'une franchise parfois dure mais juste. Évidemment, cela avait parfois des effets négatifs : il pouvait être blessant quand il critiquait un article publié par *Fortune*, et je l'ai entendu plus d'une fois se moquer avec mépris de certains de mes confrères en faisant preuve d'une arrogance inimaginable. Mais il lui arrivait aussi de faire l'idiot : un jour, en me parlant d'une nouvelle interface graphique si sublime, disait-il, qu'on « en lécherait l'écran », il s'était penché pour lécher l'écran panoramique devant une salle pleine d'ingénieurs. Et il pouvait également être d'une drôlerie désarmante : une fois, j'étais venu l'interviewer avec une chemise en soie criarde ornée d'un motif de vagues verticales bleu marine séparant des espèces de fleurs rouge sang, qui devaient bien faire 7 centimètres chacune. Ça faisait comme des grosses éclaboussures qui hurlaient sur la chemise. Quand je suis entré dans la salle de réunion, Steve m'a regardé des pieds à la tête puis m'a lancé d'un ton malicieux : « Vous avez croisé un peloton d'exécution avant de venir me voir ? » Il a marqué une pause pour ménager son effet, et puis il a pouffé de rire. Il était capable de se tordre de rire quand quelque chose l'amusait vraiment ; Laurene ne l'entendait jamais autant rire que lorsqu'il faisait des blagues avec les enfants.

Je ne le considérais pas pour autant comme un père modèle. Je savais qu'il travaillait dur et que sa farouche détermination avait un prix. Mais au fil des années, j'avais pu avoir un aperçu de sa vie privée, et elle me paraissait aussi authentique que celle de mes amis et mes confrères. Ces anecdotes racontées sur Quora et les moments que j'ai vécus avec lui dans Palo Alto ou chez lui sont on ne peut plus banals. Mais avec le temps, j'ai fini par comprendre que c'était bien là la question : il avait foncièrement besoin d'une certaine normalité dans sa vie, et c'était chez lui qu'il la trouvait réellement. Au milieu des siens. Ils lui procuraient l'exutoire salutaire – et profondément humain – qui lui était indispensable, d'autant plus que chez Apple il se préparait à plonger tête la première dans un avenir incertain.

SI IMOVIE AVAIT été une sorte de mission exploratoire dans le monde des applications numériques grand public, iTunes allait être la grande expédition. Armé d'une équipe en qui il avait de plus en plus confiance, de sa profonde sensibilité esthétique, de la conviction que l'alliance de l'art et de la technologie pouvait aboutir à des choses extraordinaires et du sentiment croissant que les grandes idées progressent par à-coups, Steve était prêt à voir ce qu'Apple pouvait apporter au monde de la musique. Avec le recul, naturellement, il paraît évident que c'était la voie à suivre. Mais comme dans tous les voyages éprouvants qui se révèlent enrichissants, rien n'indiquait au départ qu'Apple arriverait à bon port. Steve allait devoir se fier à son intuition.

Il avait toujours aimé la musique, mais comme beaucoup de gens d'une quarantaine d'années, sa playlist était relativement bien établie. Il nous arrivait de parler des Beatles et de Dylan, et de temps à autre l'un de nous critiquait une nouveauté qui ne nous plaisait pas trop. On vire rapidement au vieux croûton, en musique, et à cet égard, Steve était comme tout le monde.

Cela explique peut-être qu'il n'ait pas réagi plus tôt à l'explosion, dans les années 1990, des formats numériques pour stocker et écouter de la musique sur les micro-ordinateurs. À cette époque, plusieurs start-up s'étaient essayées à des applications « jukebox » qui géraient les

MP3 – l'abréviation désignant les fichiers numériques qui contenaient sous forme compressée de la musique enregistrée qui a été « rippée » (autrement dit copiée) d'un CD audio sur le disque dur d'un micro-ordinateur. D'autres développaient leurs propres algorithmes de compression avec cryptage dans l'espoir de convaincre l'industrie du disque d'adopter leur technologie et de concevoir un nouveau modèle économique qui consisterait à vendre de la musique aux consommateurs en ligne. Deux de ces algorithmes avaient même été lancés ou financés par des anciens de Microsoft – RealNetworks et Liquid Audio.

Et puis il y avait Napster, la trouvaille du jeune Shawn Fanning, originaire du Massachusetts. Napster est l'application qui fit tout exploser. À l'été 1999, Fanning avait inventé un système de partage de fichiers dit « peer to peer » qui permettait à des individus partout dans le monde – *a priori* quiconque avait un ordinateur et une connexion Internet – d'uploader et downloader des MP3, créant ainsi le moyen d'échanger les morceaux de musique. Les fichiers étant sous forme numérique, il était quasiment impossible de distinguer les copies gratuites des originaux. C'était une des premières applications véritablement virales, une vraie « killer app », qui séduisit des millions d'utilisateurs en l'espace de quelques mois. Elle était également illégale. Napster facilitait le piratage à grande échelle de musique enregistrée, déclenchant un changement de comportement général de la part des consommateurs de musique, qui allait quasiment briser le modèle économique traditionnel de l'industrie du disque. La justice mit fin à Napster en 2001, mais entre-temps, l'application était devenue un véritable phénomène culturel et la célébrité de Shawn Fanning lui avait valu de faire la couverture du *Time*.

Cette tendance s'était amorcée alors que Steve était occupé à stabiliser Apple. Il s'attaquait aux problèmes auxquels il était confronté : rationaliser le stock, équilibrer la trésorerie, réduire les effectifs, réunir une nouvelle équipe de management et redynamiser la publicité et le marketing, sans parler du design des nouveaux produits. Steve était entièrement concentré sur les besoins et les questions internes à la firme. Jusque-là, la musique était vaguement présente, juste en bordure de son champ visuel, mais il se rendait compte qu'Apple allait devoir s'y mettre, et vite.

L'histoire du passage d'Apple à la musique numérique est celle d'un homme et d'une équipe qui apprirent à s'adapter sans cesse à mesure qu'ils avançaient. Steve avait consolidé la société en réduisant sa gamme de produits afin qu'Apple puisse de nouveau produire des ordinateurs uniques. Il avait réaffirmé la vocation de la marque, aux yeux des employés et du public, grâce à un marketing ingénieux et des résultats financiers honorables. Mais son catalogue de produits était toujours centré sur les ordinateurs. À présent que Steve se rendait compte que la fusion des appareils électroniques et de l'informatique générait un marché en pleine expansion, Apple devait transformer son métabolisme et Steve changer bon nombre de ses vieilles habitudes. Apple allait devoir montrer plus de réactivité qu'elle n'en avait jamais eu, et la création d'iTunes en fut le premier exemple. Steve avait fait preuve d'une ouverture étonnante en reconnaissant que la marque devait oublier iMovie pour se lancer dans la musique numérique. Il fallait à présent qu'il conserve cette souplesse d'esprit et se fie à son intuition, où qu'elle l'entraîne.

Steve avait toujours préféré qu'Apple crée ses propres logiciels de A à Z : il avait plus confiance en ses équipes qu'en quiconque. Mais la firme se lançait si tard sur le marché de la musique numérique qu'elle n'aurait pas le temps de développer à elle seule un programme de gestion de musique. Steve décida donc de chercher une application jukebox existante à laquelle Apple puisse apporter sa touche.

La meilleure d'entre elles était une application à 40 dollars, baptisée SoundJam, qui se trouvait avoir été créée par deux anciens développeurs d'Apple. Si SoundJam intéressait Steve, c'est également parce que l'application reposait sur un programme de base de données qui permettait de cataloguer la musique selon plus d'une dizaine de critères. C'était une des préférées des utilisateurs dits intensifs qui devaient gérer de vastes collections de titres. Elle était simple d'utilisation et pouvait importer des fichiers de musique directement des CD audio et les compresser sous divers formats en réduisant la taille des blocs de données numériques.

En mars 2000, Apple racheta SoundJam en imposant des conditions inhabituelles : les auteurs de l'application viendraient travailler chez Apple, mais le distributeur de leur logiciel continuerait à vendre le produit SoundJam jusqu'à ce qu'Apple l'ait reconverti en iTunes. L'autre astuce, c'était que la transaction devait rester confidentielle pendant deux ans. Aux yeux du public, rien ne devait indiquer qu'il y ait eu le moindre changement chez SoundJam, le distributeur et les programmeurs de SoundJam continueraient à toucher de l'argent et Apple pourrait dissimuler son projet de développement d'une application jukebox. Il était crucial de conserver le secret, car de multiples acteurs — studios, fabricants d'appareils électroniques, sociétés high-tech, diffuseurs — cherchaient par tous les moyens à pénétrer le marché de la musique numérique. Apple avait été victime de fuites d'informations durant les premières années et sous l'ère Sculley/Spindler/ Amelio. Mais Steve avait réglé le problème en annonçant clairement que quiconque serait surpris à divulguer des informations ou des projets relatifs à la société serait immédiatement renvoyé. La transaction resta donc secrète, comme il le souhaitait.

Dirigée par Tamaddon, la division des applications, qui avait beaucoup appris en développant iMovie, agit rapidement et sans heurts. L'équipe de SoundJam fut parfaitement intégrée. Ses développeurs collaborèrent avec Avie et Sina afin d'améliorer certaines caractéristiques de l'ancien programme, dont la préférée de Steve, un « visualiseur » psychédélique qui générait des animations abstraites planantes, multicolores, affichées en plein écran, inspirées par les morceaux de musique à l'écoute. Mais surtout, ils simplifièrent le logiciel, éliminant dans la mesure du possible les options et les complications superflues. Ce devait être une des autres marques de fabrique de la firme remodelée par Steve : savoir dire non — non aux fonctionnalités, aux nouveaux projets, aux nouveaux recrutements, aux conférences qui gaspillaient du temps et de l'énergie, à toutes sortes de demandes de presse, même à Wall Street qui souhaitait des indications plus précises sur les résultats à venir, et à tout ce qui semblait inutile ou perturbant. Plus encore, savoir dire non était le meilleur moyen de s'assurer que tout le monde, et Steve le premier, resterait concentré sur l'essentiel. La simplicité de la stratégie des quadrants avait jeté les bases d'une structure qui opposait un refus systématique – jusqu'au jour où elle acceptait de se lancer et s'attaquait à son nouveau projet avec une farouche détermination.

L'équipe iTunes fut d'une efficacité remarquable. Neuf mois à peine après avoir racheté SoundJam, un an après que Bill Gates eut annoncé en public l'avènement d'un monde où les ordinateurs, appareils électroniques et applications seraient tous reliés entre eux, le 9 janvier 2001, Steve put dévoiler iTunes lors de la Macworld Expo de San Francisco. Outre iTunes, il avait une solide gamme de produits à présenter, dont le PowerBook Titanium, le premier des ordinateurs portables extrêmement prisés d'Apple à être doté d'une coque en métal et non en plastique, et OS X, dont la version finalisée devait être commercialisée en mars.

Mais iTunes fut la vedette du spectacle, car c'était une application que tout le monde ou presque souhaitait dans la salle. Steve montra qu'elle permettait de transférer une collection entière de CD audio sur des archives numériques stockées sur le disque dur de son Mac et que la base de données d'iTunes offrait la possibilité de retrouver facilement des morceaux pour les écouter. On pouvait mélanger les titres pour se créer sa propre liste de lecture que l'on pouvait stocker dans l'application ou graver sur un CD enregistrable. Et contrairement à OS X qui ne sortirait qu'en mars, iTunes pouvait être téléchargé immédiatement et gratuitement. Steve présenta ensuite un spot publicitaire avec une foule de stars de la pop rassemblées sur une scène, qui se concluait sur le slogan *Rip. Mix. Burn* – Rippez. Mixez. Gravez. Il avait peut-être une quarantaine d'années, mais la campagne était totalement en prise avec l'époque.

Ce fut également la première fois que Steve se risqua à se rallier en public à la vision de l'avenir que promettait Gates. Dans la grande tradition d'Apple, il commença par reformuler celle-ci, troquant l'expression « électronique grand public plus » pour celle, bien plus heureuse, de « plate-forme numérique ». Arpentant la scène d'un pas énergique, il présenta une immense capture d'écran montrant un Mac entouré de six rayons reliés à un appareil photo numérique, un agenda électronique, un lecteur DVD, un Walkman CD, un Caméscope et un appareil baptisé lecteur audio numérique. Le visuel était une version réactualisée de sa conception de l'ordinateur comme un « vélo de l'esprit ». Le Mac, expliqua Steve, serait l'outil idéal pour gérer, assembler et organiser les contenus de tous ces appareils, ainsi qu'une base de données de référence pour les mises à jour de logiciels, les contacts, les fichiers vidéo et audio, et tout ce dont on pouvait avoir besoin sur les appareils portables. L'univers que présentait le P.T. Barnum de l'industrie informatique semblait tellement plus convivial que l'avenir intimidant brossé par Gates. Avec lui, il paraissait soudain plus accessible, plus humain, plus simple. Apple promettait de fournir des logiciels et du matériel que l'on pourrait gérer et modeler à sa guise. C'était le pouvoir du *I* dans iTunes, chacun était maître de cet avenir, et non Microsoft ou Apple. C'est dire la force d'éloquence de Steve.

Deux jours auparavant, au CES, Gates avait de nouveau disserté sur ce qu'il appelait désormais « le Salon numérique ». Le stand de Microsoft avait été aménagé comme une maison classique avec plusieurs pièces. Rien n'était vraiment réaliste. C'était cette fois Gates qui dépeignait l'avenir du consommateur en lui offrant des visions éthérées d'un monde révolutionnaire, alors que Steve avançait peu à peu ses pions en présentant de vrais produits. C'était à croire que les deux hommes avaient inversé les rôles depuis l'interview que j'avais réalisée chez Steve dix ans plus tôt.

La première semaine qui suivit le lancement de l'application iTunes et son offre de téléchargement gratuit, il y eut 275 000 téléchargements. Ce n'était qu'une modeste part des 20 millions de Mac installés dans le monde, mais c'était déjà plus que le nombre d'utilisateurs d'iMovie qui était disponible au téléchargement depuis quinze mois. Il n'y avait qu'un seul problème : à part le Mac qui trônait au centre du schéma de la plate-forme numérique aux allures de pieuvre que Steve avait montrée à la Macworld, aucun des appareils connectés n'avait été fabriqué par Apple.

DÉBUT 2001, À la fin d'une réunion avec Steve, Eddy Cue, un jeune développeur doué en affaires qui allait être amené à jouer un rôle clé dans l'équipe dirigeante, se mit à râler. « On ne peut pas faire mieux que ce qu'on fait, dit-il. Et pourtant, on est à la même place qu'en 1997. » De fait, si les ventes annuelles avaient atteint 7,9 milliards de dollars en 2000, les prévisions annonçaient qu'en 2001 elles chuteraient en dessous de la barre des 6 milliards. « Il faut attendre, lui dit Steve. Les gens finiront par se laisser convaincre. » Sa patience était admirable, mais cela dit, Steve était persuadé depuis les années 1980 que le monde finirait par reconnaître la supériorité des produits Apple. Et à l'aube du nouveau millénaire, il attendait encore l'humanité. Sa firme était stable, mais pas encore suffisamment solide. Elle avait besoin de quelque chose pour se développer : un nouveau type de produits.

L'envie de créer un baladeur numérique fut directement inspirée par le développement d'iTunes : comme les cadres et les ingénieurs d'Apple écoutaient de plus en plus de MP3 sur leurs ordinateurs, il était inévitable qu'un jour ou l'autre ils veuillent pouvoir emporter leurs titres numérisés sur une sorte de baladeur, semblable au vieux Walkman de Sony. Les quelques MP3 compacts du marché étaient mal conçus et peu pratiques. En soi, le son n'était pas mauvais, mais pour copier des morceaux et retrouver ce qu'on cherchait, la marche à suivre était quasiment incompréhensible. Steve était fier d'iTunes, en particulier de la facilité avec laquelle l'application permettait d'organiser et de gérer de grandes bibliothèques de titres enregistrés. Aucun de ces appareils existants ne pouvait tirer réellement parti de son ingénieuse application.

La seule solution, décida l'équipe, c'était qu'Apple conçoive quelque chose de mieux. C'était une stratégie qui forçait Apple à sortir davantage encore de son domaine de prédilection : le seul appareil électronique grand public que la firme ait jamais produit était un appareil photo numérique oublié depuis des lustres qui avait été commercialisé sous la marque Apple du temps de Sculley. Steve lui-même n'avait plus jamais été associé à ce type de projet depuis la « blue box » illégale permettant de passer des appels longue distance que Woz et lui avaient fabriquée et vendue dans les années 1970. Les ordinateurs étaient la raison d'être d'Apple. Mais l'équipe avait atteint un si haut niveau qu'elle avait envie de relever le défi de concevoir un nouvel appareil. Et comme aucun de ses membres ne pensait qu'un baladeur pouvait être révolutionnaire, ils ne couraient pas un bien grand risque. La terminologie employée reflète la modestie de leurs ambitions : pour la plupart, le baladeur était un « périphérique informatique », à la manière d'une imprimante ou d'un routeur Wi-Fi.

En sa qualité de directeur du département matériel, Jon Rubinstein était toujours à l'affût de nouveaux composants électroniques – processeurs, lecteurs de disquettes, puces mémoire, cartes graphiques – qui puissent intéresser Steve ou donner à Apple une longueur d'avance. À la fin de l'année 2000, lors d'un voyage au Japon, il passa chez Toshiba, le géant de l'électronique qui produisait entre autres des disques durs pour les micro-ordinateurs. Les ingénieurs de Toshiba dirent à Ruby qu'ils voulaient lui montrer la dernière innovation « révolutionnaire » en matière de disques durs d'ordinateur portable : le prototype d'un disque miniature de 5 gigabytes qui ne faisait pas même 5 centimètres de diamètre. Il rentrait largement dans un paquet de cigarettes tout en ayant une capacité suffisante pour contenir des milliers de fichiers numériques, que ce soit des images, des documents ou des chansons. Ruby n'en croyait pas ses yeux.

C'était la première fois qu'il voyait quelque chose qui ait à la fois la capacité nécessaire et la taille idéale pour former le cœur du baladeur Apple. Contrairement aux cassettes ou aux CD que l'on passait sur les Walkman ou les Discman de Sony, ce disque dur aurait suffisamment de capacité de stockage pour contenir un millier de titres, et pas uniquement une douzaine. Et ses fonctions d'« accès aléatoire » creusaient encore l'écart avec les équivalents du Discman, dans la mesure où elles permettaient de retrouver quasi instantanément n'importe quel titre au milieu de ce gigantesque trésor.

En janvier 2001, Ruby demanda à d'anciens ingénieurs du Newton de s'atteler sérieusement à la conception d'un lecteur audio portable basé sur le mini-disque de Toshiba. En mars, il plaça à la tête de l'équipe Tony Fadell, un ingénieur qu'il avait débauché de Philips. Fadell, un entrepreneur énergique avec une carrure de lutteur et la fougue d'un coach de base-ball de lycée, avait travaillé chez General Magic au début des années 1990, avec Bill Atkinson, Andy Hertzfeld et Susan Kare, tous anciens de l'équipe du premier Macintosh, qui lui avaient parlé de Steve quand il était jeune, en lui racontant des histoires abominables. « Je m'attendais à un tyran despotique, dit-il, mais il n'était pas du tout comme ça. Il n'avait rien à voir avec ce qu'ils m'avaient raconté de lui. Il pouvait s'enflammer quand quelque chose lui tenait vraiment à cœur, mais en général, il était bien plus doux, plus attentionné. Il ne passait pas son temps à tout surveiller. Il faisait confiance à ses équipes. »

Personne ne savait à quoi ressemblerait le produit fini, ni de quelle façon les utilisateurs pourraient le contrôler, ni dans quelle mesure il fonctionnerait comme un petit ordinateur, ni par quel moyen il interagirait avec les bibliothèques de musique de l'iMac, ni même quand il pourrait être commercialisé. Ils ne connaissaient que les critères minimaux auquel il devait répondre : il devait embarquer le mini-disque dur, un amplificateur audio suffisamment puissant pour prendre en charge des écouteurs, un petit écran pour visualiser les titres qu'il contenait et les parcourir, un microprocesseur ou un microcontrôleur pour qu'il soit suffisamment intelligent, un logiciel pour le rendre programmable et l'aider à interagir directement avec iTunes, et un port FireWire à haut débit pour qu'il puisse se synchroniser *via* un câble avec un Macintosh, le tout dans un volume que l'on puisse glisser aisément dans la poche de son jean. Bien entendu, il devait être cool, et bien entendu, Steve le voulait dès que possible.

À cet égard, Steve n'avait pas du tout changé : il persistait à leur imposer des objectifs démesurés qui semblaient impossibles à atteindre.

Mais il y avait deux choses qui avaient changé, et qui étaient susceptibles d'aider son équipe à se montrer à la hauteur de ses ambitions.
Steve était plus disposé à remanier ses objectifs en fonction des limites
ou des nouvelles opportunités qui pouvaient se présenter. Et le groupe
qu'il avait rassemblé formait l'équipe la plus talentueuse avec laquelle il
ait jamais travaillé, des gens d'un tempérament ambitieux, qui savaient
que Steve encourageait leur esprit de curiosité et leur volonté de se
surpasser. « Ce qui me plaisait, dans le fait de travailler avec Steve,
raconte Cue, c'est qu'on se rendait compte qu'on pouvait accomplir
l'impossible. Chaque fois. »

Si Steve était aussi certain qu'Apple était capable de créer un appareil génial, c'était également que, pour être performant, un baladeur
devait nécessairement résulter d'une fusion harmonieuse entre matériel
et logiciel. L'enjeu, avec l'iPod, était véritablement de créer un tout
organique, un *whole widget*. Fadell s'engagea dans une course contre
la montre avec le groupe chargé de concevoir l'iPod, mais tous les
membres de l'équipe dirigeante apportèrent leur contribution, ainsi
que certains ingénieurs des autres départements. Le plus difficile
n'était pas d'intégrer le mini-disque dur Toshiba de Ruby au cœur
d'un équipement opérationnel de format poche : c'était de créer un
appareil maniable, qui permette d'accéder à des milliers de morceaux
en un clic ou deux, et qui se synchronise simplement et directement
à un Mac afin que son propriétaire puisse importer des copies de ses
fichiers numériques d'iTunes, ainsi que ses listes de lecture personna-
lisées. Idéalement, on attendait aussi de lui qu'il permette de disposer
de quelques informations sur chaque morceau et de profiter pleinement de la capacité d'iTunes à trier les titres par artiste, par album et
même par genre. Pour que cela soit possible, le lecteur audio devait
être assez intelligent pour héberger un programme de base de données
rudimentaire. En d'autres termes, l'iPod serait bel et bien un mini-
ordinateur spécialisé.

Mais ce n'était que le début. De tous les aspects de l'informatique, celui qui avait toujours fasciné Steve était la jonction entre
l'individu et l'ordinateur. C'était l'interface utilisateur qui avait fait du

premier Macintosh l'incarnation de l'ordinateur personnel. Steve avait de bonnes raisons d'estimer que ce point était crucial : si l'interaction entre la machine et l'utilisateur était trop compliquée, ce dernier ne découvrirait jamais tous ses secrets. La plupart des gens se moquent de ce qu'il y a dans leur ordinateur ; tout ce qui les intéresse, c'est ce qu'ils ont à l'écran, et ce que cela leur permet de faire. Steve avait pleinement mesuré l'importance de cet élément dès le début de sa carrière. C'est une des choses qui le distinguait de bon nombre de fabricants d'ordinateurs, dont la plupart étaient des ingénieurs qui estimaient que n'importe quel client sensé devait attacher de la valeur à ce que son ordinateur avait sous le capot. Ce préjugé tenait encore près de vingt ans après le lancement du Mac. Si Apple réussissait à produire un baladeur numérique d'un maniement enfantin, les utilisateurs pourraient s'adonner aux joies inimaginables de la musique programmable. Dans le cas contraire, il serait aussi nul que les autres.

Pour réussir l'interface, il fallait que logiciel et matériel coïncident parfaitement. Côté logiciel, une part du travail était déjà accomplie, naturellement ; l'application iTunes du Mac était l'outil idéal pour créer la base de données de titres et d'informations à transférer sur l'iPod. Mais l'appareil en soi avait besoin d'un système d'exploitation miniature pour fournir l'architecture logicielle de l'interface utilisateur qui devait apparaître à l'écran, de la même manière qu'OS X déterminait l'interface graphique utilisateur que les utilisateurs maniaient grâce à la souris et au clavier. Pour cela, l'équipe logiciel reconvertit le code du système d'exploitation de l'ancien Newton pour le mixer avec le système de gestion de fichier rudimentaire, dont Apple avait discrètement acquis la licence auprès d'une petite start-up appelée PortalPlayer, et avec certains éléments du Mac OS X.

Pour ce qui était du matériel, c'était plus délicat. C'est là que Jony et son équipe de designers montrèrent toute l'étendue de leur talent. Ils créèrent une molette de défilement qui fonctionnait comme la roulette de défilement de nombreuses souris. La molette de l'iPod était simplement une sorte de disque plat que l'on pouvait faire tourner dans un sens ou dans l'autre avec le pouce pour parcourir rapidement les longues listes affichées à l'écran. Mais Ive et son équipe la personnalisèrent en y apportant des petits détails qui la rendaient véritablement intuitive. Plus vite on tournait la molette, plus la liste défilait rapidement. Au centre de la molette figurait un bouton sur lequel on cliquait pour faire son choix, exactement comme on cliquait sur la souris d'un Mac. La molette était entourée d'un cercle comportant des boutons de navigation permettant de passer au titre suivant, de réécouter un morceau depuis le début, ou de revenir au précédent sans avoir à le localiser sur l'écran.

Au bout du compte, ce fut son interface utilisateur révolutionnaire qui donna toute sa magie à l'iPod et en fit un produit unique. Il y avait beaucoup d'autres innovations logicielles, comme le système qui permettait de synchroniser facilement le baladeur avec la bibliothèque iTunes de l'utilisateur. Mais si l'équipe n'avait pas résolu la question de la facilité de navigation dans une bibliothèque de poche de centaines ou de milliers de titres, l'iPod n'aurait jamais connu un tel succès. La solution trouvée présentait d'autres avantages. L'interface de l'iPod était si bien conçue qu'elle fut capable de s'adapter et de montrer davantage encore son utilité à mesure que les autres technologies de l'appareil évoluaient et devenaient moins chères. Et le fait que la molette de défilement soit autant du domaine matériel que logiciel permit à Apple de protéger cet atout par un tel rempart de brevets et de copyrights qu'aucun concurrent n'osa le copier. S'il s'était agi essentiellement d'une fonctionnalité du système, il aurait été beaucoup plus facile de la contrefaire. Une fois de plus, Apple avait trouvé un moyen extraordinairement intuitif de contrôler un dispositif aussi complexe qu'intelligent dissimulé sous une apparence lisse et épurée. Ive prouva pour la première fois qu'il était capable de modeler bien autre chose que des formes. Il pouvait contribuer à modeler l'expérience de l'utilisateur. C'était ce qu'il y avait de plus important aux yeux de Steve.

Fidèle à ses ambitions modestes, l'iPod fut présenté le 23 octobre 2001 lors d'un événement organisé dans le petit auditorium de Town Hall, au siège d'Apple. La réaction des journalistes rassemblés, en revanche, fut loin d'être mesurée. En suivant l'évolution de la technologie, Steve avait réussi à créer un produit qui présentait un ensemble de fonctionnalités si intuitives qu'il allait changer les comportements des consommateurs. L'iPod était incroyable et absolument inattendu.

L'essayer, c'était l'aimer. Apple offrit un iPod à tous les journalistes qui assistèrent à la présentation d'octobre, ce que la marque n'avait jamais fait. Les chroniqueurs spécialisés en high-tech et tous les experts finirent par s'extasier à longueur d'articles devant des fonctionnalités qu'Apple n'avait pas même mises en avant. Le must, pour beaucoup, était la capacité d'accès aléatoire de l'iPod, qui ne présentait qu'un intérêt marginal aux yeux de Steve. Le mode dit « shuffle » faisait du baladeur l'équivalent d'une radio personnelle qui ne passait que les titres des utilisateurs dans un ordre parfaitement imprévisible. Si l'on avait une grande collection de musique, l'iPod en mode shuffle était un moyen fabuleux de tomber sur des titres que l'on avait totalement oubliés. En un sens, l'iPod permit aux gens de redécouvrir le plaisir de la musique.

L'iPod redonna un nouveau coup de jeune à l'image d'Apple et permit à la marque de séduire une clientèle bien plus large, en particuliers les jeunes consommateurs. Avec le recul, il se révéla être le Walkman du début du XXIe siècle. Ce fut également le premier maillon d'une succession de logiciels, de matériels et de produits réseaux innovants se renforçant mutuellement qui se démultiplièrent lorsque Apple entreprit réellement de faire du Macintosh une véritable plate-forme numérique. Peu à peu, l'iPod devint le produit qui allait permettre à Apple de renouer avec la croissance. « Nous avons suivi nos envies, expliquait Steve en racontant à quel point son équipe détestait les baladeurs qui existaient alors sur le marché. Et nous avons fini par être en tête. »

Cependant, même l'iPod ébranla la confiance qu'il avait dans les consommateurs. Ils mirent du temps à se laisser réellement convaincre. Ils n'étaient pas habitués à cette façon d'écouter de la musique et son prix de 339 dollars était d'autant plus dissuasif que le Discman Sony qui lisait les CD coûtait moins de 100 dollars. Les ventes furent lentes à démarrer : au cours du premier trimestre qui suivit sa commercialisation, Apple ne vendit que 150 000 iPod. Un an plus tard, Steve baissa de 100 dollars le prix du premier iPod et lança une nouvelle version avec le double de capacité et une nouvelle molette tactile, qui n'avait de molette que la forme – en réalité, c'était un pavé tactile rond qui permettait aux utilisateurs de parcourir leurs titres plus facilement encore qu'avec la molette mécanique, et qui était bien moins fragile. Pour le monde extérieur, cette seconde version était le premier signe évident que l'iPod avait non seulement transformé la façon d'écouter de la musique, mais également redynamisé les capacités de production d'Apple. L'iPod avait accéléré le métabolisme créatif d'Apple, insufflant une nouvelle discipline structurelle qui allait transformer la promesse de fréquentes améliorations graduelles destinées à faire tourner le marché – dont Bill Gates avait vanté les mérites lors de l'interview conjointe de Palo Alto, dix ans auparavant – en une époustouflante cascade d'innovations technologiques sans précédent.

L'iPod avait fait naître chez Apple une incroyable capacité à se surpasser quasi systématiquement. Cela exigeait entre autres une exécution à un très haut niveau. Le faible prix de l'iPod (du moins comparé à celui des ordinateurs de la marque) forçait Apple à trouver le moyen de garantir une fabrication de grande qualité avec des volumes de production bien plus élevés que ceux auxquels la firme était habituée. Ces nouvelles exigences de fabrication étaient exacerbées par la dynamique compétitive du marché des produits électroniques, qui obligeait Apple à renouveler la gamme des iPod bien plus fréquemment que celle des ordinateurs. Pour produire ces légions d'iPod, Apple dut mettre au point des méthodes qui transformèrent fondamentalement l'entreprise en améliorant ses compétences. Tim Cook dut bâtir une chaîne logistique internationale, et Ruby et lui développèrent des relations avec un certain nombre d'usines asiatiques capables de produire une grande quantité de machines de haute qualité en des temps records. L'accélération du métabolisme de la société générée par l'iPod allait être payante au cours des années à venir.

Mais pour se surpasser, il fallait également que les hauts responsables – et Steve en premier lieu – appréhendent l'avenir avec un autre regard, en étant disposés à suivre l'évolution de la technologie. « Tout le plaisir, pour moi comme pour tous les gens d'Apple, c'est de découvrir de nouvelles technologies et de nouveaux marchés, m'a-t-il confié un jour, quelques années après le lancement de l'iPod. C'est ce que nous faisons, par définition, et il y a plein de façons de le faire. Il y a cinq ou six ans, on ne connaissait rien au montage vidéo, alors on a acheté une société pour apprendre à le faire. Ensuite, ç'a été les lecteurs MP3, on n'y connaissait rien non plus. Mais les gens sont intelligents chez nous. Ils y sont arrivés en observant d'un œil critique ce qui existait déjà, et puis ils ont combiné ça avec ce qu'ils connaissaient en matière de design, d'interface utilisateur, de matériaux et d'électronique numérique. La vérité, c'est qu'autrement on s'ennuierait. » Dans une autre interview, Steve déclarait : « Qu'importe d'où viennent les bonnes idées ? Si on est suffisamment attentif, on les repère. » À l'époque où il consacrait toute son énergie à régler les problèmes d'Apple, Steve avait failli passer à côté de la révolution de la musique numérique. À présent que l'assise d'Apple était plus solide, il observait de nouveau le monde extérieur avec la plus grande attention. « Quand je suis revenu, Apple était comme un malade qui ne pouvait plus sortir, ni rien faire, ni apprendre quoi que ce soit, expliquait Steve. Mais on lui a redonné sa vigueur et sa santé. Et maintenant, ce qui nous motive, c'est de trouver ce que nous pouvons faire de nouveau. »

Chapitre 11
Faire de son mieux

L e monde s'ouvrait peu à peu à Apple et inversement. L'iPod était le premier appareil électronique grand public d'Apple, mais s'il avait vu le jour, c'était uniquement parce que Steve et son équipe avaient avancé pas à pas en suivant un ordre logique : d'abord iMovie, puis une correction de trajectoire qui avait abouti à iTunes, puis l'iPod. La patience, la rigueur, la force visionnaire de Steve avaient placé Apple sur une nouvelle voie, plus complexe que l'ancienne qui consistait simplement à améliorer régulièrement ses micro-ordinateurs. Apple allait désormais poursuivre ses explorations jusqu'au bout, même si cela devait entraîner la firme au cœur d'autres industries. Si Apple était capable de naviguer dans le monde de la musique, elle devait pouvoir, sous la direction de Jobs, investir d'autres secteurs avec le même succès. Le grand dessein de Steve – apporter aux gens des outils informatiques qu'ils puissent employer de façon créative pour enrichir leur travail et leur vie – demeurait inchangé. Mais l'horizon d'Apple s'était élargi.

Étant destiné au marché de la grande consommation, l'iPod finit naturellement par être présent dans tous les points de vente habituels : Best Buy, Circuit City, les hypermarchés et même les magasins d'informatique, comme CompUSA. Steve détestait ces enseignes. Son perfectionnisme allait bien au-delà de la fabrication de ses produits. L'agitation, le mauvais goût de ces lieux de vente à faible marge allaient à l'encontre de l'esthétique minimaliste de ses produits et de la fraîche exubérance de son marketing. Il n'y avait qu'un endroit où il aimait voir ses produits en vente : ses boutiques Apple, qui avaient été lancées quatre mois avant l'iPod.

Dès l'époque du lancement du Mac, Steve s'était toujours plaint des méthodes de vente des dépositaires Apple. La façon dont ses ordinateurs étaient présentés et vendus était à ses yeux le pire exemple de ce qui arrivait quand il n'avait pas son mot à dire. Les vendeurs, qui se préoccupaient surtout d'écouler les stocks le plus rapidement possible, n'essayaient pas réellement de comprendre la spécificité des Mac et étaient d'autant moins motivés depuis que les IBM et leurs clones s'étaient imposés sur le marché. Même chez NeXT, Steve avait évoqué avec Susan Barnes l'idée de créer un magasin d'informatique d'un autre genre, où ses ordinateurs haut de gamme pourraient être présentés à une clientèle exigeante.

Début 1998, quelques mois après son retour chez Apple, il demanda à son directeur des systèmes d'information, Niall O'Connor, de lui présenter un projet de boutique en ligne où Apple puisse vendre ses ordinateurs directement aux consommateurs, comparable à ce que faisait Dell Computer, qui rencontrait un grand succès. O'Connor demanda à Eddy Cue, qui était alors technicien informatique au département des ressources humaines, de concevoir une première version de la boutique en ligne du point de vue de la programmation. « Je crois que Niall estimait que je n'étais pas son meilleur élément, raconte Cue, mais pour une raison ou pour une autre, il se disait que je serais de taille à affronter Steve. » Cue, qui n'avait jamais rencontré Steve et ne connaissait pas grand-chose au commerce électronique et à la distribution, alla demander conseil auprès d'un certain nombre de gens, dont le directeur commercial, Mitch Mandich. « Fais-lui le meilleur projet possible, lui dit-il, mais de toute façon, ça n'a aucune importance, parce que ça ne se fera jamais. Les canaux [les magasins et les distributeurs qui vendaient les ordinateurs Apple] l'auraient mauvaise. » Une semaine plus tard, Cue, O'Connor, Mandich et d'autres assistèrent à une réunion pour examiner le projet initial. Cue tendit sa présentation à Steve – il avait fait un visuel, parce qu'on lui avait dit que Steve préférait les présentations visuelles, et il l'avait fait sur papier, parce qu'on lui avait dit que Steve détestait les diapos, surtout dans les réunions en petit comité. Apparemment, toutes ses recherches n'avaient servi à rien. Steve regarda les feuilles, les lui rendit et lâcha : « C'est nul. »

Malgré sa première réaction bourrue, Steve demanda à tous ceux qui étaient présents dans la pièce ce qu'ils pensaient du projet de Cue, et plus généralement de l'idée de vendre directement en ligne aux consommateurs. Les hauts responsables qui étaient autour de la table commencèrent à évoquer tous les problèmes que risquait de poser une boutique en ligne : le fait de devoir intégrer les achats personnalisés dans un système de fabrication conçu pour créer des ordinateurs avec des configurations standards ; l'absence d'étude montrant que les clients souhaitaient acheter des ordinateurs de cette façon ; et plus inquiétant, le risque de s'aliéner les distributeurs partenaires d'Apple, comme Best Buy ou CompUSA. Mandich, qui avait suffisamment d'expérience pour savoir que le débat devenait intéressant, se taisait. Finalement, un des responsables opposés au projet prit la parole. « À quoi ça sert, tout ça, Steve ? Vous n'allez pas vous lancer là-dedans, les canaux [de distribution] seraient furieux. » Cue ne trouva rien de mieux à faire que de lui rétorquer : « Les canaux ? On a perdu 2 milliards de dollars[1] l'an dernier ! Qu'est-ce qu'on en a à foutre, des canaux ? » Steve réagit. « Vous, dit-il au haut responsable, vous avez tort. Et vous, poursuivit-il en se tournant vers Cue, vous avez raison. » À la fin de la réunion, il demanda à Cue et à O'Connor de créer d'ici

---

1. On parle ici du chiffre d'affaires et non pas du revenu net dont la perte aura été de 309 millions de dollars pour l'année 1998.

à deux mois une boutique en ligne où les clients pourraient effectuer des achats personnalisés.

La boutique en ligne fut lancée le 28 avril 1998. Juste avant de rentrer chez lui, ce soir-là, Cue fit un détour par le bureau de Steve pour lui annoncer qu'ils avaient vendu pour 1 million de dollars d'ordinateurs en l'espace de six heures. « Super, dit Steve. Imaginez un peu ce qu'on pourrait faire si on avait de vrais magasins. » « Il lui en faudra toujours plus », se dit Cue. Il était prêt à relever le défi.

———

STEVE ADORAIT LES belles boutiques. Quand il était en vacances en Italie ou en France, il insistait pour que Laurene l'accompagne chez Valentino, Gucci, Yves Saint Laurent, Hermès, Prada et autres. Vêtu d'un vieux short en jean effrangé, Birkenstock aux pieds, comme un touriste américain anticonformiste équipé pour une longue journée de visite, il escortait Laurene dans les boutiques des quartiers chics. Une fois qu'ils étaient entrés d'un pas nonchalant dans un de ces bastions de la mode, sa belle épouse blonde et lui partaient chacun de son côté. Pendant que Laurene flânait dans les rayons, Steve coinçait les vendeurs et les bombardait de questions : pourquoi avaient-ils choisi de consacrer si peu d'espace à leurs articles ? Comment les clients circulaient-ils dans la boutique ? Il observait l'aménagement intérieur, se demandait comment l'alliance du bois, des arches, des escaliers, de la lumière naturelle et artificielle pouvait influer sur l'état d'esprit des clients et les inciter à dépenser des sommes astronomiques. À ses yeux, ces boutiques réussissaient là où il avait toujours échoué : elles vendaient des produits lifestyle avec des marges phénoménales grâce à une présentation qui était esthétique, sans être guindée. Cette présentation à elle seule contribuait à justifier le prix plus élevé que le consommateur devait payer. Avec leurs mornes allées et leurs vendeurs maussades, Circuit City et CompUSA n'avaient pas d'arguments aussi convaincants pour Apple.

En 1998, Steve persuada Mickey Drexler, le CEO de Gap, de rejoindre le conseil d'administration. Puis, en 2000, il recruta le vice-président du merchandising de Target, Ron Johnson, et l'intégra dans l'équipe dirigeante avec une mission claire et ambitieuse : créer le magasin idéal. « Le Mac est unique en son genre, m'a confié Steve des années plus tard. L'idée, c'était que les gens puissent le voir quelque part pour qu'ils comprennent en quoi il était différent, mieux que les autres, et d'avoir des vendeurs qui sachent en parler. On se disait qu'autrement on courait à la faillite. »

Johnson était de la vieille école, mais il avait le profil idéal pour la tâche que Steve voulait lui confier. Après avoir décroché son MBA à Stanford, Johnson avait choisi de commencer sa carrière en déchargeant des camions pour le grand magasin Mervyn's. Il avait ensuite gravi les échelons chez Target, où il avait laissé son empreinte en demandant à l'architecte Michael Graves de dessiner une théière en exclusivité pour le grand magasin. En 1984, Graves avait dessiné pour Alessi, l'icône italienne des arts de la table, une théière qui, dix ans plus tard, rencontrait toujours le même succès dans le monde entier, et Johnson s'était demandé : « Comment se fait-il que les beaux objets ne soient pas accessibles à tout le monde, mais seulement aux plus fortunés ? » La question aurait pu sortir telle quelle de l'esprit de Steve.

Pour le lancement de la théière de Graves, Johnson avait organisé un événement que Steve aurait également pu imaginer : il avait loué le Whitney Museum à New York pour « montrer à la presse ce que pouvait être le design à la portée de tous ». La théière et une gamme d'autres articles également dessinés par Graves en exclusivité pour Target avaient engagé l'enseigne sur une voie qui lui avait permis par la suite de devenir le pendant chic et haut de gamme de Walmart. Lorsque Jobs était venu chercher Johnson, qui ne semblait pas parti pour prendre la tête de Target, il lui avait fait miroiter des perspectives tout aussi démesurées que celles qui avaient séduit Sculley : « Vous pourrez tout faire », lui avait-il dit.

« Pour moi, c'était l'occasion de travailler avec un des plus grands créateurs au monde, déclara Johnson à un groupe d'étudiants de MBA de Stanford lors d'une interview, en 2014. Mais tous mes amis de la Valley pensaient que j'étais cinglé. "Quoi, tu vas quitter le Target [prononcé à la française pour insister de façon ironique sur le positionnement haut de gamme de la chaîne] pour cette boîte de losers !" » C'était en 2000, alors qu'Apple était encore considérée comme un acteur marginal du secteur informatique.

Durant la procédure de recrutement et au début de la carrière de Johnson chez Apple, Steve passa plus de temps à lui parler de questions personnelles que de distribution. « La première fois qu'on s'est rencontrés, raconte Johnson, on a discuté deux ou trois heures de tout un tas de sujets. Steve était quelqu'un d'extrêmement discret. Il avait grandi vite et il n'avait que quelques amis très proches. Il m'a dit : "Je veux qu'on soit amis, parce qu'une fois que vous saurez ce que je pense on n'aura plus qu'à se parler une ou deux fois par semaine. Et quand vous voudrez faire quelque chose, vous pourrez le faire sans vous croire obligé de me demander la permission." »

Pendant quelque temps, Johnson fut le seul détaillant salarié par Apple. Au cours des semaines qui suivirent son arrivée, il assista aux réunions du comité de direction et spécula sur les qualités du magasin idéal. Le secret, c'était l'expérience du consommateur, et plus il creusait la question, plus les réflexions qui lui venaient à l'esprit bousculaient les idées reçues. Les magasins qui ne vendaient un produit à un consommateur qu'une fois tous les trois ou quatre ans optaient généralement pour des locaux bon marché situés dans des zones excentrées ; mais le magasin idéal, pour les clients et pour les marques qui voulaient s'imposer sur le marché, devait être situé au cœur de la ville. Pour cette clientèle occasionnelle, il suffisait d'une assistance téléphonique, mais ce que voulaient les gens, c'était avoir quelqu'un en face d'eux, d'autant plus pour les ordinateurs qui étaient bien plus difficiles à comprendre, mettons, qu'un imperméable. Les vendeurs étaient motivés par les commissions, mais les clients ne voulaient pas qu'on les oblige à acheter quelque chose dont ils ne voulaient pas. Johnson avança ainsi une dizaine d'idées de ce type, qui toutes allaient à l'encontre des principes traditionnels du commerce. D'après Johnson, Steve soutint ses conceptions les plus radicales. « Comme disait Steve : "Si on creuse la question, la réponse s'impose d'elle-même" », se souvient Johnson.

Sur les conseils de Mickey Drexler, Jobs demanda à Johnson de concevoir un prototype d'un magasin Apple. Johnson réquisitionna un entrepôt situé à quelques kilomètres du site d'Apple et se mit au travail dans le plus grand secret. Tout comme un ordinateur Apple au stade de la conception, le prototype subit plusieurs évolutions. C'était fondamentalement un projet de design. Steve insistait pour avoir une ambiance minimaliste, épurée, privilégiant une facilité de circulation entre des tables présentant les portables et les ordinateurs de bureau Apple.

À la fin de l'année 2000, Jobs et Johnson aboutirent à un prototype qui leur plaisait. Mais un mardi d'octobre, au réveil, Johnson eut une révélation : l'aménagement du magasin, qui était organisé en plusieurs zones présentant différentes gammes de produits, était une véritable aberration. Durant les réunions du lundi, Steve et le comité de direction n'avaient qu'une formule à la bouche : la plate-forme numérique. Johnson se rendit compte que l'aménagement des magasins devait refléter ce concept, avec une zone consacrée à la musique, une autre aux films, et ainsi de suite. Une fois de plus, c'était une conception qui bousculait les idées reçues, et pourtant, elle correspondait bien mieux aux attentes des clients que celle qu'ils s'apprêtaient à adopter. Ce matin-là, Johnson rejoignit Steve pour la visite du prototype prévue ce jour-là. Dans la voiture qui les emmenait à l'entrepôt, il lui annonça qu'ils faisaient fausse route. « Tu te rends compte du changement énorme que ça représente ! vociféra Steve. Je n'ai pas le temps. Je t'interdis d'en parler à qui que ce soit. Je ne sais pas quoi en penser. » Ils firent le reste du trajet en silence.

Quand ils arrivèrent au hangar, Steve s'adressa au groupe qui était rassemblé : « Voilà, Ron pense que nos magasins sont mal conçus. » Johnson attendit la suite. « Et il a raison, poursuivit Steve. Alors maintenant, je vais y aller, et vous allez faire ce qu'il vous dira de faire. » Et sur ces mots, Jobs tourna les talons. En fin de journée, Johnson alla voir Steve. « Tu sais, lui dit Steve, ça m'a rappelé quelque chose que j'ai appris chez Pixar. Sur quasiment tous les films, il y a quelque chose qui ne va pas. Et chaque fois, ils sont prêts à tout recommencer jusqu'à ce qu'ils y arrivent. Ils ont toujours refusé d'être tributaires de la date de sortie. L'essentiel, ce n'est pas de faire les choses vite, c'est de faire de son mieux. »

Les premiers magasins ouvrirent en mai 2001 à Tysons Corner, en Virginie, et Glendale, en Californie. Ils présentaient les iMac, les Power Mac, les iBook et les PowerBook, ainsi qu'un éventail de logiciels, une petite sélection de guides pratiques, des périphériques d'autres marques, comme des imprimantes ou des disques durs, et un assortiment de câbles et d'autres accessoires. La réaction fut quasi unanime : Steve avait fait une erreur grossière. *BusinessWeek* critiqua les magasins avec virulence en y voyant un nouvel exemple de la folie dépensière de Steve. Les articles soulignèrent les uns après les autres que Gateway, qui était sans doute un des fabricants de PC les plus calés en marketing, avait récemment fermé sa chaîne de plus de cent magasins en raison de la faiblesse des ventes. Mais de la même façon qu'il n'avait que faire des études de marché traditionnelles pour élaborer sa stratégie de produit, Steve jugea que les déboires de Gateway n'avaient rien à y voir. « Quand on a ouvert nos magasins, tout le monde nous a pris pour des fous, m'a-t-il dit. Mais c'était parce que le point de vente n'était plus capable de communiquer avec le client. Tous les autres vendaient des ordinateurs qui étaient identiques – si on enlevait la face avant ou la plaque du constructeur, c'était le même ordinateur construit à Taïwan. Il y avait si peu de différence que les vendeurs n'avaient presque rien à expliquer, à part le prix, et ils n'avaient pas besoin d'être très qualifiés ; les magasins avaient un turnover phénoménal. »

Les magasins rencontrèrent d'emblée un certain succès, mais essentiellement auprès des passionnés d'Apple et de ses machines coûteuses, qui trouvaient là un refuge. Des premières études de trafic montrèrent que la marque avait absolument besoin d'un nouveau produit phare. En gros, Apple avait un problème démographique – les adolescents et les jeunes adultes ne trouvaient pas la marque aussi branchée que leurs parents. Une des raisons à cela était que, malgré tout leur attrait, les iMac et les iBook étaient trop chers pour que les jeunes puissent se les acheter eux-mêmes : pour en rapporter un chez eux, la seule solution était que leurs parents baby-boomers rédigent un chèque ou sortent leur carte de crédit. Dans les magasins, Apple n'avait rien à vendre sous sa marque qui puisse plaire directement à la génération X ou Y.

C'est alors qu'arrivèrent iTunes et l'iPod. Avec leur lancement, les magasins devinrent rapidement l'outil idéal pour présenter le nouveau concept de plate-forme numérique d'Apple. Des vendeurs hautement qualifiés – rémunérés en salaire et non à la commission – montraient aux clients comment se servir de l'iMac et d'iTunes pour « ripper, mixer et graver » leur propre CD audio personnalisé. Les magasins proposaient des cours en groupe pour apprendre à transférer les listes de lecture et les albums sur l'iPod, même si c'était d'une simplicité enfantine. « Les employés qui travaillent dans nos magasins jouent un rôle essentiel, disait Steve. Et nous avons un turnover très faible pour le commerce. Notre force, ce sont donc nos employés. »

Ce concept de magasin attirant de plus en plus de visiteurs, Apple augmenta ses ventes d'appareils photo et de Caméscope numériques, d'amplificateurs audio, de casques et d'écouteurs, d'imprimantes, de graveurs de CD et de divers produits d'autres marques. Peu à peu, les magasins devinrent les commerces les plus performants au monde en termes de ventes au mètre carré. Jobs encourageait Johnson à faire preuve de plus en plus d'audace dans l'architecture des boutiques, comme en témoignent des constructions aussi emblématiques que le cube de verre placé sur le parvis du General Motors Building, en plein cœur de Manhattan. « Je n'ai jamais rencontré quelqu'un qui sache aussi bien déléguer que Steve, affirma Johnson à Stanford. Il exprimait si clairement ce qu'il voulait que ça donnait une liberté incroyable. »

———

LA MUSIQUE RELANÇA la marque. Entre iTunes, sa campagne publicitaire « Rip. Mix. Burn » et l'iPod en lui-même, Apple suscitait enfin l'enthousiasme de la jeune génération. Mais dans l'industrie de la musique et du cinéma, certains aînés s'inquiétaient de cette dynamique et de l'insouciance affichée des publicités. En 2002, longtemps après la diffusion de la campagne incriminée, le CEO de Disney, Michael Eisner, accusa Apple de soutenir publiquement des pratiques illégales lors d'une audience de la commission du Commerce du Sénat américain. « Ils vendent l'ordinateur en encourageant à ripper, mixer et graver au travers de leur publicité, dit-il. Autrement dit, les acheteurs de cet ordinateur peuvent commettre un vol et le faire partager à tous leurs amis. » Lorsque Steve lut le compte rendu de l'audience, il devint blême, mais fut quelque peu rasséréné en voyant que le commentaire pour le moins naïf d'Eisner était copieusement tourné en dérision. Le ton de la campagne Apple était limite, mais, dans le fond, Steve comprenait Eisner et les labels. Il mesurait pleinement les dangers du piratage en tant que dirigeant d'une entreprise informatique et propriétaire d'un studio de cinéma. Il avait poursuivi Microsoft pour ce qu'il jugeait être le plagiat de l'interface graphique utilisateur du Mac, et comme tout le monde dans la Silicon Valley, la perspective que l'on puisse violer les droits de propriété intellectuelle de sa société le rendait paranoïaque.

En fait, Steve était si conscient des dangers du piratage qu'il savait que cela pouvait l'aider à vendre sa dernière innovation en matière de musique – l'iTunes Music Store. Steve estimait, non sans raison, qu'iTunes était le système le plus élégant de gestion de musique numérique existant sur le marché. Il savait aussi que, si elle était bien conçue, une boutique en ligne iTunes permettrait aux consommateurs d'acheter de la musique avec une telle simplicité qu'ils arrêteraient de pirater des titres *via* Napster et ce type d'applications compliquées qui exposaient les ordinateurs à toutes sortes de risques.

La création de l'iTunes Music Store fut un tournant décisif dans l'évolution de Steve Jobs. Elle incarne le moment où il se mit à nourrir pour Apple des ambitions qui allaient bien au-delà de Cupertino. Jusqu'alors, il avait strictement opéré dans le cadre des activités d'Apple. Il avait stabilisé la société, redéfini sa mission, restructuré le personnel, formé une équipe de direction de haut vol, produit le superbe nouvel iMac et un système d'exploitation modernisé. Toutes les décisions qu'il avait prises découlaient naturellement de ce qui précédait et étaient destinées à renforcer l'entreprise dans son cœur de métier et à assurer sa pérennité face aux incertitudes de l'avenir. Il s'apprêtait cette fois à faire le pari qu'Apple avait désormais une assise suffisamment solide pour pouvoir s'aventurer hors de ses murs et se mettre en quête d'opportunités qui allaient remodeler d'autres entreprises.

Pour y parvenir, Steve devait agir sur deux fronts, à la fois à l'intérieur et à l'extérieur de la société. Au sein de la société, il fallait que ses ingénieurs personnalisent la technologie de compression et de distribution, de façon à résoudre des problèmes que l'industrie de la musique ne pouvait régler seule. Dans la mesure où les sites de distribution de musique en ligne n'existaient pas encore, il était impossible d'en racheter un pour l'« Apple-iser » afin de prendre une longueur d'avance. Il aurait été par ailleurs aberrant de se contenter d'autoriser les labels à promouvoir, vendre et fournir directement de la musique aux utilisateurs d'iTunes, étant donné l'incompétence technique dont ils avaient fait preuve lorsqu'ils avaient vainement essayé à plusieurs reprises de vendre leurs titres en ligne. Sony Music, par exemple, avait torpillé sa première tentative de vente de musique numérique uniquement compatible avec des lecteurs fabriqués par la branche Sony Electronics. Non seulement le site n'offrait que peu de titres des autres grands labels, mais Sony s'était arrangé pour que l'on ne puisse pas les passer sur les ordinateurs, alors que c'était précisément là que l'immense majorité des consommateurs écoutait à l'époque de la musique numérique.

Si Apple voulait se lancer dans la vente de musique, Steve aurait à convaincre les dirigeants des cinq plus grandes maisons de disques qu'une boutique en ligne indépendante opérée par Apple était leur meilleure, voire leur seule chance de résister face à l'ampleur et à la complexité de la vague numérique à laquelle ils étaient confrontés. Vu la témérité dont Apple et Steve faisaient preuve, il leur faudrait se mettre en quatre pour faire en sorte que l'expérience soit aussi simple et agréable que possible.

La vente de musique en ligne était particulièrement complexe. Les ingénieurs d'Apple devaient adapter iTunes afin que les morceaux puissent être achetés et organisés facilement, que leurs montants soient correctement enregistrés et facturés, et que les titres achetés soient encodés pour empêcher les utilisateurs de les copier et de les partager à leur gré. Cette dernière mesure, destinée à protéger les labels du piratage, était en fait la plus simple à mettre en œuvre. Les éditeurs de logiciels s'employaient depuis plus de dix ans à régler ces problèmes de sécurité et avaient créé toutes sortes de verrous numériques et de moyens de vérification en ligne pour protéger leurs propres logiciels. Selon ce que décideraient les dirigeants d'Apple, Steve pourrait facilement personnaliser l'encodage ou le tatouage numérique des titres MP3. Contrairement aux labels, Apple n'aurait aucun mal à transformer cette technologie pour en faire une sécurité simple et à toute épreuve.

La plus grande difficulté à laquelle les développeurs étaient confrontés était la facturation. Ce problème en apparence simple était en réalité extrêmement sérieux – avec les systèmes de facturation existants, chaque transaction risquait de coûter plus cher aux fournisseurs de musique que les bénéfices qu'elle rapportait. C'était dû dans une large mesure à un phénomène qui devenait aussi problématique pour l'industrie de la musique que le piratage : les consommateurs en ligne préféraient visiblement acheter des morceaux précis plutôt que des albums plus chers.

Les données de Napster avaient montré ce nouveau comportement des consommateurs. Lorsque les fans de musique étaient libres de télécharger toute la musique qu'ils souhaitaient, ils préféraient sélectionner leur morceau préféré au lieu d'obtenir tout l'album. C'était exactement l'inverse de ce qui s'était passé dans le secteur de la musique à la fin des années 1960 et au début des années 1970, où l'industrie du disque avait quasiment éliminé les singles pour se concentrer sur les albums qui se vendaient bien plus cher à l'unité. De nombreux artistes s'étaient adaptés à ce changement et avaient enregistré des albums « concept », comme *Sgt. Pepper Lonely Hearts Club Band* des Beatles, *Tommy* des Who ou *The Wall* de Pink Floyd. Mais les labels abusaient de la formule et sortaient régulièrement des albums qui ne comportaient qu'un ou deux titres majeurs, sachant que les fans étaient prêts à payer l'album 10 ou 15 dollars pour obtenir ces morceaux.

Steve savait que l'« effet Napster » était irréversible. Maintenant que les amateurs de musique en avaient la possibilité, ils choisissaient quasi systématiquement des titres précis plutôt que des albums remplis de morceaux quelconques. Steve estimait que le prix des titres devait être fixé à 99 cents, ce qui représentait plus ou moins la valeur d'un morceau sur un album, sachant que dans les années 1990 un CD classique comportait une douzaine de titres et coûtait une quinzaine de dollars. Pour Steve, ce prix avait également un côté nostalgique, car c'était la somme qu'il déboursait, comme tous ceux de notre génération, pour s'offrir les 45-tours en vente dans les années 1960.

Il y avait un ennui, cependant. Historiquement, Visa et Mastercard facturaient 15 cents par achat, plus 1,5 % du montant de la transaction. American Express facturait de son côté 20 cents plus 3,5 % de la valeur de la transaction. Cela ne représente pas grand-chose quand le prix de la vente s'élève à des dizaines ou des centaines de dollars, mais si les titres ne coûtaient que 99 cents, des frais de transaction de 17 à 24 cents seraient ruineux.

Si Apple voulait s'imposer sur le marché de la musique, la firme devait trouver un moyen de traiter les transactions portant sur de petits achats sans obliger les sociétés de cartes de paiement à modifier radicalement leur système de commission. (Apple n'était pas la première à vouloir résoudre le casse-tête qui consistait à imaginer une solution abordable pour traiter et régler les « microtransactions » inférieures à 1 dollar autres qu'en espèces. Quasiment personne n'y était parvenu, si ce n'est les opérateurs de téléphonie, qui avaient résolu la question en regroupant leur comptabilité interne et la facturation des appels téléphoniques des particuliers une fois par mois.)

Eddy Cue imagina deux façons de contourner le problème. Tout d'abord, il suggéra que la boutique en ligne d'iTunes regroupe périodiquement les achats de chaque particulier pour les transmettre sous forme d'une transaction unique aux centres de traitement des paiements des sociétés de cartes de crédit, au lieu de les envoyer une par une. Cela ne serait pas toujours possible, mais à mesure que la fréquentation de la boutique augmenterait, les frais des cartes de paiement seraient concentrés sur un nombre restreint de transactions indivi-duelles. Cue suggéra également que la boutique propose aux parents la possibilité de prépayer les achats de leurs enfants en mettant en place un « crédit de musique », ce qui offrirait à la société un apport régulier de paiements d'avance suffisamment important pour couvrir les frais de comptabilité des transactions qui arriveraient par la suite.

Steve adorait ce type de solutions complexes. Lorsque Apple se lan-çait dans un grand projet, il ne s'intéressait pas seulement au design et au marketing. Il voulait tout savoir du projet et estimait que ses employés devaient s'attaquer avec créativité à tous les problèmes, du design à l'ingénierie en passant par les tâches apparemment quel-conques, telles que le conditionnement ou la facturation. Steve m'a confié qu'il était aussi fier de la solution des microtransactions que de la nouvelle version de l'iPod qu'il allait lancer en même temps que l'ouverture de l'iTunes Music Store.

L'équipe de Cue prit une autre décision cruciale : Apple intégrerait la « vitrine » numérique d'iTunes dans l'application même au lieu de créer un site public destiné à la vente de musique en ligne. Si l'on cherche www.itunes.com, on atterrit sur la page marketing iTunes du site Apple. com, qui décrit toutes ses merveilles mais sur laquelle on ne peut pas acheter de musique. Le seul moyen d'accéder à la boutique se fait par l'intermédiaire de l'application iTunes, qui était à l'époque uniquement disponible sur les Macintosh. Steve y voyait plusieurs avantages. Cela permettait à Apple de contrôler toute la technologie sur laquelle repo-sait la boutique en ligne et de consolider la relation commerciale avec les clients. Le simple fait d'acheter une chanson et de devoir donner un numéro de carte de crédit à Apple faisait partie de ce que Steve commençait à appeler l'« expérience Apple ». En expert du marketing, il savait que chaque transaction qu'un client avait avec Apple pouvait accroître ou diminuer son respect pour l'entreprise. Pour reprendre ses termes, une entreprise pouvait « accumuler ou retirer des points » à sa réputation, et c'est pourquoi il voulait à tout prix s'assurer que toutes les interactions qu'un client pouvait avoir avec Apple – qu'il s'agisse d'utiliser un Mac, de contacter l'assistance client ou d'acheter un titre sur l'iTunes Music Store et d'être facturé – soient d'excellente qualité.

Steve m'avait dit en 1998 que la seule raison d'être des entreprises était de fabriquer des produits ; il se servait à présent de son entreprise pour élaborer autre chose que des produits. Apple créait désormais une expérience client globale. Tout ce que faisait la firme, du développement technologique au design de ses magasins, réels ou virtuels, était au service de cette expérience client. En mettant ainsi le client au cœur de ses préoccupations, Apple était très en avance sur son temps, et cette approche allait avoir d'importantes répercussions culturelles. Ayant constaté l'excellence générale des produits et des services d'Apple, les clients attendirent de plus en plus des autres entreprises qu'elles fassent de même. Apple redéfinit la notion de « qualité » et obligea les autres sociétés à répondre à la demande d'une clientèle devenue plus exigeante.

Le fait d'intégrer l'iTunes Music Store dans l'application iTunes présentait un avantage essentiel plus immédiat : les dirigeants de l'industrie de la musique que Steve devait séduire seraient rassurés par la portée limitée de l'iTunes Music Store. Le demi-million d'iPod vendus avait certes permis d'ouvrir un créneau, mais c'était loin de suffire à ébranler l'économie de l'industrie de la musique. Au bout du compte, les utilisateurs de Mac ne représentaient que 4 % de l'ensemble des utilisateurs de micro-ordinateurs. Pour une fois, cette minuscule part de marché était un avantage compétitif. Sachant que les dirigeants de labels redoutaient le changement que représentait la vente en ligne de musique numérique, Steve alla les voir en leur présentant une offre simple et apparemment sans risque : pourquoi ne pas essayer de vendre des téléchargements de musique, pour évaluer la demande et apprendre la dynamique du client et du marketing à l'abri de son petit jardin secret, ce « *walled garden* » soigneusement verrouillé ?

Pour Steve, l'enjeu de la négociation était considérable. Il fallait que les dirigeants des cinq grands labels – Universal, EMI, Sony, BMG et Warner – acceptent de signer. Il avait sans doute raison de croire qu'un site de vente qui ne présenterait pas une vaste sélection de tous les grands labels était voué à l'échec. Et il facturait au prix fort sa solution clés en main : 30 % de chaque achat effectué *via* l'iTunes Music Store.

Heureusement pour lui, il ne tarda pas à trouver un allié : Roger Ames, le patron de Warner Music, qu'il avait rencontré par l'entremise de Barry Schuler, dirigeant d'AOL. Ames, qui était un réaliste sans prétention dans un milieu encore grisé par le souvenir des profits et des succès passés, mesurait les limites de Warner en matière de haute technologie et voyait bien ce que le label pouvait faire seul : « Absolument rien, disait-il. Nous n'avons pas de techniciens spécialisés. C'était une maison de disques, pas une entreprise high-tech ! » Convaincu que Steve était le seul à proposer une solution viable à l'avenir qui se dessinait pour l'industrie, Ames le présenta aux dirigeants des quatre autres majors, en commençant par ceux qui, d'après lui, seraient les plus réceptifs. Bien que mouvementées, les tractations progressèrent peu à peu. La réticence des patrons des maisons de disques était palpable et parfaitement compréhensible. Certains refusaient toujours d'admettre que la distribution numérique de la musique était inéluctable, alors que les plus pragmatiques craignaient de ne plus avoir la liberté de fixer les prix de leurs produits en cédant la distribution à une société externe qu'ils avaient du mal à cerner et qui ne leur inspirait guère confiance. Steve les écouta, et modifia le magasin en ligne et les protections numériques des titres en fonction de leurs desiderata. Il savait qu'il ne pouvait pas se contenter d'imposer une solution à l'industrie de la musique.

Steve savait également obtenir ce qu'il voulait et n'hésitait pas à manier la carotte et le bâton. Tout en s'employant à montrer aux patrons des majors qu'il avait une solution clés en main parfaitement sûre, spécialement conçue pour eux par les meilleurs informaticiens qui soient, il veillait à leur rappeler que la vague numérique qu'ils voulaient ignorer était inévitable et irrépressible. Certes ils craignaient de perdre le contrôle, leur disait-il, mais qu'ils attendent un peu de voir ce que risquaient de leur concocter en douce les successeurs plus malins et plus sournois de Napster !

De tous les dirigeants des maisons de disques, le plus méfiant était Andrew Lack, chez Sony. Sony possédait sa propre branche d'électronique grand public, qui avait une approche distincte de la vente de baladeurs numériques, basés sur des formats de compression et d'encodage radicalement différents. De plus, après des dizaines d'années passées à des postes à haute responsabilité chez NBC et divers autres médias, tout le portait à croire que les ventes de l'iPod grimperaient en flèche si Apple était en mesure d'offrir un service global de vente de musique en ligne et qu'il était même probable que la marque vendrait des millions de Mac en plus. En ce cas, pourquoi était-ce Steve qui se taillait une part dans les bénéfices des labels et non l'inverse ? Les autres dirigeants avaient le même sentiment et présentèrent – du moins les CEO de leur société mère – des offres de prise de participation qui auraient abouti à des partenariats dépassant de loin le simple partage des bénéfices de la vente de musique. Mais ils étaient visiblement peu enthousiastes et Steve se disait qu'il lui suffisait de tenir bon et que les labels finiraient par se rendre compte qu'ils avaient besoin de sa solution.

Lack finit par céder. Le 23 avril 2003, l'iTunes Music Store fut lancé avec un catalogue de 200 000 titres. Au cours de la première semaine, les clients téléchargèrent 1 million de morceaux et, à la fin de l'année, Apple avait vendu plus de 25 millions de titres.

———

COMME L'AVAIT PRÉDIT Lack, les ventes de l'iPod s'envolèrent, au point que plusieurs lieutenants de Steve jugèrent que le marché des utilisateurs de Macintosh arrivait à saturation. Ils estimaient que le seul moyen de maintenir la croissance de l'iPod était à présent de créer une application iTunes pour Windows, autrement dit de donner accès à l'iTunes Music Store à tous les utilisateurs d'ordinateurs du monde – ce que Steve s'était précisément engagé à ne pas faire.

Dans un premier temps, Steve s'opposa à cette idée, pour des raisons à la fois stratégiques et affectives. Il avait toujours voulu que les Macintosh aient des fonctionnalités que les consommateurs ne trouveraient pas sur les PC. Il attendait également de voir si l'iPod pouvait dynamiser les ventes des Mac – sur ce plan, les prévisions de Lack ne s'étaient pas encore réalisées. Mais Avie, Sina, Ruby, Fadell et d'autres affirmaient que, couplé à l'iPod, iTunes pour Windows donnerait à des millions d'utilisateurs de PC l'occasion de faire eux-mêmes l'expérience de l'approche plus conviviale de l'informatique que présentait Apple. Steve était réellement intrigué à la perspective que l'iPod puisse être un mini-cheval de Troie qui permette aux Mac de reconquérir des parts de marché. N'était-ce pas lui qui leur disait toujours que, si Apple pouvait récupérer ne serait-ce que quelques points des parts de marché des PC, le chiffre d'affaires grimperait en flèche ?

De plus, même si cela signifiait que les utilisateurs de PC se serviraient de l'application iTunes sur Windows, il n'en demeurait pas moins qu'Apple resterait maître de toute leur expérience de la musique numérique, au travers d'iTunes, de l'iTunes Music Store et de l'iPod. Comme elle l'avait fait pour iMovie, l'équipe eut Steve à l'usure – plus rapidement, cette fois – et le persuada de changer d'avis. Et là encore, le revirement allait être payant.

À peine quelques mois auparavant, Steve avait convaincu les patrons des labels d'accepter ce « petit » essai de l'iTunes Music Store uniquement sur Mac. Il retourna les voir en leur proposant d'étendre l'expérience, disons, à tous les utilisateurs d'ordinateurs du monde entier. Il avait besoin de leur autorisation, car l'accord qu'ils avaient signé ne s'appliquait qu'au modeste univers des utilisateurs de Mac. Mais entre-temps, ils avaient eu quelques mois pour se rendre compte que Steve disait vrai : les consommateurs renonçaient bel et bien à pirater si on leur donnait la possibilité d'acheter facilement des titres à un prix qui leur semblait équitable. Cette fois, ils ne lui opposèrent que très peu de résistance ; l'évolution de leur industrie était bien celle que leur avait annoncée Steve, que cela leur plaise ou non. Comparé aux autres options, l'iTunes Music Store leur permettait du moins de s'en accommoder à peu près.

Une fois de plus, Andrew Lack, de Sony, se dit qu'il n'avait pas d'autre solution que de suivre les autres, même s'il avait l'impression de s'être laissé berner en voyant à quelle vitesse Steve avait décidé d'ouvrir le marché de l'iTunes Music Store. Malgré le vaste catalogue de Sony et sa longue tradition d'appareils électroniques de haute qualité, ses services étaient des entités farouchement indépendantes qui étaient incapables de collaborer suffisamment étroitement pour créer une solution globale susceptible de concurrencer l'iTunes Music Store. Des années après, Lack déplorait encore la faiblesse dont les majors avaient fait preuve, selon lui, dans les négociations avec Steve. « Sans la musique, l'iPod n'était qu'une coque vide, disait-il. J'avais la ferme conviction que sans une double source de revenus [où Apple aurait dû reverser une part des bénéfices des ventes de l'iPod aux maisons de disques] l'industrie de la musique aurait du mal à s'en sortir. Si les labels étaient restés soudés, ils auraient pu y arriver. C'est mon plus grand regret. »

Le 16 octobre 2003, Steve annonça qu'Apple offrait le téléchargement gratuit de l'application iTunes pour les PC Windows. Certains fidèles du Mac furent aussi scandalisés que lorsque Apple avait permis à Microsoft d'investir dans la société, en 1997. La plupart, cependant, y virent la confirmation que le système d'Apple et son approche de la micro-informatique dépassaient de loin tout ce que le mastodonte Windows avait à offrir. Steve le savait ; il l'annonça allègrement sur un écran qui proclamait *« Hell froze over »* – Impossible mais vrai.

En l'espace de trois jours, 1 million d'utilisateurs de PC sous Windows avaient téléchargé iTunes et acheté 1 million de titres sur l'iTunes Music Store. À la fin de l'année, les gens étaient plus nombreux à télécharger de la musique d'Apple sur des ordinateurs Windows que sur des Mac. Ce que l'équipe appelait désormais l'« expérience Apple » avait commencé à se propager dans le monde de Windows. Lorsqu'on voit la longue série de succès d'Apple, l'omniprésence des produits lancés par la suite et le rôle dominant que la marque devait jouer dans notre culture, on a du mal à se rappeler que cet essor était totalement inattendu, au point de surprendre ceux-là même qui en étaient à l'origine. Tout s'était fait de fil en aiguille. Un succès, un défi particulier leur inspirait l'idée d'un autre produit, d'une nouvelle version d'un produit existant ou d'une nouvelle source de revenus. Comme le disait Steve : « On ne peut voir comment les choses se sont enchaînées qu'avec le recul. » Eddy Cue se revoit encore à l'aéroport en 2003, attendant son vol dans la salle d'embarquement et regardant les autres passagers qui se trouvaient autour de lui. Une douzaine écoutaient de la musique avec des écouteurs sur un iPod, quelques autres travaillaient sur un PowerBook, la silhouette reconnaissable de la pomme se détachant, lumineuse, à l'arrière du couvercle, et un seul tapotait sur un portable PC. « "Merde alors, je me suis dit, raconte Cue. On a eu un sacré flair." On n'avait pas eu le temps de lever le nez pour regarder autour de nous. Et voilà. C'était cool. »

———

COMME STEVE ADORAIT le dire à la fin de ses discours d'ouverture méticuleusement mis en scène, en 2003, il y eut « une dernière chose ». À la fin de l'été, il évacua un calcul rénal et consulta un médecin pour faire une échographie afin de vérifier qu'il n'en avait pas d'autres. En quarante-neuf ans, Steve n'avait jamais rien eu de sérieux, et lorsque l'urologue qui avait vu une tache suspecte à l'échographie lui téléphona en lui demandant de revenir la voir, il n'en tint pas compte. À la décharge de l'urologue, elle le sermonna, et il finit par retourner la voir en octobre pour passer ce qu'il croyait un scanner de routine. Ce fut un choc : il avait apparemment une tumeur cancéreuse au pancréas, avec un pronostic inquiétant qui laissait présager qu'il n'avait plus que quelques mois à vivre. Le lendemain, il apprit qu'en définitive c'était un cancer d'évolution plus lente, que l'on pouvait mieux traiter, appelé tumeur endocrine des îlots de Langerhans. Laurene et lui furent en partie soulagés. Mais les émotions successives des deux derniers jours avaient été épuisantes. Ce n'était que le début d'un processus lent sur lequel Steve n'aurait aucun contrôle. Et cela arrivait au moment même où tous ses efforts pour assurer la réussite de sa société commençaient à porter leurs fruits de façon inimaginable.

Chapitre 12
Deux décisions

S teve présidait une vaste entreprise en pleine expansion dont les exigences étaient chaque jour plus considérables. Ne serait-ce qu'en 2003 et 2004, par exemple, Apple avait renouvelé toute sa gamme de produits. La structure en quadrants s'appliquait toujours aux micro-ordinateurs. Les consommateurs qui cherchaient un ordinateur de bureau se voyaient invités à passer du fantaisiste iMac G4 « tournesol », dont l'écran plat pivotait sur un bras articulé qui se dressait d'un boîtier en forme de bulle, au iMac G5 plus imposant, ultra-mince, qui intégrait tous les composants de l'ordinateur derrière un écran plat présenté dans un élégant cadre de plastique blanc. Le Power Mac G5 était un successeur impressionnant des tours Apple destinées aux entreprises et aux utilisateurs intensifs, et il reçut un accueil dithyrambique. Les acheteurs de portables avaient le choix entre des iBook G4 à coque de plastique blanche ou noir mat, et le PowerBook G4 en trois tailles d'écran. Mais entre Internet, le réseau domestique, la musique et les applications logicielles, Apple produisait bien plus que de simples micro-ordinateurs.

De nouvelles versions d'iMovie et FinalCutPro sortirent, ainsi qu'une nouvelle application branchée baptisée GarageBand, qui permettait d'enregistrer, de monter et de mixer ses propres compositions sur son Mac. Apple présenta également une refonte de son système d'exploitation, appelé Panther, qui avait son propre navigateur, Safari. Deux nouveaux claviers furent lancés, dont l'un sans fil. Les magnifiques écrans plats Cinema Display s'agrandirent et leur définition s'améliora encore. L'entreprise, qui avait fait pression plus que toute autre pour que le Wi-Fi devienne le protocole de réseau standard, lança Airport Extreme, un serveur puissant destiné aux particuliers, et Airport Express qui pouvait étendre un réseau Wi-Fi d'un bout à l'autre d'une énorme maison. Pour les utilisateurs qui voulaient chatter en vidéo, la firme commercialisa iSight, une webcam qu'ils pouvaient fixer au-dessus de leur écran. La gamme de serveurs appelée Xserve destinée aux entreprises fut également renouvelée. Enfin, et surtout, les utilisateurs d'iPod furent doublement gâtés en 2004 : l'élégant iPod mini ultra-mince et un iPod Classic avec un écran couleur qui pouvait afficher des photos.

Apple avait le vent en poupe. L'iPod semblait avoir de belles années de croissance devant lui. La gamme de produits était cohérente, magnifiquement réalisée et très appréciée. Mais naturellement, pour Steve, ce n'était pas une raison pour jubiler ni se reposer sur ses lauriers. Ce n'était qu'une assise qui devait lui permettre, une fois encore, d'« influer sur l'univers ». Jim Collins, l'auteur de best-sellers du management, tels que *Bâties pour durer. Les entreprises visionnaires ont-elles un secret ?* ou *De la performance à l'excellence : devenir une entreprise leader*, a une formule merveilleuse pour décrire une des caractéristiques fondamentales des grands leaders : une profonde insatisfaction. Collins l'applique à Steve, un des deux grands dirigeants qui l'inspirent le plus (le second étant Winston Churchill, Premier ministre durant la majeure partie de la Seconde Guerre mondiale et de nouveau de 1951 à 1955). Collins estime que cette éternelle insatisfaction est bien plus importante, bien plus influente que la simple ambition ou l'intelligence pure. C'est le fondement de la résilience et de la motivation personnelle. Elle est nourrie par la curiosité, la soif de bâtir quelque chose de significatif et le dessein de tirer le meilleur parti de sa vie.

Collins et Steve s'étaient connus à l'époque où Collins était un jeune professeur de la Graduate School of Business de Stanford, de 1988 à 1995. La première année où il enseignait l'entrepreneuriat, il avait demandé à Steve d'animer une séance avec ses étudiants, et c'est ainsi qu'ils s'étaient rencontrés. NeXT n'incarnait pas exactement une réussite spectaculaire et Pixar tâtonnait encore, mais Steve était charismatique, spirituel et affable. Collins, qui est resté en contact avec Steve tout au long de sa vie, estime qu'il n'y avait pas de meilleure époque pour faire sa connaissance. « Il aurait fallu rencontrer Winston Churchill en 1935, quand il était en disgrâce et que personne ne lui prêtait attention, dit-il. Churchill avait ses détracteurs, ce qui n'est pas rare chez les grands hommes. Mais au bout du compte, on les juge à l'ensemble, à tout le parcours qu'ils ont accompli. » Churchill, comme Jobs, subit des revers humiliants au début de sa carrière et s'acharna à remonter la pente, lentement, péniblement, jusqu'à se hisser encore plus haut.

La profonde insatisfaction de Steve n'avait pas toujours été un avantage. Quand il était plus jeune, son esprit papillonnait, passant d'un projet à l'autre, comme ce jour où tous les efforts investis dans le développement de l'Apple III lui avaient soudain paru bien pâles comparés au potentiel de l'infographie qu'il avait découvert au Palo Alto Research Center de Xerox. Fonder NeXT si tôt après avoir dû quitter Apple en ayant été désavoué était une décision précipitée, tout comme le rachat de l'équipe d'infographistes qui allait devenir Pixar. À l'époque, cette insatisfaction ressemblait davantage à de l'impulsivité. Mais il ne renonça jamais. Il n'abandonna jamais Pixar ni NeXT. Ce qui donnait toute sa profondeur à son insatisfaction, c'était l'acharnement. « Ce qu'il essayait de faire était toujours difficile, explique Collins. Il arrivait qu'il se retrouve au tapis. Mais lorsqu'on lutte ainsi dans la souffrance, on peut en sortir grandi. »

En 2003 et 2004, l'insatisfaction de Steve le poussait à aller de l'avant, vers un avenir incertain, et à mesurer s'il avait réellement grandi. Steve se posait la question qui l'avait toujours stimulé – Et après ? –, mais cette fois, il était particulièrement compliqué d'y répondre. Apple pouvait concevoir quelque chose qui sorte du domaine de la micro-informatique qui avait toujours été le sien, quelque chose qui transforme encore une fois l'interface utilisateur. Peut-être la marque devait-elle sortir un ordinateur d'une forme radicalement différente, une sorte de tablette. Ou exploiter le succès de l'iPod en lançant un nouvel appareil électronique, qui sait, peut-être même un téléphone portable.

Pour Apple, l'iPod avait tout changé. L'iTunes Music Store, et ce d'autant plus que sa clientèle comprenait à présent les millions d'utilisateurs de PC, s'avérait un nouveau canal de distribution, où les frictions étaient rares et les frais généraux bien moindres que dans le système traditionnel où l'on gravait des CD dans une usine avant de les envoyer aux détaillants. À la clôture de l'exercice 2004 – trois ans à peine après le lancement d'iTunes –, le chiffre d'affaires des produits liés à iTunes et à l'iPod représentait 19 % des ventes totales d'Apple. Cette année-là, Apple avait vendu 4,4 millions d'iPod, alors que les ventes unitaires des Macintosh chutaient de 28 %, passant de 4,6 millions en 2000 à 3,3 millions en 2004. La preuve ultime de l'impact d'iTunes et de l'iPod apparaissait au bilan : en 2004, la firme affichait un bénéfice net de 276 millions de dollars, alors qu'en 2003 il était de 69 millions.

———

MAIS L'IPOD NE s'était pas contenté de créer une énorme source de revenus secondaire. Il avait consolidé l'assise d'Apple et développé son potentiel. Tim Cook gérait à présent une chaîne logistique complexe qui entretenait un réseau de fabrication international capable de produire des dizaines de millions d'iPod tous les mois. Jony Ive avait fait face à l'accélération du métabolisme de l'entreprise et à cette fabrication à grande échelle en expérimentant de nouveaux métaux, des alliages, des plastiques robustes, du verre ultra-résistant que l'on pouvait façonner pour en faire des produits de dimension réduite, comme un iPod mini, ou beaucoup plus importante, comme un écran de 32 pouces. L'équipe de direction commençait à penser que la firme réussissait tout ce qu'elle entreprenait. « J'ai toujours eu l'impression que si on veut être créatif, m'a confié Steve, c'est un peu comme quand on saute en l'air, on a intérêt à s'assurer que le sol est toujours là quand on atterrit. » Le sol n'avait jamais été aussi ferme sous ses pieds. C'était le moment idéal de faire le grand saut pour passer à quelque chose de radicalement nouveau qui puisse changer la donne. Seulement, Steve ne savait pas quelle direction prendre. La solution à ce dilemme allait être une des décisions majeures de sa carrière.

———

APPLE N'AVAIT PAS à proprement parler de département recherche et développement. Steve ne voulait pas reléguer les expérimentations d'avenir dans un secteur à part qui n'ait en un sens aucun compte à rendre aux responsables sur lesquels reposait l'essentiel de sa stratégie de développement de produits. Les projets de recherche naissaient un peu partout dans la firme, bien souvent sans que Steve ait donné son accord, ni même qu'il soit au courant. Il en prenait connaissance uniquement si l'un de ses principaux managers décidait que le projet ou la technologie avait un réel potentiel. En ce cas, Steve l'examinait et enregistrait les informations qu'il glanait dans la machine à apprendre qu'était son cerveau. Parfois, elles y restaient entreposées et rien ne se passait. D'autre fois, en revanche, il s'arrangeait pour les combiner à autre chose qu'il avait vu, ou les détourner pour les adapter à un tout autre projet. C'était là un de ses grands talents : la capacité de synthétiser des projets et des technologies distincts pour en faire quelque chose jusqu'alors inimaginable. Il lui était précieux pour décider de la suite des événements.

Deux projets avaient été lancés afin d'étudier la possibilité de créer un nouveau type de téléphone portable. Steve avait lui-même demandé aux développeurs de la gamme Airport, les bornes d'accès Wi-Fi d'Apple, de faire des recherches préliminaires sur la technologie des téléphones portables. Dans son équipe, cette décision en avait laissé perplexe plus d'un – la technologie du réseau de données Wi-Fi n'avait pas grand-chose à voir avec la technologie radiocellulaire des réseaux des téléphones sans fil. Mais il y avait un autre projet en cours, bien plus immédiat. Depuis le début de l'automne 2003, plusieurs membres du comité de direction, parmi lesquels Eddy Cue, le maître d'œuvre de l'iTunes Music Store, cherchaient le moyen d'intégrer dans un téléphone portable un lecteur compatible avec iTunes ainsi que la possibilité d'accéder à l'iTunes Music Store.

« On avait les deux sur nous, un portable et un iPod, raconte Cue en tapotant les poches de son jean. On savait qu'on pouvait ajouter iTunes à un téléphone et que ce serait presque comme l'iPod. C'était surtout une question de logiciel. On a regardé un peu partout dans le secteur, et au début 2004, on a décidé de travailler avec Motorola, qui dominait à l'époque le marché des portables avec le RAZR à clapet. Tout le monde en avait. » Motorola était un des principaux fournisseurs d'Apple depuis des dizaines d'années. Jusqu'au milieu des années 1990, tous les ordinateurs Apple fonctionnaient grâce à ses microprocesseurs, et par la suite, l'entreprise avait fait partie avec IBM d'un consortium qui avait conçu les processeurs dérivés des puces PowerPC qui allaient équiper les Mac jusqu'en 2006. Motorola promit à Apple de créer une nouvelle gamme de téléphones, appelée ROKR, spécialement conçue pour iTunes.

Le projet suscita d'emblée la controverse, pour la simple raison que la plupart des gens d'Apple n'avaient aucune envie de collaborer avec d'autres entreprises. L'équipe matériel de l'iPod, en particulier, dirigée par Fadell, ne supportait pas l'idée d'abandonner aux constructeurs de téléphone la conception de ce qu'elle commençait à appeler les « musicphones ». Et plus Motorola lui montrait les projets du ROKR, plus elle avait la certitude que c'était une erreur d'avoir cédé la licence des précieux logiciels de l'iPod et d'iTunes. Certes, Motorola avait produit par le passé des téléphones aussi beaux qu'élégants, mais ses ingénieurs semblaient incapables de concevoir des logiciels qui restituent la simplicité de l'iPod d'Apple. Pour les petits génies d'Apple, l'approche de Motorola frisait l'ineptie. Le constructeur de l'Illinois avait chargé plusieurs équipes de programmeurs de concevoir les différents composants du logiciel, tels que le répertoire des contacts, les

envois de textos et un navigateur Internet sommaire qui pouvait afficher des versions mobiles des sites, réduisant ces derniers à leur plus
simple expression. Aucune de ces fonctionnalités n'était aussi intuitive que l'interface de l'écran de l'iPod, et la difficulté de combiner
les recherches d'équipes aussi disparates et morcelées aboutissait à un
véritable fouillis. Fadell finit par être si exaspéré par Motorola qu'il
décida de développer ses propres prototypes de téléphones portables
Apple, le premier orienté vers la musique, le second axé sur la vidéo
et les photos.

Paradoxalement, ce furent deux projets qui au départ n'avaient rien à
voir avec les téléphones portables qui influèrent le plus sur la décision de
Steve lorsqu'il définit la nouvelle stratégie d'Apple. L'un d'eux était baptisé Project Purple. C'était un projet confidentiel mené à sa demande,
qui avait pour objectif de concevoir une nouvelle approche d'un « format » de matériel informatique pour le moins insaisissable – un appareil
mobile, ultra-léger, qui ressemble à une tablette ou un porte bloc-notes,
avec un écran tactile interactif. Les meilleurs chercheurs et ingénieurs
de Microsoft s'y cassaient les dents depuis des années, mais Steve était
persuadé que ses équipes pouvaient réussir là où d'autres avaient échoué.
Il devait bien y avoir une manière plus intuitive d'interagir avec un
ordinateur qu'au moyen d'un clavier et une souris. Idéalement, l'appareil
devait pouvoir être utilisé n'importe où, y compris aux toilettes.

L'autre projet se développait loin de la tutelle de Steve. En 2002,
deux chercheurs d'Apple, Greg Christie et Bas Ording, commencèrent
à s'intéresser à une technologie d'interface utilisateur qui était au point
mort depuis des années. Christie et Ording décidèrent de reconsidérer
la possibilité d'un écran tactile permettant d'activer une icône ou un
bouton affiché sur un moniteur vidéo. Développés à l'origine par IBM
dans les années 1960, les écrans tactiles avaient connu une trajectoire
qui n'avait rien de révolutionnaire. En 1972, Control Data avait vendu
un terminal d'ordinateur central équipé d'un écran tactile. En 1977,
le CERN, l'Organisation européenne pour la recherche nucléaire, en
avait construit pour contrôler les accélérateurs de particules. Dans les
années 1980, Hewlett-Packard avait été le premier constructeur à offrir

un écran tactile en option sur ses micro-ordinateurs, mais il était impossible de l'utiliser avec la plupart des logiciels disponibles à l'époque. La majorité des distributeurs automatiques, des bornes d'enregistrement des aéroports et des caisses enregistreuses étaient équipés d'écrans tactiles rudimentaires, mais leurs perspectives semblaient limitées dans le domaine de la micro-informatique.

Au début des années 1990, une poignée d'entrepreneurs de start-up et des chercheurs des labos R&D de plusieurs fabricants d'ordinateurs avaient eu l'idée de reconvertir la technologie de l'écran tactile pour créer un système qu'ils baptisèrent « pen computing ». Leur projet était de permettre aux utilisateurs d'imiter l'action de la souris en travaillant directement sur l'écran d'un ordinateur portable avec un stylet adapté. Ils estimaient qu'il était si naturel de dessiner ou d'écrire directement sur un écran que c'était la meilleure façon d'interagir avec un ordinateur. C'est sur cette technologie encore balbutiante que comptait John Sculley pour faire du MessagePad Newton lancé en 1993 la grande révolution de la micro-informatique. Évidemment, le Newton avait été un échec en raison, notamment, du manque de précision embarrassant de son logiciel de reconnaissance de l'écriture. Microsoft essayait depuis vingt ans de développer ce système de stylet sur des PC en forme de tablettes, mais sans réellement y parvenir. La seule tentative relativement réussie était l'assistant personnel Palm Pilot. Mais le petit appareil n'était pas conçu pour être un véritable ordinateur, et son succès avait été éphémère.

Des universitaires et des artistes numériques tournés vers l'avenir avaient fait évoluer le concept d'écran tactile dans une autre direction. Au début des années 1980, ils avaient commencé à expérimenter des technologies qui permettaient de se servir de plusieurs doigts et non d'un seul pour manipuler les images à l'écran. Ces interfaces dites multi-touch ou multi-tactiles étaient totalement différentes. En employant des gestes et des mouvements coordonnés, effectués avec des combinaisons de doigts ou avec les mains, on parvenait à contrôler l'écran avec bien plus de dextérité qu'avec une souris. On pouvait déplacer des icônes et des fichiers, agrandir ou rétrécir les images à l'écran. En découvrant ces possibilités, les chercheurs d'IBM, de Microsoft, de Bell Labs et d'autres organismes s'étaient lancés dans leurs propres projets multi-tactiles. Greg Christie, chez Apple, était un des principaux ingénieurs qui avaient travaillé à la conception de l'infortuné Newton. Il avait oublié ses premières amours et lâché le stylet, mais il avait suivi régulièrement toutes les recherches menées sur les écrans multi-tactiles dans les universités et l'industrie high-tech. Il espérait qu'en s'associant à Ording, qui était entré chez Apple en 1998 et avait travaillé sur l'interface utilisateur à molette de l'iPod ainsi que sur OS X, il pourrait contribuer avec lui à faire du multi-tactile la caractéristique technologique majeure d'un nouvel ordinateur. Ils croyaient l'un et l'autre que le multi-tactile pouvait constituer la base d'un type d'interface utilisateur radicalement novateur.

Développer une nouvelle interface est une des opérations informatiques dont la difficulté est la plus trompeuse. Il ne s'agit pas seulement de concevoir une nouvelle façon de présenter joliment des informations visuelles sur un ordinateur. Il faut tout autant prendre en compte les anciennes habitudes – et non se contenter de s'en débarrasser. Par exemple, le clavier anglo-saxon QWERTY est depuis des années un des moyens les plus courants de taper et d'entrer des informations dans un ordinateur. QWERTY, qui fait référence aux six premières touches de gauche sur la troisième rangée d'un clavier, était un vestige, une disposition de touches héritée de l'époque des claviers mécaniques, destinée à éviter que les tiges portant les caractères ne s'enchevêtrent quand l'utilisateur avait une grande vitesse de frappe.

Christie et Ording décidèrent de ne pas modifier cette préférence répandue, quoique rétrograde. Ils expérimentèrent donc l'idée d'un clavier QWERTY qui apparaissait sur l'écran quand on avait besoin d'écrire. Lorsqu'ils essayèrent le multi-tactile, ils s'aperçurent qu'ils pouvaient faire un tas de choses aussi efficaces qu'amusantes. Cette nouvelle approche pouvait servir à monter et à retoucher des images photos, dessiner et même annoter des feuilles de calcul et des documents de texte. Plus ils se servaient du multi-tactile, plus Ording et Christie avaient l'impression d'être sur une véritable piste.

Chez Apple, il n'était pas rare de voir surgir cinq projets différents portant sur des perspectives technologiques similaires. Steve n'avait pas ordonné « Que l'iPad soit » et vu du jour au lendemain toute son entreprise se démener pour accomplir sa seule et unique volonté. La firme foisonnait en permanence d'idées, de possibilités. Le principal rôle de Steve était de faire le tri, d'imaginer comment elles pouvaient conduire à une véritable innovation.

———

STEVE AVAIT UNE autre décision cruciale à prendre durant cette période : comment traiter le cancer qui avait été découvert. Le fait que la tumeur endocrine des îlots de Langerhans était un cancer d'évolution lente et pouvait éventuellement être traitée lui avait donné de l'espoir, ainsi qu'à Laurene. Éventuellement, c'était le maître mot. Steve s'était toujours préoccupé de sa santé à sa façon ; si aux yeux des autres ses méthodes semblaient parfois curieuses, pour lui, elles étaient évidentes. Dans sa jeunesse, il avait été fruitarien. Il avait fini par adopter un régime végétarien – après avoir été végétalien –, tout comme Laurene, et n'avait aucun problème de santé particulier. À présent qu'il était confronté à une grave maladie, il voulait s'assurer que la tumeur soit traitée du mieux possible. Fidèle à lui-même, il voulait donc explorer toutes les options qui s'offraient à lui.

Il parla à certains de ses conseillers les plus proches comme Larry Brilliant, Andy Grove, Arthur Levinson, le CEO de Genentech qui était au conseil d'administration d'Apple, et au Dr Dean Ornish, auteur de nombreux livres. Ses médecins de Stanford lui recommandèrent une opération immédiate pour retirer la tumeur. Dans l'équipe médicale se trouvait même un chirurgien qui avait mis au point une nouvelle technique chirurgicale précisément destinée à ce type de cancer du pancréas. Mais au début, Steve n'était pas convaincu que ce soit la meilleure approche et il expliqua à ses médecins qu'il voulait essayer une méthode moins invasive, en d'autres termes, basée sur un régime alimentaire.

Il ne fait aucun doute que le facteur psychologique ait joué un rôle dans sa décision d'éviter la chirurgie. Quelques années plus tard, selon sa biographie officielle, Steve dit à Walter Isaacson : « Je ne voulais vraiment pas qu'on m'ouvre le ventre, alors j'ai cherché d'autres solutions. » Il est naturel de craindre une telle opération, mais pour un homme qui tenait tant à rester maître de la situation, ce devait être particulièrement compliqué.

Il avait également des raisons intellectuelles de vouloir comprendre son cancer. Il était atteint d'un type de tumeur rare. D'après le National Cancer Institute, il n'y avait qu'un millier de cas découverts chaque année aux États-Unis. Les recherches n'étaient donc pas étayées par les énormes bases de données dont disposaient les médecins qui étudiaient les cancers du poumon ou du sein, pour ne citer que deux des plus courants, ou d'autres formes de cancer du pancréas. (Son propre chirurgien oncologue m'a confié qu'à cette époque on en savait trop peu pour déterminer de façon statistique quel était le traitement le plus approprié – chirurgie, chimiothérapie, rayons, une autre technique ou une combinaison de plusieurs traitements.) L'indécision de Steve n'était donc pas totalement aberrante. « Je ne comprends pas, dit Brilliant, comment d'un côté les auteurs peuvent le décrire comme un homme d'affaires intraitable, hyper matérialiste, sans parler de son côté spirituel. Et quand il s'agit de son cancer, aller prétendre qu'il avait une espèce de conviction spirituelle totalement folle, d'être une sorte de messie capable de se soigner tout seul. »

Steve mena ses investigations avec la même application qu'il mettait à comprendre ce qui pouvait constituer une grande innovation. Il chercha d'autres options partout dans le monde et se rendit discrètement à Seattle, Baltimore et Amsterdam pour voir des médecins. Il s'intéressait essentiellement aux traitements diététiques susceptibles d'être efficaces et aux approches de médecine douce qui étaient davantage en accord avec son penchant pour le bio. Cependant, il demanda également conseils à divers spécialistes de médecine conventionnelle. Il organisa même une conférence téléphonique afin de pouvoir discuter avec au moins une demi-douzaine des meilleurs oncologues des États-Unis.

Mais en définitive, la chirurgie semblait être la solution la plus encourageante. Les quelques personnes qui étaient dans la confidence s'exaspéraient de le voir poursuivre ses « recherches » pendant des mois, et ses médecins commençaient à craindre que les chances de l'opérer avec succès ne s'amenuisent. Steve finit par accepter l'intervention en 2004, et fut admis au Stanford University Medical Center. Le samedi 31 juillet, il passa quasiment toute la journée sur la table d'opération. Les chirurgiens procédèrent à l'ablation de la tumeur.

C'était une opération très lourde. Quelques mois plus tard, Steve m'a montré la cicatrice – elle dessinait une sorte de U qui partait sous la cage thoracique, descendait jusqu'au nombril et remontait de l'autre côté. « Le pancréas se trouve derrière les organes digestifs, et les chirurgiens doivent avoir la place d'en sortir une partie pour l'atteindre, m'a-t-il expliqué en gesticulant comme s'il le faisait lui-même. En fait, ils n'en ont enlevé qu'une partie. Le plus difficile, c'était de l'atteindre. »

Le 1er août, le lendemain de son opération marathon, tombait un dimanche. Bien qu'il soit encore en unité de soins intensifs et passablement assommé par l'anesthésie et les antalgiques, il demanda qu'on lui apporte son PowerBook pour peaufiner une lettre informant les employés d'Apple de sa maladie et de son opération. En un sens, la lettre était un cas de marketing : comment présenter de façon positive le fait que vous venez de subir une intervention chirurgicale destinée à traiter un cancer du pancréas, maladie dont l'issue est le plus souvent fatale. Voici ce qu'il écrivit :

> *À toute l'équipe,*
>
> *Je tiens à vous informer moi-même de quelque chose qui me touche personnellement. Ce week-end, j'ai subi avec succès une opération chirurgicale destinée à retirer une tumeur au pancréas. J'étais atteint d'une forme très rare de cancer du pancréas, appelée tumeur endocrine des îlots de Langerhans, qui représente environ 1 % de tous les cas de cancer du pancréas diagnostiqués chaque année et peut être guéri par ablation chirurgicale s'il est diagnostiqué à temps (ce qui était le cas ici). Je n'ai pas besoin de chimiothérapie ni de radiothérapie.*

La forme bien plus courante de cancer du pancréas est l'adéno-carcinome, qui est incurable à l'heure actuelle et laisse générale-ment présager une espérance de vie d'un an après le diagnostic. Si je mentionne ceci, c'est que, lorsque l'on entend les mots « cancer du pancréas » (ou que l'on cherche sur Google), on tombe aussitôt sur cette forme bien plus courante et plus mortelle qui n'est heu-reusement pas celle dont j'étais atteint.

Je vais récupérer au mois d'août et compte reprendre le tra-vail en septembre. Durant mon absence, j'ai chargé Tim Cook de prendre la direction des opérations et tout devrait donc se dérouler au mieux. Je vais sûrement en harceler plus d'un au téléphone au mois d'août et j'ai hâte de vous revoir en septembre.

Steve

P-S : Je vous envoie ceci de mon lit d'hôpital de mon PowerBook 17 pouces via Airport Express.

Sachant que cette lettre serait probablement rendue publique, il avait même veillé à glisser des allusions aux produits Apple. Ce qu'il ne révélait pas, en revanche – et qu'il ignorait peut-être encore –, c'est qu'en l'opérant les chirurgiens avaient également repéré un début de métastase au foie.

Naturellement, il est impossible de savoir ce qui serait arrivé si Steve n'avait pas retardé de dix mois cette opération. Selon le National Cancer Institute, les patients atteints du même type de tumeur que Steve ont un taux de survie de 55 % à cinq ans après ablation totale, si celle-ci a été diagnostiquée suffisamment tôt.

Steve survécut sept ans, et ce furent les années les plus étonnantes et les plus productives de sa vie.

UNE INTERVENTION AUSSI lourde que celle-ci donne généralement lieu à une convalescence longue et éprouvante, en raison de la masse de tissus et de muscles qui doivent cicatriser dans une région du corps particulièrement sollicitée dès que l'on se penche ou que l'on se plie pour s'asseoir ou se lever. Comme me l'a confié Steve en termes laconiques : « La cicatrisation, ç'a été raide. » Au début, le moindre mouvement déclenchait une vague de douleur qui irradiait de son ventre jusqu'au bout de ses doigts et de ses orteils. Quand il rentra chez lui après un séjour de deux semaines à l'hôpital, c'est à peine s'il pouvait tenir assis dans un rocking-chair. Il n'aimait pas les antalgiques, car ils lui embrumaient les idées. Mais il était bien décidé à reprendre le travail début septembre.

La plupart d'entre nous réagiraient à une maladie comme celle de Steve en levant le pied dans leur profession ou en s'attaquant à toutes les choses qu'ils ont toujours rêvé de faire. Steve, lui, se plongea à corps perdu dans le travail. « Il faisait ce qu'il aimait, confie Laurene. Il en faisait même deux fois plus. » Il passa donc ces sept semaines de convalescence à réfléchir à Apple, au secteur informatique et à l'avenir de la technologie numérique. Il établit une liste ambitieuse de tout ce qu'il voulait accomplir une fois de retour au bureau. « Quand il est sorti de l'opération, il était en surrégime, raconte Tim Cook. L'entreprise tourne toujours à pleine cadence et ça ne s'arrête jamais. Mais quand il est revenu, il y avait une sorte d'urgence chez lui. Je l'ai tout de suite vu. »

Son premier souci fut de passer du temps avec chacun des membres de la direction pour se mettre au courant des derniers développements et expliquer à chacun d'entre eux comment il comptait aborder son travail à l'avenir. Il leur annonça qu'il s'intéresserait davantage aux secteurs tels que le développement produits, le marketing et les boutiques, et s'occuperait moins des questions de production, de gestion, de finance et de ressources humaines. Il n'avait plus la même endurance, il le savait, même si cela ne se voyait guère. De plus, ses médecins le surveillaient de près, leur dit-il, et tenaient à ce qu'il fasse régulièrement des check-up pour s'assurer qu'il cicatrisait bien et qu'il n'y avait pas de signes de métastases. Il ne révéla pas à ses hauts responsables que le cancer s'était probablement propagé, ni qu'il allait devoir subir des séances de chimiothérapie. Mais il s'était résigné à l'idée que sa carrière professionnelle ne serait plus ce qu'elle avait été et tenait à les prévenir des changements que cela pouvait générer chez Apple. Une fois rattrapé le temps perdu, il se pencha sur la grande décision qui semblait plus urgente que jamais. Que faire après ?

———

SUR LES CINQ projets de téléphones portables et de tablettes qui étaient en gestation, un seul avait succombé à l'automne 2004. Sans surprise, l'équipe Wi-Fi n'avait rien pu sortir d'intéressant. Motorola avait un peu avancé sur le projet du ROKR compatible iTunes, mais le téléphone prenait les allures de tous les projets élaborés de bric et de broc – une usine à gaz. Tout d'abord, Motorola avait choisi un appareil massif qui ne ressemblait en rien à ses prédécesseurs bien plus élégants comme le RAZR à clapet ou l'iPod. Les fichiers MP3 d'iTunes seraient stockés sur des cartes mémoire flash MicroSD amovibles, plus petites et plus fragiles, qui équipaient de plus en plus les appareils photo numériques compacts. Motorola avait décidé de façon inexplicable que ces cartes ne pourraient pas contenir plus de cent titres, alors qu'elles avaient une capacité bien supérieure. Et bien que le téléphone permette d'avoir un accès à Internet, on ne pouvait pas s'en servir pour télécharger de la musique sur l'iTunes Music Store. Les malheureux utilisateurs du ROKR devraient tout d'abord acheter leurs titres sur leur ordinateur *via* iTunes, puis les transférer sur le ROKR par câble. Il ne présentait aucun intérêt comparé aux iPod existants, qui avaient au moins l'avantage d'un accès direct à Internet. Plus ils découvraient le ROKR, plus Fadell et les autres ingénieurs stars d'Apple craignaient le pire. En définitive, Motorola le sortit avec dix-huit mois de retard (pendant cette période, Apple avait eu le temps de renouveler deux fois toute sa gamme d'iPod), aussi n'y a-t-il rien d'étonnant à ce qu'en septembre 2005, lorsque Steve présenta le ROKR à la Macworld, ce dernier soit passé au second plan. L'iPod Nano était le clou du spectacle.

Les prototypes de musicphone sur lesquels Steve avait travaillé tout au long de l'année 2004 étaient bien plus intéressants. La première version intégrait l'interface reconnaissable de l'iPod avec la molette qui faisait office de cadran. Steve admirait le cran de Fadell, mais il y avait un problème évident. La molette qui fonctionnait avec une incroyable fluidité sur l'iPod était un réel obstacle sur le musicphone. Si elle était idéale pour parcourir des listes de titres ou de contacts, il était difficile de former un numéro de téléphone avec le pouce. Ce n'était qu'un gadget. Ce prototype ne visait pas assez haut sur le plan de la technologie et de la conception de l'interface utilisateur. Le second prototype de Fadell, qui avait évacué la molette et mettait l'accent sur sa fonction de lecteur vidéo, était extrêmement inventif et témoignait de l'ambition insatiable de l'ingénieur. Il y avait cependant un problème externe qu'il ne parvenait à surmonter – les réseaux de téléphonie mobile de l'époque n'étaient pas suffisamment rapides ou fiables pour garantir un flux vidéo de qualité. Le vidéophone de Fadell aurait pu être produit en moins d'un an avec un bon partenaire télécom, mais Steve préféra ne pas donner son feu vert. Ce prototype avait visé trop haut, car il dépendait d'une infrastructure de téléphonie mobile qui n'était pas encore en place.

L'équipe du Project Purple rencontrait des difficultés d'un autre type. En voulant changer de format tout en maintenant la compatibilité avec le matériel et les logiciels traditionnels des Macintosh, ses ingénieurs se heurtaient aux bêtes noires de Microsoft et des autres constructeurs qui s'étaient lancés dans les tablettes PC : le volume, le poids, l'autonomie de la batterie et le coût. Même un modeste écran de 10 pouces était gourmand en énergie et déchargerait rapidement la batterie quand l'appareil était débranché. La technologie Wi-Fi, qui était le meilleur moyen de connecter un ordinateur portable à Internet ou d'autres réseaux informatiques, pompait également de l'énergie, tout comme les processeurs habituellement utilisés sur les micro-ordinateurs – y compris ceux qui étaient conçus pour les portables. La consommation d'énergie d'une tablette semblait être un problème quasiment insurmontable, dans la mesure où les batteries existantes étaient lourdes et volumineuses.

Les différentes technologies nécessaires à la conception d'un iPad dérivé de la technologie Mac se concrétisaient peu à peu, mais elles aboutissaient à un appareil lourd et peu maniable qui coûterait à peu près le même prix qu'un MacBook classique. Il ne serait pas facile à vendre, Steve le savait. Cependant, il ne mit pas un terme à l'opération. Tant qu'il n'avait pas de plan B, il ne voulait pas interrompre le Project Purple.

De leur côté, Greg Christie et Bas Ording avaient passé en 2004 plusieurs mois à jouer avec le prototype d'écran multi-touch atypique mais opérationnel qu'ils avaient assemblé. Les deux chercheurs projetaient en direct l'image vidéo d'un écran d'ordinateur sur une surface multi-tactile de la taille d'une table de salle de réunion. On pouvait déplacer les fichiers à deux mains, activer les icônes, agrandir et rétrécir des documents, faire défiler les pages verticalement ou horizontalement de manière relativement intuitive. À ce stade, les gestes multi-touch qu'ils avaient définis étaient encore rudimentaires, mais le « Jumbotron », comme le directeur du design Jony Ive finit par baptiser le prototype, donnait une idée du plaisir que ce pouvait être de contrôler un écran multi-tactile avec les doigts. Ive, qui s'était fait une spécialité de dénicher les interfaces utilisateur les plus innovantes dans les labos d'Apple, suivait depuis le début les travaux de Christie et d'Ording et fut fasciné par la démo du Jumbotron. Il voulait à tout prix que Steve voie cela. Il était persuadé qu'Apple pouvait faire du multi-tactile la base d'un nouvel appareil et que cet appareil devait être une tablette informatique.

———

STEVE PENSAIT ÉGALEMENT que la prochaine étape d'Apple consisterait sans doute en une refonte de l'ordinateur personnel classique. Il avait toujours penché pour la tablette. C'est pourquoi il avait donné au début son feu vert au Project Purple. Mais peu après son opération, il profita d'une des balades qu'il faisait régulièrement avec Jony en guise de séance de brainstorming pour lui annoncer qu'il ne voyait plus les choses de la même façon. « Steve voulait enterrer le projet, raconte Ive. De mon côté, j'étais si enthousiaste que ça m'a sidéré. Mais un de ses arguments – et c'est typique de l'intelligence de Steve –, c'était : "Je ne sais pas si je peux convaincre les gens que la tablette est une catégorie de produits qui a réellement de la valeur. En revanche, je sais que je peux les convaincre qu'ils ont besoin d'un meilleur téléphone." » Cette suggestion était loin de trahir une ignorance absolue des difficultés techniques que cela représenterait. Il savait pertinemment qu'il était bien plus complexe de concevoir un téléphone qu'une tablette, car ce devait être à la fois un appareil compact, un bon téléphone, un bon ordinateur et un bon lecteur audio. Ce qu'il voulait, c'était lancer une nouvelle catégorie d'appareils. Il estimait que cette fois le risque en valait la peine.

Quand Steve finit par aller voir le prototype de démonstration du Jumbotron multi-tactile de Greg Christie et Bas Ording, le moins que l'on puisse dire, selon Ive, c'est qu'il ne fut « pas impressionné ». « Il ne voyait pas l'intérêt. Je me sentais ridicule, parce que, pour moi, c'était vraiment quelque chose de majeur. Je lui ai dit : "Imagine par exemple l'arrière d'un appareil photo numérique. Pourquoi avoir un si petit écran et autant de boutons ? Pourquoi ne pas tout afficher, plutôt ?" C'est la première application qui m'est venue à l'esprit sur le moment, c'est dire si ça date d'il y a longtemps. Mais ça ne l'a pas empêché de se montrer très, très critique. C'est encore une de ces fois où ce qu'il disait et sa façon de le dire n'avaient rien de personnels. On pouvait le prendre comme ça, mais en fait, ce n'était pas le cas. »

Cependant, après avoir cogité quelques jours sur le Jumbotron, Steve changea d'avis. Peut-être le multi-tactile était-il l'interface qu'il cherchait. Il fit appel aux lumières de gens qu'il respectait, appela Jony pour en rediscuter. Il s'entretint avec Steve Sakoman, un des anciens ingénieurs du Newton et du Palm Pilot qui était à présent vice-président de l'ingénierie logicielle sous la responsabilité d'Avie Tevanian et faisait pression pour qu'Apple se lance dans les téléphones. Il voulait également savoir ce que l'équipe de l'iPod pensait du multi-tactile, dans la mesure où elle avait déjà conçu deux prototypes de musicphones. Il demanda à Tony

Fadell de jeter un œil au Jumbotron, car son expertise en ingénierie matérielle lui permettait d'évaluer par quel moyen adapter cette technologie à un format bien plus petit qui puisse être produit en masse. Quand il le découvrit, Fadell reconnut l'intérêt du procédé, mais avoua que ce ne serait pas facile de réduire un prototype de la taille d'une table de ping-pong pour en faire un système fonctionnel qui puisse entrer dans un appareil de poche. Et c'est exactement le défi que lui présenta Steve.

« Tu as trouvé comment associer la musique et le téléphone. Maintenant, trouve-moi comment ajouter cette interface multi-tactile à l'écran d'un téléphone. Un téléphone très cool, très compact, très mince. »

Avec le recul, il est évident que la démo de multi-tactile que lui avaient présentée Christie et Ording avait été pour Steve une véritable révélation, comparable à ce qu'il avait vécu lors de sa visite au Xerox PARC, vingt-cinq ans auparavant. Si l'on voulait créer un nouveau type d'équipement mobile intelligent, il était essentiel qu'il soit conçu pour aider les utilisateurs à interagir plus directement et plus intuitivement avec leur appareil. Le Mac avait offert une conception radicalement innovante de l'interface utilisateur des ordinateurs, et la molette de l'iPod avait également été une véritable révolution de cette même interface. Le multi-tactile avait le même potentiel que l'interface graphique utilisateur du Mac. Mais il n'avait pas de temps à perdre.

Grâce à l'iPod, Steve savait non seulement que son équipe était capable d'aller vite, mais qu'Apple pouvait produire n'importe quel appareil en quantité phénoménale. Il décida donc qu'Apple allait créer un téléphone mobile. La firme allait glisser dans la paume des utilisateurs une merveille aussi compacte que l'iPod, avec lequel on pourrait télécharger et écouter de la musique, et même visionner des vidéos *via* un réseau sans fil, et qui serait à la fois un téléphone ultra-performant avec des fonctionnalités de messagerie et de répertoire incroyables et un ordinateur aussi performant que les stations de travail techniques qu'il avait conçues chez NeXT. La plupart des gens détestaient leur téléphone mobile, disait-il souvent. Apple s'apprêtait à créer le seul qu'ils allaient aimer.

La décision fut prise vers la fin janvier 2005. Ce n'était pas le seul projet d'envergure d'Apple, loin de là. À la Macworld, Steve avait présenté l'ordinateur Mac Mini, l'iPod Shuffle et une suite bureautique baptisée iWork, afin de concurrencer directement Microsoft Office. Mais lorsqu'il retrouvait Jony, chaque jour ou presque désormais, leurs conversations tournaient essentiellement autour du projet de téléphone mobile. Ils déjeunaient ensemble trois ou quatre fois par semaine, se baladaient longuement en essayant de résoudre des questions aussi peu palpitantes en apparence que trouver le moyen d'empêcher qu'un écran tactile ne réagisse au contact de l'oreille quand on est au téléphone, ou le matériau idéal pour éviter que l'écran ne se raye quand le mobile était au fond d'une poche avec des clés et de la monnaie. Steve revenait parfois avec Jony dans son labo de design et restait là des heures à regarder les designers bricoler les prototypes ou se mettait avec Jony devant le tableau blanc pour dessiner à deux, en échangeant des idées de design et en modifiant leurs croquis respectifs. Ils avaient de profondes affinités, et Steve collaborait à présent avec Jony comme il ne l'avait jamais fait avec Woz, Avie, Ruby, ni même Edwin Catmull et John Lasseter.

Au cours de ces séances de brainstorming avec Jony, Steve devint de plus en plus confiant, d'autant que Fadell et son équipe s'étaient lancés dans la conception à proprement parler. Ce n'était pas facile de créer un type de téléphone entièrement nouveau. La tâche s'avéra même d'une ampleur plus redoutable encore que le premier projet de Macintosh. Mais Steve était certain que l'expérience du contrat ROKR lui permettrait de négocier un accord avantageux. Il était sûr que son équipe était capable de surmonter toutes les difficultés, tant du point de vue logiciel que matériel. Il commençait à se dire que si tout se déroulait comme prévu, ce nouveau gadget pourrait bien être l'appareil électronique le plus vendu de tous les temps. Ce ne serait pas simplement un téléphone, ni même un téléphone doublé d'un lecteur audio/vidéo. Ce serait également un véritable ordinateur. En d'autres termes, un téléphone intelligent, un Smartphone, connecté en permanence à Internet. Le plus facile était de lui trouver un nom : iPhone, évidemment.

Chapitre 13
Stanford

À son réveil, le 16 juin 2005, Steve avait l'estomac noué. En fait, confie Laurene, « je ne l'avais presque jamais vu aussi stressé ». Steve était une véritable bête de scène qui élevait les présentations commerciales quasiment au rang d'œuvre d'art. Mais ce qui le rendait anxieux ce jour-là, c'était la perspective de s'adresser aux étudiants de la promotion 2005 de Stanford University. John Hennessy, le président de l'université, avait abordé la question plusieurs mois auparavant, et après avoir pris un peu de temps pour réfléchir, Steve avait accepté. On le sollicitait sans cesse pour prendre la parole en public et il refusait systématiquement. Steve avait été invité si souvent à présenter des discours de remise de diplômes qu'il en plaisantait avec Laurene et certains de ses amis diplômés : il leur disait qu'il accepterait une fois, histoire de resquiller en décrochant un doctorat en une journée alors qu'il leur avait fallu des années pour obtenir leurs diplômes. Mais au bout du compte, ces refus n'étaient qu'une simple question de retour sur investissement : les conférences et les interventions publiques n'avaient pas grand-chose à lui offrir, comparées à d'autres activités telles que donner une présentation éblouissante à la Macworld, travailler sur un grand projet ou passer du temps en famille. « Si on regarde de près son emploi du temps, note Tim Cook, on se rend compte qu'il ne voyageait quasiment pas et ne participait à aucune des conférences et des soirées auxquelles assistent la plupart des CEO. Il voulait être rentré pour le dîner. »

Stanford, c'était une autre histoire, même si le fait d'y donner un discours ne lui donnerait pas le droit d'accoler le prestigieux titre de docteur à son nom – l'université ne délivrait pas de doctorat honoris causa. Tout d'abord, il n'aurait pas de voyage à faire et serait là pour le dîner, car l'université était à sept minutes en voiture de chez lui. Mais surtout, il admirait les liens étroits que Stanford entretenait avec la communauté high-tech de la Silicon Valley. L'enseignement y était de très haut niveau et les professeurs qu'il avait rencontrés au fil des années étaient remarquables, comme Jim Collins. Bien qu'il ait abandonné ses études, il aimait être en compagnie d'étudiants brillants. « S'il devait faire un seul discours de remise de diplômes, il fallait que ce soit à Stanford », dit Laurene.

Écrire le discours s'avéra plus compliqué que prévu. Steve avait parlé de ce qu'il devait dire avec quelques amis et même demandé au scénariste Aaron Sorkin de lui faire quelques suggestions. Mais cela n'avait rien donné, et il finit par décider de l'écrire lui-même. Il rédigea un brouillon un soir, puis soumit quelques idées à Laurene, Tim Cook et deux ou trois amis. « Il voulait à tout prix que ça soit parfait. Que ça dise quelque chose d'essentiel pour lui. » Si la formulation évolua légèrement, la structure qui résumait ses valeurs fondamentales en trois anecdotes resta la même. Les jours précédant l'événement, il récita le discours en arpentant la maison de la chambre à l'étage à la cuisine en bas, sous les yeux de ses enfants qui regardaient leur père passer devant eux dans l'état de transe qui était parfois le sien à la veille de la Macworld ou de la Worldwide Developers Conference d'Apple. Il le lut plusieurs fois à sa femme et ses enfants au dîner.

Le dimanche matin, alors que la famille se préparait à partir pour le stade de Stanford, Steve passa un moment à chercher les clés du

SUV qui étaient introuvables, puis décida qu'il n'avait pas envie de prendre le volant : il voulait répéter une dernière fois en chemin. Le temps que la famille s'entasse dans la voiture, ils étaient en retard. Laurene conduisit pendant que Steve peaufinait encore le texte. Steve était à l'avant, et Erin, Eve et Reed serrés à l'arrière. Sur la route du campus, Steve et Laurene fouillèrent dans leurs poches et le sac de Laurene pour retrouver le passe VIP du parking qui leur avait été envoyé. Impossible de mettre la main dessus.

En arrivant près de Stanford, ils s'aperçurent qu'ils auraient dû partir plus tôt : vingt-trois mille personnes étaient attendues au stade ce matin-là. D'ordinaire, le stade est facile d'accès, car il donne sur El Camino Road, mais la plupart des rues avaient été bloquées pour permettre à la foule des diplômés accompagnés de leur famille de rejoindre les lieux à pied. Quand ils arrivèrent au bois d'eucalyptus qui faisait office de parking, en bordure du campus, Laurene dut passer une série de barrages. Steve était de plus en plus stressé – il craignait de rater le seul discours de remise de diplômes qu'il ait jamais accepté de donner.

La famille arriva enfin à ce qui semblait être le dernier barrage avant le stade. Une policière qui se tenait à côté fit signe à Laurene de s'arrêter. Elle s'approcha lentement de la voiture, côté conducteur.

« Vous ne pouvez pas passer, madame, dit-elle. Il n'y a pas de parking. Il faut retourner à Paly [le lycée de Palo Alto], de l'autre côté d'El Camino. Le parking de délestage est là-bas.

— Non, non, répondit Laurene. On a un passe de parking. C'est juste qu'on l'a perdu. » La policière la regarda. « Vous comprenez, celui qui doit faire le discours est avec moi. Il est là, dans la voiture. Je vous assure ! »

La policière pencha la tête pour regarder à l'intérieur du véhicule par la vitre de Laurene. Elle vit les trois enfants à l'arrière, l'élégante conductrice blonde et un homme à l'avant en jean élimé et vieux tee-shirt noir, avec des Birkenstock. Il tripotait un bout de papier sur ses genoux en la regardant à travers ses lunettes à monture invisible. Elle recula et croisa les bras.

« Ah oui ? dit-elle en haussant les sourcils. Et c'est lequel ? » Dans la voiture, tout le monde éclata de rire.

« Je vous assure, dit Steve en levant la main. C'est moi. »

Lorsqu'ils arrivèrent enfin au stade, Steve, qui avait enfilé la toge et la toque de rigueur, se dirigea vers la tribune avec le président Hennessy tandis que Laurene et les enfants accompagnés des filles de ce dernier rejoignaient une loge VIP située au-dessus du terrain de football. L'ambiance était empreinte de cette solennité mêlée d'insouciance typique de Stanford. Des bandes d'étudiants qui participaient à ce qui est baptisé le « wacky walk » défilaient en perruque et maillot de bain, alors que d'autres étaient vêtus de la tenue traditionnelle des cérémonies de remise des diplômes. Quelques-uns étaient déguisés en iPod. Hennessy présenta Steve pendant quelques minutes. Bien qu'il ait abandonné ses études, dit-il, Steve pouvait paradoxalement servir de modèle, car il incarnait la largeur de vue nécessaire pour changer le monde. Les étudiants étaient ravis que Hennessy l'ait choisi pour faire le discours. Steve leur semblait bien plus accessible que les sommités généralement chargées de s'adresser aux jeunes diplômés. Après avoir glissé sa bouteille d'eau sur l'étagère ménagée à l'arrière du pupitre, Steve se lança dans une allocution d'un quart d'heure qui allait être le discours de remise des diplômes le plus cité de tous les temps.

« C'est un honneur d'être parmi vous pour assister à la remise du diplôme qui vous est décerné par une des plus prestigieuses universités au monde. À vrai dire, je n'ai jamais eu l'occasion de voir de si près une remise de diplômes. Aujourd'hui, je veux vous raconter trois histoires de ma vie. C'est tout. Rien d'extraordinaire. Juste trois histoires.

« La première histoire a trait aux liens de cause à effet.

« J'ai abandonné mes études à Reed College au bout de six mois, puis j'y suis resté encore dix-huit mois comme auditeur libre avant de renoncer définitivement. Pourquoi avoir laissé tomber ?

« Tout a commencé avant ma naissance. Ma mère biologique était une jeune étudiante célibataire et elle avait décidé de me confier à l'adoption. Elle tenait absolument à ce que mes

parents adoptifs aient fait des études supérieures et il était donc
prévu que je serais adopté dès ma naissance par un avocat et
sa femme. Si ce n'est que, lorsque je suis venu au monde, ils
ont décrété à la dernière minute qu'ils préféraient avoir une
fille. Mes parents, qui étaient sur liste d'attente, ont donc reçu
un coup de fil au beau milieu de la nuit qui leur annonçait :
"Nous avons un petit garçon qui n'était pas prévu. Vous le
voulez ?" Ils ont répondu : "Bien sûr." Ma mère biologique
a découvert par la suite que ma mère n'avait pas de diplôme
universitaire et que mon père n'avait pas terminé ses études
secondaires. Elle a refusé de signer l'acte d'adoption définitif et
ce n'est que quelques mois après qu'elle s'y est résignée, lorsque
mes parents lui ont promis que j'irais à l'université.

« Dix-sept ans plus tard, je suis donc entré à l'université.
Mais dans ma naïveté, j'avais choisi une université presque
aussi onéreuse que Stanford et mes parents, qui étaient issus
du monde ouvrier, dépensaient toutes leurs économies pour
payer les frais de scolarité. Au bout de six mois, je n'en voyais
toujours pas l'intérêt. Je n'avais aucune idée de ce que je
voulais faire dans la vie et je voyais mal comment l'université
pouvait m'aider à trouver ma voie. Et j'étais là à dilapider
l'argent que mes parents avaient épargné toute leur vie. Alors
j'ai décidé de lâcher les études en me disant que tout finirait
bien par s'arranger. Sur le moment, c'était assez angoissant,
mais avec le recul, c'est une des meilleures décisions que j'aie
prises dans ma vie. Dès que j'ai laissé tomber, j'ai pu lâcher les
matières obligatoires qui ne m'intéressaient pas pour m'inscrire
à des cours qui m'avaient l'air plus passionnants.

« Tout n'était pas idyllique, loin de là. Comme je n'avais pas
de chambre d'étudiant, je dormais par terre chez des amis. Je
rapportais les bouteilles de Coca consignées afin de récupérer
les 5 cents pour m'acheter à manger, et tous les dimanches,
je faisais plus de 10 kilomètres à pied jusqu'au temple Hare
Krishna, à l'autre bout de la ville, pour faire au moins un repas

copieux dans la semaine. J'adorais. Et beaucoup de choses que j'ai découvertes par hasard en me fiant à ma curiosité et mon intuition se sont révélées précieuses par la suite. Voici un exemple : à cette époque-là, Reed College proposait ce qui était peut-être le meilleur cours de calligraphie du pays. Dans le campus, la moindre affiche, la moindre étiquette sur les tiroirs était merveilleusement calligraphiée à la main. Comme j'avais lâché mes études et que je n'étais plus obligé de suivre les cours habituels, j'ai décidé de m'inscrire à un cours de calligraphie pour apprendre la technique. J'ai appris ce qu'étaient les polices de caractères à empattement et sans empattement, comment on faisait varier l'espacement en fonction des combinaisons de lettres, ce qui fait la beauté de la calligraphie.

« Il n'y avait aucune chance que cela puisse me servir dans ma vie. Mais dix ans plus tard, lorsque nous avons conçu le premier Macintosh, tout m'est revenu. Et nous avons intégré tout cela dans le Mac. C'est le premier ordinateur à avoir été doté d'une belle typographie. Si je n'avais pas suivi ce cours à l'université, le Mac n'aurait jamais eu un tel éventail de polices de caractères ou d'espacements ajustés. Et dans la mesure où Windows s'est contenté de copier le Mac, il est probable qu'aucun micro-ordinateur n'en proposerait. Si je n'avais pas lâché mes études, je ne me serais jamais inscrit à ce cours de calligraphie, et les micro-ordinateurs n'offriraient peut-être pas toutes ces magnifiques polices de caractères. Naturellement, je ne pouvais pas me douter que cela aurait un lien de cause à effet par la suite. Mais dix ans après, avec le recul, cela m'est apparu comme une évidence. Encore une fois, on ne peut pas savoir à l'avance comment tout s'enchaîne. On ne peut qu'établir des liens *a posteriori*. Il faut donc être confiant et se dire que d'une manière ou d'une autre, tout prendra son sens dans l'avenir. Il faut croire en quelque chose – l'intuition, le destin, la vie, le karma, peu importe. C'est une approche qui ne m'a jamais déçu et elle a joué un rôle décisif dans ma vie.

« La deuxième histoire parle d'amour et de désillusion.

« J'ai eu de la chance, j'ai su très tôt ce que j'aimais faire dans la vie. Woz et moi, nous avons lancé Apple dans le garage de mes parents quand j'avais vingt ans. Nous avons travaillé dur et en l'espace de dix ans, Apple est passée du garage où nous n'étions que deux à une entreprise de plus de quatre mille employés avec un chiffre d'affaires de 2 milliards de dollars. L'année précédente, nous avions sorti notre plus belle création – le Macintosh – et je venais d'avoir trente ans. Et c'est là que j'ai été viré. Comment peut-on être viré d'une société que l'on a fondée ? C'est simple, comme Apple était en plein essor, nous avons recruté quelqu'un qui me semblait avoir toutes les compétences pour diriger la société à mes côtés, et la première année, tout s'est bien passé. Mais peu à peu, nous avons eu des divergences, nous n'envisagions plus l'avenir de la même façon, et nous avons fini par nous brouiller. Notre conseil d'administration s'est alors rangé de son côté. Et c'est ainsi qu'à trente ans, je me suis retrouvé évincé. Publiquement désavoué. J'avais perdu tout ce à quoi j'avais consacré ma vie depuis l'âge de vingt ans. J'étais anéanti.

« J'ai passé plusieurs mois sans savoir quoi faire. J'avais l'impression d'avoir trahi la précédente génération d'entrepreneurs, de ne pas avoir su les relayer. J'ai vu David Packard et Bob Noyce et je me suis excusé d'avoir tout gâché. J'étais totalement discrédité et j'ai même songé à m'enfuir loin de la Silicon Valley. Mais peu à peu, j'ai compris une chose : j'aimais toujours ce que je faisais. Ce qui s'était passé chez Apple n'y changeait rien. J'avais été rejeté, mais l'amour était encore là, intact. Alors, j'ai décidé de repartir de zéro. Sur le moment, je ne m'en rendais pas compte, mais mon éviction d'Apple était ce qu'il pouvait m'arriver de mieux. Le poids de la réussite a cédé la place à l'insouciance de débuter à nouveau, dégagé de bon nombre de mes certitudes. Cela m'a libéré et permis de connaître une des périodes les plus créatives de ma vie.

« Durant les cinq ans qui ont suivi, j'ai fondé une société appelée NeXT, une autre, Pixar, et je suis tombé amoureux d'une femme exceptionnelle que j'ai épousée. Pixar a ensuite créé le premier film d'animation en 3D jamais réalisé, *Toy Story*, et c'est aujourd'hui un des plus grands studios de production au monde. Par un incroyable revirement de situation, Apple a racheté NeXT, je suis retourné chez Apple et la technologie que nous avons mise au point chez NeXT est aujourd'hui la clé de la renaissance d'Apple. Et Laurene et moi, nous avons fondé une famille merveilleuse.

« Je suis persuadé que rien de tout cela ne serait arrivé si je n'avais pas été évincé d'Apple. La potion était amère, mais sans doute le patient en avait-il besoin. Parfois, la vie nous inflige un coup de massue. Restez confiants. Je suis sûr que la seule chose qui m'a permis de continuer, c'est d'aimer ce que je faisais. Trouvez ce que vous aimez. Et cela vaut dans le travail comme en amour. Le travail va occuper une large part de votre existence et la seule façon d'être pleinement satisfait, c'est de faire ce que l'on estime être du bon travail. Et la seule façon de faire du bon travail, c'est d'aimer ce que l'on fait. Si vous n'avez pas encore trouvé, continuez à chercher. Ne vous contentez pas d'à-peu-près. Comme toujours en amour, quand vous aurez trouvé, vous le saurez. Et comme dans toutes les belles histoires, plus les années passent, mieux c'est. Alors, continuez à chercher tant que vous n'aurez pas trouvé. Ne vous résignez pas.

« La troisième histoire parle de la mort.

« Quand j'avais dix-sept ans, j'ai lu une citation qui disait à peu près ceci : "Si vous vivez chaque jour comme si c'était le dernier, un jour vous finirez sûrement par avoir raison." Cela m'a marqué et depuis maintenant trente-trois ans, je me regarde tous les matins dans la glace et je me demande : "Et si c'était le dernier jour de ma vie, est-ce que j'aurais envie de faire ce que je m'apprête à faire aujourd'hui ?" Et si la réponse est non plusieurs jours d'affilée, je sais que j'ai besoin de changement.

« Me rappeler que je serai bientôt mort est ce que j'ai trouvé de plus précieux pour m'aider à prendre les grandes décisions de ma vie. Car presque tout – ce que les autres attendent de vous, la fierté, la peur du ridicule, de l'échec – tout cela s'efface devant la mort, ne laissant que l'essentiel. Se rappeler que l'on va mourir est le meilleur moyen que je connaisse d'éviter le piège qui consiste à croire que l'on a quelque chose à perdre. On est déjà à nu. Il n'y a aucune raison de ne pas écouter son cœur.

« Il y a environ un an, on m'a diagnostiqué un cancer. À sept heures et demie du matin, j'ai passé un scanner qui montrait que j'avais une tumeur au pancréas. Je ne savais même pas ce qu'était le pancréas. Les médecins m'ont annoncé que c'était un cancer qui avait toutes les chances d'être incurable et qu'il ne me restait que trois à six mois à vivre. Mon médecin m'a conseillé de rentrer chez moi et de mettre de l'ordre dans mes affaires, ce qui en langage médical signifie : "préparez-vous à mourir". Cela signifie dire à ses enfants tout ce que vous comptiez leur dire en dix ans, en l'espace de quelques mois à peine. Cela signifie s'arranger pour que tout soit réglé afin de faciliter la tâche à votre famille. Cela signifie faire ses adieux.

« J'ai passé la journée avec ce diagnostic. Plus tard dans la soirée, on m'a fait une biopsie, en m'introduisant un endoscope par la gorge, pour atteindre l'estomac, puis l'intestin, avant de m'enfoncer une aiguille dans le pancréas pour prélever des cellules de la tumeur. J'étais sous sédatifs, mais ma femme qui était présente m'a raconté qu'après avoir examiné les cellules au microscope les médecins se sont mis à pleurer, parce qu'il s'avérait que j'avais une forme très rare de cancer du pancréas que l'on peut traiter grâce à une opération chirurgicale. J'ai été opéré et je vais bien. C'est la seule fois où j'ai vu la mort de près et j'espère ne pas la revoir avant quelques dizaines d'années. Pour avoir vécu cela, je peux vous l'affirmer avec plus de certitude que lorsque la mort n'était encore pour moi qu'un concept certes utile, mais purement intellectuel : personne ne veut mourir. Même ceux qui veulent aller au paradis ne veulent pas mourir pour y arriver. Et pourtant, nous sommes tous destinés à mourir. Personne n'y a jamais échappé. Et c'est très bien ainsi, car la mort est sans doute ce que la vie a inventé de mieux. C'est le facteur de changement de la vie. Elle évacue ce qui est vieux pour laisser place au neuf. Aujourd'hui, vous êtes la jeune génération, mais dans un avenir pas si lointain que cela, peu à peu, vous deviendrez vieux, et il vous faudra céder la place à votre tour. Désolé d'être aussi sombre, mais c'est la vérité.

« Votre temps est compté, ne le gaspillez pas en menant une vie qui n'est pas la vôtre. Ne vous enfermez pas dans les dogmes qui vous obligent à vous plier à la pensée des autres. Ne laissez pas la rumeur de leurs opinions étouffer votre voix intérieure, et surtout, ayez le courage de vous fier à votre cœur et à votre intuition. Ils savent l'un et l'autre ce que vous voulez réellement devenir. Tout le reste est secondaire.

« Quand j'étais jeune, il y avait une revue extraordinaire, le *Whole Earth Catalog*, c'était une véritable bible pour ma génération. Elle avait été fondée par Stewart Brand, non loin d'ici, à Menlo Park, et il y apportait toute sa poésie. C'était à la fin des années 1960, avant les micro-ordinateurs et la PAO, et la revue était entièrement réalisée à la machine à écrire, au Polaroid et aux ciseaux. C'était une sorte de Google version papier, trente-cinq ans avant l'arrivée de Google : un catalogue idéaliste, foisonnant d'outils géniaux et d'idées formidables.

« Stewart et son équipe ont sorti plusieurs numéros du *Whole Earth Catalog*, et lorsque la formule a été épuisée, ils ont sorti un dernier numéro. C'était au milieu des années 1970 et j'avais votre âge. Au dos du dernier numéro, il y avait la photo d'une route de campagne au petit matin, de ces routes où l'on fait de l'auto-stop si l'aventure nous tente. En dessous, il était écrit : "Soyez insatiables. Soyez fous." C'est ce que j'ai toujours souhaité moi-même. Et en ce jour où vous recevez un diplôme qui marque pour vous un nouveau départ, c'est ce que je vous souhaite.

« Soyez insatiables. Soyez fous. Merci à tous. »

Depuis sa plus tendre enfance, Steve avait toujours été doué pour raconter des histoires. Mais aucune de ses paroles n'avait jamais eu une telle résonance. Le discours a été visionné plus de 35 millions de fois sur YouTube. Il n'a pas fait le buzz, comme certains phénomènes du Net en 2015 – il y a dix ans, les réseaux sociaux n'étaient pas aussi développés et n'avaient pas la même influence. Mais cette allocution s'est peu à peu imposée comme un discours d'un caractère exceptionnel, dont la portée dépassait de loin l'enceinte du stade de Stanford. Steve fut surpris qu'il reçoive un tel accueil.

« On ne s'attendait pas à un succès pareil », dit Katie Cotton, qui était à l'époque à la tête du département communication et relations publiques d'Apple.

Ce discours n'aurait pas eu la même résonance ni suscité une telle attention quelques années plus tôt. Mais à l'été 2005, Apple était de nouveau à flot, redorant la réputation de Steve. Le chiffre d'affaires et les bénéfices étaient en hausse, les actions également en bonne voie. Toute référence aux jours sombres, tous les souvenirs de Spindler, Sculley et Amelio avaient été bannis, aux yeux du public du moins – Steve gardait cette époque en mémoire, pour lui rappeler ce qui pouvait arriver si Apple ne restait pas sur ses gardes. Une grande partie du public jugeait que ce qu'il avait accompli était admirable. Steve n'était plus un jeune prodige et il devait enterrer l'image du has been. C'était désormais un héros qui avait réussi son come-back, bravant l'adage de F. Scott Fitzgerald selon lequel « l'Amérique n'offre pas de seconde chance ». La question n'était plus de savoir si Apple survivrait ; la question était de savoir ce qu'Apple allait faire après.

L'article de couverture que j'avais écrit pour *Fortune* quelques semaines avant le discours s'intitulait : « Jusqu'où ira Apple ? »

D'après Jim Collins, c'est au come-back d'Apple que l'on peut jauger l'envergure de Steve en tant que chef d'entreprise. « Il nous arrive à tous d'être anéanti, assommé, envoyé au tapis. Tous. Parfois, on ne s'en rend même pas compte, mais ça arrive à tout le monde, dit Collins qui, outre les best-sellers qu'il a écrits au cours des dix dernières années, pratique également l'alpinisme au plus haut niveau. Chaque fois que je me sens fatigué, que je me demande si je veux vraiment me lancer dans un nouveau projet créatif, je repense toujours à Steve à l'époque où il avait des ennuis. Ça m'a toujours donné de l'inspiration. Cette volonté de ne pas capituler est fondamentale, pour moi. »

Collins s'attache à étudier ce qui fait le succès des entreprises performantes et la personnalité de leurs dirigeants. Le parcours de chef d'entreprise peu orthodoxe de Steve a pour lui un caractère exceptionnel. « Je le surnommais le Beethoven des affaires, dit-il, mais c'était surtout vrai à ses débuts. Quand Steve avait vingt-deux ans, on pouvait le voir comme un génie entouré d'un millier d'assistants. Mais il a dépassé ça, et de loin. Sa réussite n'a pas été fulgurante, elle s'est forgée au fil du temps. C'est une véritable prouesse que de passer du statut de grand artiste à celui de grand bâtisseur d'entreprise. »

Après les crises passionnelles et politiques qui avaient marqué ses dix premières années chez Apple et son incapacité à tenir ses promesses chez NeXT, on imaginait difficilement que Steve puisse un jour être considéré comme un grand dirigeant d'entreprise. Mais à l'été 2005, c'était bel et bien l'impression qu'il donnait. De toute évidence, sans lui, Apple aurait tout simplement disparu de la scène. La chance avait certes joué un grand rôle dans son retour chez Apple, mais, explique Collins, se faisant l'écho d'Edwin Catmull : « Ce qui distingue les gens, c'est le retour sur chance, ce que l'on en fait quand on en a. Ce qui compte, c'est ce que l'on fait des cartes que l'on a en main. On ne quitte pas la partie, poursuit-il, à moins d'y être contraint et forcé. Steve Jobs a eu beaucoup de chance d'être arrivé à la naissance d'une industrie. Puis il a eu la malchance d'être viré. Mais Steve a joué les

cartes qu'il avait en main du mieux qu'il a pu. Parfois, on peut maîtriser la donne, en se donnant des objectifs qui vous renforcent, sans
même savoir ce qui viendra après. C'est toute la beauté de la chose.
Steve est un peu comme le personnage de Tom Hanks dans *Seul au*
monde – continue à respirer, qui sait ce que la marée peut apporter. »

« Le récit dominant est celui qui s'est créé autour de Steve 1.0, dit
Collins. Une des raisons à cela, c'est que l'histoire d'un homme qui a
dû gagner peu à peu en maturité pour devenir un dirigeant chevronné
est bien moins intéressante. Apprendre à avoir des flux de trésorerie
disponibles, choisir les bons collaborateurs, mûrir, se montrer plus
conciliant et pas seulement se comporter bizarrement, c'était nettement moins passionnant ! Mais toute cette histoire de personnalité
n'est que du packaging, de la poudre aux yeux. Quelle est la nature
exacte de son ambition ? Est-on suffisamment humble pour accepter
de gagner constamment en maturité, tirer les leçons de ses erreurs et se
relever ? Est-on prêt à lutter pour sa cause farouchement, avec acharnement ? Peut-on investir toute sa passion, son intelligence, son énergie,
ses talents, ses dons, ses idées pour en faire quelque chose de plus
grand, de plus important que soi ? C'est ça le véritable leadership. »

Un des aspects qui donne toute sa force au discours de Stanford,
c'est qu'il met en lumière les valeurs très personnelles, durement
acquises, qui marquent le retour de Steve à la tête d'Apple. Chacune
de ces trois histoires est riche d'enseignements que seule la maturité
lui avait permis de comprendre véritablement. Il avait toujours eu
la parole facile et peut-être avait-il fait ce type de déclarations étant
jeune. Mais à l'époque, il ne mesurait sans doute pas leur portée.

Il faut donc être confiant et se dire que d'une manière ou d'une autre,
tout prendra son sens dans l'avenir. Le jeune Steve aurait rejeté en bloc ce
qu'il racontait de l'époque où il avait lâché ses études à Reed College.
Durant les dix années qui avaient suivi la création d'Apple, il avait
voulu à tout prix modeler l'avenir à sa façon. Il était persuadé de
savoir à l'avance comment tout s'enchaînerait. Combien de fois ses
ingénieurs se retrouvaient paralysés, s'efforçant en vain d'adapter leur
travail pour se plier à ses directives parfois brillantes, parfois malavisées.

Durant ces premières années chez Apple, puis chez NeXT, Steve était persuadé d'être capable de mieux faire que tous ses collaborateurs ou presque. Mais lorsqu'il était retourné chez Apple, il avait vraiment dû se dire que, « d'une manière ou d'une autre, tout prendr[ait] son sens dans l'avenir ». Depuis son retour, les caractéristiques des grandes innovations d'Apple étaient régulièrement venues de sources totalement improbables. L'iMac avait été élaboré à partir du design de l'eMate, un produit que Steve avait éliminé. L'iPod et iTunes étaient directement issus de l'intérêt peu opportun que lui inspirait le montage vidéo. Et voilà qu'Apple concevait un téléphone parce que cinq équipes différentes savaient que Steve les engageait à explorer toutes les pistes et que leurs recherches l'avaient incité à renoncer à développer le produit qu'il voulait réellement concevoir, une tablette. Steve s'était fait à l'idée de ne reconstituer les liens de cause à effet qu'*a posteriori*. Et ce, grâce à sa maturité et à l'extraordinaire talent de l'équipe qu'il avait bâtie.

Parfois, la vie nous inflige un coup de massue. Restez confiants [...] Et la seule façon de faire du bon travail, c'est d'aimer ce que l'on fait. Si vous n'avez pas encore trouvé, continuez à chercher [...] Comme toujours en amour, quand vous aurez trouvé, vous le saurez. Et comme dans toutes les belles histoires, plus les années passent, mieux c'est. Steve avait su très tôt ce qu'il aimait faire. Mais en 2005, ce qui donnait une telle force à ces paroles, c'est que l'amour qui l'inspirait avait survécu à tant d'épreuves et abouti à de tels résultats. Il avait fallu du temps, des années passées à lutter chez NeXT, à reconfigurer Pixar, à stabiliser Apple, pour que ce parcours s'avère une belle histoire. À présent, il pouvait parler avec l'assurance d'un homme qui avait cherché à améliorer ses relations avec les autres – avec Laurene, avec l'équipe dirigeante d'Apple et même avec sa première fille, Lisa. Ses combats et les leçons qu'il en tirait jouaient un rôle essentiel dans la faculté qu'avait Apple de créer régulièrement des produits que les gens adoraient. Aucune autre entreprise de cette envergure, si ce n'est Disney, peut-être, ne peut créer des produits qui engendrent des réactions aussi passionnelles, y compris de la part de journalistes d'ordinaire sceptiques. Après la présentation d'un produit, le *New York Times* publia un grand article intitulé « La magie des appareils Apple ? Le cœur » – et c'était trois ans après la mort de Steve. La société, comme son patron, avait bien des défauts. Mais elle était marquée par une forme d'engagement que l'on ne trouvait dans aucune autre entreprise du secteur.

Ayez le courage de vous fier à votre cœur et à votre intuition. Ils savent l'un et l'autre ce que vous voulez réellement devenir. Sans la preuve que constitue la réussite d'Apple, ces paroles du dernier chapitre du discours pourraient passer pour la tirade juvénile de quelque major de promotion haranguant ses condisciples. Mais ce qui leur donnait toute leur force et leur portée, c'est qu'elles étaient prononcées par quelqu'un qui avait prouvé sa valeur au sein d'une grande entreprise. De la même façon que Steve n'était pas dans la norme, Apple se démarquait des normes en vigueur dans l'industrie de son secteur, et plus généralement dans tous les grands groupes industriels américains. Steve avait appris à moduler l'égocentrisme que pouvait receler ce « fiez-vous à votre cœur ». Au début de sa carrière, l'« intuition » n'était qu'une confiance aveugle dans les inventions de son esprit. Il y avait chez lui un refus obstiné de prendre en considération la pensée des autres. En 2005, l'intuition était un sentiment de la direction à prendre, né du vaste champ de possibilités qu'il laissait s'épanouir. Il avait suffisamment d'assurance désormais pour écouter son équipe, s'écouter lui-même et comprendre le monde qui l'entourait – comme lorsqu'il avait tout appris de l'industrie du cinéma chez Pixar ou évalué les perspectives d'Apple en reprenant les rênes de la société – avant de déterminer un plan d'action. Apple ne s'était pas orientée vers l'iPhone après la consultation de panels de consommateurs ou d'études de marché. La firme avait choisi cette voie en se fiant à son intuition, une intuition bien plus profonde et plus subtile que les préférences égoïstes du jeune homme qui avait fondé Apple.

———

LORSQUE J'AI LU le discours sur Internet, je me suis souvenu d'une interview de Steve que j'avais faite en 1998. Nous parlions de son parcours professionnel, lorsque Steve s'était égaré dans une longue digression qui n'était pas sans rappeler la petite route au dos du dernier numéro du *Whole Earth Catalog*, et s'était mis à me parler de l'influence qu'avait eue sur lui la revue. « J'y repense quand j'essaie de me rappeler ce qu'il faut faire, la meilleure solution. » Quelques semaines après la parution de l'interview dans *Fortune*, j'avais reçu une enveloppe par la poste. Elle avait été envoyée par Stewart Brand et contenait un exemplaire rare de ce dernier numéro. « Soyez gentil de donner ceci à Steve la prochaine fois que vous le verrez », me demandait Stewart. Quand je lui ai donné la revue, une ou deux semaines plus tard, Steve était absolument ravi. Il n'avait pas oublié ce numéro malgré les années, mais n'avait jamais eu le temps d'en retrouver un exemplaire pour lui-même.

La fin du discours de Stanford reprend le slogan qui figure au dos du dernier numéro du *Whole Earth Catalog*, « Soyez insatiables. Soyez fous », mais ce que je préfère dans le passage de la revue, c'est lorsque Steve le décrit en disant qu'il était « idéaliste, foisonnant d'outils géniaux et d'idées formidables ». C'est en fait une jolie description des sociétés de Steve dans ce qu'elles avaient de meilleur. C'était un homme plein d'empathie qui souhaitait que ces jeunes diplômés se lancent avec une soif insatiable dans de folles aventures et voulait leur donner des outils géniaux et des idées formidables au seuil de leur grand périple. Comme Jim Collins, j'avais côtoyé Steve d'assez près pour savoir que, derrière la façade de dureté et parfois même de franche grossièreté, se cachait un idéaliste. La véhémence de Steve était telle, ses attaques si cinglantes que c'était parfois difficile à faire comprendre. Le discours de Stanford donnait au monde un aperçu de cet idéalisme authentique.

Chapitre 14
Un refuge pour Pixar

Le samedi 12 mars 2005, Bob Iger, alors président de la Walt Disney Company, décrocha son téléphone pour passer quelques coups de fil de sa résidence de Bel Air, en Californie. Il appela ses parents, les deux filles désormais adultes qu'il avait eues de son précédent mariage, puis Daniel Burke et Thomas Murphy, les deux hommes qui l'avaient le plus souvent guidé dans sa carrière. Ensuite, il appela quelqu'un qu'il n'avait rencontré que deux ou trois fois : Steve Jobs.

Iger avait une nouvelle importante à lui communiquer. Le lendemain, 13 mars, Disney devait annoncer qu'il succédait à Michael Eisner au poste de CEO de Disney. Eisner était CEO depuis 1984 et, si ses dix premières années à la tête du groupe étaient éblouissantes, les dix suivantes étaient aussi médiocres que mouvementées. Il avait fini par décevoir les actionnaires et s'était aliéné quasiment tous ceux qui avaient des intérêts dans le groupe. Et notamment le CEO de Pixar, qui détestait tellement Eisner qu'il avait déclaré publiquement que sa société se trouverait un nouveau distributeur dès que son contrat avec Disney arriverait à échéance, en 2006.

« Avant que vous ne l'appreniez par les journaux, lui dit Iger, je voulais vous annoncer que je vais être nommé CEO du groupe. Je ne sais pas encore ce que cela va changer pour Disney et Pixar, mais si je vous appelle, c'est que je tiens à vous dire que j'aimerais trouver un moyen de poursuivre cette relation. »

Il y eut un long silence au bout du fil. Iger réfléchissait à ce coup de téléphone depuis plusieurs jours. Il savait que la tâche la plus cruciale qui l'attendait dans son nouveau rôle de CEO était de remédier à la situation désastreuse dans laquelle Eisner laissait Disney Animation et avait déjà décidé que pour cela il était absolument essentiel de conserver Pixar.

D'après ce qu'il avait entendu dire, Steve estimait que Bob Iger n'était qu'un simple prolongement d'Eisner, et le nouveau CEO n'avait pas fait grand-chose pour l'en dissuader. Iger avait défendu dans la presse la position de Disney lors des négociations tortueuses avec Pixar, mais n'avait jamais réellement passé du temps avec Steve. En entendant ce long silence, Iger se dit que Steve était peut-être partagé. « Bon, répondit finalement son interlocuteur au bout du fil. Je pense que je dois vous laisser une chance de me prouver que vous n'êtes pas comme Eisner. Si vous voulez venir en discuter, alors venez. »

———

DE TOUTES LES visites que j'ai pu faire durant les années où j'ai suivi Steve, l'une des plus agréables a eu lieu au début de l'été 1999 lorsqu'il m'a invité à venir voir le nouveau siège et studio de Pixar à Emeryville, sur la côte est de la baie de San Francisco, côté Oakland. Le studio d'animation avait connu un essor rapide après ses deux premiers films, *Toy Story* et *1001 Pattes*, et s'était installé sur une grande parcelle en plein cœur de la ville, qui avait périclité depuis l'époque où elle abritait une foule d'usines et de fabriques. Pixar construisait ses bâtiments sur l'ancien site d'une conserverie de fruits de la Dole Food Company.

Steve m'a retrouvé sur le parking. L'équipe d'ouvriers était partie depuis quelques heures et il ne restait plus que deux vigiles sur les lieux. Steve m'a fait passer par une entrée latérale, et non par la grande porte à double battant ménagée dans la façade de verre par laquelle les employés et les visiteurs entrent aujourd'hui. « Regardez en haut, m'a-t-il dit au moment où je m'apprêtais à ouvrir la porte. Regardez ces briques. Vous avez déjà vu un mur de briques avec autant de couleurs ? Regardez-moi ces briques ! » Il avait raison, les briques étaient et sont encore magnifiques. Elles se déclinent en vingt-quatre teintes naturelles, du beige doré au rouille et au brun chocolat en passant par toutes les nuances intermédiaires. Vu de loin, on dirait de la moire discrètement quadrillée, avec en surface de légères vagues plus claires qui semblent totalement fortuites. Si ce n'est qu'elles n'ont rien de fortuit. Les briques ont été cuites dans un four de potier traditionnel de l'État de Washington, que le fournisseur de Steve avait fait rouvrir pour en fabriquer de la nuance exacte que souhaitait ce dernier. À deux reprises, en venant voir le chantier, Steve avait demandé aux ouvriers de démolir le mur qu'ils étaient en train de monter, jugeant que la disposition au hasard des briques n'était pas de son goût. L'équipe de chantier finit par mettre au point une sorte d'algorithme pour s'assurer que les briques étaient réparties de façon « parfaitement » aléatoire.

Tout au long de la visite, Steve s'est fait un plaisir de me montrer des détails et de m'expliquer tout le travail accompli pour arriver à un tel résultat. À l'intérieur du bâtiment, il y avait d'énormes poutrelles en acier qui avaient un reflet légèrement vert ; elles provenaient d'une usine de l'Arkansas, et avaient été vernies pour prendre cet aspect extrêmement naturel. Les ouvriers de l'usine avaient eu pour consigne d'y prêter un soin tout particulier, car, contrairement aux poutres qui étaient généralement destinées à être dissimulées dans des murs de centres commerciaux ou de gratte-ciel, celles-ci resteraient apparentes. Elles étaient fixées par des boulons d'une couleur légèrement différente, complémentaire. Steve m'a fait grimper en haut d'une grande échelle pour que je les voie de près. En bas, dans le hall central, le dôme de briques qui recouvrait le four à pizza de la cafétéria était parfaitement rond, un véritable chef-d'œuvre de maçonnerie. Dehors, de jeunes platanes ourlaient la large allée qui conduisait à l'entrée, semblables aux platanes qui bordent les Champs-Élysées, à Paris, une ville que Laurene et lui adoraient.

Il était fier comme un gamin de me montrer tout cela, un gamin cependant qui espérait convaincre un journaliste que *Fortune* devait consacrer plusieurs pages à une série de photos de sa création. La rédaction a préféré ne pas le faire, notamment parce que, en soi, l'architecture n'a pas un caractère exceptionnel. Ce qui fait la beauté du bâtiment, c'est son adaptation idéale à sa fonction. « Ce n'est pas qu'il concevait avec amour un beau bâtiment, confie Edwin Catmull. C'est bien mieux que ça. Il concevait avec amour un lieu où travailler. Ce n'est pas du tout la même chose. »

Le premier projet de Steve était minimaliste et basé essentiellement sur son goût esthétique et sa conviction qu'un beau bâtiment pouvait créer une belle culture d'entreprise. « Sa théorie était très simple, dit John Lasseter. Il croyait aux rencontres fortuites, aux gens qui se croisent. Il savait que chez Pixar tout le monde travaille le nez collé sur son ordinateur. Sa théorie, c'était de créer un atrium suffisamment grand pour accueillir l'ensemble du personnel de la société lors des conférences, où tout était concentré afin de vous obliger à sortir de votre bureau et à rejoindre ce point névralgique. Il était fait pour vous attirer au centre ou vous obliger à passer par là plusieurs fois par jour. » Steve tenait tellement à cette idée qu'au début il avait proposé qu'il n'y ait pas de toilettes dans les deux ailes du bâtiment – il y en aurait uniquement dans le hall central. Catmull, qui plus que tout autre chez Pixar, était passé maître dans l'art de faire face aux excès de Steve, l'avait patiemment détourné de cet exemple particulièrement absurde de la manie qui était parfois la sienne de promouvoir des solutions irréalistes dans un but par ailleurs louable. (Steve fit un compromis et accepta finalement qu'il y ait également des toilettes en haut.)

Lasseter et Catmull s'opposèrent également à l'idée d'un bâtiment minimaliste de verre et d'acier. Cela ne correspondait ni au quartier industriel dans lequel ils étaient implantés ni à l'univers exubérant, fantastique, coloré que créaient les gens de Pixar. « Pixar est plus chaleureux qu'Apple ou NeXT, dit Lasseter. L'essentiel chez nous, ce n'est pas la technologie, ce sont les histoires, les personnages, la chaleur humaine. » Ils exprimèrent leurs réserves à Tom Carlisle et Craig Paine, les architectes que Steve avait engagés. Carlisle et Paine demandèrent à un photographe de prendre des clichés des murs de briques des bâtiments industriels du voisinage et de San Francisco. Puis un jour où Steve travaillait au siège de Pixar, à Point Richmond, ils déposèrent en fin d'après-midi des dizaines de ces photos sur la table de la salle de réunion. « Il est entré et je le revois encore regarder toutes ces belles photos, les examiner en détail, et marcher en rond dans la salle, raconte Lasseter. Et puis il m'a regardé et m'a fait : "OK, c'est bon, j'ai compris le message, vous avez raison. John, tu as raison." Il a compris et il a défendu le projet à fond. »

Le résultat final est un bâtiment subtil, intuitif. Le hall central est un immense espace commun avec une excellente cafétéria, une zone où chaque employé a sa propre case destinée aux avis, aux mémos, aux messages personnels et autres, et beaucoup d'endroits pour discuter de façon informelle. Il est bordé au premier étage de huit salles de réunion, simplement appelées Ouest, de 1 à 4, et Est, de 1 à 4. « Je déteste les salles de réunion avec des jolis noms, parce que je suis incapable de m'y retrouver. » À mesure que la réalisation des films progresse – et il y a généralement quatre ou cinq longs-métrages et plusieurs courts-métrages en cours –, les équipes commerciales attachées à chaque production se déplacent dans le bâtiment, en se dirigeant peu à peu vers la sortie à mesure que le film approche de sa date de lancement. En revanche, les animateurs restent à leur poste. Ils ont décoré leur bureau en fonction de leurs goûts éclectiques : l'un ressemble au campement d'un explorateur du désert, l'autre à la chambre d'un as du poker. Une employée a acheté une cabane de jeux en plastique chez Cotsco et accroché des plantes vertes en plastique dans son « bureau », alors qu'une de ses collègues a recréé une maison japonaise à deux étages, où elle sert le thé en haut. Ailleurs, en s'accroupissant pour appuyer sur un petit bouton rouge, on pénètre à quatre pattes dans le « Love Lounge », un ancien conduit d'aération d'environ un mètre cinquante de large, aujourd'hui tapissé de papier peint léopard, avec de la musique de Barry White et une lampe à lave rouge. Steve a signé le papier peint « C'est pour ça qu'on a construit ce bâtiment, Steve Jobs ».

« On disait que c'était le film de Steve, dit Catmull. Il l'a fait par pur plaisir. » Et Lasseter ajoute : « Ça a pris le même budget et quasiment autant de temps que nos films, et il était le réalisateur. On adore cet endroit. »

Steve essayait d'aller chez Pixar une fois par semaine. Quand il était là-bas, il voyait Catmull et Lasseter, visionnait des extraits de films en cours de réalisation, ou discutait en petit comité avec Lawrence Levy, le directeur financier, ou Jim Morris, le directeur général. Steve, naturellement, n'était pas un réalisateur de cinéma et n'avait pas l'intention de le devenir. Catmull avait devancé d'éventuelles velléités de son patron des années plus tôt, en lui arrachant la promesse qu'il n'essaierait jamais de se joindre au Brain Trust de Pixar, le conseil consultatif formé de réalisateurs, de scénaristes et d'animateurs, qui évalue tous les films en cours. Mais Catmull et Lasseter faisaient néanmoins appel à son sens critique.

« Une des choses que nous avons perdues à la mort de Steve, c'est une sorte d'accélérateur, raconte Catmull. Dans tous les films, le réalisateur s'égare en chemin à un moment ou à un autre. Alors une fois ou deux par film, j'appelais Steve et je lui disais : "Je crois qu'on a un problème." C'est tout. Il ne fallait jamais essayer de l'influencer. Je ne lui en disais pas plus. » Steve venait à Emeryville, s'installait dans une des petites salles de projection et regardait ce qui avait été monté jusque-là. Puis il exprimait ses critiques en s'adressant généralement au réalisateur et au Brain Trust. « Steve ne disait rien qui n'ait pas déjà été dit par les membres du trust, parce qu'ils étaient vraiment doués pour les histoires, poursuit Catmull. Mais c'était sa seule présence, et il était tellement clair et précis qu'il pouvait prendre le même argument qui avait été avancé par quelqu'un d'autre et aller droit à l'essentiel. Il faisait très attention. Il commençait par dire : "Je ne suis pas réalisateur, vous n'êtes pas obligés de tenir compte de ce que je vais vous dire." Il le répétait littéralement chaque fois. Et puis il se contentait de dire où était le problème d'après lui. Vous voyez ? Là où ça faisait mal, c'est qu'il était clair et précis. Il ne leur disait pas quoi faire, il leur disait juste ce qu'il pensait.

« Parfois, quand il y était allé un peu fort, il allait se balader avec le réalisateur. Steve était un homme incroyablement intelligent, déterminé, qui faisait avancer les choses, mais en même temps, il donnait aux gens les moyens d'agir. Son grand truc, c'était d'aller se balader avec eux. Alors il emmenait le réalisateur en balade, ça permettait de discuter plus calmement, de bien réfléchir... de parler, un simple échange amical. Son but, c'était juste de l'aider à faire un meilleur film. Ça permettait toujours au réalisateur de progresser. Ce n'était jamais : "Oh, tu as merdé." Mais : "Comment faire pour avancer ?" "Le passé peut servir de leçon, mais le passé c'est le passé." Il en était convaincu. »

Cette façon de conseiller les autres en tête à tête lui était venue avec le temps. « Au début, si quelqu'un n'était pas à la hauteur, Steve ne le cachait pas, dit Catmull. Je ne l'ai jamais vu se comporter comme ça durant les dix dernières années. Il vous prenait plutôt à part, et transformait ce qui aurait pu être embarrassant en un moment privilégié qui était très productif et créait des liens. Il avait beaucoup appris. Il avait repensé aux erreurs qu'il avait pu faire, les avait intégrées, assimilées et avait procédé à des changements. »

Steve était plus détendu chez Pixar que lorsqu'il était chez Apple. « Il n'a jamais essayé de nous modeler à l'image d'Apple ni de nous diriger de la même façon. » Andy Dreyfus, un graphiste de Pixar qui avait travaillé auparavant chez Apple et à l'agence CKS Group, dit que chaque fois que son directeur, Tom Suiter, et lui avaient quelque chose à présenter à Steve, ils s'efforçaient de le voir chez Pixar. « Chaque fois qu'on avait rendez-vous avec Steve le vendredi, on était ravis, raconte Dreyfus, parce que c'était le jour où il était chez Pixar, et là-bas, il était toujours de bonne humeur. »

Semaine après semaine, année après année, Pixar offrait à Steve des moments de pure euphorie. Il assistait régulièrement aux Oscars où Pixar accumulait de plus en plus de récompenses, comme ailleurs. Il adorait montrer à des amis des séquences montées de films en cours de réalisation. « Steve était notre plus grand fan. Chaque fois qu'on faisait une copie pour nous, il en voulait une, se rappelle Lasseter. Et j'apprenais par des gens que je connaissais qu'il la montrait chez lui à tout le voisinage. "Hé, venez voir ça, tous !" Il adorait ça. Il était comme un gamin. »

———

IL N'Y AVAIT qu'un problème avec Pixar, en ce qui concernait Steve, et il avait pour nom Michael Eisner.

La relation entre les deux puissants dirigeants s'était détériorée depuis qu'ils avaient signé le contrat de 1997 stipulant que les sociétés se partageraient à égalité les coûts et les recettes. Il y avait eu des heurts : Steve était mécontent du peu d'attention que l'équipe marketing de Disney accordait aux films de Pixar et n'était pas convaincu par ses plans de communication. Mais la situation s'était améliorée. Les trois premiers films du contrat, *1001 Pattes*, *Toy Story 2* et *Monstres & Cie* avaient tous reçu un accueil dithyrambique de la part de la critique. Et les résultats du box-office étaient sans appel : ils avaient tous été en tête du classement dès leur sortie et avaient réalisé chacun plus de 500 millions de dollars de recettes.

Après la sortie de *Monstres & Cie* en 2002, Pixar était libre de renégocier un nouvel accord de distribution avec n'importe quel studio. Catmull et Lasseter voulaient poursuivre avec Disney, dans la mesure où la société possédait les droits de tous les personnages Pixar qu'ils avaient, et où les films avaient obtenu un tel succès en étant distribués par Disney. Steve espérait qu'Eisner l'appellerait pour lancer les négociations, mais le CEO avait préféré attendre de voir venir. Il pensait pouvoir négocier un accord plus avantageux après la sortie du *Monde de Nemo*. Il l'avait visionné deux fois chez Pixar, mais comme il l'avait écrit au conseil d'administration dans un mémo qui fut divulgué au *Los Angeles Times* : « C'est pas mal, mais bien moins réussi que leurs films précédents. » Évidemment, Eisner avait totalement tort. *Le Monde de Nemo* devint l'un des films les plus aimés de Pixar et encaissa 868 millions de dollars dans le monde.

Steve posait cette fois une série de conditions rigoureuses : pour la distribution des films Pixar, Disney obtiendrait 7,5 % du montant brut

Chez lui et en coulisses

Après leur interview historique de 1991 pour *Fortune*, qui se déroula chez Steve, Bill Gates et Jobs posèrent dans le jardin en compagnie de Brent Schlender. S'ils se montrèrent parfois des concurrents acharnés qui n'hésitaient pas à se dénigrer l'un l'autre en public, avec le temps, Gates et Jobs apprirent à se respecter mutuellement. © *George Lange*.

Chez NeXT, Jobs organisait des pique-niques annuels pour le personnel. Schlender assista à l'un d'eux, en 1989, en compagnie de sa fille Greta. © *Ed Kashi VII*.

À la fin des années 1990 et au début des années 2000, Steve considérait Avie Tevanian qui était à la tête du département logiciel, comme un élément clé. Si la conception des matériels Apple recueillait quasiment tous les lauriers, ses logiciels – et notamment le chef-d'œuvre de Tevanian, OS X – jetèrent les bases du redressement de la firme. *Avec l'aimable autorisation de Brent Schlender.*

Des concepteurs d'interface utilisateur regardent Steve passer en revue les caractéristiques d'OS X en 2000, peu avant le lancement de la version bêta.
Au cours de la séance, Steve Jobs s'exclama que c'était si beau qu'on « en lécherait l'écran », puis se pencha pour joindre le geste à la parole. *Avec l'aimable autorisation de Brent Schlender.*

Les employés de Pixar surnommèrent leur nouveau siège d'Emeryville « le film de Steve » tant celui-ci s'était investi dans sa création. On le voit ici faire visiter les lieux en privé à Schlender, peu avant son inauguration. Il était fier du motif des briques sur le mur devant lui, qui avaient été méticuleusement disposées pour donner un effet aléatoire. *Avec l'aimable autorisation de Brent Schlender.*

Les répétitions des présentations de produits étaient toujours des moments intenses.
À la veille de la MacWorld de Tokyo, en février 2001, on voit Jobs et son directeur
marketing Phil Schiller ronger leur frein en attendant qu'un problème technique soit réglé.
Avec l'aimable autorisation de Brent Schlender.

Jobs, seul, revoyant son texte la veille de la MacWorld de Tokyo, en 2001.
Avec l'aimable autorisation de Brent Schlender.

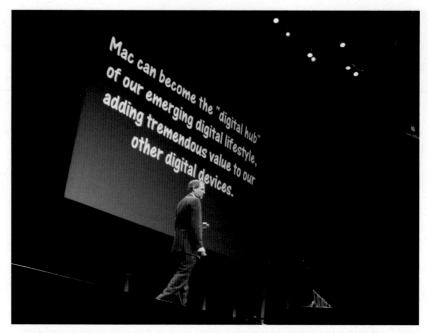

Lors de la keynote de la MacWorld de Tokyo, le 22 février 2001, Steve réitéra la stratégie de la « plate-forme numérique » présentée quelques jours plus tôt en Californie. C'est l'ébauche du vaste champ de l'expérience Apple qui permit à la firme de devenir l'entreprise la plus riche au monde. *Avec l'aimable autorisation de Brent Schlender.*

Le lancement de l'iPod, le 23 octobre 2001, fut discret, fidèle aux ambitions modestes qu'avait initialement Apple pour ce produit. On voit ici Steve le montrer à un public composé de journalistes et d'employés de la firme dans l'auditorium de Town Hall, sur le site de Cupertino. *Avec l'aimable autorisation de Brent Schlender.*

Steve s'efforça de renouer des liens avec sa fille Lisa. Elle était issue d'une ancienne relation et dans un premier temps, il avait refusé de reconnaître sa paternité. Ici, en 1994, il joue de l'harmonica pour elle sous le regard de Laurene.

Steve et Laurene assistèrent au mariage de Mike Slade, en 2001. Slade, qui a travaillé à la fois pour Bill Gates et Jobs, pense être le seul, sans doute, à avoir assisté au mariage des deux géants de l'industrie informatique. *Avec l'aimable autorisation de Mike Slade*

Steve dans le bureau qu'il s'était aménagé chez lui, à Palo Alto, en 2003.

Steve partait en vacances en famille au moins deux fois par an, le plus souvent à Hawaï ou en Europe. En 2005, ils se rendirent au Mexique et on les voit ici sortir d'une hutte à sudation après une séance de temazcal. Evie est au premier plan, avec Erin, Laurene, Reed et Steve derrière elle.

Ce qui a tout l'air d'un « selfie » de Steve Jobs en compagnie de Laurene, pris lors d'un séjour à Paris en 2003.

Jobs salue la foule rassemblée pour le lancement de l'iPad 2. Ce fut la dernière fois qu'il présenta un produit Apple, le 2 mars 2011. Il mourut sept mois plus tard.
© *Paul Chinn/San Francisco Chronicle/Corbis.*

des recettes – pas plus. Le groupe n'aurait pas la propriété des nouveaux personnages. Ni la propriété des films. Ni les droits sur les DVD. En même temps, Steve exprima publiquement son mécontentement à l'égard de Disney, en ne cessant de comparer l'extraordinaire créativité de Pixar aux navets sans intérêt que sortait Disney Animation, *La Planète au trésor, un nouvel univers, Frère des ours* et *La Ferme se rebelle.*

Les négociations donnaient des sueurs froides à Catmull et Lasseter. « S'il était resté à la table des négociations avec Disney, c'était essentiellement pour moi, dit Lasseter. Il savait à quel point je tenais aux personnages que nous avions créés. » Plus les mois passaient, plus les tensions s'aggravaient. Steve était persuadé qu'Eisner avait divulgué ses exigences à la presse afin de le faire passer pour quelqu'un de cupide. Début 2004, la situation semblait avoir atteint un point de non-retour : Jobs annonça à Lasseter et Catmull que Pixar ne négocierait plus avec Disney. Il refusait de travailler avec Eisner. Définitivement. « Ça a été la pire journée de ma vie », confie Lasseter, qui, après avoir perdu tous ses anciens personnages, se voyait à présent confronté à la perspective de voir *Cars,* qu'il venait de terminer, devenir également la propriété de Disney et de se retrouver avec un CEO qui n'était venu que deux fois chez Pixar depuis la signature du contrat initial. Lasseter pleura lorsque Catmull, Jobs et lui durent annoncer au personnel de Pixar dans quelle impasse ils se trouvaient, et jura qu'il ne ferait plus jamais de film sans avoir la pleine propriété des personnages.

Dès que la nouvelle fut rendue publique, les autres studios commencèrent à appeler. Steve la joua flegmatique. Disney distribuerait *Cars* qu'il y ait ou non un nouvel accord, et tous ses succès avaient rapporté tellement d'argent à Pixar que le studio avait le temps de voir venir. Alors que Steve était en pourparlers avec d'autres studios, Eisner commençait à perdre le soutien de sa compagnie. À l'automne 2003, Roy Disney, le neveu de Walt, avait démissionné quand Eisner avait voulu le forcer à quitter le conseil d'administration, mais non sans avoir au préalable écrit une lettre ouverte critiquant le CEO en termes cinglants. Les investisseurs, qui voyaient les actions Disney stagner depuis des années, étaient excédés par le despotisme d'Eisner. Lorsque, à l'assemblée générale de 2004, 43 % des actionnaires se prononcèrent contre la réélection d'Eisner au conseil d'administration de la compagnie, le conseil le démit de ses fonctions de président. Eisner déclara qu'il irait jusqu'au terme de son mandat, fin 2006, mais vu la tournure des événements, cela semblait soudain peu probable.

Steve suivait ces développements avec d'autant plus de jubilation qu'en menaçant d'emmener Pixar voir ailleurs il avait contribué à torpiller Eisner. En soi, il n'avait jamais rien eu contre Disney, il n'y avait qu'Eisner qu'il ne supportait pas. À son retour de convalescence après son opération, à l'automne 2004, il expliqua à Catmull et Lasseter qu'il voulait trouver un moyen d'assurer la situation de Pixar même s'il n'était plus là. Ce n'est pas qu'il craignît de ne plus en avoir pour longtemps. Mais il se disait que dans un avenir plus ou moins proche il se verrait peut-être obligé de se décharger davantage encore de ses responsabilités, et savait que Pixar était mieux à même de s'en sortir sans lui qu'Apple. Ce ne serait pas facile. Steve avait toujours pensé que Catmull, Lasseter et lui étaient un peu comme les Beatles, version trio, et se complétaient parfaitement, les forces des uns compensant les faiblesses des autres. La perspective de continuer sans Steve inquiétait Catmull. « Ce n'était pas un réalisateur, ni rien de tout ça. Ce n'était pas l'aspect créatif qui risquait d'en souffrir, dit-il. Mais je ne me voyais pas en CEO médiatique. Ça ne me ressemblait pas. Par conséquent, s'il partait, on perdait un élément clé. »

Pixar avait apparemment trois options : trouver un nouveau distributeur et se lancer dans un partenariat qui n'offrait aucune garantie ; implanter sa propre filiale de distribution, ce qui entraînerait un investissement considérable, tant d'un point de vue financier qu'au niveau des effectifs, pour créer un service que ni Catmull ni Lasseter ne voulaient gérer ; ou rester chez Disney, ce qui était une option inenvisageable tant qu'Eisner était CEO. Le dilemme était d'autant plus cruel que les deux premiers scénarios signifiaient que ce serait Disney et non Pixar qui aurait la propriété des personnages de tous les films que Lasseter et son équipe avaient créés dans le cadre de l'ancien contrat.

Disney avait les parcs à thème, qui donnaient une seconde vie aux personnages de Pixar. La compagnie possédait en outre le solide réseau de distribution qui avait lancé avec succès tous les films Pixar. Et son nom était encore magique pour Catmull et Lasseter qui avaient rêvé étant jeunes de faire partie des grands animateurs de l'époque légendaire de Disney. « Je savais depuis le début que la stratégie à long terme de Steve était de vendre à Disney, déclare Catmull, bien que Steve ne le lui ait jamais expressément dit. Je n'en ai jamais douté. Il faisait tout un cinéma, jouait au plus fin, mais je savais que c'était sa stratégie à long terme. »

Durant trois ans, Steve attendit qu'Eisner se décide à agir en faisant preuve d'une patience remarquable. L'attitude qu'il adoptait en public soumettait le CEO à une pression constante, car le directoire de la compagnie ne voyait aucun moyen de s'assurer que Pixar reste dans le giron de Disney tant qu'il était aux commandes. Mais en coulisses, Steve veillait à ce que la colère qu'il exprimait en public ne nuise pas au bon fonctionnement des relations entre les deux sociétés. « On faisait tout pour maintenir de bonnes relations avec Disney, raconte Catmull. À l'époque où Eisner était en pleine guerre avec Roy Disney, et à un livre[1] était en train d'être écrit, Steve a dit : "Quoi qu'il en soit, on ne parle pas. On ne sait pas ce qui va se passer, alors pour le livre, ils n'obtiendront rien de nous." On n'a donc rien laissé fuiter parce que Steve ne voulait pas qu'on puisse nous en vouloir chez Disney. »

« Dans ces cas-là, ajoute Catmull, il suffit d'un peu de logique et on se dit : "C'est bon, j'ai compris." Et puis la guerre a pris fin et ils ont nommé Bob Iger. »

LA PROMOTION D'IGER fut annoncée en mars, mais il ne prit ses fonctions de CEO que le 1ᵉʳ septembre. Après avoir informé Eisner qu'il

---

1. *Le Royaume enchanté*, de James B. Stewart, sorti aux États-Unis en janvier 2006, était une enquête truffée de révélations, où l'auteur dévoile les coulisses de Disney sous le règne de Michael Eisner, de 1984 à 2005.

allait essayer de rétablir les relations avec Steve, il s'y attela. Un mois après ce premier coup de fil, il appela Steve pour lui suggérer une idée : et s'il y avait un moyen pour que les consommateurs puissent visionner toutes sortes de séries télévisées, anciennes ou récentes, sur leur Mac ou leur PC ou d'autres appareils ? Apple ne pouvait-elle pas faire pour la télévision ce qu'elle avait fait pour l'industrie de la musique et offrir, en substance, un débouché commercial à la télévision ? Iger lui dit qu'il avait bien conscience que la mise en œuvre de cette idée était complexe, mais qu'il serait ravi de pouvoir en discuter avec lui.

« Vous plaisantez », lui répondit Steve. Iger lui assura que non. « Si je vous fais une confidence, ça peut rester entre nous ? » demanda Steve, manifestement sceptique à l'égard de tous les dirigeants de Disney. Iger lui promit de garder le secret et Steve lui dit qu'il était très intéressé et qu'il aurait quelque chose à lui montrer d'ici un mois ou deux. Le coup de téléphone d'Iger était stratégique : il se disait qu'en laissant entendre à Steve que, contrairement à son prédécesseur, il était déterminé à faire en sorte que Disney soit plus ouvert aux nouvelles technologies, il avait peut-être des chances d'arranger les choses avec lui. De fait, Steve y avait été sensible et, pendant qu'Iger attendait de découvrir la surprise que lui ménageait le CEO d'Apple, ils commencèrent à discuter des grandes lignes d'un nouvel accord éventuel de distribution des films. Ils n'arrivaient pas à s'entendre sur les chiffres. À un moment, ils envisagèrent que Disney rétrocède à Pixar le droit de réaliser des suites, en échange d'une participation de 10 % dans Pixar. Mais Iger se rétracta. « L'accord était inégal, raconte-t-il. J'aurais obtenu qu'on annonce que les relations étaient maintenues, mais elles n'auraient rien rapporté à Disney. Nous n'aurions pas eu la propriété intellectuelle, nous aurions eu simplement une participation silencieuse dans Pixar et nous n'aurions rien fait pour arranger les affaires de Disney Animation. »

Quelques semaines plus tard, Steve alla voir Iger au siège de Disney, à Burbank. « J'ai quelque chose à vous montrer, lui dit-il en sortant un des premiers iPod vidéo de sa poche. Vous seriez vraiment prêt

à mettre vos séries télé là-dessus ? demanda-t-il. – Je suis partant »,
répondit Iger sans une seconde d'hésitation. Il boucla l'accord encore
plus vite que Steve n'avait arraché à Bill Gates la promesse d'investir
dans Apple, en 1997. Iger prit ses fonctions de CEO le 1er septembre
et, le 5 septembre, Apple avait le droit de vendre sur l'iTunes Music
Store des téléchargements d'épisodes de *Desperate Housewives*, *Lost* et
Grey's Anatomy destinés à être visionnés sur l'iPod. Steve et Bob Iger
annoncèrent la nouvelle ensemble à la Macworld, le 5 octobre 2005.
« Il était épaté, et d'une, que je sois prêt à faire ça, raconte Iger. Et
de deux, que je boucle un contrat en cinq jours sans que les avocats
de Disney ne l'épluchent sous toutes ses coutures. Et de trois, que
j'aie, comment dire, la classe de monter avec Steve Jobs sur sa scène
à lui, alors que, par certains côtés, Disney avait été l'ennemi mortel. »

Début septembre, Iger avait demandé à son conseil d'administration
de l'autoriser à étudier la possibilité d'un rachat pur et simple de Pixar.
« C'était ma première réunion en tant que CEO, raconte-t-il, et je
n'avais pas fait l'unanimité. J'ai regardé autour de la table et j'ai vu
que les membres du conseil étaient un peu interloqués. Il y en avait un
tiers qui ne savait pas quoi dire, un autre tiers qui était réellement intéressé, et le dernier tiers se disait que c'était totalement ridicule, mais
vu qu'il n'y avait aucune chance que ça arrive, autant laisser faire. »
Deux jours après la Macworld, Iger appela Steve. « Je lui ai dit : "J'ai
une idée totalement insensée. Peut-être que Disney devrait purement
et simplement racheter Pixar." Steve a eu un instant d'hésitation, puis
il a répondu : "Ce n'est peut-être pas si insensé que ça, comme idée.
Et puis les idées insensées, ce n'est pas pour me déplaire. Laissez-moi
réfléchir !" Il m'a rappelé deux jours plus tard. »

Iger et Steve se parlaient à présent presque tous les jours et tissaient
peu à peu des liens empreints de respect. Iger était agréablement surpris par l'honnêteté de Steve – jusque-là, il s'était essentiellement fié
aux commentaires de Michael Eisner, qui lui avait brossé un portrait
peu flatteur du CEO d'Apple. Steve, de son côté, se rendait compte
qu'Iger avait ce mélange d'intelligence et de franc-parler qu'il appréciait particulièrement, d'après Catmull. Cela le changeait d'Eisner, que

Steve trouvait certes brillant, mais extrêmement politique et fuyant. Dès le début des négociations, Iger avait mis cartes sur table. « Ma femme m'a dit qu'un CEO tenait en moyenne trois et demi à son poste, dit-il à Steve. Je ne tiendrai même pas ce temps-là si je ne relance pas l'animation, et pour y arriver, ça passe par vous. J'ai un problème. Vous avez une solution. Il faut régler ça. »

Steve demanda à Lasseter et Catmull de venir le voir chez lui, à Palo Alto. Dès leur arrivée, il lâcha la bombe sans perdre de temps. « J'envisage de vendre Pixar à Disney », leur annonça-t-il avant de leur expliquer les raisons qui motivaient son projet. Il leur apprit que si l'accord se faisait ils se retrouveraient tous les deux à devoir diriger non seulement Pixar, mais également Disney Animation. « Si vous refusez, on ne le fait pas. Mais la seule chose que je vous demande, c'est d'apprendre à connaître Bob Iger. »

Catmull se rendit donc à Burbank pour dîner en tête à tête avec Iger. Mais Lasseter, qui était particulièrement méfiant, demanda à Iger de venir dîner chez lui. Iger prit donc un vol jusqu'à Santa Rosa, où Lasseter vint le chercher au Charles M. Schulz-Sonoma County Airport pour le conduire chez lui, non loin de Glen Ellen, une bourgade entourée de vignobles. « On a discuté jusqu'au milieu de la nuit, raconte Lasseter. On a parlé de l'importance de Disney Animation, de l'importance de le faire revivre. Je lui ai dit que le seul risque que je voyais, c'était de devoir partager mon temps. Et il m'a dit : "Pour moi, c'est l'inverse. Il s'agit de vous donner un plus grand champ d'action parce que je pense que vous pouvez le gérer."

« Puis il a dit : "La première chose, c'est que je ne veux pas changer Pixar. J'ai vécu deux acquisitions du temps d'ABC. La première, c'était Capital Cities et c'était super. Tom Murphy, le CEO de Cap Cities, m'a beaucoup appris. Et puis Disney a racheté Cap Cities/ABC, et là c'était catastrophique. Disney est arrivé et ABC, qui était la première chaîne, est passée à la quatrième place. C'était la première fois qu'une des trois grandes chaînes se retrouvait derrière Fox. Ils croyaient en savoir plus que nous, mais ce n'était pas le cas." »

Tout comme Steve, Lasseter et Catmull commençaient à se sentir à l'aise avec Iger et, en discutant avec leur CEO, ils se rendaient compte que l'accord présentait d'autres avantages. En étant intégrés à Disney, les studios Pixar seraient bien plus protégés qu'en tant que simple société anonyme indépendante. « Nos administrateurs ont fait un travail d'audit extraordinaire, dit Lasseter. Ils nous ont dit que la valorisation de la société tenait déjà compte d'un rythme prévisionnel d'un succès par an sur dix ans. Et dans la mesure où nos actionnaires, que notre conseil d'administration représente, exigeraient toujours de la croissance, tôt ou tard, le modèle d'un film par an ne suffirait plus. On serait obligés de faire des émissions de télévision ou beaucoup plus de films par an. » De toute évidence, se dit-il, la meilleure façon pour les studios Pixar de perpétuer le mode de vie auquel ils étaient si attachés était d'accepter d'être rachetés par la compagnie qu'ils combattaient depuis si longtemps.

Iger effectua son propre audit, naturellement. Il se rendit un jour chez Pixar, pour rencontrer un à un les réalisateurs des films en cours de production. « Nous n'avions plus qu'un film à distribuer, *Cars*, raconte-t-il, et depuis des mois, chez Disney, les gens n'arrêtaient pas de descendre le projet de film suivant, une histoire de rat dans un restaurant à Paris. Alors, je suis allé à Emeryville et, pendant six ou sept heures, les réalisateurs m'ont présenté le pitch de tous les films qui étaient en projet. J'ai vu deux films qu'ils ont fini par ne pas faire [l'un appelé *Newt*, et l'autre, un projet sans titre de Lee Unkrich racontant une histoire de chiens dans un immeuble de New York]. J'ai aussi visionné des séquences en cours de réalisation de *Ratatouille*, *Là-Haut* et *Wall-E*. Disney n'avait rien vu de tout ça, alors je suis retourné voir mes équipiers, dont Alan Braverman, le directeur juridique, et je leur ai dit qu'il n'y avait pas photo. La richesse créative, la qualité des équipes étaient flagrantes. Il fallait absolument conclure le rachat. »

Lasseter et Catmull étant plus confiants, Steve entreprit de finaliser l'accord. Il s'abstint d'exiger une prime exorbitante par rapport à la valeur de Pixar. Pensant que Pixar serait racheté un jour ou l'autre, les investisseurs l'avaient déjà surévalué avec une capitalisation boursière qui s'élevait à environ 5,9 milliards de dollars. Steve et Iger se mirent d'accord sur un montant de 7,4 milliards de dollars. Ils convinrent que Pixar et Disney se partageraient l'affiche à égalité sur tous les films. Ils signèrent même un accord parallèle suggéré par Catmull et Lasseter : pour s'assurer que Disney ne porte pas atteinte à la culture de Pixar, Iger accepta que sa compagnie ne puisse jamais modifier ni annuler soixante-quinze éléments fondamentaux dont Lasseter avait dressé la liste. Étaient ainsi protégés le bar à céréales de la cafétéria, le concours annuel d'avions en papier, le salon de voitures de collection des employés, le droit des animateurs d'aménager leur bureau à leur guise et ainsi de suite.

Iger savait que rien ne pouvait justifier raisonnablement le prix qu'il avait payé. « Aucune analyse au monde ne pouvait légitimer l'accord », dit-il. Mais il affirma au directoire de Disney qu'il avait plus de potentiel que les chiffres ne le laissaient supposer : si Catmull et Lasseter pouvaient revitaliser Disney Animation, et si les deux studios, et non Pixar seul, créaient des personnages mémorables, les revenus annexes générés par les parcs à thème, les produits dérivés et d'autres départements pouvaient grimper en flèche. « Du temps de Walt, déjà, et depuis toujours, explique Iger, Disney n'a jamais aussi bien réussi, tant sur le plan des bénéfices que de sa réputation, que lorsque l'animation était dynamique. »

Iger savait aussi que beaucoup de soi-disant experts estimaient qu'il était fou d'avoir invité Steve Jobs à entrer au conseil d'administration de Disney au titre d'actionnaire majoritaire. « Beaucoup de gens activement impliqués dans le processus m'ont dit que faire entrer Steve au conseil en tant que premier actionnaire était la plus grosse bêtise de ma vie, évoque Iger. Je ne citerai pas de nom, mais c'est un de nos banquiers d'affaires. Il m'a dit : "Vous êtes un CEO fraîchement arrivé qui va essayer de diriger Disney. Vous allez avoir Jobs sur le dos en permanence, ça va vous rendre dingue. Vous ne faites pas le poids face à lui. Si vous voulez diriger cette compagnie comme bon vous semble, ne faites pas ça." » Iger se fia à son instinct. « Avec Steve, nous avions discuté du fait qu'il avait l'intention de prendre la majorité des parts et de les conserver. Je savais qu'il y avait un risque à le laisser entrer au conseil. D'un autre côté, j'entretenais de bonnes relations avec lui, et je me disais que cela pouvait peut-être me servir d'avoir Steve Jobs à mes côtés. Et si, pour une raison ou une autre, ça ne fonctionnait pas pour moi, Disney aurait tout de même Steve Jobs, et ce serait formidable. »

Comme bien des gens, Bill Gates fut stupéfait de ce que Steve avait réussi à obtenir. « Quand il était en position de force, il savait très bien faire jouer le temps en sa faveur, explique Gates. Il attendait que les autres veuillent bien se décider. Regardez un peu quelle part de l'entreprise résultante tombe dans l'escarcelle d'un studio d'animation, relativement petit, mais à la pointe des nouvelles technologies et d'un niveau exceptionnel. Ils finissent par posséder un pourcentage très substantiel de toute l'entité Disney-ABC-ESPC. Ça appartient à un petit studio d'animation ! Il a fallu trois tours de négociations et, au moment de finaliser l'acquisition, Disney était sur le dos et soupirait : "Prends-moi toute." La dynamique politique de Disney était telle à l'époque qu'ils avaient besoin de cette victoire, et Steve le savait. »

Céder Pixar à Disney était un triomphe singulier. Steve avait trouvé la société mère dont Lasseter et Catmull avaient besoin pour assurer la prospérité de leur extraordinaire institution pendant des dizaines d'années. Il les avait même mis tous les deux en position de donner un nouveau souffle au plus grand studio d'animation de tous les temps, Disney. Et tout cela, en nouant en moins d'un an des liens de confiance, et même d'amitié, avec l'ancien bras droit d'une des personnes qu'il détestait le plus au monde. Si l'on songe à l'antipathie et à la méfiance dont Steve avait fait preuve durant les négociations NeXT/IBM, on mesure à quel point il avait changé depuis cette époque-là.

Iger et Jobs s'investirent entièrement dans la négociation, qui mit leurs nerfs à rude épreuve jusqu'à la fin. Après que les deux conseils d'administration eurent ratifié l'accord, la date de l'annonce fut fixée au mardi 24 janvier 2006. Iger prit un vol de Los Angeles pour être présent aux côtés de Lasseter, Catmull et Steve à Emeryville lorsqu'ils annonceraient la cession au personnel de Pixar. Mais à la grande surprise d'Iger, une heure à peine avant l'annonce, Steve lui proposa d'aller faire un tour sur le site. Il avait quelque chose d'important à lui dire.

Iger lui demanda de l'excuser un instant, le temps d'échanger deux mots avec Braverman, son directeur juridique. « Je ne sais pas ce qu'il veut, lui confia Iger. Peut-être qu'il veut renoncer à l'accord. Peut-être qu'il veut plus d'argent. » Sur ce, Iger et Steve sortirent du bâtiment. Steve l'entraîna vers un banc situé dans un coin isolé du site. Ils s'assirent et Steve lui passa un bras sur l'épaule. Voici le souvenir que Bob Iger garde de la scène :

« Il me dit : "J'ai quelque chose de très important à te dire, Bob. Il faut que je t'avoue quelque chose, c'est vraiment important parce que ça a un rapport avec tout ça." »

« Je lui demande : "Quoi donc ?" »

« Il me dit : "Je fais une récidive." On est en janvier 2006. Depuis l'opération, rien ne peut laisser supposer qu'il a à nouveau un cancer. Alors évidemment, je lui demande de m'en dire plus. Il me parle de taches sur le foie, de chimiothérapie…

« J'insiste pour avoir plus de détails. Il me dit : "Je me suis promis d'être là pour le diplôme de fin d'études secondaires de Reed." »

« Alors, évidemment, je lui demande : "Quel âge a Reed ?" »

« Il me dit que Reed a quatorze ans et sortira du lycée dans quatre ans. "Pour être franc, ils m'ont dit que j'avais 50 % de chances d'être encore en vie dans cinq ans.

« Tu me dis ça parce que ça te soulage d'en parler, ou il y a une autre raison ? » je lui demande.

« Il me dit : "Si je t'en parle, c'est que je veux te laisser la possibilité de renoncer à l'accord." »

« Je regarde l'heure, on n'a plus qu'une demi-heure. D'ici une demi-heure, on va faire l'annonce. On a les équipes de télévision, on a le vote du conseil, on a les investisseurs. La machine est enclenchée. Et je me dis : "On est dans un monde post-Sarbanes-Oxley, post-Enron, le monde de la responsabilité fiduciaire, il va être notre premier actionnaire, et voilà qu'on me demande de taire un secret." Il m'a dit qu'il n'y avait que deux autres personnes qui étaient au courant, Laurene et son médecin. "Mes enfants ne sont pas au courant. Pas même le conseil d'administration d'Apple. Personne ne le sait et tu ne dois en parler à personne."

« Bref, merci Steve.

« Je dois décider, là tout de suite à côté de lui sur le banc, si je peux signer cet accord. Je ne sais même pas. Alors j'ai pris le risque et je lui ai dit : "Tu es notre premier actionnaire, mais je pense que ça ne change rien à l'affaire. Tu n'es pas essentiel à l'accord. C'est Pixar que nous achetons, et non pas toi. Nous allons médiatiser le fait que tu es le plus gros actionnaire, mais ce n'est pas là-dessus que repose la valeur de la transaction. Elle repose sur les actifs de Pixar."

« Et on a annoncé l'accord. »

Les deux hommes regagnèrent le bâtiment, que Catmull et Lasseter devaient baptiser le Steve Jobs Building après sa mort. Iger venait de jurer de garder le secret, mais il se sentit obligé d'en parler à Braverman. Son directeur juridique lui assura rapidement que Disney pouvait procéder à la transaction. Steve alla trouver Lasseter et Catmull et les emmena dans son bureau. Il les prit par les épaules. Comme le raconte Catmull : « Il nous a regardés et nous a dit : "Vous êtes toujours d'accord, tous les deux ? Si vous refusez, je les renvoie sur-le-champ." On a tous les deux répondu qu'on était d'accord et Steve a fondu en larmes. On est restés un long moment à se tenir comme ça. Il adorait cette boîte. »

Après que Steve et Iger eurent signé tous les documents, les quatre hommes firent leur entrée dans l'atrium pour prévenir l'ensemble du personnel. La rumeur d'un accord avait filtré la veille, mais les employés n'en furent pas moins choqués quand Steve leur confirma que Pixar allait être cédé à Disney. « Le problème, c'est qu'Edwin et moi, on avait eu trois mois pour apprendre à connaître Bob Iger, faire notre audit et nous résoudre à admettre que c'était la meilleure décision à prendre, raconte Lasseter. Mais le reste de la société était resté au point où on en était la première fois que Steve nous en avait parlé : "Comment pouvez-vous faire ça ?" Sur le moment, c'était très dur d'être face à eux. Il y a eu une vague d'émotion, du style : "Oh non." Je n'oublierai jamais Katherine Sarafian [productrice de *1001 Pattes*], qui était assise au premier rang et qui s'est mise à pleurer quand Steve l'a annoncé. »

Iger parla à deux autres personnes du cancer de Steve. Le soir même, il le dit à sa femme, la journaliste de télévision Willow Bay ; le lendemain, à Zenia Mucha, la directrice de la communication de Disney. La récidive du cancer de Steve ne fut révélée publiquement qu'en 2009, lorsqu'il dut de nouveau prendre un arrêt maladie et s'absenter d'Apple afin de subir une transplantation du foie. « Pendant ces trois ans, dit Iger, j'ai toujours été au courant de ce qui se passait pour Steve sur le plan médical. On parlait tout le temps, lui et moi, et comme je gardais le secret, il se confiait à moi. J'étais au courant des voyages à Rotterdam ou Amsterdam, j'avais entendu parler des récepteurs radioactifs qui se fixaient sur les cellules cancéreuses. »

Avant que la cession soit annoncée, Steve avait parlé à Laurene de son intention de révéler sa récidive à Iger. Ils estimaient tous les deux qu'il devait le faire, étant donné l'ampleur de la transaction. La seule question qu'ils se posaient, c'était de savoir s'ils pouvaient réellement compter sur Iger pour garder le silence. Steve pensait que oui. « J'adore ce type », avait-il dit à Laurene.

Chapitre 15
The whole widget

S teve était profondément heureux d'avoir pu assurer à Catmull, Lasseter et leur équipe une solution d'avenir pour ce qui était devenu une des plus grandes joies de sa vie : l'aventure de Pixar, qui à l'origine avait tout d'une simple lubie. Mais ce n'est qu'un élément mineur de la période la plus productive de la vie de Steve, soit les quatre ans qui suivirent immédiatement son retour de convalescence, après son opération à l'automne 2004.

Durant ces années, la maladie de Steve ne compromit aucunement la gestion quotidienne d'Apple. Le comité de direction discuta de plans de succession, mais la plupart des membres ne savaient pas que la tumeur s'était propagée au-delà du pancréas. Sa fatigue occasionnelle paraissait naturelle, pour un homme qui avait fêté ses cinquante ans en 2005 et avait eu un cancer. Il prenait ici et là quelques jours pour voir ses médecins et suivre ses traitements, mais quoi qu'il en soit, il travaillait beaucoup de chez lui, et cela n'avait rien d'alarmant. Naturellement, les collaborateurs de Steve étaient inquiets à la perspective d'une rechute et guettaient d'éventuels signes de récidive.

Mais en apparence, il n'y avait rien d'inhabituel, jusqu'à l'été 2008 où Steve maigrit brusquement de façon alarmante. Il donnait à l'extérieur l'image d'un leader efficace et visionnaire à l'apogée de son pouvoir. Malgré toutes les épreuves de ces années-là, Steve parvint à relever comme il le souhaitait la plupart des défis qui se présentaient. Il était devenu dirigeant très jeune, mais à présent il était à l'aise dans son rôle et certain, à juste titre, de sa capacité à guider les dizaines de milliers d'employés d'Apple vers les objectifs qu'il leur fixait. Pendant cette période, il pérennisa le succès des micro-ordinateurs de la marque en opérant un passage habile à un nouveau type de microprocesseurs, en procédant avec succès et sans états d'âme à des transitions majeures au sein de l'équipe dirigeante et en optimisant et renforçant la machine ambitieuse et bien rodée du développement produit que décrit Tim Cook. Ce fut également à cette époque qu'il sortit ce qui restera probablement le produit le plus remarquable de sa vie, l'iPhone, qu'il améliora encore en s'orientant une fois de plus vers une stratégie à laquelle personnellement il ne tenait pas, transformant ainsi le secteur des applications logicielles d'une manière qui n'était pas sans rappeler la méthode de Bill Gates.

Ce sont des années où il réussit quasiment tout ce qu'il entreprit. Ce sont également les années qui montrent le mieux à quel point il avait changé et témoignent de la créativité prolifique et du génie en affaires qui étaient désormais les siens. « Je suis qui je suis », répétait-il souvent. Ce ne fut jamais aussi vrai que les sept dernières années de sa vie.

———

APRÈS SON INCURSION dans le monde de la musique, Steve savait que même lui avait sous-estimé le pouvoir que représentait une plate-forme numérique de produits Apple connectés à un ordinateur. À mesure que l'univers des ordinateurs absorbait celui de l'électronique grand public, Apple ne cessait d'améliorer la facilité et l'agrément avec lesquels on pouvait profiter de sa musique, de ses photos et de ses vidéos sur des appareils électroniques personnels, offrant entre les différentes technologies une cohérence qu'aucune autre marque ne put jamais égaler, ni même approcher. Apple promettait d'expérimenter à tous les stades une rencontre simple et cependant magique (pour reprendre un des adjectifs préférés de Steve) avec la technologie, par opposition au fouillis ultra-technique auquel se heurtaient les malheureux consommateurs qui essayaient de synchroniser des appareils d'autres marques, et qui semblait essentiellement destiné à les embrouiller.

Acheter de la musique ou des ordinateurs en ligne chez Apple était presque trop simple, alors que c'était un plaisir en soi de se rendre dans les vastes magasins de verre étincelant de la marque, pour y être conseillé par de jeunes employés intelligents et les petits informaticiens prodiges du Genius Bar. Apple réussissait même peu à peu à tout connecter *via* le Wi-Fi, même si cela restait encore le maillon le plus délicat de l'assemblage. Steve adhérait à l'adage du marketing selon lequel tous les contacts que le consommateur peut avoir avec une marque – qu'il soit acheteur, utilisateur, visiteur dans un magasin, simple passant devant un panneau publicitaire ou téléspectateur regardant un spot – sont en soi une expérience qui crédite ou débite des points au « compte » imaginaire de l'entreprise auprès du client. L'« expérience Apple » représentait une telle fusion sans précédent de l'excellence du marketing et de la technologie que les clients en redemandaient.

C'était une qualité nouvelle, que les consommateurs ne s'attendaient pas à trouver dans les domaines de la technologie ou de l'électronique, qui avaient toujours été à l'image de l'univers obscur de l'ingénierie dont elles étaient issues. Les acheteurs de produits Olympus, Panasonic, IBM, Motorola, Canon et même Sony pataugeaient dans des modes d'emploi qui étaient au mieux déconcertants, à peine plus évolués, bien souvent, que les notices techniques des Heathkit que Steve montait du temps de son adolescence. La plupart du temps, les acheteurs de produits Apple n'avaient quasiment qu'à ouvrir un emballage aussi solide qu'élégant, brancher leur bel appareil sur une prise ou sur un Mac et l'allumer.

Les acheteurs de PC entendaient parler de la qualité des ordinateurs Apple depuis des années. Mais à présent que des millions de consommateurs avaient joué sur leur iPod et utilisé le logiciel iTunes sur leur PC, Apple avait de plus en plus la réputation de concevoir des produits aux côtés desquels même les appareils Sony prenaient des allures de sabots. Il n'avait fallu que deux ans pour qu'Apple s'impose de manière phénoménale auprès de la jeune génération qui avait boudé ses produits à l'ouverture des premières boutiques. À partir de 2006, les immenses boutiques Apple, de Tokyo à Johannesburg en passant par le nouveau cube étincelant qui avait ouvert sur la Cinquième Avenue, au cœur de Manhattan, furent envahies par une clientèle essentiellement constituée de jeunes acheteurs. Aux yeux de ces nouveaux clients et, naturellement, des inconditionnels de la marque, la firme pouvait investir tous les domaines à sa guise. Ils étaient prêts à accueillir tout ce que l'expérience Apple avait de nouveau à leur offrir.

Par ailleurs, la faculté qu'avait Steve de discerner les points faibles d'une industrie et de mettre Apple en position d'y apporter une solution était étayée par la conviction de pouvoir y arriver. Steve avait toujours su déceler les défaillances des autres industries (tout comme il savait repérer les travers des autres). Mais après le coup d'éclat d'iTunes, il avait la preuve que la société pouvait pénétrer un nouveau marché avec succès et transformer son modèle économique de façon tout aussi avantageuse pour Apple que pour les consommateurs de ce secteur. Le lancement d'un nouveau téléphone risquait de porter cette stratégie à un tout autre niveau de complexité, en influant sur la vie non seulement de dizaines ou de centaines de millions d'êtres humains, mais de milliards d'acheteurs potentiels. Le tout, c'était de trouver le moyen de collaborer avec les opérateurs téléphoniques.

———

LA PREMIÈRE FOIS que j'avais entendu Steve pester contre « ces crétins d'opérateurs », c'était en 1997. C'est dire qu'il songeait depuis longtemps à un téléphone, même s'il ne cessait de répéter qu'il ne traiterait jamais avec « ces abrutis ». « Vous faites trop de protestations, ce me semble, lui ai-je dit un jour, parodiant Shakespeare. Une chose est sûre, vous y pensez beaucoup. » Il n'a pas ri. Ça n'a fait que l'énerver encore plus. « C'est sûr, je n'arrête pas de penser que c'est une vaste connerie d'être obligés de travailler avec ces foutus opérateurs télécoms si on veut pouvoir pénétrer le marché des téléphones. » Lorsque Steve avait accepté de lancer le ROKR, c'était essentiellement Motorola qui s'était chargé de traiter avec les opérateurs. Cette expérience décevante l'avait conforté dans sa conviction que les opérateurs arnaquaient les fabricants de téléphones ; néanmoins, ils détenaient les clés d'un marché qu'il ne pouvait pas négliger. En 2004, les ventes de téléphones mobiles avaient déjà atteint 500 millions d'unités par an, éclipsant de loin les ventes des micro-ordinateurs, des iPod et des agendas électroniques réunis. Et elles ne cessaient d'augmenter.

Apple avait certes une solution pour éviter les opérateurs : disposer elle-même d'un réseau. Un nouveau type d'opérateurs avait émergé aux États-Unis, les opérateurs de réseau mobile virtuel (MVNO). Le modèle MVNO permettait à une société indépendante avec une forte image de marque de se doter de son propre réseau éponyme, en achetant en gros des minutes de communication mobile auprès d'un des géants des télécoms. Sprint avait ainsi approché Steve en lui proposant de lancer un réseau sous la marque Apple. Mais Steve avait beau vouloir éviter les opérateurs, il savait que la gestion d'un réseau était une activité complexe, où le volume de transactions était important et qui sortait totalement du champ de compétences d'Apple. Il fit donc un effort sur lui-même et demanda à Eddy Cue de commencer à chercher.

Cue et Jobs savaient qu'il y avait un obstacle majeur à la conclusion d'un accord favorable : Steve voulait qu'Apple ait le contrôle total sur l'appareil. Dans la mesure où le téléphone allait être à la fois un iPod de premier ordre, un client Internet et un véritable équipement informatique, l'expérience utilisateur était un élément essentiel à sa réussite. L'interface multi-tactile de l'iPhone serait totalement différente de tout ce que les consommateurs pouvaient connaître. Si on voulait que l'affichage des sites puisse convenir aux utilisateurs de tous âges, l'écran devait occuper quasiment toute la façade du mobile. Tout cela était faisable, se disait Steve, mais uniquement si les opérateurs ne touchaient pas à sa conception. Enfin, il savait que l'équipe devrait nécessairement tâtonner avant d'aboutir au produit parfait. Apple voulait avoir la liberté d'expérimenter à sa guise sans que quiconque n'essaie d'anticiper ce que faisaient ses ingénieurs. L'opérateur devait donc accepter de conclure un accord sans connaître les caractéristiques exactes du téléphone qu'Apple sortirait.

« En fait, on connaissait mieux Verizon qu'AT&T », raconte Cue. (À cette époque, Cue traitait avec Cingular, une joint-venture de Bell South et SBC qui avait racheté AT&T Wireless en 2004. Après avoir acquis AT&T et Bell South, en 2006, SBC fut rebaptisé AT&T.) « Si on connaissait Verizon, c'est qu'on les avait consultés à l'époque où on avait signé avec Motorola pour le ROKR, même s'ils ont fini par ne pas le vendre. Quand on est retournés les voir pour leur parler de notre nouveau téléphone, ils ont été assez durs. Ils estimaient que les mobiles étaient leur chasse gardée. Style : "Ici, c'est nous qui décidons des règles du jeu." Et ils avaient beaucoup de pouvoir. Alors quand on voyait ce qu'on voulait faire, ça ne collait pas vraiment, parce qu'ils nous disaient : "Comment ça, vous allez contrôler l'UI du téléphone ?" »

Les responsables d'AT&T Wireless étaient beaucoup moins durs. Ils avaient beaucoup plus de clients que Verizon, mais leur réseau était critiqué en raison d'une couverture inégale. Aussi, lorsque Cue et Jobs vinrent les voir, cela donna tout autre chose. « Quand on est allés […] voir [AT&T], raconte Cue, on a passé quatre heures avec Ralph de la Vega et Glenn Lurie dans une chambre du Four Seasons. Et ils nous ont tout de suite plu. On voyait bien qu'ils étaient plus en demande et voulaient nous montrer ce dont ils étaient capables. On a entamé des relations dès ce jour-là. »

Steve fit rêver les gens d'AT&T en leur décrivant les multiples façons dont l'iPhone ferait grimper en flèche la consommation de bande passante de données mobiles. Pour la première fois, leur expliqua-t-il, les consommateurs auraient entre les mains un appareil qui pourrait effectuer beaucoup de tâches qu'ils réalisaient auparavant uniquement sur leur ordinateur. Le grand écran tactile de l'iPhone permettrait d'accéder quasiment n'importe où aux sites Internet complets, non modifiés. Les consommateurs téléchargeraient et partageraient des photos qui représentaient un grand volume de données. Ils passeraient du temps à s'envoyer des mails. Ils pourraient corriger des documents ou gérer les informations relatives à leurs contacts commerciaux à distance, directement sur leur téléphone, soit par l'intermédiaire d'applications intégrées, soit *via* Internet en se connectant à des sites spécialisés, et ce, que l'ordinateur principal de l'utilisateur soit un Mac ou un PC. Ils achèteraient et téléchargeraient de la musique sur l'iTunes Music Store. Ils pourraient s'envoyer facilement des textos. Sans parler des vidéos ! Une fois que les gens regarderaient des vidéos et des films en ligne, la consommation de données grimperait en flèche. Peut-être un jour passeraient-ils des appels en vidéo. Il leur parla d'une nouveauté qui avait été lancée en février, un site appelé YouTube, où les gens téléchargeaient et partageaient des clips vidéo auprès des utilisateurs connectés du monde entier. Qui sait, cela ferait peut-être un malheur ? Voilà ce que pouvait espérer AT&T, leur expliqua-t-il : devenir l'unique opérateur de toutes ces nouvelles activités. Et il avait appris autre chose, leur dit-il. Il savait que, une fois que l'on donnait accès à ce type de technologies extraordinaires au monde entier, cela pouvait prendre des proportions que personne n'était en mesure de prévoir, pas même lui. Il était évident que ces avancées contribueraient à développer le réseau mobile AT&T.

C'est pourquoi Steve avait une autre exigence, au-delà du contrôle absolu de la conception, de la fabrication et du prix de vente de l'appareil. Dans la mesure où le téléphone d'Apple servirait à dynamiser la consommation de données mobiles, Steve estimait que sa société devait être rétribuée pour le surcroît d'activité ainsi généré. Si donc AT&T voulait avoir le droit d'être l'opérateur exclusif de l'iPhone, il devrait verser une commission de vente pour le trafic supplémentaire de données que le téléphone entraînerait nécessairement. En d'autres termes, Steve voulait être réellement impliqué aux côtés de l'opérateur. Après tout, Apple touchait 30 % des recettes de tout ce qui se vendait sur l'iTunes Music Store. Pourquoi n'en irait-il pas de même de la consommation de données mobiles ?

Somme toute, ses exigences étaient tout aussi audacieuses que la vision qu'il avait dépeinte aux représentants d'AT&T. Mais l'opérateur se rendait compte que l'iPhone pouvait donner à son réseau l'élan dont il avait grand besoin et quelque chose qu'aucun de ses concurrents n'aurait – un téléphone de la marque de gadgets high-tech la plus tendance au monde. Il accepta donc de conclure un marché qui paraît avec le recul incroyablement avantageux pour Apple. Steve obtint tout ce qu'il voulait, et peut-être même un peu trop. AT&T laissa à Apple une liberté sans précédent, autorisant Steve et ses génies à créer le téléphone qu'ils souhaitaient. Il accepta qu'Apple fixe le prix du nouvel appareil, sans pouvoir de son côté le modifier ni accorder de remise. Et pour couronner le tout, la firme de Cupertino toucherait jusqu'à 10 % du montant des consommations facturées à l'utilisateur chaque mois, et ce, pendant toute la durée du contrat de service de son iPhone. Jamais un opérateur n'avait partagé ses recettes avec un fabricant de téléphones.

Il s'avéra qu'aucun des deux n'appréciait de partager ainsi les bénéfices. Un an plus tard, ils modifièrent l'accord, en décidant qu'AT&T paierait chaque téléphone au prix fort, au lieu de bénéficier du tarif réservé au distributeur, qui était d'environ 200 dollars inférieur au tarif public. Comme les règles de comptabilité autorisaient Apple à étaler sur deux ans le montant qu'AT&T lui versait pour les téléphones, cela permettait à la firme de réguler le flux de revenus et d'amortir les fluctuations de la consommation. Et AT&T était soulagé qu'Apple ne se mêle plus de ses recettes. C'était un arrangement plus clair pour les deux parties, et bon nombre d'analystes spécialistes des télécommunications estiment qu'il était encore plus avantageux pour Apple que le précédent.

Depuis le développement d'iTunes, Steve appréciait pleinement le pouvoir qui était désormais celui d'Apple. Il le maniait avec force, mais intelligemment. Il ne se montrait pas excessif avec AT&T. Il savait que l'opérateur avait besoin d'une opportunité comme l'iPhone, que personne d'autre ne pouvait la lui offrir, et Steve avait donc conclu un accord qui donnait à AT&T ce qu'il voulait, mais à des conditions qui rapporteraient une fortune à Apple. Il avait chargé Cue de gérer les affaires courantes avec l'opérateur et ce dernier était constamment au téléphone avec AT&T – il était hors de question que se renouvelle l'expérience d'Apple avec Motorola. Pour Apple, les résultats furent inespérés. D'après les estimations de certains analystes, la firme de Cupertino empoche aujourd'hui jusqu'à 80 % des profits de tout le marché des Smartphones.

———

DURANT CES ANNÉES-là, Steve fit preuve d'une concentration extrême. Il se limitait à l'essentiel afin de pouvoir se consacrer pleinement à des aspects très spécifiques de son travail. Les limites étaient claires. Ce qui comptait, c'était sa famille. Son petit groupe d'amis. Son travail. Et dans son travail, ceux qui comptaient le plus étaient les collaborateurs qui étaient susceptibles d'encourager et non d'étouffer sa volonté déterminée d'accomplir ce qu'il jugeait être la mission d'Apple. Le reste n'avait aucune importance.

C'est pourquoi, durant les dix dernières années de sa vie, Steve structura une grande part de sa vie professionnelle autour de sa collaboration et de sa profonde amitié avec Jony Ive. L'un et l'autre n'avaient jamais travaillé de façon aussi étroite avec quiconque sur des projets créatifs. Non seulement ils étaient tous les deux extrêmement productifs, mais ils avaient l'air de s'entendre même lorsqu'ils n'étaient pas du même avis. « Les gens disent avoir été tour à tour comblés de faveurs par Steve et jetés en disgrâce, m'a confié Jony d'un air songeur lors d'un des deux longs entretiens qu'il m'a accordés en 2014. J'ai eu de la chance, parce que ça ne nous est jamais arrivé. On a eu une relation très stable qui a résisté à sa maladie et aux énormes transitions que la société a connues. »

Ils avaient fait du chemin depuis ce jour de 1997 où Steve s'était rendu pour la première fois au Design Lab, où Jony s'attendait avec anxiété à être renvoyé sur-le-champ par son nouveau patron. Mais Steve m'a dit qu'il s'était aussitôt rendu compte que Jony était une « perle rare ». Il avait d'emblée apprécié son goût, son jugement et son ambition. Néanmoins, durant cette première année, Jony était resté intimidé, craignant de devoir plier bagage à la première erreur. C'est dire la réputation de Steve. Si Jony avait réellement apprécié la collaboration avec son patron sur le premier iMac, il était toujours mal à l'aise lorsqu'il s'efforçait de décrire à Steve ses partis pris concernant le design. Mais à l'occasion d'une visite chez Pixar, il s'était rendu compte qu'ils étaient tous les deux sur la même longueur d'onde. « Quand on est allés chez Pixar avec le premier modèle de l'iMac, ça a été une révélation, parce que, même à cette époque-là, je ne connaissais pas très bien Steve, raconte Jony. Mais quand il m'a présenté à tous les gens de Pixar, je me suis aperçu qu'il comprenait vraiment ce que je voulais transmettre sur le plan de l'émotion. D'une certaine façon, il savait ce que j'essayais d'exprimer. »

En l'entendant parler, Jony s'aperçut que Steve percevait de façon plus subtile et plus intuitive encore que lui le sens de ce nouveau design. C'était avant que le produit n'ait été annoncé ou montré à quiconque en dehors d'Apple. « C'était une de ses forces, poursuit Ive. Il savait affiner des idées, les énoncer mieux que personne. Je crois qu'il a très vite compris que j'avais une aptitude particulière en termes de goût et de compréhension de l'esthétique et de la forme. Mais un de mes défauts, c'est que je ne suis pas toujours aussi clair que je le voudrais. Je perçois les choses de façon intuitive et Steve, lui, percevait tout le sens de ma démarche. Par conséquent, je n'étais pas obligé de la justifier explicitement. Après ça, je le voyais exprimer ces idées comme je n'aurais jamais pu le faire. C'était extraordinaire. J'ai appris, je me suis amélioré, mais de toute évidence, je n'ai jamais été à son niveau. »

Leur relation se renforça à mesure que la dynamique d'Apple s'accélérait. La micro-informatique a toujours été un secteur en perpétuelle évolution, sous l'effet, en particulier, de la loi de Moore qui force les constructeurs à se renouveler constamment pour tirer le meilleur parti de composants de plus en plus performants. L'iPod n'avait fait qu'accélérer ce cycle. Jony et Steve n'avaient guère le temps de se reposer sur leurs lauriers après avoir sorti un nouvel appareil. Mais c'était gratifiant de parvenir à intégrer ces cycles plus rapides dans le quotidien de l'entreprise, admet Jony. « J'ai toujours pensé qu'à chaque fin de projet on aboutit à plusieurs choses. Il y a l'objet, le produit en lui-même, et puis il y a tout ce que l'on a appris. Ce que l'on a appris est aussi tangible que le produit en soi, mais c'est bien plus précieux, car c'est l'avenir. On voit bien que cela suppose d'être encore plus exigeant envers soi-même, de se montrer si déraisonnable dans ce que l'on attend de soi et ce que l'on attend les uns des autres que cela conduit à des résultats encore plus extraordinaires, non seulement en termes de produit, mais de ce qu'on a appris. »

Ive est persuadé que les leçons tirées de chaque cycle de développement de produit ne faisaient qu'entretenir chez Steve une insatisfaction que rien ne semblait pouvoir combler. Chaque produit était, en un sens, en deçà de ses attentes, tant et si bien que le produit suivant ne pouvait, ne devait qu'être mieux. En portant ce regard sur leur travail, Steve transforma le développement progressif de produits en une perpétuelle et impossible quête de perfection. Les lacunes des produits n'étaient que la base d'une version suivante, perfectionnée. Steve voulait toujours aller de l'avant, et l'aboutissement d'un appareil n'était qu'une incitation de plus à se projeter vers l'avenir.

Tout comme Cook et Laurene, Ive avait le sentiment que Steve était revenu de son opération de 2004 plus concentré que jamais. « Je nous revois encore marcher tous les deux en larmes, tout au début, en nous demandant s'il verrait Reed recevoir son diplôme, confie-t-il. À une époque, il y avait toujours un moment dans la journée où on parlait de ce que les médecins disaient, des résultats des examens. » Cependant, estime-t-il, ce n'est sans doute pas le cancer qui a motivé Steve au cours des dernières années incroyablement productives de sa vie. « Je ne pense pas que l'on puisse conserver une telle détermination en réaction à une maladie qui dure plusieurs années, poursuit-il. Il y a d'autres facteurs que la maladie qui l'ont incité à se concentrer pleinement sur son travail. Le fait d'atteindre des volumes de vente extrêmement élevés pour la première fois de l'histoire de la marque, par exemple. Je parle de dizaines ou de centaines de millions d'unités d'un même produit. C'était un changement énorme pour Apple.

« Je me souviens d'avoir parlé avec lui de ce qui constituait, pour nous, les critères déterminants pour évaluer notre réussite. On était tous les deux d'accord pour dire que ce n'était pas le cours de l'action. Le nombre d'ordinateurs vendus, alors ? Non, parce que, dans ce cas, cela signifiait que Windows nous devançait. Une fois de plus, cela revenait à savoir si nous étions vraiment fiers de ce que nous avions conçu et fabriqué collectivement. Est-ce qu'on en était fiers ?

« Il y avait certainement de la fierté, car les chiffres reflétaient le fait qu'on faisait du bon travail. Mais je pense aussi que Steve éprouvait une forme de légitimation. C'est essentiel. Non pas une légitimation du style : "J'avais raison" ou "Je vous l'avais bien dit". Mais une légitimation qui lui redonnait confiance en l'humanité. S'ils ont le choix, les gens savent reconnaître et apprécier la qualité plus qu'on ne le pense. Pour nous tous, c'était vraiment très important, parce que c'est ce qui nous donnait le sentiment d'être reliés au monde et à l'humanité tout entière et non de rester marginalisés en nous contentant de créer des produits ultra-ciblés.

« C'est une conjugaison de plusieurs facteurs, simultanés ou successifs, qui a poussé Steve à se concentrer plus que jamais sur ses objectifs, conclut-il. Il y a sa maladie, mais aussi une dynamique sans précédent de l'entreprise, qu'aucun de nous n'avait jamais connue avant. Le fait de sentir cette dynamique a joué un rôle aussi important que sa maladie dans sa créativité et sa réussite, parce que l'euphorie était encore là. »

Lorsqu'ils s'attelèrent réellement à l'iPhone, Steve était devenu plus proche de Jony qu'il ne l'avait jamais été d'aucun collaborateur. « On avait un lien si fort, dit Ive, qu'on pouvait être totalement francs et honnêtes l'un envers l'autre, sans avoir à expliquer au juste ce qui fait qu'une idée est bonne, ou qu'une autre est importante. Mais on était aussi assez honnêtes pour se dire : "Non, ça c'est nul comme idée" sans avoir peur de blesser l'autre. »

Sans surprise, certains, dans l'équipe de direction, estimaient qu'Ive exerçait un ascendant injustifié sur Steve. Après la mort de Steve, de plus en plus de rumeurs sans fondement se mirent à circuler, affirmant que c'était Ive qui décidait qui était renvoyé et qui était promu, comme s'il était le Raspoutine de Steve. La vérité est plus simple. Steve se fixait des priorités absolues dans tous les domaines ou presque de sa vie, et ce, sans états d'âme. Afin de rester concentré sur ses objectifs, il distinguait clairement ce qui avait de l'importance de ce qui n'en avait pas. Les moments qu'il passait avec Jony, leur amitié et leurs discussions étaient essentiels, même si d'autres relations en souffraient. Au fil du temps, leur entente se révéla tout aussi extraordinaire que l'était l'ambition de Steve.

« Si on était aussi proches et si on travaillait aussi bien ensemble, c'est essentiellement parce que notre collaboration n'était pas simplement basée sur la conception traditionnelle du design, dit Ive. On avait la même perception intuitive des objets de notre environnement, des gens, des structures organisationnelles. La beauté peut être conceptuelle, elle peut être symbolique, elle peut être le témoignage du progrès, de ce que l'humanité a réussi à accomplir depuis les quinze dernières années. En ce sens, elle peut représenter le progrès, mais elle peut être aussi banale qu'une tête de vis. C'est pour ça qu'on s'entendait si bien, parce qu'on avait le même regard là-dessus. Si je m'étais borné à modeler des formes, on n'aurait jamais passé autant de temps ensemble. Ç'aurait été absurde que le CEO d'une entreprise de cette envergure passe quasiment tous ses déjeuners et une bonne part de ses après-midi avec quelqu'un qui ne se préoccupait que de la forme.

« Honnêtement, les plus jolis souvenirs, les plus forts, les plus précieux, c'est quand nous avions des discussions totalement abstraites. On philosophait sur des aspects du design comme on ne l'aurait pas fait avec d'autres. Je serais embarrassé si je devais parler en termes aussi philosophiques devant un groupe d'ingénieurs : ils sont d'une créativité extraordinaire, mais quand on discourt pendant des heures sur l'intégrité et la signification de ce qu'ils conçoivent, ça ne les intéresse pas vraiment. Il y avait des moments où on parlait de ces choses-là avec Steve, et je voyais bien au regard des autres qu'ils se disaient : "Ça y est, c'est reparti."

« Mais on parlait aussi de choses très précises. Je lui disais : "Regarde. Voilà comment on a conçu la fixation." Alors il ôtait ses lunettes, parce qu'il était totalement miro, et je le regardais admirer toute la beauté de l'intérieur. Même des détails comme ces vis spéciales. »

Il s'agissait des vis aplaties qui se trouvent à l'intérieur de l'iPhone. Lorsqu'il fut lancé en 2007, l'iPhone était une merveille qui ressemblait davantage à un bijou qu'à un gadget high-tech. Encore aujourd'hui, il demeure peut-être le plus grand témoignage tangible de l'amitié extraordinairement créative qui liait Steve et Jony.

L'iPhone était le fruit du travail de milliers de gens, de Tony Fadell et Greg Christie aux ouvriers des usines Foxconn en Chine. Mais il n'aurait jamais pu être imaginé, et encore moins fabriqué, sans l'étroite collaboration de ces deux âmes sœurs – Steve et Jony.

———

L'IPHONE FUT PRÉSENTÉ le 9 janvier 2007, au Moscone Center, lors de la conférence annuelle Macworld de San Francisco. C'était sur la corde raide. Le téléphone était loin d'être prêt à être commercialisé. Il y avait de sérieux défauts de logiciel et des bugs au niveau matériel. Les composants individuels avaient été mis à l'épreuve, mais l'appareil n'avait quasiment pas été testé « grandeur nature », comme Apple le fait aujourd'hui avec ses prototypes en les traitant comme ses utilisateurs doivent le faire, en passant rapidement et sans distinction du téléphone à la musique ou à une tâche informatique et inversement.

Steve n'avait jamais aimé « prélancer » un produit de cette façon (à part les grandes mises à jour de systèmes d'exploitation). Il y avait toujours le risque que le logiciel, l'écran ou autre chose se mettent à débloquer pendant la démo et, par ailleurs, il craignait de dévoiler son jeu trop tôt dans un secteur hautement compétitif. Mais Steve avait trois bonnes raisons d'annoncer si tôt l'iPhone. La première, c'est qu'il devait bien montrer quelque chose à AT&T. L'opérateur n'avait rien vu depuis des années – ni maquette, ni prototype – et le contrat comportait une clause lui donnant le droit de se retirer si Apple ne respectait pas un certain nombre d'étapes de développement majeures. Il était peu probable que cela arrive, mais il ne pouvait pas prendre de risque. Deuxièmement, comme le dit Lee Clow, Steve était l'incarnation de P.T. Barnum. Il adorait ménager un effet de surprise lorsqu'il lançait un produit. En trois ans, Apple n'avait pas pipé mot de l'éventuelle sortie d'un mobile, mais il n'était pas sûr de réussir à maintenir le silence radio quelques mois de plus. L'iPhone allait devoir être testé sur le terrain par les employés et, tôt ou tard, on le remarque-rait. Il préférait contrôler le message. Enfin, la conférence Macworld de janvier était de loin la meilleure vitrine pour Steve : non seulement c'était sa tribune, mais l'annonce éclipserait toutes les nouveautés du Consumer Electronics Show de Las Vegas, où les autres fabricants de téléphones montreraient leurs derniers produits. Il voulait faire la une.

Il avait une autre raison de vouloir l'annoncer en avance et dans le meilleur cadre qui soit : Steve et son équipe savaient au fond d'eux-mêmes que l'iPhone était réellement un produit à part. Ils avaient hâte de le montrer au monde entier. Selon Eddy Cue, « l'iPhone était l'abou-tissement de tout pour Steve, et pour moi l'aboutissement de tout ce que j'avais appris. C'est le seul événement où j'aie amené ma femme et mes enfants, car comme je leur ai dit : "C'est peut-être le plus grand évé-nement de votre vie." On le sentait. On savait que c'était phénoménal. »

Malgré tous les soucis, la démonstration se déroula à merveille. À voir Steve montrer les subtilités qui la rendaient si fascinante, l'inter-face utilisateur multi-tactile semblait réellement magique. Les listes défi-laient avec une fluidité extraordinaire. Il suffisait de toucher deux fois une rubrique de site Web pour qu'elle envahisse l'écran. L'application Google Maps intégrée était déjà bien plus utile et polyvalente que la plupart des appareils GPS qui n'existaient que depuis peu en format compact. C'était une présentation merveilleuse d'un merveilleux appa-reil. Il n'y avait qu'un seul problème et Steve était le seul à ne pas le voir.

PETER LEWIS, LE spécialiste high-tech du magazine *Fortune*, avait orga-nisé une des quelques interviews que Steve accorda après la keynote[1], ce jour-là, et je l'avais accompagné. La dernière fois que j'avais vu

---

1. Keynote est un terme anglais utilisé pour qualifier une des conférences ou un des conférenciers principaux d'une manifestion dont le discours porte sur un sujet d'impor-tance, s'adressant aux professionnels du milieu aussi bien qu'au gouvernement et au grand public.

Steve, c'était un an et demi auparavant, peu après avoir pris un congé sabbatique pour me consacrer à un projet de livre. Depuis que je le connaissais, il ne nous était jamais arrivé de rester sans contact pendant aussi longtemps et j'avais hâte de le retrouver. Steve était visiblement soulagé que la démo se soit si bien déroulée, mais il était quelque peu irrité de nous voir, Peter et moi, le relancer en permanence sur une question précise : pourquoi Apple n'autorisait-elle pas les développeurs de logiciels à concevoir des applications pour l'iPhone ? L'appareil était pourtant aussi puissant que la première génération de Mac ou de PC. J'ai mentionné que Google Maps et l'application vidéo YouTube démontraient l'une et l'autre qu'il était parfaitement possible d'« ouvrir » l'iPhone aux développeurs tiers. « Il a fallu qu'on les aide à concevoir ces applications, vous savez, a répondu Steve. Pour savoir en quoi elles consistaient. » Puis il a dit que ce qui le préoccupait, c'était de déterminer comment vérifier et contrôler des applications tierces afin de s'assurer que des virus informatiques ne viennent pas infecter les mobiles. « Et puis nous voulons mesurer l'impact des applications sur le réseau avant de l'ouvrir à tous les vents, a-t-il ajouté. Nous ne voulons pas créer un monstre. » Il a également suggéré que les développeurs qui souhaitaient réellement créer des applications adaptées à l'appareil pouvaient toujours concevoir des sites qui exécutent les tâches informatiques sur des serveurs Web en se servant de l'iPhone uniquement comme terminal.

Steve avait déjà eu des réactions d'une quantité de gens, aussi bien à l'intérieur qu'à extérieur de la firme, qu'il avait choqués en n'ouvrant pas l'iPhone dès le début aux applications tierces. John Doerr, le directeur associé de la plus grande société de capital-risque – Kleiner Perkins Caufield & Byers –, avait lié connaissance avec Steve depuis que leurs filles s'étaient connues à l'école Castilleja de Palo Alto et dormaient régulièrement l'une chez l'autre. Doerr n'avait jamais directement traité avec Apple, mais il connaissait les acteurs clés de la firme et était au courant de tout ce qui se passait dans la Silicon Valley. Steve lui avait montré l'iPhone plusieurs mois avant sa sortie. Doerr lui avait aussitôt posé la même question : pourquoi n'autorisait-il pas les applications tierces ? « À la fin de la conversation, je lui ai dit : "Écoute, je ne suis pas d'accord, raconte Doerr. Et si jamais tu décides de mettre des applications dessus, j'aimerais créer un fonds pour encourager les développeurs à se lancer. À mon avis, c'est une occasion à ne pas rater." Il m'a dit : "D'accord, je te rappelle si on change d'avis." »

Lorsque l'iPhone fut enfin commercialisé, le 29 juin 2007, le principal problème auquel se heurtèrent les consommateurs n'était pas le manque d'applications, mais la mauvaise couverture réseau d'AT&T. Pour ne donner qu'un exemple hautement symbolique, de chez lui, à Seattle, Mike Slade ne captait aucun signal sur les deux iPhone que Steve lui avait envoyés. Slade expédia un mail à Steve en le taquinant à ce sujet, et ce dernier appela aussitôt le CEO d'AT&T. Le lendemain, un chargé de clientèle se rendit au domicile de Slade. Mais il n'y avait aucune solution et, pour essayer les mobiles, Mike dut attendre de sortir de Seattle.

Pire encore, le réseau AT&T était plus faible que celui de Verizon dans la région de la baie de San Francisco, si bien que les premiers fans de high-tech qui avaient acheté l'iPhone le premier jour s'apercevaient que leur appel était régulièrement coupé quand ils prenaient l'I-280, entre San Francisco et San Jose. Dans ces zones où la couverture réseau d'AT&T était sporadique, il était encore plus compliqué d'avoir une connexion Internet.

Apple et AT&T vendirent près de 1,5 million d'unités dès le premier semestre qui suivit la sortie de l'iPhone, mais ils auraient sans doute pu en vendre bien davantage. Entre les soucis de réception et l'absence d'autres applications comme celles d'Apple et de Google, l'iPhone s'avéra plus difficile à vendre qu'on ne l'aurait imaginé. Les gens s'attendaient à un mobile qui supporte d'emblée les jeux vidéo, les ouvrages de référence, les calculatrices perfectionnées, les traitements de texte et les tableurs. L'iPhone qu'ils avaient acheté n'en était pas encore capable. Jean-Louis Gassée, l'ancien ennemi juré d'Apple reconverti dans le capital-risque, n'y va pas par quatre chemins : « Quand il est sorti, l'iPhone était infirme. »

Cette fois, Steve réagit encore plus vite que lorsque son équipe l'avait persuadé de se lancer dans iTunes au lieu de s'entêter à développer iMovie. Certes, ce ne fut pas de bonne grâce – « Oh et puis merde, allez-y et fichez-moi la paix », aurait-il décrété, d'après les souvenirs d'Eddy Cue –, mais il ne perdit pas de temps. À l'automne 2007, Doerr reçut un coup de fil. « Là, sans crier gare, Steve m'a dit : "Il faut qu'on discute. Viens à Cupertino, je voudrais que tu me parles de ton projet de fonds." Je me suis donc mis au travail et on a rapidement rassemblé les données et proposé quelque chose qu'on a appelé l'iFund. Je lui ai dit qu'on y mettrait 50 millions de dollars. Scott Forstall, qui s'occupait à l'époque du système d'exploitation de l'iPhone chez Apple, assistait à la réunion. Il a dit : "50 millions de dollars, vous plaisantez, vous pourriez aller jusqu'à 100." Alors on est monté à 100 millions. »

En novembre, quatre mois à peine après avoir commercialisé son premier iPhone, Apple annonça que la firme mettait un kit de développement à disposition de tous ceux qui souhaitaient créer des applications. « C'est là qu'on s'est rendu compte que Steve avait enfin compris, déclare Gassée. Soudain, on ne parlait plus que de ça dans la Valley et dans le milieu du capital-risque. Des centaines de gens se sont inscrits et la course était lancée. Et puis ils ont annoncé l'App Store. Et puis ils ont sorti l'iPhone 3G [la seconde version, commercialisée en juillet 2008, qui avait une meilleure Wi-Fi et un microprocesseur plus rapide]. Ce n'est qu'à ce moment-là que l'iPhone a été réellement fini, qu'il a eu toutes ses bases, tous ses organes. Il devait encore grandir, se muscler, mais il était entier comme un enfant est entier. »

Au cours des huit années qui suivirent la Macworld de 2007, Apple vendit plus d'un demi-milliard d'iPhone. C'est l'appareil high-tech grand public le plus rentable de tous les temps, et ce quels que soient les indices : ventes unitaires, profits générés en dollars, nombre d'opérateurs qui le distribuent dans le monde, nombre d'applications développées. Si l'on y songe, quelle entreprise est capable de vendre un demi-milliard d'un produit coûtant des centaines de dollars ? Évidemment, Procter & Gamble vend des milliards de tubes de dentifrice et Gillette des milliards de lames de rasoir. Mais ces produits ne sont pas assortis de contrats de service de deux ans qui dans les faits peuvent faire grimper l'addition à près de 1 000 dollars sur toute la durée de vie de l'appareil.

Lorsqu'il fut lancé à l'été 2007, il y avait sur le marché d'autres appareils qui se définissaient comme des Smartphones. Palm vendait son Treo depuis plusieurs années, et une firme canadienne, Research In Motion, avait réussi à imposer son Blackberry. Tous ces modèles avaient des claviers minuscules et des écrans plus ou moins carrés. Ils suffisaient pour consulter ses mails ou son agenda et chercher des contacts dans son carnet d'adresses. Mais leur avenir était compromis, même si Blackberry résista quelques années. L'iPhone transforma à jamais cette catégorie. Google en prit conscience et, en l'espace de dix-huit mois, créa Android, une contrefaçon libre du système d'exploitation de l'iPhone, qui équipa les Smartphones de Samsung, LG, HTC et, par la suite, d'un ambitieux fabricant chinois du nom de Xiaomi. Une nouvelle course était lancée et Apple était en tête. Bien que les mobiles Android aient fini par dépasser les chiffres de vente de l'iPhone, ils n'ont jamais revisité l'expérience Apple. Ou du moins pas encore.

Marc Andreessen, le cocréateur de Netscape, qui est aujourd'hui un des capital-risqueurs les plus en vue de la Silicon Valley, dit du lancement de l'iPhone que c'est un événement fondateur qui a inversé la polarité de la dynamique de la Silicon Valley. Auparavant, les évolutions technologiques étaient conduites par des entités richissimes comme la défense ou les grandes multinationales. Elles seules avaient les moyens de s'offrir des machines dotées de composants à la pointe de la technologie. Ce n'est plus le cas. De nos jours, ce sont les consommateurs comme vous et moi qui ouvrent la voie. « Les volumes de ventes sont tels que les économies d'échelle sont gigantesques, dit Andreessen, dont le crâne rasé a des allures d'obus d'artillerie et qui parle comme une mitraillette en déchargeant des rafales d'analyses audacieuses. À terme, ça se compte en milliards d'unités. Par conséquent, la chaîne d'approvisionnement du Smartphone est en train de devenir la chaîne d'approvisionnement de toute l'industrie informatique. Du coup, les composants de l'iPhone [comme le Gorilla Glass de Corning, et plus particulièrement les microprocesseurs de mobiles basés sur une conception de la firme britannique ARM Holdings] vont dominer l'informatique. D'ici dix ans, même les serveurs auront une puce ARM, car les économies d'échelle seront telles que les autres ne pourront jamais rivaliser. »

En d'autres termes, Steve venait de révolutionner l'industrie informatique. L'iPhone marqua l'émergence d'une nouvelle forme d'informatique plus intime que ce que l'on appelait jusque-là l'informatique personnelle. « Ma théorie sur le changement introduit par Apple, c'est qu'on sous-estime relativement ce qu'ils ont accompli, explique Andreessen. Le Mac, l'iPhone et l'iPad sont tous des super-ordinateurs Unix présentés dans un format grand public. En gros, voilà ce qu'ils ont fait. On ne parle jamais de cet aspect-là, parce que tout le monde est obsédé par le design. » Il se penche en avant pour mieux me convaincre. « L'iPhone que vous avez dans la poche est l'exact équivalent des super-ordinateurs Cray XMP d'il y a vingt ans, qui coûtaient 10 millions de dollars. Il a le même système d'exploitation, la même vitesse de processeur, la même capacité de stockage de données, et le tout dans un appareil à 600 dollars. Voilà l'exploit que Steve a réussi à accomplir. C'est ça les iPhone ! »

Chapitre 16
Œillères, rancunes et luttes sans merci

Quelques semaines après le lancement du second iPhone, j'ai reçu un coup de fil de John Nowland, l'ingénieur en chef du studio d'enregistrement de Neil Young, installé dans son ranch des environs de La Honda, en Californie. Avec John et l'attaché de presse de Neil, nous parlions depuis un an d'un éventuel article sur les recherches technologiques que menait la rock star dans les domaines de l'enregistrement numérique de très haute qualité et des biocarburants. Tout comme moi, Neil a un trouble de l'audition, et la première fois que je l'ai rencontré, nous avons donc passé un certain temps à discuter de la difficulté de mal entendre lorsqu'on est mélomane.

Nowland m'a dit que Neil voulait envoyer à Steve un coffret de vinyles remastérisés de tous les albums qu'il avait enregistrés. C'était une sorte de gage de réconciliation et une façon de lui rappeler la qualité acoustique incomparable des anciens enregistrements analogiques. Neil affirme, non sans raison, que la qualité sonore manifestement inférieure des enregistrements de musique numérique proposée par les

CD n'a fait qu'empirer avec le passage aux fichiers audio numériques compressés. Cinq ans auparavant, peu après la commercialisation de l'iPod, Neil avait protesté publiquement contre le fait que le format numérique dont Apple se servait pour les titres vendus sur l'iTunes Music Store compressait tellement les fichiers audio que la musique en était intolérablement « compromise », selon ses termes.

Steve pouvait se montrer très susceptible lorsque des personnalités en vue critiquaient l'esthétique de ses produits. Il avait été offusqué que Neil ait été « se lâcher comme ça en public sans venir [les] voir d'abord pour parler de ses soucis techniques ». Depuis lors, Neil avait eu beau lui offrir à plusieurs reprises d'enterrer la hache de guerre, Steve avait systématiquement refusé.

Cependant, je savais que Steve aimait bien écouter des vinyles de temps en temps, et j'avais accepté de l'appeler pour voir s'il aimerait avoir les 33-tours. Steve a décroché à la deuxième sonnerie et j'ai expliqué l'objet de mon appel. Nous avions parlé des critiques de Neil environ un an auparavant et je pensais que cela pouvait atténuer sa rancœur.

Raté. « Neil Young peut aller se faire foutre, a-t-il répliqué d'un ton sec, et ses disques avec. Gardez-les. » La discussion était close.

Certes, Steve avait mûri et énormément changé au cours de sa vie. Si évoluer sur le plan personnel consiste à apprendre au fil du temps à mieux tirer parti de nos forces et à corriger nos faiblesses, on peut dire que Steve réussit brillamment dans le premier cas mais un peu moins bien dans le second. Il avait parfois des œillères, des modes de comportement déplaisants et une tendance à céder à des réactions émotives qui persista sa vie durant. Nombreux sont ceux qui se basent sur ces traits de caractère pour affirmer que Steve était un « salaud » ou un « con », ou encore pour le qualifier simplement de « binaire » – ce curieux adjectif laissait entendre que, de sa naissance à sa mort, il avait toujours été moitié salaud, moitié génie. Ce sont là des descriptions qui ne sont ni utiles, ni passionnantes, ni éclairantes. Il est plus intéressant de s'interroger sur son incapacité à estomper certains de ses défauts et de ses côtés caractériels, et de se demander comment, quand et pourquoi ils continuèrent à se manifester alors même qu'à cette époque-là il était devenu un leader d'une exceptionnelle efficacité.

Durant les dix dernières années de sa vie, la question du caractère de Steve était régulièrement soulevée. Étant donné le succès grisant qu'il connaissait chez Apple depuis le début des années 2000, la persistance de ces comportements problématiques avait quelque chose d'incongru. Ils étaient contradictoires avec l'image que véhiculait Apple d'une marque axée sur la créativité, le potentiel et le bien qu'apportaient à l'humanité les gens inventifs qui employaient des outils informatiques ingénieux pour décupler leurs possibilités.

La réputation tendance et créative d'Apple n'était pas qu'un simple vernis, même si la firme faisait tout pour imposer cette image et y parvenait avec brio grâce aux extraordinaires campagnes publicitaires de Lee Clow, au design minimaliste de Jony Ive et aux exigeantes présentations de produits de Steve, où de simples baladeurs et Smartphones étaient associés à des mots comme magique ou phénoménal. C'était également une réputation méritée et durement gagnée, et ce d'autant plus lorsque l'iPhone devint l'appareil électronique grand public le plus apprécié de tous les temps. Apple avait désormais plus d'envergure et d'influence que Sony n'en avait jamais eu.

Mais les actions de Steve pouvaient parfois porter atteinte à cette vision. Comment cette façade élégante, lisse et austère pouvait-elle se concilier avec, par exemple, cette fois où, en 2008, Steve traita Joe Nocera, le chroniqueur du *New York Times* qui avait publié un portrait de lui dans *Esquire*, de « fumier qui déforme les trois quarts des faits » ? Comment une marque dotée d'une aura marketing aussi angélique que celle d'Apple pouvait-elle faire fabriquer ses appareils dans les usines Foxconn où les conditions de travail étaient si dures que plus d'une douzaine d'ouvriers s'étaient suicidés ? Et ces accords encourageant les éditeurs à passer en masse au contrat d'agence prôné par Apple, en fixant (et en augmentant) le prix des livres numériques dans un effort concerté pour forcer Amazon à revoir ses tarifs à la hausse ? Comment justifier les ententes conclues en douce avec les autres mastodontes de la Silicon Valley, stipulant qu'ils s'engageaient à ne pas débaucher leurs ingénieurs de talent respectifs ? Et on voyait mal ce qu'avaient de « mignon » une firme ou un CEO qui avaient laissé des hauts responsables porter le chapeau lorsque la Securities and Exchange Commission s'était indignée que la compagnie ait distribué des stock-options valant des centaines de millions de dollars.

Dans certains cas, les fautes morales qui lui étaient imputées étaient exagérées ou ne tenaient pas compte de toutes les circonstances. Mais Steve exacerbait un grand nombre de situations litigieuses en affichant un comportement grossier, insouciant ou arrogant. Même pour ceux d'entre nous qui connaissaient assez Steve pour l'avoir vu s'adoucir considérablement au fil des années, cette tendance à se laisser aller à des réactions caractérielles était frappante et faisait l'objet de débat. Parmi les gens à qui j'ai parlé, aucun n'a de théorie générale pour expliquer la persistance de ces conduites puériles, pas même Laurene. Mais on peut comprendre suffisamment certains aspects de sa personnalité pour ne pas se contenter de voir en lui un être foncièrement bon, foncièrement mauvais, ou binaire.

En entendant Steve cracher des injures sur le compte de Neil Young, j'ai donc éclaté de rire. Cela ne m'étonnait pas. Il était capable de garder une dent contre des gens des années durant. Même après avoir obtenu gain de cause auprès de Disney, Steve ne voulait pas entendre parler d'Eisner. La « faute impardonnable » qu'avait commise Gassée en rapportant à Sculley que Jobs avait l'intention de l'évincer du poste de CEO datait de 1985 ; vingt-cinq ans après, Steve enrageait encore chaque fois qu'on prononçait le nom du Français devant lui.

Il lui arrivait même d'éprouver de la rancune envers des sociétés dont il estimait qu'elles avaient fait du tort à Apple. Son hostilité farouche à l'égard d'Adobe, par exemple, était en partie due au fait que son fondateur, John Warnock, avait décidé de soutenir également Windows en proposant une version PC du logiciel de la société à une période où Apple était au bord du naufrage. Mac ne détenait alors que moins de 5 % de parts de marché du secteur micro-informatique et c'était donc une décision parfaitement rationnelle. Mais Steve y voyait une trahison.

Aussi, lorsque Steve renoua avec le succès, il torpilla Adobe en refusant que l'iPhone prenne en charge un programme appelé Flash. Flash était le logiciel le plus répandu pour lire des vidéos et d'autres contenus interactifs ou animés en ligne. Adobe avait réussi à en faire un outil particulièrement simple à utiliser pour les développeurs. Mais le logiciel avait des failles de sécurité et tendance à planter inopinément. Adobe n'avait pas suffisamment cherché à résoudre ces problèmes au goût de Steve. L'iPhone était une toute nouvelle plate-forme informatique et, pour lui, il était hors de question qu'elle soit susceptible d'être piratée ou exposée à des failles de sécurité à un stade aussi précoce. Il exclut donc Flash de l'iPhone et par la suite de l'iPad. Flash était un logiciel très apprécié et Apple fut submergé par une avalanche de protestations. Mais Steve resta inflexible et, en 2010, publia un long communiqué donnant six raisons pour lesquelles il refusait d'accueillir Flash. Ses arguments tenaient debout, mais les termes employés respiraient la vengeance. Le pouvoir d'Apple était tel qu'Adobe paya le prix de sa trahison supposée. Flash a survécu, mais désormais Adobe se concentre davantage sur d'autres technologies de média en streaming.

Les dernières années, Steve en voulait plus particulièrement à Google. Il avait de multiples raisons de s'être senti personnellement trahi lorsqu'en 2008 Google avait sorti Android, le système d'exploitation pour mobile qui imitait de nombreuses fonctionnalités de l'iOS d'Apple. Ce qui l'avait ulcéré, c'était qu'Eric Schmidt, le CEO et président de Google, était depuis des années non seulement un administrateur d'Apple, mais un de ses amis. Et voilà que sa société lançait un produit qui venait directement concurrencer le système sur lequel Apple avait travaillé avec tant d'acharnement alors même qu'il siégeait au conseil d'administration. Steve avait encore plus de mal à accepter le fait que Google ait décidé de mettre gratuitement Android à la disposition des fabricants de mobiles, s'assurant ainsi que les Smartphones de Samsung, HTC, LG et d'autres puissent être plus compétitifs qu'Apple sur le nouveau marché créé. Steve était fou de rage. Le procédé de Google sortait tout droit de la stratégie d'hégémonie mondiale mise en place à ses débuts par Microsoft. De toute évidence, estimait Steve, en offrant un système d'exploitation libre, Google avait l'intention d'imposer son standard à tous les Smartphones et les appareils mobiles, rejouant ainsi le coup qu'avait fait Gates au Macintosh d'Apple, en sortant Windows 95, vingt ans plus tôt.

Déterminé à ce que cela ne se reproduise pas, Steve ne voulait pas se contenter de se fier à la qualité de ses produits. En 2011, quelques mois à peine avant sa mort, Apple déclencha une avalanche de poursuites à l'encontre de Samsung, le leader des fabricants de Smartphones et de tablettes compatibles Android, en exigeant des dommages et intérêts, allant même jusqu'à réclamer un ordre d'exclusion interdisant au fabricant sud-coréen de vendre ses Smartphones aux États-Unis. Steve n'attaqua pas directement Google, dans la mesure où la compagnie ne tirait que peu de profits financiers directs d'Android, qui était libre. Mais il pouvait s'en prendre aux fabricants d'appareils. (Apple déposa également des plaintes contre HTC et Motorola Mobility, un fabricant de Smartphones que Google avait acheté en 2012.) Il les accusa d'avoir copié un grand nombre de fonctionnalités clés de l'interface graphique de l'iOS d'Apple, et lança toute une série de procès qui ne trouvèrent leur issue qu'en 2014. Apple remporta une grande victoire devant les tribunaux américains, mais, à ce jour, la firme n'a toujours pas reçu d'argent de Samsung. Cependant, en 2014, les deux parties ont accepté d'abandonner toutes les poursuites portant sur Android en dehors des États-Unis.

De toute évidence, ces contentieux devenaient un fardeau extrêmement pesant pour toutes les parties concernées. Le coup de colère de Steve contre Google avait coûté à Apple 60 millions de frais d'avocat si ce n'est davantage. Steve, qui s'acharnait à maintenir l'énorme avantage compétitif d'Apple, s'était lancé dans une gigantesque procédure judiciaire qui, à long terme, se révélera sans doute n'avoir été qu'une diversion.

POUR STEVE, LE travail était une affaire d'engagement personnel. Au fil des années, il avait appris à se fier à sa passion et cette confiance lui avait inspiré des décisions intuitives qui avaient fait progresser toute l'industrie. Mais la passion avait aussi des inconvénients.

Tout d'abord, le fait que Steve puise une telle part de son identité dans son travail entraînait chez lui une susceptibilité étonnante de la part d'un homme qui avait la critique aussi facile. Comme la plupart des grandes personnalités, Steve était foncièrement hermétique aux reproches des envieux. Mais il estimait qu'il méritait bien quelques éloges pour les contributions qu'il avait apportées à la vie moderne. Plus d'une fois, à la suite de certains articles de *Fortune* où je le critiquais personnellement, il m'avait envoyé un mail ou téléphoné pour me dire que je l'avais « blessé ». Je m'attendais plus ou moins à ce qu'il soit déconcerté par ces papiers. Mais personnellement blessé ? Cependant, il ne prenait pas toujours les critiques aussi mal. J'avais écrit un éditorial caustique où je suggérais que la première Apple TV ferait un cale-porte idéal et envisageais également de la reconvertir en plateau à sushis futuriste. Aussitôt après l'avoir lu, Steve m'avait envoyé un mail me disant : « Je ne peux qu'être d'accord là-dessus. » C'est le seul CEO – à l'exception, peut-être, de Gil Amelio – qui ait jamais réagi de façon aussi personnelle à mes papiers.

Dans ses relations professionnelles, Steve se présentait sous un jour d'une spontanéité et d'une franchise souvent brutales. Cela lui valut entre autres d'inspirer l'exceptionnelle loyauté qui cimentait les équipes fantastiques qui dirigeaient Apple à ses côtés. Mais lorsqu'il devait effectuer des changements dans son équipe, comme il le fit à plusieurs reprises au cours des dix dernières années, son personnage devenait problématique. Steve ne supportait ni la paresse, ni les revendications, ni l'ambition excessive de la part de ses plus proches collaborateurs. Il les mettait régulièrement en concurrence pour voir lequel l'emporterait sur le plan de l'intelligence ou des idées. Ils devaient tous être en pleine forme, totalement investis et apporter une contribution solide, faute de quoi Steve les reléguait subtilement au second plan. Ses relations avec Avie Tevanian, Jon Rubinstein, Fred Anderson et Tony Fadell, entre autres, démontrent à quelle vitesse Steve était capable de retirer le statut privilégié qu'il accordait à sa guise.

Anderson fut le premier à quitter le comité de direction. Il avait dix ans de plus que Steve et il aurait pu être le père de certains des nouveaux venus. Il avait fait une belle carrière de directeur financier et, au sein de l'entreprise, il restait largement celui qui avait réussi à maintenir Apple à flot le temps que Steve revienne. Dans la mesure où Steve n'était pas expert dans son domaine, il jouissait d'une autonomie quasi inégalée dans l'équipe dirigeante. Le fait que son bureau soit situé tout près de celui de Steve était en soi extrêmement symbolique. Quand le CEO voulait bouleverser le budget, il lui suffisait d'aller voir Fred pour qu'il l'aide à trouver de l'argent. « Avec Steve, on collaborait dans un vrai respect mutuel. C'était sincère, raconte Anderson. Alors, quand il avait besoin de 5 ou 10 millions de dollars pour un grand projet ou une campagne de marketing, il ne se lançait pas comme ça. Il venait me voir au bout du couloir et usait de toute sa persuasion. "Allez, Fred, tu peux bien me caser ça ?" Vous voyez ce que je veux dire ? C'est comme ça qu'on travaillait. »

Fred était resté plus longtemps qu'il n'en avait l'intention à l'origine, malgré une certaine lassitude. En réalité, dès 2001, il avait songé à passer à autre chose ou à prendre sa retraite. Cette année-là, il avait été recruté par Dell. Steve avait aussitôt réagi en persuadant le conseil d'administration d'attribuer à Fred une récompense exceptionnelle de 1 million d'actions, pour qu'il se sente apprécié. Steve avait également demandé que l'on accorde la même quantité de stock-options à Avie, Ruby et Tim Cook, et des montants inférieurs aux autres membres du comité de direction. C'était un geste qu'il allait regretter par la suite, mais sur le moment, cette faveur qui les enrichissait tous avait été bien accueillie. Anderson était resté trois ans de plus, bien que Steve lui ait interdit d'intégrer d'autres conseils d'administration. « Steve aimait bien contrôler les gens. Il aimait qu'on soit dans sa sphère d'influence », dit Anderson. Steve l'autorisa finalement à entrer au conseil d'administration de 3Com et d'eBay, et quand Fred prit sa retraite, il lui demanda de siéger au conseil d'Apple.

Lorsque le départ en retraite de Fred fut annoncé, en juin 2004, Edgar Woolard, l'ancien président d'Apple, lui envoya un mot le remerciant, entre autres choses, d'avoir servi de « contrôleur en chef des colères de Steve ». Lors du dernier rassemblement des Top 100 d'Apple auquel Anderson assista en tant qu'employé, Steve fondit en larmes en regardant une vidéo qu'il présentait en hommage à Fred. Lors du pot d'adieu donné au Cafe Mac, la cafétéria de la société, Steve évoqua l'affection que tout le monde éprouvait pour Fred. Dans son bureau de la société de capital-risque Elevation Partners, Anderson conserve encore deux souvenirs du jour de sa retraite : une plaque le désignant comme « Le plus grand directeur financier du monde » offerte par Steve et une caricature de lui signée par tous ses collaborateurs les plus proches, dont son CEO.

Jon Rubinstein et Avie Tevanian furent les deux membres suivants de l'équipe de la première heure à partir. Jon et Avie avaient formé un inséparable duo, assurant à eux deux la cohérence logiciel et matériel de l'expérience Apple. « L'équipe de redressement joue un rôle aussi important que Steve dans les gènes d'Apple et ça se voit encore aujourd'hui », dit Ruby. Ils participaient à toutes les décisions cruciales d'Apple depuis 1997. Et avant de partir, ils contribuèrent à la réussite d'une manœuvre dont ils parlaient depuis des années avec Steve et Tim Cook : le passage des microprocesseurs PowerPC qui équipaient tous les ordinateurs personnels d'Apple à un processeur Intel.

Les principaux acheteurs des puces PowerPC étaient IBM et Apple. C'était une clientèle bien modeste comparée à l'énorme marché des PC et des serveurs équipés de Windows dont bénéficiait Intel – des millions d'unités par an pour le PowerPC, contre des centaines et des centaines de millions pour Intel. Motorola ne pouvait rivaliser avec les prouesses de fabrication d'Intel. Intel réinvestissait une grande part des profits générés par la vente de tous ces microprocesseurs dans de nouvelles usines à la pointe de la technologie (appelées « *fabs* »), qui coûtaient chacune plus de 1 milliard de dollars. Au final, le passage à Intel présentait des avantages irrésistibles en termes de prix et de performance, d'autant que Steve avait une fois de plus négocié un de ces contrats particulièrement rentables dont il avait le secret, cette fois avec le CEO d'Intel, Paul Otellini.

Toute l'équipe dirigeante d'Apple s'attendait à ce que la transition soit difficile. Pour commencer, le changement provoquerait la colère d'une partie de la clientèle, car les utilisateurs qui voulaient les derniers logiciels les plus performants seraient obligés de remplacer leurs iMac, Power Mac, MacBook et PowerBook. D'autre part, Avie et son équipe devaient s'assurer qu'il n'y ait pas de bug logiciel, afin que les acheteurs des nouveaux Mac équipés de processeurs Intel puissent utiliser les logiciels compatibles OS X qu'ils avaient achetés avec leurs anciens ordinateurs. Mais malgré cela, la transition s'effectua bien plus en douceur qu'on ne l'avait anticipé. Comme l'équipe d'Avie avait porté le système d'exploitation du NeXT sur des systèmes basés sur Intel plusieurs années auparavant, ils connaissaient bien les faiblesses et les particularités des microprocesseurs Intel. Les premières machines Apple équipées des nouveaux processeurs sortirent en février 2006. Les autres effectuèrent la transition au cours de l'été. L'opération se déroula sans véritable anicroche.

Avie et Ruby avaient contribué à maintenir ce niveau d'excellence technique au fil des années qu'ils avaient passées chez Apple. Néanmoins, ni l'un ni l'autre n'y voyaient de perspectives d'évolution de carrière, d'autant qu'à présent les moteurs de la croissance étaient l'iPod et les autres appareils mobiles. Steve considérait avant tout Avie et Ruby comme des « vétérans » de l'informatique. Tony Fadell et Scott Forstall étaient du début de la génération dite post-PC, née après la révolution de la micro-informatique, et semblaient destinés à prendre les commandes du développement logiciel et matériel de l'iPhone. Tout comme pour Fred avant eux, pour Avie et Ruby, la roue était en train de tourner.

« Steve mettait les gens dans des boîtes », dit Avie. Tevanian avait exprimé à plusieurs reprises à son patron son envie de faire autre chose et, en 2003, Steve lui avait attribué le rôle de « chef de la technologie logicielle » de la société. C'était indubitablement une promotion, mais il s'avérait que c'était un poste dont les fonctions étaient limitées.

Tevanian se retrouvait avec peu de responsabilités concrètes. Il était sur la touche et se rendait compte que son nouveau rôle ne lui convenait pas. « Quand on travaille avec Steve, on ne peut pas se la jouer, parce qu'il connaît déjà toutes les réponses. Il n'aimait pas quand j'assistais à une réunion où il examinait un produit et que j'avais quelque chose à dire. Ça ne lui plaisait pas. Et avec le temps, ça ne lui plaisait pas non plus que je sois à un poste de responsabilité sans avoir de comptes à rendre au jour le jour », dit-il.

Tim Cook, qui est aujourd'hui le CEO d'Apple, dit qu'il craignait que Tevanian ne parte et avait supplié Steve en 2004 d'offrir d'autres perspectives au brillant ingénieur logiciel d'Apple pour ne pas le perdre. « Steve m'a regardé, raconte Cook, et m'a dit : "C'est vrai qu'il est sacrément intelligent. Mais il a décidé qu'il ne voulait pas travailler. Je n'ai jamais vu de ma vie quelqu'un convaincre qui que ce soit de travailler dur s'il n'a pas envie de travailler dur." » Une autre fois, peu après avoir appris que Tevanian s'était mis au golf, Steve se plaignit à Cook qu'il y avait quelque chose qui clochait. « Au golf ! fulmina-t-il d'un air incrédule. Mais qui a le temps de jouer au golf ? »

Pendant ce temps, Rubinstein s'apercevait lui aussi que depuis son opération en 2004 Steve lui accordait de moins en moins d'attention. « Au début, chez Apple, c'était un plaisir, parce qu'on était tous solidaires, raconte-t-il. On formait vraiment une équipe, on était des partenaires, dit-il. Mais dès qu'Apple a commencé à vraiment marcher, Steve est passé à un autre niveau et s'est peu à peu séparé de nous tous. C'était de plus en plus lui d'un côté et l'équipe de l'autre. Au fur et à mesure, on s'est mis à travailler de moins en moins avec Steve et de plus en plus pour Steve. »

Ruby estimait qu'il avait la carrure d'un CEO et enviait le rôle grandissant de Tim Cook. Il était également en conflit avec Ive qui était autrefois sous sa responsabilité mais ne dépendait plus que de Steve. Et il ne supportait pas Tony Fadell, le principal ingénieur de l'iPod. Ruby et Fadell s'en voulurent mutuellement pendant des années, bien longtemps après avoir quitté Apple, et revendiquaient chacun le succès

de l'iPod en minimisant le rôle de l'autre. (Des petits plaisantins surnommaient Fadell « Tony Baloney » – Tony Foutaises.)

Trop, c'était trop. Un jour, dit Ruby, il alla voir Steve dans son
bureau et lui expliqua qu'il était fatigué, qu'il était prêt à quitter Apple
pour faire construire la maison de ses rêves au Mexique. Il partit le
14 mars 2006 – quelques semaines avant Avie. « C'était une expérience
fantastique, dit-il. Je n'aurais échangé ça pour rien au monde. C'était
extraordinaire à plein d'égards. Ça a changé toute ma vie et Steve m'a
beaucoup appris. Steve pouvait vraiment se conduire comme un con,
c'est sûr, mais je garde beaucoup de tendresse pour lui. Sincèrement. »

Steve les considérait tous les deux comme des amis. Mais cet enjeu
personnel ne fit que rendre leur départ plus difficile encore. Tous les
leaders sympathiques sont confrontés à ce problème, mais c'était particulièrement dur pour Steve. S'il avait changé au cours des années, il
manquait encore d'indulgence lorsqu'il s'agissait de discuter des perspectives de carrière avec ses plus proches collaborateurs. Et avec Avie
et Ruby, cela se finit mal. Sa relation avec Avie, qui avait organisé son
enterrement de vie de garçon en 1991, s'essouffla. En ce qui concerne
Ruby, en revanche, cela se termina avec fracas.

Après son départ, Ruby fit bâtir la maison de ses rêves, mais il avait
encore de l'ambition. Fin 2007, il fut recruté par Palm Computing,
qui restait un acteur important du marché des appareils mobiles. Ruby
envoya un mail à Steve pour l'avertir qu'il allait chez Palm. Steve le
rappela quatre secondes plus tard, raconte Ruby, et lui tint un discours
qui le laissa interloqué. « Il me dit : "Tu as plein d'argent, pourquoi
aller chez Palm ?" Alors, je lui réponds : "Mais qu'est-ce que tu me
racontes ? Tu es mille fois plus riche que moi et tu me demandes ça ?
Tu plaisantes ?" »

Aux yeux de Steve, la décision de Ruby équivalait à une trahison.
En acceptant un autre poste chez un concurrent manifeste d'Apple,
Ruby avait « échoué à l'épreuve de la loyauté », pour reprendre la
formule de Susan Barnes.

Ruby essaya de raisonner Steve et alla jusqu'à suggérer qu'Apple et
Palm n'étaient « pas nécessairement obligés de se faire concurrence ».

Ce n'était pas réaliste, évidemment, les appareils mobiles de Palm étaient en compétition directe avec l'iPhone. Peut-être était-ce de sa part un vœu pieux. Finalement, cela n'eut guère d'importance. Palm sombra peu à peu, incapable de rivaliser avec l'iPhone, ni seule ni en tant que filiale de Hewlett-Packard qui racheta la société avant de la fermer peu après. Ruby et Steve ne se reparlèrent jamais.

Steve s'était bel et bien efforcé de conserver Ruby et Avie dans ses rangs. Mais le simple fait que les promotions qu'il leur avait offertes étaient dépourvues d'intérêt témoigne de l'ambivalence qui était la sienne. Il y avait un point crucial sur lequel Steve n'avait pas réellement changé. Pour lui, les besoins de l'entreprise passaient avant les relations professionnelles. Dans ce domaine, il fit même preuve de plus de pragmatisme encore au cours des dernières années. À bien des égards, l'évaluation qu'il faisait de son équipe – soumise aux mêmes critères d'excellence que ceux qu'il s'imposait à lui-même – était lucide et remarquable. D'un point de vue personnel, il était difficile de perdre des employés, des collaborateurs et des amis, tant pour Steve que pour tous ceux qui étaient concernés par ces transitions. Mais Steve avait toujours estimé que, lorsque le moment était venu de procéder à un changement dans les équipes, l'entreprise devait agir au plus vite. Elle s'adaptait rapidement à l'évolution de la situation et se rendait vite compte qu'elle s'en sortait très bien sans ses anciens héros.

Là où Steve ne se montrait pas à la hauteur, c'était après. Le fait qu'il rejette ainsi Ruby, avec qui il avait travaillé seize ans, était caractéristique. Lorsque les autres ne pouvaient plus se mesurer au niveau de travail et d'engagement qu'il exigeait, lorsqu'ils ne jouaient plus un rôle aussi essentiel dans la stratégie d'Apple ou qu'ils quittaient la société, Steve s'en désintéressait. Steve se préoccupait davantage du pouvoir d'achat de ses clients que de soutenir des vétérans sur le départ dont il estimait que la contribution n'était plus aussi décisive qu'auparavant. Avie et Ruby auraient dû s'y attendre. Woz, qui avait cofondé Apple avec lui, avait subi le même sort et d'autres avaient été écartés plus ou moins de la même façon. Steve hiérarchisait ses priorités sans états d'âme et, lorsqu'il avait estimé qu'Avie et Ruby n'étaient plus en

position d'apporter à Apple ce dont la firme avait besoin selon lui, il
était passé à autre chose.

―――――

DEUX MOIS APRÈS le départ d'Avie et Ruby, Apple fit une déclaration apparemment anodine, annonçant en termes laconiques que
Nancy Heinen, la directrice juridique – une des deux seules femmes
de l'équipe dirigeante de Steve –, avait démissionné. Elle n'avait que
quarante-huit ans au moment de sa « retraite », et pourtant la nouvelle
était quasiment passée inaperçue. Le mois suivant, cependant, l'affaire
se corsa lorsqu'un nouveau communiqué de presse d'Apple expliqua
que la firme avait lancé une « enquête interne » à la demande de la
Securities and Exchange Commission (SEC), portant sur d'apparentes
« irrégularités » dans l'attribution de stock-options à de hauts responsables entre 1997 et 2001. Près d'un an plus tard, le 24 avril 2007,
Heinen allait être officiellement inculpée de complicité de fraude dans
l'attribution de stock-options antidatées de 2001 : l'une de ces attributions de 7,5 millions revenait à Steve Jobs et l'autre – décidée par
Jobs lui-même après que Fred Anderson avait été recruté par Dell –,
de 4,8 millions, aux autres membres du comité de direction.

En antidatant les stock-options, Heinen avait fait profiter Steve et
son équipe d'un prix d'exercice plus avantageux. En soi, cette pratique
n'était pas illégale. Ce qui était illicite, en revanche, c'est que les écri-
tures et les documents relatifs aux stock-options avaient été falsifiés,
de sorte que les comptes d'Apple affichaient des résultats supérieurs à
ce qu'ils étaient en réalité. En définitive, Heinen conclut un accord à
l'amiable avec la SEC sans reconnaître sa culpabilité après avoir réglé
une amende de 200 000 dollars et remboursé les 1,575 millions de
dollars qu'elle avait touchés grâce à l'attribution des stock-options en
question.

Anderson était directeur financier à l'époque de l'antidatage pré-
sumé, et la SEC produisit un mail où il donnait rapidement son
accord à la date proposée par Heinen pour antidater les stock-options.

Il fut également mis en cause par la SEC pour ne pas avoir vérifié les attributions, et obtint un accord à l'amiable après avoir remboursé 3,65 millions de dollars qu'il avait perçus de la même façon que Heinen.

Dans cette affaire d'antidatage, diverses circonstances atténuantes entrent en jeu. Le cabinet juridique d'Apple, Wilson Sonsini Goodrich, à Palo Alto, avait déclaré à Heinen que l'antidatage était sans doute légal ; c'est ce qu'il avait aussi assuré à plusieurs autres entreprises de nouvelles technologies qui furent également poursuivies par la SEC, dont Pixar. Steve avait certes autorisé la manœuvre, mais il la croyait légale. Et il se tira une balle dans le pied lorsqu'il témoigna devant la SEC. Il donna presque l'impression de s'apitoyer sur son sort. « Ce n'était pas tant une question d'argent, dit-il. Tout le monde aime être reconnu par ses pairs. » Il espérait, expliqua-t-il, que le conseil d'administration propose de lui-même de nouvelles stock-options, compte tenu de son succès et du fait que ses précédentes options ne valaient plus rien. « Cela m'aurait fait du bien », dit-il aux enquêteurs.

Il était totalement déconnecté. Même si l'on tient compte du fait que Steve ne se sentait pas bien ce jour-là et qu'il n'imaginait pas une seule seconde que sa déposition serait rendue publique, ses paroles ne faisaient que refléter, quoique involontairement, l'indifférence que lui inspirait le sort d'Anderson et de Heinen. Anderson avait démissionné du conseil d'administration d'Apple six mois avant que la SEC ne prenne sa décision, lorsqu'il s'était rendu compte qu'à l'évidence l'enquête interne de la firme leur ferait endosser la responsabilité de l'affaire, à Heinen et lui. De son côté, Steve ne fut pas inquiété par la SEC. « J'étais blessé, dit Anderson, parce que toute ma vie je me suis toujours efforcé d'être un boy-scout. Ce qui compte le plus, pour moi, ce sont mes valeurs et la façon dont je me conduis, vous voyez ? Et tous ceux qui me connaissent, que ce soit chez Apple ou ailleurs, vous diront que j'ai un très grand sens de l'éthique et que jamais au grand jamais je ne ferais sciemment quelque chose de mal. C'est pareil avec les gens. Je traite toujours les autres avec respect et j'ai protégé beaucoup de gens des excès de Steve. »

Anderson ne méritait pas d'être traité ainsi par Steve et Apple. (Heinen ne s'est pas exprimée publiquement sur son départ.) Mais lorsque le scandale des stock-options antidatées fut étalé sur la place publique, il n'était plus directeur financier et Steve ne lui accordait plus la même importance. Steve savait être extraordinairement généreux avec ses amis dans les moments difficiles, en particulier lorsque eux-mêmes ou un des leurs avaient besoin de traitements médicaux. Il pouvait aussi faire preuve de froideur et d'insensibilité envers ses collaborateurs quand il estimait que leurs problèmes personnels étaient une entrave à ce qu'il jugeait être la mission de la firme ou les empêchaient de se consacrer pleinement à Apple. Avec un peu plus d'empathie, un peu plus de sollicitude envers ceux qui n'étaient pas essentiels à sa cause, Steve aurait pu s'épargner et épargner à Apple quelques soucis inutiles.

———

DURANT SES DERNIÈRES années chez Apple, Steve dirigea la firme avec un groupe formé de vétérans et de nouveaux venus. Cook et Ive étaient là depuis des années, tout comme la directrice de communication, Katie Cotton, et Phil Schiller, le directeur débonnaire du marketing. Sina Tamaddon et Eddy Cue s'étaient peu à peu intégrés au noyau de l'équipe. Steve promut Fadell en le plaçant à la tête du développement matériel de l'iPhone, et Forstall, un autre crack issu de NeXT, côté logiciel. Forstall et Fadell auraient pu devenir les nouveaux « Avie et Ruby » s'ils ne s'étaient pas d'emblée considérés comme des rivaux. Ils s'affrontaient et se démolissaient en permanence – c'était encore pire que les engueulades de Fadell avec Ive et Ruby. Steve se retrouvait à arbitrer des disputes qui commençaient à menacer cette synergie tant vantée qui avait toujours été le secret d'Apple : une conception matériel astucieuse et un logiciel ingénieux combinés dans un seul et même appareil magique. Fadell était si explosif qu'il finit par quitter la firme en 2009 pour fonder une nouvelle entreprise, Nest Labs, qui fabrique un thermostat et un détecteur de fumée fonctionnant avec le réseau Wi-Fi des particuliers. Lorsque certains hauts responsables actuels d'Apple parlent de lui, ils ne cachent pas leur mépris pour le concepteur du « petit thermostat ». Petit, enfin, tout est relatif. En 2014, Google a déboursé 3,2 millions pour racheter la Nest Labs de Fadell.

Dans les dernières années de sa vie, deux controverses qui auraient pu être évitées détournèrent Jobs de la seule tâche qui l'intéressait : créer de nouveaux produits fantastiques avec son équipe. Les deux événements se déroulèrent de telle façon que, même après la mort de Steve, ils donnèrent d'Apple et de lui-même une image d'arrogance, d'obstination et d'impunité. Depuis le milieu des années 2000, Steve était le leader d'un groupe de CEO de la Silicon Valley qui s'étaient engagés à ne pas débaucher leurs cadres respectifs. En 2010, le département de la Justice porta plainte contre Apple, ainsi qu'Adobe, Google, Intel, Intuit et Pixar, alléguant que ces sociétés avaient conclu une série d'accords, officiels et officieux, par lesquels ils s'engageaient à ne pas recruter leurs employés respectifs. En 2011, une procédure en nom collectif fut intentée par un ingénieur de Lucasfilm qui représentait 64 000 employés de ces entreprises et d'autres dans la Silicon Valley. (Parmi celles-ci, figurait Lucasfilm, qui appartient désormais à Disney, tout comme Pixar.) Les demandeurs affirmaient que ces ententes anticoncurrentielles coûtaient aux employés des milliards de dollars de gains de salaire non réalisés dont ils auraient pu profiter si leur mobilité n'avait pas été restreinte.

Des mails saisis au cours de l'enquête prouvent que Steve était clairement impliqué. On l'y voit même réagir avec un plaisir cynique à l'annonce du renvoi d'un recruteur de Google qui avait débauché un employé d'Apple, ce dont Steve s'était plaint auprès d'Eric Schmidt, qui était alors le CEO du géant des moteurs de recherche. Quand il avait appris la nouvelle, il avait expédié un mail avec un smiley. Steve était loin d'être le seul CEO à avoir envoyé des mails compromettants, mais il était le seul à prendre à la légère les répercussions personnelles de la collusion. Les autres hauts dirigeants semblaient essentiellement motivés par la crainte de se mettre à dos Steve, qui était devenu le plus grand employeur de l'industrie des nouvelles technologies.

Tim Cook ne voit quant à lui aucune volonté de nuire de la part de Steve – bien qu'il ait essayé depuis de clore les poursuites en offrant de verser des centaines de millions de dollars aux plaignants. « Je sais ce que Steve avait en tête, dit-il. Il ne voulait pas plafonner les salaires. Il n'en a jamais été question. Son objectif était simple. Quand on était sur un projet – comme Intel, par exemple, où on a tout mis sur la table en annonçant qu'on allait convertir le Mac au microprocesseur Intel –, eh bien, dans ces cas-là, on ne tenait pas à ce qu'ils débauchent nos employés, et ils ne tenaient pas à ce qu'on débauche les leurs. C'est logique, non, il n'y a pas de mal à ça. Je suis persuadé qu'il ne pensait pas faire quelque chose de mal et que ce n'était pas pour faire des économies. C'est juste qu'il tenait beaucoup à ses employés. » En soi, l'argument se tient. Tous les CEO veulent conserver leurs meilleurs employés dans leur entreprise. Mais il ne tient pas compte du simple fait que ce type d'entente avec d'autres entreprises, qu'elle soit explicite ou implicite, est jugée illégale par le gouvernement américain et la plupart des avocats en droit de la concurrence. Apparemment, Steve n'avait que faire de ces règles.

Cette même attitude causa du tort à Apple lors de nouvelles poursuites pour lesquelles la firme dut trouver un règlement : le gouvernement américain l'accusait d'avoir conspiré avec les maisons d'édition pour relever le prix des livres numériques. En préparant le lancement de l'iPad, Steve était sûr que la possibilité de lire des livres sur la tablette serait un atout susceptible de générer des bénéfices pour Apple tout en détournant des clients d'Amazon. Eddy Cue et lui encouragèrent fortement les éditeurs à adopter le contrat d'agence qu'Apple utilisait sur l'App Store et l'iTunes Music Store : les éditeurs étaient libres de fixer le prix de leurs livres numériques, tant qu'ils reversaient 30 % du prix de vente à Apple. De plus, ils n'autoriseraient pas leurs titres à être vendus ailleurs à un prix inférieur. Selon ce scénario, le prix des livres augmenterait uniformément, par rapport au prix de 9,99 dollars que pratiquait généralement Amazon sur les nouveautés. Les maisons d'édition auraient des bénéfices moindres, mais elles pourraient relever le prix des livres, empêchant ainsi Amazon de le faire baisser. Là encore, les mails de Steve n'arrangèrent pas les affaires d'Apple. Ses notes de négociation agressives montrent qu'il savait parfaitement ce qu'il faisait en incitant toutes les maisons d'édition à accorder leurs violons. Il écrivit ainsi à James Murdoch, le fils du CEO de News Corporation, Rupert Murdoch, qu'à son avis la meilleure solution, pour le groupe, était de « se joindre à Apple pour voir si on peut essayer de lancer un vrai marché d'ebooks grand public à 12,99 dollars et 14,99 dollars ».

Il se peut que Steve n'ait rien vu de mal à tenter d'instaurer une solidarité entre les éditeurs, dans la mesure où c'est ce qu'il avait fait avec les dirigeants des maisons de disques avant de lancer l'iTunes Music Store. Personne ne l'avait accusé d'entente illicite à l'époque, bien qu'il ait insisté pour fixer le prix des titres à 99 cents. Par ailleurs, une série de garde-fous au niveau de la gouvernance d'entreprise – de meilleurs conseillers juridiques, une plus grande rigueur en matière de conformité et ainsi de suite – aurait peut-être permis à Apple de rester dans la légalité. Mais Steve avait fait d'Apple un outil destiné à métamorphoser les créations de son imagination en produits concrets, et non une structure censée préserver la firme des dérives dans lesquelles pouvaient l'entraîner ses impulsions. Par conséquent, les garde-fous existants n'étaient pas suffisamment solides pour éviter les ennuis.

« Steve avait créé une approche du management qui fonctionnait pour le type de produits qu'il avait en tête, m'a dit Bill Gates après la mort de Steve. Pouvoir développer ensemble matériel et logiciel, faire de super beaux designs, et ce d'un bout à l'autre, sans avoir à dépendre entièrement de partenariats, contrôler tout le processus. L'organisation qu'il dirigeait était idéale pour ça. » Nous nous demandions pourquoi autant de livres promettaient de révéler comment gérer son entreprise « comme Apple » ou « comme Steve Jobs ». Bill m'expliquait en quoi Steve était un cas de management unique, et que c'était un modèle dont les applications étaient limitées. « Vous devriez peut-être intituler votre livre *À ne pas refaire chez soi*, m'avait-il dit en plaisantant à demi. Beaucoup de gens qui veulent être comme Steve ont parfaitement capté le côté salaud. Ce qui leur manque, c'est le génie. » Un des désavantages d'une gestion d'entreprise à la Steve Jobs, a-t-il observé, c'est que « ce n'est pas une organisation avec des vérifications et des contrôles ».

———

TOUTE SA VIE, Steve avait essayé de contrôler le récit stratégique d'Apple en étant le seul employé à raconter son histoire au public. Ce choix avait un coût, qui n'apparut véritablement que dans les dernières années de sa vie, lorsque sa notoriété et la réussite d'Apple attirèrent plus que jamais l'attention sur Cupertino. Apple devint la cible de toutes les critiques, allant de la mise en évidence des problèmes de développement durable de l'industrie des nouvelles technologies aux controverses portant sur la gouvernance d'entreprise qui affectaient également beaucoup d'autres firmes. Et son porte-parole était un homme malade dont les jours étaient comptés et qui brûlait d'impatience de s'occuper de ce qui comptait réellement pour lui et non de ces tracas divers et variés qui le détournaient de l'essentiel.

Depuis le diagnostic de son cancer, en 2003, Steve gardait en tête tout ce qu'il voulait connaître avant de mourir. Parmi ces objectifs, certains étaient personnels, comme la remise de diplôme de ses enfants. D'autres, professionnels, comme son désir de vivre assez longtemps pour lancer l'iPad. Affronter le cirque médiatique qui se déchaîna en 2010 quand un blog spécialisé en nouvelles technologies entra en possession d'un prototype d'iPhone qu'un jeune ingénieur d'Apple avait oublié par inadvertance dans un bar ne figurait aucunement sur la liste de ses priorités. Ni interrompre ses vacances à Hawaï pour revenir en urgence gérer une crise, surnommée par la suite « Antennate », provoquée par la découverte de problèmes de réception de l'iPhone 4, qui avait tendance à couper les communications bien plus que les anciens iPhone quand on le tenait d'une certaine façon. Et il n'avait qu'un intérêt passager pour les questions de gouvernance. Tous ces incidents ainsi que d'autres vinrent cependant s'ajouter durant ces années à l'immense tâche qui était la sienne de devoir diriger une énorme multinationale de près de cinquante mille employés alors même qu'il était mourant.

Tout CEO est censé savoir faire face à ce type de difficultés et à l'époque où il était en bonne santé, déjà, Steve n'était pas particulièrement doué en la matière. Il avait toujours été impatient. Mais le cancer l'épuisait et entraînait une douleur usante qu'il n'avait jamais connue auparavant. Sans surprise, il géra de façon calamiteuse des situations dont il se serait aisément sorti s'il n'avait pas été aussi malade.

Ainsi, on peut raisonnablement ne pas être d'accord sur la responsabilité de Steve à l'égard de son entreprise, et se demander si oui ou non il avait le devoir de révéler son état de santé plus tôt qu'il ne l'a fait, et de tenir ensuite le public informé de la progression de la maladie. Steve avait le sentiment, et peut-être l'espoir naïf, que c'était du domaine de sa vie privée, et il ne cessa d'esquiver la vérité sur le sujet. Mais traiter Nocera de « fumier » sous prétexte que le chroniqueur du *New York Times* avait appelé à plus de transparence sur la question n'arrangeait en rien la réputation d'Apple ou de son CEO. De même, sa façon de commenter la réaction d'Apple à la polémique déclenchée par une série de suicides dans les usines chinoises de Foxconn, le principal assembleur des iPhone, avait causé plus de tort à la firme qu'autre chose, alors même que ses pratiques étaient plus qu'honorables comparées à celles d'autres grandes multinationales.

Apple, qui avait mis en place une chaîne d'approvisionnement produisant de plus en plus d'iPhone, d'iPod, d'iPod Touch, de Nano et autres, effectuait des audits annuels dans les usines de ses fournisseurs et même de leurs sous-traitants. Mais certains problèmes échappaient à ces audits. Ce n'est pas inhabituel. Il y a des années que les conditions de travail des usines asiatiques sont préoccupantes. Et il est peu probable que cela change. Dans un système destiné à garantir des coûts aussi bas que possible aux constructeurs américains et européens, il y a peu de chance que les ouvriers soient convenablement payés et traités. Dès qu'Apple avait eu connaissance des suicides, la firme avait réagi rapidement ; elle avait rassemblé un important groupe d'experts pour inspecter les usines Foxconn et pris d'autres mesures jugées innovantes par certains observateurs. Une fois encore, on peut raisonnablement ne pas être d'accord sur la réaction d'Apple. Mais ce qui est incontestable, en revanche, c'est que certaines des déclarations publiques de Steve ne firent rien pour arranger les choses, notamment lorsque, à l'occasion d'une conférence sur les nouvelles technologies, il lança : « Oh, on est à fond là-dedans. » Il avait l'air arrogant, comme n'importe quel dirigeant d'entreprise qui s'efforce de gommer une vérité embarrassante.

Steve était parvenu à estomper certains des comportements qui rendaient le jeune homme du Garden of Allah si imprévisible et difficile. Certains de ses anciens travers persistaient. D'autres avaient été domptés. Et au moment où les contraintes de son travail auraient eu tout à gagner de cette évolution, sa maladie ajoutait à la complexité de sa tâche.

Les récits héroïques ne sont pas censés aborder ce type de chapitre. Dans les films de Pixar ou les films d'animation de Disney qui s'améliorèrent de plus en plus vers la fin de sa vie, les émotions vraies sont libérées, les réconciliations achevées. Mais la vie de Steve n'est pas un film. Elle est inspirante, déroutante et simplement humaine.

Chapitre 17
« Vous n'aurez qu'à leur dire que je me conduis comme un salaud »

En 2008, début décembre, Steve m'a appelé chez moi, à Foster City, en Californie. Il avait quelque chose d'important à me dire.

J'essayais depuis plusieurs mois d'organiser une interview conjointe avec Steve, Andy Grove, Bill Gates et Michael Dell. L'entretien était censé donner le coup d'envoi d'un projet de livre que j'avais en tête. J'avais trouvé un titre qui me paraissait accrocheur – « Fondateurs et Cie » – et je voulais décrire comment une poignée de geeks devenus chefs d'entreprise s'étaient mués en véritables capitaines d'industrie, comment des inventeurs égocentriques se métamorphosaient en bâtisseurs d'empire et comment des idéalistes hirsutes parvenaient à rester en selle alors que les sociétés qu'ils avaient créées connaissaient une croissance phénoménale, et que leur fortune et leur influence sur le monde dépassaient tout ce dont on pouvait rêver.

J'avais eu l'intention d'attaquer le livre en 2005, mais durant un voyage au Nicaragua où je pensais passer mes vacances, j'étais tombé gravement malade. Une endocardite s'était logée dans la valve artificielle que l'on m'avait implantée dans l'aorte huit ans auparavant, puis s'était propagée à tout l'organisme. Une fois dans la colonne vertébrale, l'infection avait provoqué une méningite qui s'était étendue à l'enveloppe du cerveau. D'autres infections avaient également touché un poumon, les intestins et divers organes. Les médecins de Managua m'avaient sauvé la vie, mais pour cela, ils avaient dû me plonger dans un semi-coma et m'asséner des doses massives d'antibiotiques, qui étaient certes parvenues à endiguer l'infection, mais m'avaient fait perdre 65 % de l'audition et rendu totalement sourd d'une oreille. Mon employeur, Time Inc., m'avait fait rapatrier par avion sanitaire au Stanford Hospital de Palo Alto, où j'avais passé trois semaines en unité de soins intensifs. Les médecins étaient perplexes en constatant que mon état ne s'améliorait guère.

À cette époque-là, Steve était venu me voir deux fois. J'avais le cerveau si embrouillé par les sédatifs, les antalgiques et mes propres hallucinations délirantes que, lors d'une de ses visites, je lui avais exprimé mes regrets les plus sincères de ne pouvoir jouer du saxophone lors d'une rétrospective des Beatles qu'il comptait organiser à Las Vegas avec Ringo Starr et Paul McCartney. Curieusement, j'avais dans l'idée qu'il s'était mis à la guitare pour jouer lui-même le rôle de John Lennon et m'avait demandé de les accompagner. Malheureusement, avais-je expliqué à Steve, avec ma perte d'audition, je ne m'en sortirais jamais. Apparemment, Steve et Lorna, ma femme, avaient bien ri. C'est du moins ce qu'elle m'avait dit par la suite, une fois que j'avais recouvré mes esprits. Elle m'avait également raconté qu'avant de partir Steve m'avait dit : « Je leur ai demandé de vous traiter comme un prince. Appelez-moi si vous avez besoin de quelque chose. »

Au cours des années suivantes, nous avions échangé quelques mails pendant que je me remettais lentement à Santa Fe, au Nouveau-Mexique. J'avais réussi à écrire un article pour la couverture de *Fortune* en transformant une série de quatre interviews que j'avais réalisées avec John Lasseter, de Pixar, en un récit dont il était le narrateur. Malgré toute son amitié pour Lasseter, Steve n'avait pas trouvé le temps de faire quelques photos ni même une courte interview pour l'article. Il s'était avéré qu'il ne voulait plus faire de papiers avec moi pour le magazine. Peut-être mon comportement farfelu lors de ses visites à l'hôpital l'avait-il convaincu que je ne pourrais plus raconter l'histoire d'Apple (ou de Pixar) avec le même sérieux qu'autrefois, ou peut-être y avait-il une autre raison. Je ne l'ai jamais su.

Bien qu'il n'ait plus envie de collaborer avec moi pour des articles du magazine, Steve semblait réellement intéressé par l'idée du livre. Nous avions discuté du projet à quelques reprises et, au printemps 2008, je lui avais expliqué que je voulais organiser une table ronde avec huit fondateurs pour constituer la pièce maîtresse du livre. « C'est beaucoup trop, avait-il rétorqué. Tout le monde va vouloir son temps de parole et personne ne va rien dire de sincère ni de vrai. » Le mieux, avait-il suggéré, c'était d'« axer le livre sur l'émergence de l'ordinateur personnel. On est quatre. Moi, Bill, Andy [Grove] et Michael [Dell]. Il suffit de nous réunir et on discutera sérieusement. Ce sera bien plus focalisé. On connaît nos forces et nos faiblesses respectives. Ça sera bien plus intéressant à raconter pour vous et ça nous obligera à être plus honnêtes. »

Il m'avait même proposé de m'aider à convaincre les trois autres, mais je lui avais répondu qu'à mon avis ce ne serait pas nécessaire. Le seul fait de leur annoncer que Steve avait accepté avait eu l'effet d'un coup de baguette magique. Les trois m'avaient répondu aussitôt malgré leur emploi du temps chargé. Et après quelques échanges de mails, nous avions convenu de nous retrouver aux bureaux de la fondation familiale d'Andy Grove, dans le centre de Los Altos, en Californie, le jeudi 18 décembre. Nous avions décidé de déjeuner tous les cinq, puis de passer tout l'après-midi ensemble. Terri Murphy, l'assistante de longue date d'Andy, s'était occupée du menu après avoir attendu que je consulte au préalable Lanita Burkhead, l'assistante de Steve, pour savoir ce qui conviendrait à son patron qui était connu pour être difficile – des sushis, une salade, peut-être, et une tisane.

Mais voilà que le 11 décembre, au début de l'après-midi, Steve me téléphonait chez moi. « Bonjour Brent, c'est Steve. » Sans même me laisser le temps de répondre, il a immédiatement annoncé : « Je suis vraiment désolé, mais je ne vais pas pouvoir venir jeudi. »

Je n'en croyais pas mes oreilles. « Mais ça fait six mois qu'on prévoit ça. Tout le monde a dégagé sa journée pour pouvoir être là. Lanita m'a dit la semaine dernière que tout était prêt. On ne peut pas le faire si vous n'êtes pas là.

— Mais si », m'a-t-il répondu.

Je n'ai rien dit. J'attendais qu'il s'explique.

« Il faut que je vous dise, Brent, mon état de santé se dégrade. Je ne réussis pas à prendre du poids. Vous me connaissez, je suis végétalien et je me suis même mis au milk-shake au chocolat, je mange du fromage, tout. Mais je continue à maigrir à vue d'œil. Il vaut mieux que vous ne me voyiez pas dans cet état. Les autres non plus, d'ailleurs. Laurene me dit que je ne peux plus attendre. Il faut que je m'en occupe. Et elle a raison. »

Je lui ai reparlé de l'opération précédente en lui demandant pourquoi il avait tellement insisté pour dire qu'il était guéri. Était-ce encore son pancréas ? Ou autre chose ? Il m'a expliqué que c'était un problème endocrinien qui empêchait son organisme de digérer normalement la nourriture. « Dès que j'avale quelque chose, je l'élimine aussitôt, m'a-t-il dit. Quoi qu'il en soit, il faut que je lâche tout et que je m'en occupe. Ça doit être ma seule priorité. Je le dois à ma famille. Je n'ai même pas encore prévenu le conseil, ni Tim, ni les autres, mais il va falloir que je prenne un nouveau congé maladie. C'est bientôt la Macworld et je dois l'annoncer avant, parce que ça non plus, ça ne va pas être possible. » Puis il a changé de ton. « Je vous ai toujours tenu informé de mon état de santé, parce que je sais que vous pouvez comprendre. Et je suis sûr que vous n'en parlerez à personne. C'est juste entre vous et moi. C'est pour ça que je vous ai appelé. Je tenais à vous le dire moi-même. Et puis je tenais aussi à vous dire que je voulais vraiment faire ça avec vous. Mais je ne peux pas. »

Assis là sur le divan de mon bureau, chez moi, j'ai essayé d'imager à quoi ressemblait Steve en cet instant. Je ne l'avais pas revu depuis la Worldwide Developers Conference au Moscone Center, en juin.

Malgré sa maigreur, il avait le pas alerte. Les iPhone s'arrachaient dans les rayons et l'App Store vendait des millions d'applications. Les iMac, qui étaient à présent de simples plaques flottantes d'un blanc immaculé, se vendaient mieux que jamais. Et le nouveau MacBook Air – l'équivalent informatique d'un sublime top model – était le dernier accessoire à la mode.

« Qu'est-ce que je suis censé dire à Bill, Andy et Michael ? lui ai-je demandé. Ils voudront savoir pourquoi vous déclarez forfait à la dernière minute. Vous voulez que je leur dise que vous ne vous sentez pas d'attaque ? Sans en dire plus. »

Steve n'a pas répondu tout de suite. Puis, après quelques secondes, il a dit en ricanant : « Vous n'aurez qu'à leur dire que je me conduis comme un salaud. De toute façon, c'est ce qu'ils penseront, alors, autant le dire, non ? »

J'étais interloqué. « Vous voulez vraiment que je leur dise ça ? » lui ai-je demandé en pensant qu'ils ne seraient pas dupes. Ils savaient que Steve ne m'aurait jamais poussé à organiser cette table ronde pour me lâcher à la dernière minute. Il lui arrivait de se conduire comme un con, mais ce n'était pas un salaud. « Tout ce que je vous demande, c'est de ne pas leur donner la vraie raison. Pas encore. »

Je me suis contenté de dire à Michael, Andy et Bill que Steve avait dû annuler en raison d'un empêchement personnel. Un mois ou deux après, alors qu'Apple avait annoncé que Steve prenait un congé maladie pour des raisons de santé « complexes », j'ai vu Bill à son bureau de Kirkland, dans l'État de Washington. Il m'a dit qu'il voulait contacter Steve et ne savait pas trop quel était le meilleur moyen. Ils ne s'étaient pas parlé depuis longtemps. Je lui ai donné le numéro de téléphone de chez lui et celui de son portable, ainsi que l'adresse mail et le numéro de Lanita, son assistante, mais non sans lui avoir raconté au préalable l'histoire du prétexte du « salaud » que Steve m'avait suggéré. Bill adore les traits d'esprit et nous avons bien ri.

———

SELON TIM COOK, Katie Cotton, la directrice de communication d'Apple, et lui-même apprirent que Steve avait besoin d'une greffe du foie uniquement en janvier 2009, quelques semaines après ma conversation avec lui. Mais il avait vu Steve dépérir tout au long de l'année 2008. Depuis le début de 2009, Steve ne venait plus du tout au bureau et Cook allait le voir chez lui presque quotidiennement. Il commençait à craindre que l'issue ne soit fatale. « C'était affreux d'aller là-bas tous les jours, de lui parler, parce qu'on le voyait décliner jour après jour. » Steve était de plus en plus frêle. Il avait une ascite – une accumulation de liquide dans la cavité péritonéale qui faisait ressortir son ventre de façon effroyable – et il passait ses journées au lit, décharné, à bout de force, irritable.

Il était inscrit sur la liste des patients de Californie en attente d'une greffe du foie. C'est une liste qu'il est impossible de truquer. Lors d'une des nombreuses réunions à son chevet, Steve avait dit à Cook qu'il pensait avoir de meilleures chances que d'autres de pouvoir être greffé, car il avait un groupe sanguin qui était rare. Cook avait trouvé cela illogique, car s'il y avait moins de patients sur la liste qui avaient le groupe sanguin de Steve, il y avait également moins de gens dont on pouvait lui transplanter le foie. Les chances de trouver un donneur étaient en réalité très faibles.

Un après-midi, Cook ressortit de chez Steve si bouleversé qu'il alla faire des analyses sanguines. Il s'avéra que son groupe sanguin était également rare et il se dit que c'était peut-être le même que celui de Steve. Il fit des recherches et apprit qu'il était possible de transplanter une partie du foie d'un donneur vivant à un malade nécessitant une greffe. Environ six mille greffes à partir d'un donneur vivant sont ainsi réalisées chaque année aux États-Unis avec un taux de réussite élevé, aussi bien pour le donneur que pour le receveur. Le foie est un organe qui se régénère. Le greffon transplanté chez le donneur devient fonctionnel en prenant une taille normale et le foie du donneur sur qui le prélèvement a été effectué se reconstitue également.

Cook décida de se soumettre à la batterie d'examens destinée à déterminer si l'on est suffisamment en bonne santé pour être donneur.

« Je pensais qu'il allait mourir », explique Cook. Il s'était rendu dans un hôpital situé loin de la baie de San Francisco pour ne pas être reconnu. Le lendemain de son retour, il alla voir Steve. Et là, dans la chambre de la maison de Palo Alto, Tim essaya de lui proposer de lui faire don d'une partie de son foie. « Je voulais vraiment qu'il accepte, raconte-t-il. Il m'a coupé l'herbe sous le pied avant même, presque, que les mots ne soient sortis de ma bouche. "Non, m'a-t-il dit. Je ne te laisserai jamais faire ça ! C'est hors de question !" »

« Quelqu'un d'égoïste n'aurait pas répondu ça, poursuit Cook. Voilà un homme qui est en train de mourir, qui est à l'article de la mort parce que son foie est atteint et il a en face de lui quelqu'un en bonne santé qui lui propose de le sauver. Je lui ai dit : "Je suis en parfaite santé, on m'a fait faire un bilan complet. Voilà le rapport médical. Je peux le faire, je ne cours aucun risque, il ne m'arrivera rien." Et il n'a même pas réfléchi une seconde. Il n'a pas dit : "Tu es sûr ?" Il ne m'a pas dit : "Je vais y réfléchir." Il ne m'a pas dit : "Oh, dans l'état où je suis..." Non, il m'a juste dit : "Non, c'est hors de question !" Il s'est à moitié redressé sur son lit en disant ça. Et c'était un moment où ça allait vraiment mal. En treize ans, Steve ne m'a engueulé que quatre ou cinq fois et ça en fait partie.

« C'est un aspect de sa personnalité que les gens ne comprennent pas, dit Cook. Je trouve que le livre [de Walter] Isaacson lui a causé un tort considérable. C'est du réchauffé, il s'est contenté de reprendre des trucs qui avaient déjà été écrits en se focalisant sur des aspects précis de sa personnalité. Il donne l'impression que [Steve] était un égocentrique cupide, égoïste. Il n'a pas saisi l'homme dans toute sa dimension. Je n'aurais jamais pu travailler aussi longtemps avec la personne dont il est question dans le livre. La vie est trop courte. » Cook se fait en cela l'écho de nombreux amis proches de Steve : au fil des interviews, ils se désolent de voir que, dans tout ce qui a été publié, il y ait si peu de choses qui reflètent ce qui a pu les inciter à travailler aussi longtemps ou aussi dur pour lui. Ces anciens employés ont également un dénominateur commun : le sentiment qu'ils n'ont jamais aussi bien travaillé de leur vie que pour Steve.

« Steve s'engageait totalement, poursuit Cook. Il prenait réellement les choses à cœur. Alors oui, il était passionné, il voulait que tout soit parfait. Et c'est ce qui était si fabuleux avec lui. Il voulait que tout le monde fasse de son mieux. Il pensait que les petites équipes étaient préférables aux grandes, parce qu'elles permettaient d'en faire bien plus. Et il pensait qu'il valait cent fois mieux choisir la personne idéale que choisir quelqu'un juste un cran en dessous. Tout ça, c'est vrai. Beaucoup de gens prenaient cette passion pour de l'arrogance. Ce n'était pas un saint. Je ne dis pas ça. Aucun de nous n'est un saint. Mais personne ne peut nier que c'était un homme extraordinaire et c'est ce que les gens ne comprennent absolument pas.

« Quand je l'ai rencontré, en 1998, Steve était impudent, sûr de lui, passionné, tout ça. Mais il avait aussi un côté plus humain et au cours des treize dernières années ce côté plus humain a pris de plus en plus d'importance chez lui. Ça se voyait à plein de choses. Plusieurs employés ou leurs conjoints ont eu des problèmes de santé, et chaque fois, il a remué ciel et terre pour s'assurer qu'ils soient bien suivis sur le plan médical. Il s'est vraiment investi, ce n'était pas juste : "Appelez-moi si vous avez besoin d'aide."

« Il avait le courage d'admettre qu'il avait tort, c'est une qualité qui est rare chez des gens de ce niveau, qui ont accompli autant de choses. On voit peu de gens, à ce niveau-là, qui acceptent de changer de cap même si c'est nécessaire. Il ne se sentait lié par aucune obligation, si ce n'est par un certain nombre de valeurs fondamentales. Tout le reste, il pouvait s'en détacher. Je n'ai jamais vu personne être capable de se détacher aussi vite. C'était un véritable don. Il changeait en permanence. Steve avait la faculté d'apprendre à une vitesse incroyable, je n'ai jamais connu quelqu'un qui apprenne aussi vite, et dans les domaines les plus variés.

« Le Steve que j'ai connu, c'est celui qui me harcelait en permanence pour que je sorte et que je voie des amis, non pas parce qu'il était casse-pieds, mais parce qu'il savait à quel point sa famille comptait dans sa vie et il voulait que je connaisse ça, moi aussi », poursuit Cook, qui a déclaré publiquement en 2014 qu'il était gay. (Steve et d'autres membres d'Apple étaient au courant, évidemment.) « Un jour, il a appelé ma mère – il ne la connaissait même pas, ma mère, elle vit en Alabama. Il lui a dit qu'il me cherchait, mais il savait très bien où me trouver ! Et il lui a parlé de moi. Il y a beaucoup de choses comme ça, qui révèlent son côté tendre, ou attentionné, ou affectif, appelez ça comme vous voudrez. Il avait ça en lui. Quelqu'un qui ne voit la vie qu'au travers de relations purement utilitaires avec les autres […] ne ferait jamais ça. »

———

EN DÉFINITIVE, STEVE put bénéficier d'une greffe du foie. Il était également inscrit sur une liste de Memphis, dans le Tennessee, ce qui était parfaitement légal ; les seules conditions étaient qu'il puisse se rendre à l'hôpital dans un délai de huit heures à compter du moment où il apprenait qu'un foie était disponible – c'était possible, dans la mesure où Steve avait un jet privé – et que l'équipe de médecins de l'hôpital où il était admis juge que son état de santé était suffisamment bon pour qu'il puisse supporter l'opération. Il s'envola pour Memphis avec Laurene afin d'être opéré le 21 mars 2009. En raison de complications, il dut être réopéré deux jours plus tard. Il resta avec Laurene à Memphis pendant deux mois effroyables, où la situation était si critique que sa famille et ses amis proches comme Jony Ive, Mona Simpson, George Riley, son avocat et d'autres lui rendirent visite pour le revoir, craignant que ce ne soit la dernière fois. Ive lui apporta même un cadeau de l'équipe de design – une minutieuse réplique miniature en aluminium du MacBook Pro qui devait être commercialisé en juin. Après chaque sortie d'un produit, les designers lui fabriquaient ces nano-modèles. Mais dans ces circonstances, celui-ci avait une valeur toute particulière.

Steve survécut, naturellement. Il confia par la suite à Bob Iger qu'après l'opération il avait songé à quitter Apple pour passer davantage de temps chez lui avec ses enfants. Mais comme le dit Eddy Cue, « Steve avait deux choses qui comptaient réellement dans sa vie, Apple

– et dans une certaine mesure Pixar – et sa famille. » Il avait besoin des deux. Il reprit le travail, et tout comme après l'opération de 2004, il y mit toute son énergie. Il avait un dernier objectif majeur à atteindre avant de mourir : le lancement de l'iPad.

———

D'UN POINT DE vue technique, l'iPad fut plus facile à concevoir que l'iPod et l'iPhone. Dans le premier cas, l'équipe avait dû apprendre une toute nouvelle façon d'opérer. Et dans le cas de l'iPhone, Apple avait poussé plus loin que jamais la révolution de l'informatique personnelle en fusionnant trois appareils pour en faire un super-ordinateur au format poche. Forts de l'expérience de ces deux batailles, Steve et son équipe réussirent à créer un produit éthéré, inattendu.

En 2004, Steve avait détourné le Project Purple de la tablette pour l'axer sur le Smartphone. De ce fait, la tablette d'Apple s'inscrivit dans la filiation de l'iPhone ; lorsque l'équipe s'attaqua à la conception de l'iPad, elle décida de maximiser l'iPhone au lieu de réduire l'iMac. Cela supposait d'utiliser des microprocesseurs ARM, courants dans les Smartphones, au lieu des puces Intel énergivores qui équipent de nombreux ordinateurs. Cela supposait également d'adopter l'écran multi-tactile de l'iPhone et son clavier virtuel. Élément peut-être plus crucial – et plus paradoxal si l'on songe à la réticence initiale de Steve –, l'iPad allait tirer un avantage considérable de l'iTunes App Store. L'iPad offrait aux développeurs une cible bien plus conséquente que l'iPhone, notamment parce que la taille de l'écran permettait de faire des choses extraordinaires, difficiles à envisager avec un appareil au format poche. Le plus souvent vendues à un prix aussi modique que les applications de l'iPhone, les nouvelles applications géniales de l'iPad paraissaient encore plus avantageuses quand elles surgissaient sur ces grands écrans. L'iPad décupla l'importance de l'App Store et accrut l'influence du nouveau marché et du modèle économique des logiciels qu'il avait créés.

Avec le doublé de l'iPhone et de l'iPad, Apple avait totalement remodelé le secteur de la conception et de la vente de logiciels. Alors que, jusque-là, les développeurs étaient obligés de fixer le prix de leurs applications de façon à pouvoir tirer un bénéfice de la vente de quelques milliers d'exemplaires, celles-ci étaient désormais commercialisées auprès de millions d'utilisateurs. Cette fantastique opportunité conduisit au développement de logiciels qui n'auraient jamais eu l'ombre d'une chance sur un marché plus réduit. Quoi que l'on ait envie de faire, il est probable qu'il existe une application (ou deux, ou trois, ou dix) prévue pour cela. Ce n'était pas le cas dans l'univers du micro-ordinateur, car les volumes étaient bien plus modestes et les niveaux de prix nécessaires pour atteindre le seuil de rentabilité étaient tout simplement trop élevés.

Si on le resitue dans la carrière de constructeur informatique de Steve, l'iPad n'occupe pas une place aussi importante que l'iPhone. Mais en un sens, c'est l'évocation la plus élégante de certains des objectifs qu'il avait toujours cherché à atteindre : créer des technologies qui offrent une fenêtre sur le monde illimité de l'information, tellement simples et tellement puissantes qu'elles s'effacent presque. Son attachement à ces objectifs essentiels est ce qui le distinguait des amateurs plus calés que lui en informatique qu'il avait connus au début de sa carrière. Plus d'une fois, son impatience l'avait alors poussé à faire un bond en avant alors que la technologie en était encore à ses premiers pas. Mais lorsqu'il s'attela à la création de l'iPad avec son équipe, il en avait appris suffisamment pour rendre la technologie quasiment invisible. En véritable artiste, il avait enfin masqué toute trace de son travail.

Lorsque, le 27 janvier 2010, Steve présenta l'iPad au Yerba Buena Center for the Arts de San Francisco, il était manifeste qu'il était ravi et satisfait du résultat. Cette fois, un petit canapé et un guéridon avaient été installés sur la scène, des accessoires qui ne faisaient pas partie du décor habituel de ses présentations de produit. Dès qu'il entra sur scène, émacié, il fut accueilli comme toujours par une standing ovation. Il retraça fièrement certaines des réussites de la firme en arpentant les planches d'un pas assuré et énergique. Une photo de Woz et lui datant des tout débuts fut projetée au-dessus de lui tandis que les statistiques défilaient : 250 millions d'iPod vendus, 3 milliards de téléchargements de l'App Store en un an et demi, un chiffre d'affaires annuel de plus de 50 milliards. Apple, expliqua-t-il, était désormais un fabricant de Smartphones ; en termes de chiffre d'affaires, c'était même le plus grand fabricant de Smartphones au monde.

La scène avait quelque chose d'élégiaque, même si Steve utilisait souvent le début de ses présentations pour donner au public les dernières nouvelles d'Apple. Il récitait là toute l'histoire de sa vie professionnelle. Et l'événement prit un tour plus émouvant encore lorsqu'au bout d'une dizaine de minutes Steve s'assit dans le canapé en cuir pour montrer à quel point il était facile de se servir d'un iPad. C'était une concession à la faiblesse de son état de santé, naturellement. Mais cela servait également le produit. Il s'adossa et montra un certain nombre de choses que l'on pouvait faire avec l'iPad : envoyer des mails, surfer sur Internet, ouvrir des applications tout en écoutant de la musique, regarder des vidéos sur YouTube ou même faire de la peinture au doigt « numérique ». « C'est tellement plus intime qu'un portable », déclara-t-il avec une grande satisfaction. Le moindre de ses gestes était projeté sur le grand écran. Comme à chaque présentation qu'il avait donnée, l'objectif était clair : montrer que cet appareil était une invite à une nouvelle forme d'informatique, quelque chose de si naturel et si facile qu'il se glisserait avec une incroyable aisance dans le quotidien.

Si l'iPad essuya au début son lot de critiques, le public fut aussitôt conquis. L'iPad de première génération se vendit à une vitesse fulgurante, qu'aucune autre nouveauté Apple n'avait jamais égalée, atteignant des chiffres à côté desquels le lancement de l'iPod et de l'iPhone faisait pâle figure : à la fin 2010, la firme avait vendu près de 15 millions d'iPad.

———

EN 2009, STEVE était revenu avec la même énergie qu'au retour de sa première opération, en 2004. Mais cette fois, ce n'était pas la même chose. Cette fois, tout le monde avait conscience que ce retour aurait un terme et comprenait comment cela se finirait, même si on ne savait pas quand. Il n'était pas question de guérison ; Steve allait simplement « vivre avec » aussi longtemps que possible. Steve ne parlait pas à grand monde de ses problèmes de santé, et même avec ses proches, il ne s'appesantissait guère sur la question. Mais la perspective de sa mort était là, et cela se voyait.

Bob Iger s'en rendait compte. Comme l'avait prévu le CEO de Disney, depuis le rachat de Pixar, en 2006, Steve avait joué un rôle précieux au sein du conseil d'administration tout en restant bienveillant, et avait noué des liens si étroits avec Iger qu'il lui avait demandé d'intégrer le conseil d'administration d'Apple ; mais Iger avait dû refuser pour des questions d'obligation fiduciaire. En fait, en raison de leur amitié, Iger déclina également l'invitation de Sergueï Brin, Larry Page et Eric Schmidt à siéger au conseil d'administration de Google. « Il m'avait dit qu'il serait jaloux », dit-il avec un sourire mélancolique, bien qu'à en juger d'après la détérioration ultérieure des relations entre Apple et Google il soit probable que la jalousie n'explique pas à elle seule la réticence de Steve.

Avant la greffe du foie, Iger et Steve se parlaient plusieurs fois par semaine. Ils se voyaient même pendant les vacances d'hiver à Hawaï. « J'allais au Four Seasons et il était au Kona Village. On se baladait beaucoup ensemble. Sa promenade quotidienne s'achevait souvent au Four Seasons, on se rejoignait pour continuer tous les deux et il essayait de me convaincre que l'ananas blanc est meilleur que l'ananas jaune, ce genre de choses. Et puis on se posait sur un banc et on parlait de musique, du monde. C'est là que je lui ai appris la nouvelle fantastique qu'on envisageait de construire un hôtel à Hawaï, un complexe à 900 millions de dollars. J'ai bien vu que l'idée ne l'enchantait pas. "Et pourquoi pas ?" lui ai-je dit. Il m'a répondu que ce n'était pas assez ambitieux comme projet. J'ai rétorqué : "Neuf cents millions de dollars, Disney débarque à Hawaï, et tu ne trouves pas ça ambitieux comme projet ? C'est quoi un projet ambitieux, pour toi ?" Il m'a dit : "Achetez Lanai [une petite île de l'archipel qui fut finalement achetée par Larry Ellison]." Il pensait qu'on devait construire un parc à thème sur l'île, et que Disney devait acheminer tous les visiteurs là-bas par un service spécial. Ce n'était pas franchement pratique. »

La plupart du temps, ils se retrouvaient à Burbank, quand Steve venait au siège de Disney pour les conseils d'administration. Iger ne siégeait pas au conseil d'Apple (il y entra après la mort de Steve), mais Steve lui demandait son avis sur ce qui se passait chez Apple et lui faisait faire un tour au Design Lab de Jony Ive chaque fois qu'Iger venait à Cupertino. « On faisait des séances de brainstorming devant le tableau blanc, raconte Iger. On parlait d'acheter des sociétés. On parlait d'acheter Yahoo ! ensemble. » Quand arrivait le conseil d'administration de Disney, le plus souvent, Steve avait déjà été briefé par Iger. « On était d'accord quasiment sur tout, dit Iger. Ce n'était pas planifié à l'avance, mais quand Steve donnait son avis, en général le conseil l'écoutait. »

Ce n'était pas systématiquement le cas et Steve exprimait son désaccord avec force, tout en restant courtois. Steve détestait les rachats d'actions, qui consistent pour les entreprises à racheter leurs propres titres en Bourse — une manœuvre censée être à la fois un bon investissement pour la société et un signal de confiance adressé aux grands investisseurs. Il s'était fermement prononcé contre cette idée lors d'un conseil d'administration, mais la compagnie avait tout de même décidé de procéder au rachat. En revanche, lorsque Disney s'apprêtait à conclure une joint-venture avec la compagnie maritime Carnival Cruise Lines, car Iger ne pensait pas que le conseil d'administration soutiendrait son projet de faire construire deux nouveaux paquebots à 1 milliard de dollars, Steve avait tout fait pour le convaincre et convaincre le conseil que la compagnie devait absolument faire construire les paquebots elle-même. « Si c'est une affaire rentable, avait-il dit, pourquoi mettre votre marque entre les mains de quelqu'un d'autre ? » Disney avait financé seule la construction des deux nouveaux paquebots.

Steve apporta également sa contribution sur la vente au détail des produits Disney. En 2008, la compagnie avait racheté ses magasins après en avoir confié la licence à d'autres exploitants pendant des années. Quand le nouveau directeur du commerce de détail exposa son plan d'action au conseil d'administration, Steve, qui était toujours assis à côté d'Iger, s'impatienta et leva les yeux au ciel. Au milieu de la présentation, il sortit de ses gonds et marmonna : « N'importe quoi ! » de façon que tout le monde l'entende. Iger lui donna un coup de pied dans les tibias pour l'obliger à se taire. À la fin de la présentation, Steve posa au directeur deux questions très simples : « Quel message adressez-vous à votre client quand il franchit la porte du magasin ? Quel discours véhiculez-vous ? »

« Le type était incapable de répondre aux questions, raconte Iger. Il y a eu un silence dans la salle. » Après la réunion, Steve conseilla à Iger de renvoyer aussitôt le directeur. Mais Iger s'y refusa. « Steve portait des jugements hâtifs sur les gens, dit-il. C'était un de ses travers. S'il s'est amélioré là-dessus, je ne l'ai pas remarqué. Pour moi, ça a toujours été un défaut. Je lui disais : "Premièrement, je ne sais pas encore quoi penser de cette personne, alors laisse-moi le temps de me faire mon opinion." Ou alors je disais : "Tu te trompes totalement sur cette personne." Dans certains cas, il s'avérait qu'il avait raison, dans d'autres, c'était moi. Dans un cas comme dans l'autre, il m'a toujours épargné les : "Je te l'avais bien dit." »

Quelques semaines plus tard, Iger fit venir le directeur de Disney Retail et quelques autres responsables à Cupertino pour une journée de brainstorming auprès de Steve et de Ron Johnson qui était à la tête des Apple Store. « Il n'a pas redesigné nos magasins, dit Iger. À ma connaissance, il n'y a même pas mis les pieds. Mais il nous a donné toute une journée de son temps et nous a aidés à élaborer un principe directeur pour les magasins : les enfants vont y passer les vingt ou trente meilleures minutes de leur journée. »

Les deux dernières années, Steve, qui avait de plus en plus de mal à se déplacer, ne put assister à certains conseils d'administration. Mais lorsqu'il avait la force d'aller à Burbank, il essayait de passer du temps avec Iger. Bob se souvient du dîner, en 2010, en compagnie de sa femme, Steve et Laurene, chez lui, où il prit réellement conscience que Steve allait mourir. « On savait tous que sa mort était inéluctable, même si aucun d'entre nous n'était vraiment prêt à l'accepter, à le croire ou à le formuler, confie-t-il. Mais c'était évident. Ce soir-là, Steve a levé son verre. Il a dit : "C'est incroyable, ce qu'on a fait, tous les deux. On a sauvé Disney et on a sauvé Pixar." Il pensait que d'être intégré à Disney avait donné un nouveau souffle à Pixar. Et il est clair que, depuis, Disney a totalement changé. Il avait les larmes aux yeux. Nos femmes avaient du mal à ne pas pleurer. C'était un moment, comme ça, où on se dit : "Tu as vu un peu tout ce qu'on a fait ! C'était cool, c'était vraiment fantastique, non ?" »

Chez Apple, Steve faisait tout pour ne pas être considéré comme un malade. « Il a travaillé comme un fou jusqu'au bout malgré la douleur, raconte Eddy Cue. Ça se voyait aux réunions, il prenait de la morphine et on voyait bien qu'il souffrait, mais ça l'intéressait toujours. »

Il effectua cependant quelques aménagements à son retour, qui ne faisaient pour la plupart que renforcer les changements de priorité amorcés après l'opération de 2004. Il se concentra sur les domaines qui lui tenaient le plus à cœur – le marketing, le design et le lancement des produits – et s'employa activement à assurer l'avenir d'Apple après sa mort. C'est un processus qu'il avait entrepris depuis quelque temps – Tim Cook dit que Steve avait commencé à envisager sa succession et l'ère post-Steve dès 2004 –, mais désormais, tout s'accélérait.

Il passait une partie de son temps à travailler avec Joel Podolny, un professeur qu'il avait débauché de Yale School of Management, pour élaborer le programme d'un cursus de formation des cadres baptisé Apple University qu'il souhaitait créer. Contrairement à Pixar University, où tous les employés peuvent choisir parmi un éventail de cours éclectiques qui leur enseignent l'art et la technique de création qu'emploient d'autres collaborateurs du studio, Apple U. se veut un lieu où les futurs dirigeants de l'entreprise peuvent étudier et disséquer certaines décisions majeures de l'histoire de la firme. Son objectif est d'effectuer une rétro-ingénierie du processus décisionnaire de Steve afin de l'encapsuler, et de transmettre son esthétique et ses méthodes de marketing à la génération suivante d'Apple. « Steve s'intéressait au pourquoi, dit Cook. Le pourquoi des décisions. Quand il était plus jeune, je le voyais seulement faire. Mais au fil des années, il passait de plus en plus de temps avec moi comme avec d'autres à expliquer pourquoi il pensait ou faisait ceci ou cela, pourquoi il avait telle ou telle vision des choses. C'est pour ça qu'il a eu l'idée d'Apple U., pour que l'on puisse éduquer et former la prochaine génération de dirigeants en leur apprenant tout ce qu'on avait traversé, ce qui nous avait amenés à prendre parfois les pires décisions, et à d'autres moments, les meilleures qui soient. »

Steve se concentrait également sur le nouveau siège d'Apple qui est en train d'être construit sur l'ancien site de Hewlett-Packard, dans un autre quartier de Cupertino. Il s'impliqua dans sa conception en travaillant étroitement avec le cabinet de Norman Foster. Le bâtiment reflétera un grand nombre des principes du siège de Pixar, mais dans le style Apple. Ce sera une immense structure circulaire, haute de trois étages, qui pourra accueillir jusqu'à treize mille employés. Certains le comparent à une station spatiale. Son architecture est destinée à favoriser les échanges entre les employés. Une galerie commune fait le tour de chaque étage. L'unique espace de restauration pourra recevoir trois mille personnes. Environ 80 % du site, dont une vaste partie au milieu de l'anneau, sera occupé par des espaces verts plantés d'arbustes, de buissons et d'arbres. Et le bâtiment en soi sera une merveille technique ; la façade ne comportera pas une seule baie vitrée plate ou rectiligne, mais les parois du bâtiment consisteront en d'immenses panneaux de verre parfaitement cintrés. La cafétéria sera pourvue de portes coulissantes hautes de trois étages qui pourront s'ouvrir lorsqu'il fera beau. « Je crois que nous avons une chance de bâtir le meilleur bâtiment de bureaux du monde. »

Steve abordait la création du nouveau complexe avec les principes qui avaient toujours été les siens. Quel était le type de conception le plus adapté pour faire du siège le lieu idéal pour qu'Apple se crée son avenir ? Plus on se rapprochait de cet idéal, mieux c'était pour

Apple. Il voulait faire tout son possible pour s'assurer que sa société demeure ce qu'Apple était devenue à ses yeux : la firme industrielle la plus importante, la plus vivante et la plus créative du monde. « Steve voulait que les gens aiment Apple, dit Cook. Pas seulement qu'ils travaillent pour Apple, mais qu'ils aiment Apple, et qu'ils comprennent réellement ce qu'était Apple, les valeurs de la société. Il ne les écrivait pas sur les murs, il n'en faisait plus des affiches, mais il voulait que les gens les comprennent. Il voulait qu'ils travaillent pour une noble cause. »

Steve partageait avec Cook cette vision d'Apple comme une firme unique – aussi magique peut-être qu'un iPad – et c'est certainement une des raisons qui le poussèrent à convaincre le conseil d'administration de le désigner pour être son successeur. « C'était un point commun entre nous, dit Cook. J'adore Apple et je crois qu'Apple a une véritable mission. Il y a très peu d'entreprises comme ça dans le monde. »

———

LA DOULEUR NE laissait aucun répit à Steve et il passait de plus en plus de temps chez lui. Lee Clow lui rendit visite pour travailler sur la campagne de l'iPad 2, qui devait être lancé au printemps 2011. « On devait aller chez lui quand il était malade, parce qu'il ne venait plus, dit Clow. Mais il avait l'esprit toujours aussi concentré, aiguisé. Il voulait parler de la campagne, du produit, de ce que nous faisions. » Quand il était avec Clow, Steve ne passait guère de temps à repenser au passé ni à scruter les replis sombres de l'avenir.

« Jusqu'à la fin, il s'est forcé à croire que ça n'arriverait pas, qu'il tiendrait bon d'une manière ou d'une autre. Il ne voulait vraiment pas s'appesantir là-dessus. »

Ils travaillèrent d'arrache-pied sur la campagne de lancement de l'iPad 2. Les accents vibrants et la poésie du discours évoquaient de façon frappante la campagne « Think Different » qui avait annoncé le début du revirement miraculeux d'Apple après le retour de Steve à

Cupertino. « C'est ce que nous croyons. La technologie seule ne suffit pas. Plus rapide, plus fin, plus léger, tout cela est très bien. Mais quand la technologie s'efface, tout devient plus plaisant, voire magique. C'est là que le bond en avant se produit et que l'on obtient ceci. » Tel fut le message qu'ils choisirent. Il s'accompagnait de l'image d'un doigt qui manipulait les applications de l'iPad avec nonchalance. « C'est le dernier message auquel Steve ait donné son aval pour ce produit-là, raconte Clow, et il était clairement inspiré de sa vision. Il résumait la vision qu'il avait toujours eue de la technologie comme quelque chose qui doit changer la vie des gens d'une manière ou d'une autre et la rendre meilleure. Quelque chose dont tout le monde se sert. »

Il était incertain que son état de santé lui permette de lancer lui-même le produit, mais lorsque, le 2 mars 2011, Steve monta finalement sur scène pour présenter l'iPad 2, il se fit l'écho du thème de la campagne : « La technologie seule ne suffit pas, cette conviction est inscrite dans les gènes d'Apple, dit-il au public. Nous pensons que c'est le mariage entre la technologie et les arts et lettres qui peut produire ce qui nous met le cœur en joie. » L'iPad 2 constituait une amélioration incontestable par rapport à la première version. Il était plus léger, muni de deux caméras numériques, l'une côté écran pour faciliter les vidéoconférences et les selfies, la seconde au dos, avec un flash et une meilleure résolution, grâce à l'équipe d'ingénieurs en traitement d'image recrutée après le premier iPhone.

Les évidentes améliorations du produit furent cependant éclipsées, ce jour-là du moins, par une réalité majeure : de toute évidence, Steve Jobs était mourant. Il était d'une telle maigreur que les actions chutèrent quasiment à la minute où il s'avança d'un pas raide sur la scène. Cette fois, il se reposa davantage sur les autres responsables d'Apple pour assurer le programme et faire la démonstration des principales fonctionnalités.

Il y avait si longtemps que Steve vivait avec sa maladie, soumis à des moments de calvaire imprévisibles, que ni lui, ni ses collaborateurs, ni ses médecins ne savaient quand viendrait la fin. Lorsqu'il présenta le projet ambitieux du nouveau siège d'Apple devant le conseil municipal de Cupertino, le 7 juin, il souffrait visiblement et parlait d'une voix faible. Steve paraissait conscient que c'était là sa dernière contribution à la firme et à la communauté où celle-ci était ancrée depuis toujours. Il s'était donc préparé à passer un quart d'heure à expliquer aux membres du conseil le projet du bâtiment et cinq minutes à répondre aux questions. Lorsque l'une des membres du conseil essaya de plaisanter en disant qu'en échange de son accord la ville serait peut-être en droit d'obtenir le Wi-Fi gratuitement, Steve lui répondit : « Voyez-vous, je suis un peu vieux jeu. J'estime que nous payons des impôts et que c'est à la ville de nous fournir des services. »

Les derniers mois, un flot incessant de visiteurs défila à la maison de Palo Alto. Bill Clinton lui rendit visite, ainsi que le président Barack Obama, qui vint dîner en compagnie d'un cercle fermé de dirigeants de la Silicon Valley. John Markoff, du *New York Times*, et Stephen Levy, qui avait écrit plusieurs livres sur la Silicon Valley, dont certains sur le développement du Macintosh et de l'iPod, vinrent ensemble pour lui présenter leurs hommages. Bill Gates finit par passer un après-midi entier avec Steve. « On nous attribuera toujours plus de mérite que ce à quoi nous pourrions légitimement prétendre, Steve et moi, car autrement, ce serait une histoire trop compliquée, dit Gates. Oui, Steve a fait un travail remarquable et si vous deviez choisir — ne tenez pas compte de moi — la personne qui a eu le plus d'influence sur l'industrie de l'ordinateur personnel, et d'autant plus à l'heure actuelle, vous choisiriez Steve. C'est normal. Mais la différence entre lui et les mille autres, ce n'est pas comme si Dieu était né et descendu de la montagne avec ses tables, ou sa tablette. » Malgré leurs divergences, Steve et Bill avaient noué une véritable amitié et un respect mutuel. « Ce jour-là, on ne s'est pas crus obligés de se dénigrer, dit Gates. On a juste parlé de ce que nous avions fait, de ce qui se profilait à l'avenir. » Gates lui écrivit une dernière lettre quelques semaines avant sa mort.

Les membres du comité de direction venaient régulièrement. L'aggravation de son état de santé soudait davantage encore l'équipe. Ils discutaient avec lui du travail et parfois restaient pour voir un film ou dîner. Le travail qu'ils avaient accompli ensemble sur cette machine à innovation perpétuelle qu'était Apple n'avait fait que s'intensifier à mesure que la firme prenait de la vitesse. « Steve était proche de la première équipe, dit Laurene en parlant du groupe formé par Fred Anderson, Avie Tevanian et Jon Rubinstein qui avait sauvé Apple avec lui, mais il adorait la dernière équipe. Je crois que c'est parce qu'ils avaient fait un travail absolument fantastique ensemble. »

Le 11 août, un dimanche, Steve appela Tim Cook et lui demanda de venir le voir. « Il m'a dit : "Il y a quelque chose dont je voudrais te parler", raconte Cook. À ce moment-là, il était chez lui en permanence, alors je lui ai demandé quand et il m'a répondu : "Tout de suite." Alors je suis venu aussitôt. Il m'a dit qu'il voulait que je devienne le CEO. Quand il m'a dit ça, je pensais qu'il allait vivre bien plus longtemps, car nous avons discuté de tout ce que cela entraînerait pour moi d'être CEO alors qu'il serait président du conseil. Je lui ai demandé : "Dans tout ce que tu fais, c'est quoi exactement que tu ne veux plus faire ?"

« C'était intéressant, comme conversation, ajoute Cook avec un rire mélancolique. Il me dit : "On prend toutes les décisions." Je lui rétorque : "Attends. Juste une question." J'ai cherché un exemple qui suscite une réaction de sa part. Et je lui ai demandé : "Tu veux dire que si on me soumet une publicité et qu'elle me plaît elle peut passer sans ton accord ?" Alors il a ri et m'a dit : "J'espère au moins que tu me demanderais mon avis !" Je lui ai demandé deux ou trois fois : "Tu es vraiment sûr ?" Parce qu'à ce moment-là je trouvais qu'il allait mieux. Je passais souvent dans la semaine et parfois le week-end. Chaque fois que je le voyais, il avait l'air d'aller mieux. Lui aussi avait la même impression. Malheureusement, la vie en a décidé autrement. »

Cook était le candidat évident depuis des années. Il avait déjà dirigé la firme à deux reprises, durant les congés maladie de Jobs en 2004 et 2009. Et Steve préférait un remplaçant en interne. « Si on estime qu'il est essentiel de comprendre la culture d'Apple en profondeur, on finit par se tourner vers un candidat en interne, explique Cook. Si je devais partir cet après-midi, je recommanderais un candidat interne, parce que je ne vois pas comment quelqu'un qui débarquerait pourrait à la fois comprendre la complexité de ce qu'on fait et assimiler la culture en profondeur. Et je pense que Steve savait qu'il fallait également quelqu'un qui comprenne le concept des Beatles. Cela ne rendrait pas service à Apple d'avoir un CEO qui voudrait ou se sentirait obligé de le remplacer rigoureusement. Je ne pense pas que quelqu'un en soit capable, mais on imagine volontiers des gens essayer. Il savait que je n'aurais jamais la bêtise de faire une chose pareille, ou ne serait-ce que de m'y croire obligé. »

Steve discutait de la question avec Cook depuis des années et ce n'était donc pas une surprise. Ils avaient également souvent évoqué l'avenir d'Apple après la mort de Steve. Comme le dit Cook, « il ne voulait pas qu'on demande : "Que ferait Steve ?" Il détestait la torpeur dans laquelle la culture Disney avait sombré après la mort de Walt Disney et il était bien décidé à ce que ça n'arrive pas chez Apple. »

Huit semaines après que Steve eut annoncé à Cook qu'il allait le remplacer au poste de CEO, son état se détériora subitement. « J'ai regardé un film avec lui le vendredi d'avant, quelques jours à peine avant son décès, raconte Cook. On a regardé *Le Plus Beau des combats* [une histoire sentimentale d'outsider dans le milieu du football américain]. J'étais sidéré qu'il ait envie de voir ce film. Je lui ai dit : "Tu es sûr ?" Steve ne s'intéressait pas du tout au sport. On l'a regardé et on a parlé de plein de choses et je suis parti en me disant qu'il avait l'air plutôt heureux. Et puis brusquement, ce week-end-là, ç'a été l'enfer. »

Laurene appela John Lasseter pour lui dire de venir au plus vite s'il voulait le revoir une dernière fois. « On est juste restés dans le bureau qui avait été transformé en chambre pour lui. On a parlé de Pixar, de ce qui se passait chez Disney, ce genre de choses. Et puis je l'ai regardé et il m'a dit : "Là, j'ai besoin de dormir un peu." Je me suis levé pour y aller et puis je me suis arrêté et je suis revenu. Je l'ai serré très fort dans mes bras, je l'ai embrassé et je lui ai dit : "Merci. Merci pour tout ce que tu as fait pour moi." »

« J'étais très attaché à lui, dit Lasseter. C'est drôle, il y a un petit groupe de gens qui sont restés très proches de Steve jusqu'à la fin. Et il nous manque beaucoup à tous. Je suis allé à l'anniversaire de Laurene [en novembre 2013], c'était ses cinquante ans, à San Francisco. J'étais un peu en avance et Tim est arrivé. Il est venu me voir, on a discuté et évidemment, on s'est mis à parler de Steve. Je lui ai demandé : "Il te manque ? Moi, il me manque vraiment." Et je lui ai montré ça, dit Lasseter en m'indiquant la liste de ses contacts favoris sur son iPhone. J'ai gardé son numéro. Je lui ai dit : "Je ne pourrai jamais le supprimer." Et Tim a sorti son iPhone et me l'a montré – lui aussi avait gardé le numéro de Steve. »

———

« L'IDÉE, DANS LA vie, c'est de se renouveler et d'évoluer. Mais quand ils débutent, ce n'est pas ce que font la plupart des grands leaders, ils apprennent avec le temps. Et c'est ce qu'a fait Steve. Pour moi, ce n'est pas une histoire de réussite fulgurante, mais une histoire d'évolution. J'aurais aimé voir ce qu'aurait donné le Steve Jobs 3.0. Ç'aurait été fascinant de le voir de cinquante-cinq à soixante-quinze ans. Si on est en bonne santé à cet âge-là, le 3.0 peut être extraordinaire. Mais on ne le saura jamais.

« Il y a trois facteurs essentiels si on veut réellement être considéré comme une entreprise d'excellence, poursuit Collins en passant à Apple. Premièrement, on doit produire de remarquables résultats financiers. Deuxièmement, on doit avoir un impact si caractérisé que si l'on n'existait pas on ne pourrait pas être facilement remplacé. Troisièmement, l'entreprise doit assurer sa pérennité au fil des multiples générations de technologies, de marchés, de cycles, et prouver qu'elle en est capable au-delà d'un unique leader. Steve était lancé dans une course contre la montre [pour atteindre ce troisième objectif]. Cette pérennité est le dernier point à vérifier, et nous ne le saurons pas avant quelque temps. Il y a beaucoup de gens remarquables là-bas et ils réussiront peut-être. »

Au moment de la mort de Steve, Apple avait atteint un niveau d'excellence inouï dans quasiment tous les domaines qui étaient essentiels à ses yeux. En 2011, il était incontestable qu'aucune autre entreprise américaine ne pouvait afficher un tel palmarès d'innovation et de réussite. La firme, qui s'était donné pour objectif de concevoir sans cesse des produits exceptionnels en opérant selon une méthode non bureaucratique fondée sur la productivité de petites équipes collaborant entre elles, avait réussi son pari au-delà de toute espérance, d'autant que désormais elle comptait soixante mille employés. Son flux de revenus était incroyablement plus rentable et plus diversifié qu'au retour de Steve, en 1997. Son équipe dirigeante formée d'anciens d'Apple était restée extrêmement stable au fil des années. Malgré le départ notable d'Avie Tevanian, Jon Rubinstein, Fred Anderson et Tony Fadell, il restait d'autres personnalités d'une compétence remarquable qui étaient garantes de la mémoire institutionnelle. Mais plus que tout, la firme montrait une incroyable capacité à élaborer, développer, fabriquer et commercialiser des produits véritablement géniaux. Elle concrétisait tous les espoirs que Steve avait toujours mis dans l'entreprise.

———

STEVE MOURUT LE mercredi 5 octobre 2011. Il y eut trois cérémonies après sa mort. L'enterrement eut lieu le 7 octobre en présence d'une trentaine de personnes, dont quatre employés d'Apple – Tim Cook, Katie Cotton, Eddy Cue et Jony Ive –, ainsi que Bill Campbell et Al Gore qui siégeaient au conseil d'administration, Bob Iger, John Doerr, Edwin Catmull, Mike Slade, Lee Clow, ses quatre enfants, Laurene, quelques membres de la famille de celle-ci, ses sœurs, Patty et Mona Simpson. Ils se réunirent à l'Alta Mesa Memorial Park à Palo Alto, et s'avancèrent sur des tatamis pour faire le tour du cercueil de Steve. Quelques personnes qui étaient présentes prirent la parole, certains lurent des poèmes. Après la cérémonie, ils se retrouvèrent tous chez John Doerr pour évoquer leurs souvenirs.

Le 16 octobre, plusieurs centaines de personnes assistèrent à une cérémonie de commémoration à la chapelle du campus de Stanford University. L'iPhone 4S avait été présenté deux jours plus tôt lors du premier événement public de la firme depuis la mort de Steve, et les chiffres des ventes en précommande dépassaient ceux de tous les modèles précédents. La cérémonie était strictement sur invitation et, parmi les invités, figuraient aussi bien ses plus proches amis et sa famille que les Clinton, Bono, Rahm Emanuel, Stephen Fry, Larry Page, Rupert Murdoch et John Warnock, le cofondateur d'Adobe. Bono et The Edge de U2 chantèrent la chanson de Dylan que préférait Steve « Every Grain of Sand », Joan Baez chanta « Swing Low, Sweet Chariot » et Mona Simpson lut un hommage touchant évoquant Steve sur son lit de mort. Larry Ellison et Jony Ive intervinrent également. Erin, la fille de Steve, alluma les cierges au début de la cérémonie, et les trois autres enfants prirent tous la parole : Reed exprima ses pensées, Lisa lut un poème et Eve, le texte de « Think Different ». Malgré la foule présente, ce fut une cérémonie très intime et émouvante, qui débuta sur le prélude de la Suite pour violoncelle n° 1 de Bach. L'hommage que Laurene rendit à Steve fut particulièrement poignant.

« Steve et moi, nous nous sommes rencontrés ici, à Stanford, alors que cela faisait à peine plus d'une semaine que je vivais en Californie. Il était venu donner une conférence et après, nous nous étions retrouvés sur le parking. Nous avons discuté jusqu'à quatre heures du matin. Il m'a demandée en mariage un Premier de l'an pluvieux, avec à la main un bouquet de fleurs des champs qu'il avait cueillies. J'ai accepté. Évidemment. Nous avons bâti notre vie ensemble.

« Il a modelé ma vision du monde. Nous avions tous les deux un caractère bien trempé, mais il avait un sens esthétique abouti et moi non. Il n'est déjà pas facile de voir ce qui est déjà là, d'écarter tous les obstacles qui se dressent entre nous et la réalité. Mais Steve avait un don plus extraordinaire encore : il discernait clairement ce qui n'était pas, ce qui pouvait être, ce qui devait être. Son esprit n'était jamais prisonnier de la réalité. Bien au contraire. Il imaginait ce qui manquait à la réalité et s'employait à y remédier. Ses idées n'étaient pas des théories, mais des intuitions, nées d'une véritable liberté intérieure. Et cela créait chez lui un sentiment étrange, héroïque, qu'un monde infini de possibilités s'ouvrait à lui. Son amour de la beauté – et l'agacement que lui inspirait la laideur – influait sur toute notre vie. Au début de notre mariage, il nous arrivait souvent de dîner longuement avec Mona et Richie. Je me souviens d'une vaste discussion qui avait duré tard dans la soirée. Sur le chemin du retour, Steve s'était mis à critiquer avec virulence les appliques du restaurant. Mona était de son avis. Avec Richie, nous nous étions regardés en chuchotant : "Une applique, c'est bien un luminaire ?" Aucun objet n'était trop petit, trop insignifiant pour échapper à l'analyse de Steve qui étudiait sa signification, sa qualité, sa forme.

« Sa position était parfois impitoyable, mais avec le temps j'ai fini par en discerner les raisons, par comprendre la rigueur incroyable qu'il s'imposait d'abord et avant tout à lui-même.

« Il était intimement convaincu qu'il ne pourrait jamais vivre ailleurs qu'en Californie. Il aimait la lumière rasante du soir sur les collines, les couleurs, la beauté fondamentale. Au plus profond de son âme, Steve était californien. Il avait besoin de la liberté qu'offre la Californie, de la chance de pouvoir prendre un nouveau départ. Cet endroit sublime influait sur son travail, l'inspirait. Il avait besoin de se régénérer en s'imprégnant du rythme primordial de la nature – la terre, les collines, les chênes, les vergers. Il se sentait vivifié et renforcé dans ses convictions par l'esprit de nouveauté qui souffle en Californie. Son immensité est contagieuse : pour qui voit grand, cette splendeur naturelle est le décor rêvé. Et il voyait grand. Jamais je n'ai vu quelqu'un penser aussi librement. C'était merveilleux et très amusant de penser à ses côtés.

« Comme mes enfants, j'ai perdu mon père quand j'étais jeune. J'aurais voulu qu'il en soit autrement pour moi, j'aurais voulu qu'il en soit autrement pour eux. Mais demain le soleil se lèvera et brillera sur notre chagrin et notre reconnaissance, et nous continuerons à vivre avec toute notre détermination, nos souvenirs, notre passion et notre amour. »

Je suis parti peu après la fin de la cérémonie. J'étais submergé par l'émotion et le remords en repensant à la dernière conversation que j'avais eue avec Steve, au début de l'été. Il m'avait appelé pour me demander si je voulais aller me balader avec lui, histoire de bavarder. Avec le recul, je me rends compte que c'était une invitation à lui faire mes adieux et à échanger avec lui une ultime conversation, comme bon nombre de gens cet été-là. Mais sur le moment, j'étais d'humeur sombre pour différentes raisons et je n'avais pas conscience qu'il était aussi malade. Au lieu de répondre à son invitation, je lui étais tombé dessus en lui déballant tous mes griefs et en particulier ma colère devant son refus de refaire des articles avec moi pour *Fortune*, alors que je sortais d'une méningite. Il avait eu l'air abasourdi. Après que j'avais vidé mon sac, il y avait eu un silence au bout du fil. Et puis, il m'avait dit qu'il était vraiment désolé. Il était sincère, j'en suis sûr. Il avait également ajouté qu'il aimerait tout de même que je vienne le voir et peut-être faire une balade avec lui dans le quartier. J'avais essayé sans grand enthousiasme d'organiser un rendez-vous avec son assistante, mais à la première complication, j'avais renoncé et je le regretterai à jamais.

Si j'étais allé à la réception organisée après la cérémonie dans le Rodin Sculpture Garden du Cantor Arts Center, non loin de la chapelle de Stanford, j'aurais reçu un exemplaire de l'*Autobiographie d'un yogi* de Paramahansa Yogananda qui avait été distribué à tous les invités dans un emballage de papier kraft. Je me serais également retrouvé au milieu du who's who de la Silicon Valley, et d'une bonne partie de ceux et de celles, moins nombreux, qui avaient lancé la révolution de l'ordinateur personnel et d'Internet. John Doerr, Eric Schmidt et Michael Dell étaient là, et la jeune génération était représentée par Serguéï Brin, Jerry Yang et Marc Andreessen. Le noyau des vétérans qui avaient participé à la naissance d'Apple était là également : Woz, Regis McKenna, Bud Tribble, Andy Hertzfeld, Bill Atkinson et d'autres. Lee Clow et James Vincent étaient présents, ainsi que des anciens de NeXT comme Susan Barnes et Mike Slade. Ce dernier était venu accompagné de Bill Gates.

« Quand Bill était venu voir Steve en mai, raconte Slade, il avait fait plus ample connaissance avec la benjamine de Steve, Evie, car elle faisait des concours d'équitation comme sa fille Jennifer. Une fois arrivé à la réception, j'ai plus ou moins laissé tomber Bill parce que je connaissais plus de monde que lui. Je m'en voulais un peu, mais je me disais qu'après tout c'était un grand garçon. Au bout d'une demi-heure, plus aucune trace de lui. Je l'ai cherché. Au milieu des sculptures du jardin, ils avaient installé en rectangle des canapés tout en longueur et c'est là que la famille se trouvait. Il y avait Laurene et puis les enfants. Et il y avait aussi Bill, sur un canapé, qui parlait chevaux avec Evie. Ça faisait une demi-heure qu'il était là à lui parler. Il n'a parlé à personne d'autre. »

———

LA DERNIÈRE CÉRÉMONIE commémorative se déroula sur le site d'Apple, à Cupertino, le 19 octobre. Près de dix mille personnes se rassemblèrent sur la pelouse, au milieu de l'ellipse que forment les principaux bâtiments. Toutes les boutiques Apple dans le monde avaient été fermées pour l'occasion, et leurs employés rassemblés pour suivre l'événement diffusé en direct par le réseau virtuel d'Apple. Tim Cook fut le premier à s'exprimer. Coldplay et Norah Jones, dont les titres figurent dans les spots publicitaires d'Apple, chantèrent quelques titres. Mais les moments les plus marquants furent les hommages de Jony Ive et Bill Campbell, le membre du conseil d'administration d'Apple qui était un des plus proches conseillers de Steve depuis des années.

« Steve avait changé, dit Campbell. C'est vrai, il avait été charismatique, passionné, brillant. Mais je l'ai vu devenir un grand manager. Il voyait des choses que les autres ne voyaient pas. Il taxait d'arrogance les leaders informatiques du monde qui nous prenaient tous pour des imbéciles sous prétexte que nous étions incapables de nous servir de leurs appareils. Il disait : "C'est nous qui sommes des imbéciles s'ils sont incapables de s'en servir." » Campbell parla de l'homme qu'il avait connu. « Depuis sept ans et demi, alors qu'il était de plus en plus vulnérable, il veillait à ce que ses proches, ceux qui lui étaient le plus chers, sachent qu'il les aimait. Envers ces gens, il faisait preuve d'une chaleur, d'un humour phénoménal. C'était un véritable ami. »

Lorsqu'il prit la parole, un peu après, Jony parla également d'amitié. « C'est mon ami le plus proche et le plus fidèle. Nous avons travaillé pendant quinze ans, dit le Britannique, et il riait chaque fois qu'il m'entendait prononcer "aluminium". » Mais Ive parla surtout de travail, du plaisir de travailler, et particulièrement de travailler avec Steve. « Steve adorait les idées, il adorait fabriquer des choses, et il avait un respect rare, merveilleux pour le processus créatif. Il comprenait mieux que quiconque que, si les idées peuvent acquérir une force extraordinaire, elles ne sont au début que de simples pensées, fragiles, à peine formées, si facilement manquées, si facilement compromises, si facilement écrasées. Sa victoire fut une victoire de la beauté, de la pureté, une victoire, dirait-il, de l'exigence à tout prix. »

La cérémonie que n'importe qui peut voir aujourd'hui sur son iMac, son iPhone, son iPad, ou son Samsung Galaxy ou sa Microsoft Surface s'il préfère, était à la fois sobre et émouvante. « Regardez à droite, regardez à gauche, regardez devant vous et derrière vous. Tout cela, c'est vous. Les résultats comptent. C'est grâce à vous que tout cela a été possible. » C'était un événement qui célébrait le passé et qui montrait aussi à l'évidence, comme Steve l'aurait fait, qu'il restait encore du chemin à parcourir. « Nous ne vous retiendrons pas longtemps, dit Chris Martin, le chanteur de Coldplay en entamant un dernier morceau pour clore la cérémonie. Nous savons que Steve aurait voulu que vous retourniez travailler. »

Références

Pour avoir suivi Steve Jobs et écrit de nombreux articles sur lui de 1986 à 2011, nous avons, Rick et moi, littéralement des milliers de pages de notes et de transcriptions, des centaines d'heures d'interviews enregistrées, des dizaines d'articles non publiés et Dieu sait combien d'expériences et de rencontres que nous n'avons pas consignées dans lesquelles puiser. Sans doute aurait-il été plus facile de recycler simplement une partie de ce que j'avais écrit à l'époque, car c'était alors plus frais dans ma mémoire et mes impressions étaient encore vives.

Mais ces articles étaient écrits dans un objectif tout autre, plus immédiat, que le propos qui est le nôtre dans ce livre : permettre au lecteur de mieux comprendre l'arsenal en perpétuelle évolution des talents et des compétences de Steve Jobs et l'affirmation de plus en plus marquée chez lui d'une volonté quasi messianique d'influer sur ce monde. Nous voulons montrer que celle-ci était encouragée par un exceptionnel talent d'autodidacte et un idéalisme sincère, auxquels venaient se mêler ses obsessions parfois inquiétantes, ses principes esthétiques rigides, austères et cependant mûrement réfléchis, et le sentiment souvent grandiloquent d'être investi d'une mission. Toute sa vie, il fut réellement sensible aux inquiétudes et aux besoins des gens ordinaires qui souhaitent s'émanciper et évoluer dans un monde chaque jour plus complexe, cacophonique et déroutant.

C'est donc pour nous une histoire inédite. Certes, elle est en partie inspi-rée de l'ancienne, mais augmentée d'observations et de réflexions de ceux qui étaient les plus proches de notre sujet ; des gens qui gardent des souvenirs particuliers qui ont eu le temps de reposer et leur permettent avec le recul de mieux comprendre qui était leur ami, leur collaborateur ou leur rival Steve

Jobs. Dans ces références, nous nous efforçons de préciser les sources des informations et des analyses qui étayent divers passages du livre.

Prologue

L'essentiel du prologue est basé sur les souvenirs et les notes de ma première interview avec Steve Jobs, qui a eu lieu à Palo Alto, le 17 avril 1986. Les autres observations sont tirées de l'expérience accumulée au fil de plus de cent cinquante rencontres, interviews, appels téléphoniques, mails et conversations que j'ai pu avoir avec lui entre cette date et son décès, le 5 octobre 2011. Toutes les citations de Steve proviennent de ces réunions, ces coups de téléphone et ces échanges de mails, sauf indication contraire. Certaines de ces citations ont parfois été publiées précédemment, intégralement ou en partie, dans des articles que j'ai écrits pour *Fortune* ou le *Wall Street Journal*. Aucun extrait de ces articles n'est repris ici sous quelque forme que ce soit, ni dans ce prologue ni ailleurs dans le livre, à moins que ce ne ce soit précisé.

Steve est né le 24 février 1955, moi, le 9 avril 1954. Nous avons tous les deux terminé nos études secondaires au printemps 1972. Outre des fragments de mes rencontres avec Jobs, ce chapitre est également basé sur les interviews réalisées avec Regis McKenna le 31 juillet 2012 et Edwin Catmull le 16 janvier 2014.

Chapitre 1 : Steve Jobs au Garden of Allah

Ce chapitre établit un point de référence qui permet de mesurer l'évolution de Steve tout au long de sa vie. L'anecdote centrale de ce chapitre nous a été racontée par le Dr Larry Brilliant, alors CEO de Skoll Global Threats, qui était un ami proche de Steve depuis le milieu des années 1970. Nous l'avons interviewé à deux occasions, le 23 août 2013 et le 17 janvier 2014. Nous nous sommes également rendus au Garden of Allah, à Mill Valley en Californie, avec Brilliant et sa femme, Girija, cofondatrice de la fondation Seva. Hormis ces entretiens, les principales interviews ont été réalisées avec Laurene Powell Jobs le 14 octobre 2013, Lee Clow le 14 octobre 2013 et Regis McKenna le 31 juillet 2012.

Pour les éléments biographiques de ce chapitre, nous nous sommes basés sur différentes sources publiées, parmi lesquelles *Steve Jobs*, la biographie « autorisée » de Walter Isaacson, et *Le Jeu de la pomme : la Grande Aventure d'Apple Computer*, de Michael Moritz, qui retrace les débuts d'Apple. Les détails de la vie de Steve Wozniak et de sa contribution à Apple proviennent essentiellement de son autobiographie, *iWoz*, écrite en collaboration avec Gina Smith. Nous y avons également puisé un grand nombre d'éléments qui éclairent la collaboration de Wozniak et Jobs sur la blue box, le boîtier téléphonique.

En ce qui concerne le Homebrew Computer Club, nos recherches sont basées sur *iWoz* de Wozniak et Smith, mais nous avons également puisé des informations dans *Le Jeu de la pomme : la Grande Aventure d'Apple Computer* et d'autres sources. J'ai également discuté du club avec Bill Gates et Steve Jobs à plusieurs reprises au cours des vingt dernières années.

Les statistiques relatives à la croissance d'Apple à cette époque proviennent du prospectus déposé auprès de la Securities and Exchange Commission (SEC) lors de l'introduction en Bourse d'Apple Computer Inc., le 12 décembre 1980 – Apple a vendu approximativement 570, 7 600, 35 100, 78 000 ordinateurs Apple II au cours d'une période de six mois allant jusqu'au 30 septembre 1977, puis des exercices fiscaux clôturés le 30 septembre 1978, le 30 septembre 1979 et le 26 septembre 1980, respectivement.

Nous nous sommes également basés sur les sites Internet suivants : le site de la fondation Seva, www.seva.org, le site du Ralston White Retreat (le nom officiel actuel du Garden of Allah), http://www.ralstonwhiteretreat. org/history.asp, le palmarès des entreprises « les plus admirées au monde » de 2008 à 2014, disponible en ligne sur http://time.com/10351/fortune-worlds-most-admired-company-2014/ et l'interview de Steve Jobs réalisée pour la collection des Oral and Video Histories de la Smithsonian Institution, le 20 avril 1995, disponible sur http://americanhistory.si.edu/comphist/sj1. html. Pour ce chapitre, nous nous sommes aussi appuyés sur un site très utile, Foundersatwork.com, www.foundersatwork.com/steve-wozniak.html, complémentaire du livre de Jessica Livingston, *Founders at Work: Stories of Start-up' Early Days*.

Chapitre 2 : « Je ne voulais pas être chef d'entreprise »
Ce chapitre explique le sentiment particulier qu'inspirait à l'origine à Jobs l'idée d'occuper un poste à responsabilité dans une entreprise et puise un grand nombre d'éléments dans des livres et des articles de magazines consacrés aux débuts d'Apple Computer Inc., de souvenirs que m'a confiés Steve au fil de nos nombreuses conversations et de ceux de certains de ses collaborateurs qui travaillaient avec lui à cette époque. Les récits et les archives personnelles de Regis McKenna, qui a généreusement mis à notre disposition sa collection de notes, de dessins, de slogans publicitaires, de rapports annuels et de correspondance de cette époque, nous ont été particulièrement précieux. Nous nous sommes également basés sur les interviews que nous avons réalisées avec lui au cours de l'été 2012, et sur son livre *En temps réel : s'ouvrir au client toujours plus exigeant*. Au total, nous l'avons longuement interviewé à trois reprises en 2012 et 2013.

Nous avons par ailleurs consulté *iWoz* de Wozniak et Smith, *Le Jeu de la pomme : la Grande Aventure d'Apple Computer* de Michael Moritz, *Swimming Across: A Memoir* d'Andrew S. Grove, *Andy Grove: The Life and Times of an American* de Richard S. Tedlow, *The Chip: How Two Americans Invented the Microchip and Launched a Revolution* de T.R. Reid et *The Man Behind the Microchip: Robert Noyce and the Invention of Silicon Valley* de Leslie Berlin. Nous avons par ailleurs cité longuement « Digitization », un article de la section Talk of the Town du magazine *New Yorker*, publié le 14 novembre

1977. Et nous nous sommes également basés sur le prospectus déposé auprès de la SEC en 1980, préalablement à l'entrée en Bourse d'Apple.

Chapitre 3 : Réussite et revers

Ce chapitre décrit les circonstances qui ont conduit Steve à être dépouillé de toute autorité concrète et à démissionner sous la pression du conseil d'administration. Là encore, nous avons synthétisé des informations provenant de plusieurs sources, qu'il s'agisse de livres, de nos interviews ou des documents déposés auprès des administrations, tels que le rapport annuel et les souvenirs évoqués ici et là par Jobs au cours des nombreux entretiens que nous avons eus après notre première rencontre, en 1986. Le récit des événements qui ont abouti à la déchéance de Steve en avril 1985 et au dernier conflit avec le conseil d'administration d'Apple qui l'a poussé à démissionner a été également étayé par de nombreuses interviews récentes de témoins de l'époque et d'enquêtes publiées au moment des faits.

Outre des fragments de mes rencontres avec Steve, la plupart des citations directes de ce chapitre proviennent des interviews réalisées avec Susan Barnes le 24 juillet 2012, Lee Clow le 14 octobre 2013, Regis McKenna le 31 juillet 2012, Bill Gates le 15 juin 2012, Mike Slade le 23 juillet 2012 et Jean-Louis Gassée le 17 octobre 2012.

Nous nous sommes également basés sur des passages des livres suivants : *Gates* de Stephen Manes et Paul Andrews, *De Pepsi à Apple : un génie du marketing raconte son odyssée* de John Sculley et John A. Byrne, *The Bite in the Apple: A Memoir of My Life with Steve Jobs* de Chrisann Brennan, *Apple Confidential 2.0: The Definitive History of the World's Most Colorful Company* d'Owen W. Linzmayer, *Dealers of Lightning: Xerox PARC and the Dawn of the Computer Age* de Michael A. Hiltzik, *La Saga Macintosh : enquête sur l'ordinateur qui a changé le monde* de Stephen Levy ainsi que *Le Jeu de la pomme* de Moritz et *iWoz* de Wozniak et Smith.

Parmi les autres sources journalistiques, nous nous sommes notamment appuyés sur l'article « The Fall of Steve » de Bro Uttal publié dans *Fortune* le 5 août 1985 et le documentaire de la chaîne PBS « The Entrepreneurs » diffusé en 1986. Le site Golden Gate Weather nous a donné les conditions climatiques exactes du jour où Steve Jobs s'est rendu au Garden of Allah sur http://ggweather.com/sjc/. Et les données statistiques des ventes unitaires sont tirées des rapports annuels d'Apple Computer de 1980 à 1984.

Chapitre 4 : *What's Next?*

Ce chapitre marque le début de mes rencontres régulières avec Jobs, en tant que reporter du *Wall Street Journal*, puis journaliste à *Fortune* chargé de la Silicon Valley. Paradoxalement, durant les trois premières années, j'ai écrit relativement peu d'articles sur les deux projets chers à son cœur, NeXT et Pixar, car les deux sociétés n'étant pas cotées en Bourse, le *Journal* estimait que ce n'était pas un sujet prioritaire. Cependant, après être passé chez

Fortune en 1989, j'ai tenu à consacrer davantage d'articles à Steve et cherché à entretenir les liens plus personnels qui s'étaient tissés entre nous. Une bonne part de ce chapitre est basée sur mes notes, les transcriptions de mes interviews et mes souvenirs des événements. De longues interviews réalisées récemment avec les collègues de Jobs à cette époque ont fourni de précieux éléments de contexte.

Outre les fragments de mes rencontres avec Jobs, la plupart des citations directes de ce chapitre proviennent des interviews réalisées avec Dan'l Lewin le 26 juillet 2012, Susan Barnes le 24 juillet 2012, Avie Tevanian le 12 novembre 2012 et Jon Rubinstein le 25 juillet 2012. Nous avons également pu bénéficier d'un long échange de mails avec Allison Thomas, le 20 janvier 2014.

En ce qui concerne NeXT, deux livres nous ont permis de compléter la toile de fond : *Steve Jobs and the NeXT Big Thing* de Randall Stross et *Apple Confidential 2.0.* d'Owen W. Linzmayer.

La description de l'essor rapide de Sun Microsystems et du secteur concurrentiel des stations de travail est tirée des enquêtes que j'ai menées pour les articles que j'ai publiés dans *Fortune* de 1998 à 2004 (cf. Bibliographie). Le récit du lancement du NeXT, auquel j'ai assisté, est essentiellement inspiré de mes souvenirs et du reportage que j'ai effectué pour l'article de couverture du *Wall Street Journal* publié à la suite de l'événement, le 13 octobre 1988, intitulé « Next Project: Apple Era Behind Him, Steve Jobs Tries Again, Using a New System ».

Les statistiques portant sur les capacités relatives des disques durs et du nombre de transistors par puce proviennent de deux sources principales : en ce qui concerne la densité en transistors des microprocesseurs, nous nous sommes basés sur l'article de Pat Gelsinger, « Moore's Law – The Genius Lives On », publié dans la newsletter de la Solid State Circuits Society, le 13 juillet 2007, et nos données de l'évolution des densités de disque dur sont tirées de « Kryder's Law » de Chip Walter, paru dans le numéro de *Scientific American* du 25 juillet 2005.

D'autres articles de magazines nous ont été également utiles, tels que « Steve Jobs Comes Back » de John Schwartz, paru dans *Newsweek* le 24 octobre 1988, et nous faisons longuement référence à l'article de Joe Nocera publié dans le numéro de décembre 1986 d'*Esquire*, intitulé « The Second Coming of Steve Jobs ». Nous évoquons également de nouveau le documentaire de PBS « The Entrepreneurs » diffusé en 1986.

En ce qui concerne les ressources en ligne, nous nous sommes entre autre basés sur les archives numérisées du National Mining Hall of Fame de Leadville, dans le Colorado, http://www.mininghalloffame.org/inductee/jackling, l'article « Inside Steve's Teardown Mansion » de Philip Elmer-DeWitt, http://fortune.com/2009/04/27/inside-steve-jobs-tear-down-mansion/ et https://www.sec.gov/cgi-bin/browse-edgar?company=sun+microsystem&owner=exclude&action=getcompany pour les informations financières relatives à Sun Microsystems recueillies d'après les comptes déposés auprès de la SEC.

Chapitre 5 : Un pari subsidiaire

Ce chapitre retrace l'histoire du rachat de ce qui allait devenir Pixar par Jobs. Là encore, ce récit est essentiellement basé sur les longues enquêtes que j'ai effectuées pour des articles publiés dans *Fortune* de 1986 à 2006. Nous nous sommes également appuyés sur de récentes interviews avec Edwin Catmull et sur le livre que ce dernier a publié en 2014 sur son expérience à Pixar : *Creativity Inc.: Overcoming the Unseen Forces That Stand in the Way of True Inspiration*. Pour vérifier certains faits historiques, nous nous sommes en outre référés au livre de Karen Paik, *To Infinity and Beyond: The Story of Pixar Animation Studios*.

Outre des fragments de mes rencontres avec Jobs, la plupart des citations directes de ce chapitre sont extraites des interviews réalisées avec Susan Barnes le 24 juillet 2012, Edwin Catmull le 16 janvier 2014, John Lasseter le 8 mai 2014, Bob Iger le 14 mai 2014 et Laurene Powell Jobs le 25 octobre 2013.

Chapitre 6 : Une visite de Bill Gates

Ce chapitre insolite retrace une réunion historique, une des deux seules longues rencontres « officielles » entre Steve Jobs et Bill Gates. Il s'appuie essentiellement sur les transcriptions de mes interviews, les notes que j'ai prises, mes souvenirs et l'analyse que je donne de l'industrie à cette époque-là. Nos statistiques proviennent de l'U.S. Bureau of Economic Analysis, Comptes annuels par industrie, consultable sur https://www.bea.gov/scb/pdf/2005/01January/0105_Industry_Acct.pdf et http://www.bea.gov/index.htm.

En ce qui concerne les informations générales sur Gates, nous avons consulté un article de Bro Uttal, publié dans *Fortune* le 21 juillet 1986, intitulé « The Deal That Made Bill Gates, Age 30, $350 Million », une interview de Mike Slade le 23 juillet 2012 et un entretien exclusif avec Gates lui-même le 15 juin 2012.

Chapitre 7 : La chance

Ce chapitre raconte comment Pixar est devenu un studio de films en images de synthèse. Il s'appuie largement sur les interviews que nous avons effectuées récemment avec les dirigeants de Pixar, complétées par les nombreux articles que j'ai écrits au fil des années sur la réussite remarquable du studio d'animation. Edwin Catmull et John Lasseter nous avaient l'un et l'autre généreusement accordé de leur temps pour des portraits que je leur avais consacrés il y a quelques années et ils se sont de nouveau rendus disponibles pour les recherches que nous avons menées pour ce livre. Nous nous sommes également appuyés sur mes précédentes interviews de Jeffrey Katzenberg de DreamWorks et Michael Eisner de Disney à la fin des années 1990. Le livre d'Edwin Catmull, *Creativity Inc.*, a également été très utile pour certaines informations d'ordre général.

Nous nous sommes par ailleurs basés sur deux livres : l'histoire officielle des studios, *To Infinity and Beyond: The Story of Pixar Animation Studios* de Karen Paik, et *The Pixar Touch: The Making of a Company* de David A. Price. L'information selon laquelle Steve Jobs est devenu véritablement milliardaire en investissant dans Pixar provient du site du magazine *Forbes*, et plus particulièrement d'un article interactif intitulé « Two Decades of Wealth », consultable sur http://www.forbes.com/static_html/rich400/2002/timemapFLA400.html.

Nous avons en outre consulté le site de la Securities and Exchange Commission pour confirmer les détails de l'introduction en Bourse de Netscape Communications Inc., le 9 août 1995. La firme a offert à la vente 3,5 millions d'actions à 28 dollars, générant un gain de 98 millions de dollars.

Mais plus que tout, nous avons eu la chance de pouvoir nous entretenir longuement avec Edwin Catmull le 16 janvier 2014 et John Lasseter le 8 mai 2014 et nous sommes appuyés sur mes nombreuses rencontres avec Jobs au fil des années.

Chapitre 8 : Abrutis, salauds et perles rares

Ce chapitre évoque une période particulière de mes relations avec Jobs, qui était alors CEO de NeXT et de Pixar et m'appelait de façon apparemment inopinée pour me parler de ce qui se passait chez Apple Computer. Jusque-là, nous n'avions guère parlé de sa première expérience entrepreneuriale, essentiellement parce qu'il n'aimait pas regarder dans le rétroviseur. Mais il paraissait sincèrement inquiet de la spirale infernale dans laquelle Apple semblait être entraînée. J'ai passé une bonne partie de l'année à enquêter par intermittence pour préparer ce qui devait être un article de couverture sur la situation désastreuse d'Apple, étayé non seulement par les confidences que Steve me glissait à l'oreille, mais aussi par les récriminations d'autres personnes, aussi bien à l'intérieur qu'à l'extérieur de la firme.

L'article, intitulé « Something's Rotten in Cupertino », ne fut publié que dans le numéro de *Fortune* daté du 3 mars 1997, plus de deux mois après la décision hâtive d'Apple de racheter NeXT Computer. Ce chapitre est largement basé sur l'enquête que j'ai menée pour ce papier et d'autres articles que j'ai consacrés à Microsoft, NeXT et Pixar de 1995 à 1997. Les données chiffrées d'Apple proviennent des rapports annuels d'Apple de cette période.

Les deux longs entretiens que m'a accordés Fred Anderson en août 2012 ont été particulièrement utiles pour expliquer comment il est parvenu à sortir Apple d'une situation budgétaire désespérée à son arrivée au printemps 1996.

Outre des fragments de mes rencontres avec Jobs, la plupart des citations directes sont tirées de ces interviews d'Anderson et d'autres, réalisées avec Mike Slade le 23 juillet 2012, Edwin Catmull le 16 janvier 2014, Jean-Louis Gassée le 17 octobre 2012, Avie Tevanian le 12 novembre 2012, Andy Grove le 20 juin 2012 et Bill Gates le 15 juin 2012.

Nous nous sommes également appuyés sur la vidéo d'archive de la présentation de Steve Jobs à la Macworld de Boston, le 6 août 1997, https://www.youtube.com/watch?v=PEHNrqPkefI, et sur un article du *New York Times* daté du 19 mars 1992, intitulé « Business People: NeXT Finds a President in Telephone Industry », de Lawrence Fisher, qui nous a donné des informations d'ordre général sur Peter van Cuylenburg.

Chapitre 9 : Peut-être fallait-il être fou

Ce chapitre couvre les quatre premières années qui ont suivi le retour de Steve Jobs à la tête d'Apple et s'appuie essentiellement sur mes enquêtes et les articles que j'ai écrits sur Apple durant cette période qui va de 1997 à 2001. En dépit de la situation précaire d'Apple et du scepticisme général, les milieux de l'informatique et des affaires étaient plus que curieux de savoir quel tour Steve Jobs avait dans son sac pour redresser la situation de la firme emblématique. Jobs avait conscience qu'il était dans son intérêt de se montrer relativement franc avec moi au sujet de la stratégie qu'il comptait mettre en œuvre pour tenter de stabiliser les choses, d'autant que nous avions établi une solide relation de confiance. Par conséquent, il se montra bien moins secret durant ces premières années qu'au cours de la décennie suivante.

Outre les fragments de mes rencontres avec Jobs, la plupart des citations directes de ce chapitre proviennent des interviews réalisées avec Lee Clow le 14 octobre 2013, Jon Rubinstein le 25 juillet 2012, Avie Tevanian le 12 novembre 2012, Rubinstein et Tevanian conjointement le 12 octobre 2012, Jony Ive le 10 juin 2014, Bill Gates le 16 juin 2012 et Mike Slade le 23 juillet 2012.

Les informations financières, les statistiques d'effectifs et toutes les autres données chiffrées de ce chapitre proviennent essentiellement des comptes sociaux d'Apple déposés auprès de la SEC de 1996 à 2000, et par conséquent nous ne les citerons pas individuellement ici. La célèbre réplique de Michael Dell suggérant que Jobs ferait mieux de liquider Apple provient d'une séance de questions-réponses au Gartner Symposium/ITxpo97 à Orlando, en Floride, le 6 octobre 1997, http://www.cnet.com/news/dell-apple-should-close-shop/. Les informations sur Dieter Rams, le génie du design qui a été la première source d'inspiration de Jony Ive, le directeur du design d'Apple, proviennent du site de l'éditeur de mobilier Vitsœ, https://www.vitsoe.com/us/about/dieter-rams et https://www.vitsoe.com/us/about/good-design. Les détails techniques de l'iMac et des autres modèles d'ordinateurs sont tirés de www.everymac.com/systems/apple/imac/specs/imac_ab.html.

Chapitre 10 : Se fier à son intuition

Ce chapitre relate comment Apple a réussi à reprendre le chemin de la croissance en investissant un tout nouveau secteur qu'elle allait ébranler, en l'occurrence l'électronique audio personnelle, avec le lancement de l'application de gestion de musique iTunes et le baladeur numérique iPod. Il décrit également en détail la nouvelle méthodologie que Jobs avait adoptée, et qu'il appelait « se fier à son intuition » au lieu de mettre au point une « feuille de route » stratégique prédéterminée. Ce qui est important, lorsqu'on considère iTunes, l'iPod puis l'iTunes Music Store, c'est le fait que le premier a conduit au second qui a conduit au troisième. J'ai décrit ce processus de façon parcellaire dans *Fortune*, à mesure que ces produits sortaient. Ce n'est qu'avec le recul que l'on aperçoit que, dans chacun des cas, Steve et son équipe s'étaient fiés à leur intuition en envisageant les possibilités qui s'offraient à eux à chaque étape. Là encore, les faits relatés dans ce chapitre sont essentiellement basés sur les enquêtes menées pour les articles que nous avons écrits et publiés dans *Fortune*.

Outre les fragments de mes rencontres avec Jobs, la plupart des citations directes de ce chapitre proviennent des interviews réalisées avec Tony Fadell le 1er mai 2014, Eddy Cue le 29 avril 2014, Jony Ive le 10 juin 2014, Tim Cook le 30 avril 2014 et Jon Rubinstein et Avie Tevanian le 12 octobre 2012.

Les détails et la toile de fond de l'intervention de Gates au CES sont tirés des archives des communiqués de presse consultables en ligne. Les statistiques financières proviennent des comptes déposés auprès de la SEC également disponibles en ligne. Le communiqué de presse daté du 16 janvier 2001, « iTunes Downloads top 275,000 in First Week », et le rapport annuel de l'exercice clôturé le 30 septembre 2001 sont tirés des archives des documents commerciaux d'Apple Computer Inc. disponibles en ligne. Entre autres ressources en ligne, nous avons également consulté le site Gartner Group pour recueillir diverses statistiques de marché, http://www.gartner.com/newsroom/id/2301715, et le site Quora.com, http://www.quora.com/Steve-Jobs/What-are-the-best-stories-about-people-randomly-meeting-Steve-Jobs/answer/Tim-Smith-18.

Chapitre 11 : Faire de son mieux

Ce chapitre raconte essentiellement l'histoire de Steve Jobs en expert du merchandising. Nous nous sommes appuyés en partie sur des articles signés par deux autres journalistes de *Fortune* : un article de couverture de 2003 de Devin Leonard retraçant la transformation d'iTunes en mastodonte de la vente de musique et un autre, de Jerry Useem, publié en 2007 qui décrit comment les boutiques Apple sont devenues les points de vente les plus rentables du monde. L'expérience de Rick, qui a été rédacteur en chef d'*Entertainment Weekly*, a contribué à expliquer la dynamique de l'industrie de la musique au moment où elle a fait le grand saut vers le numérique en rejoignant l'iTunes Music Store d'Apple.

Outre les fragments de mes rencontres avec Jobs, la plupart des citations directes de ce chapitre proviennent des interviews réalisées avec Eddy Cue le 29 avril 2014, Tim Cook le 30 avril 2014 et Laurene Powell Jobs le 14 octobre 2013.

Parmi les articles de magazines cités figurent « Apple: America's Best Retailer » de Jerry Useem paru dans le numéro de *Fortune* daté du 8 mars 2007, « Songs in the Key of Steve Jobs » de Devin Leonard paru dans le numéro de *Fortune* daté du 12 mai 2003 et « Commentary: Sorry Steve: Here's Why Apple Stores Won't Work » de Cliff Edwards paru dans le numéro de *BusinessWeek* du 20 mai 2001.

Chapitre 12 : Deux décisions

Ce chapitre retrace principalement les détours du processus complexe qui a conduit Steve et son équipe à prendre la décision de faire un « Smartphone » mobile. Pour raconter cette histoire, nous nous sommes appuyés sur plusieurs interviews ainsi que sur le livre de Fred Vogelstein, *Dogfight: How Apple and Google Went to War and Started a Revolution*, et sur *Steve Jobs* de Walter Isaacson pour les informations d'ordre général.

Nous avons également consulté plusieurs ouvrages et articles en ligne, dont *Artificial Reality II* de Myron W. Krueger pour les informations générales sur l'évolution de l'interface utilisateur multi-tactile.

Outre des fragments de mes rencontres avec Jobs, la plupart des citations directes de ce chapitre proviennent des interviews réalisées avec Jim Collins le 15 avril 2014, Jony Ive le 6 mai et le 10 juin 2014, Tony Fadell le 1er mai 2014, Laurene Powell Jobs le 14 octobre 2013, Tim Cook le 30 avril 2014 et Eddy Cue le 29 avril 2014.

En ce qui concerne les ressources en ligne, nous avons entre autres consulté le site des Mitsubishi Research Laboratories, où figure le livre blanc intitulé « DiamondTouch: A Multi-User Touch Technology » de Paul Dietz et Darren Leigh, publié en octobre 2003 et disponible sur http://www.merl.com/publications/docs/TR2003-125.pdf, le site du National Cancer pour toutes les informations relatives au cancer du pancréas, sur http://www.cancer.gov/types/pancreatic/hp/pnet-treatment-pdq, et les archives des communiqués de presse d'Apple disponibles en ligne pour les résultats financiers d'Apple Computer Inc. au 2 août 2004 et d'autres données de la société.

Chapitre 13 : Stanford

Ce chapitre évoque le discours de remise de diplômes qu'adressa Steve Jobs aux étudiants de la promotion 2005 de Stanford University. C'était un événement inhabituel, car Jobs s'exprimait rarement en public, excepté lors des manifestations Apple ou Pixar, et encore, uniquement lorsqu'il avait un nouveau produit ou une nouvelle technologie à promouvoir. Une grande partie de ce chapitre est basée sur nos interviews avec Laurene Powell Jobs, qui nous a confié le souvenir qu'elle gardait de son mari préparant le discours de façon obsessionnelle et des mésaventures de la famille le jour de la remise de diplômes. Laurene Powell Jobs nous a également autorisés à reproduire le discours dans son intégralité.

Outre le discours de Jobs, la plupart des citations directes de ce chapitre sont tirées des interviews réalisées avec Tim Cook le 30 avril 2014, Katie Cotton le 30 avril 2014, Jim Collins le 15 avril 2014 et Laurene Powell Jobs le 25 octobre 2013, le 6 décembre 2013 et le 30 avril 2014.

Chapitre 14 : Un refuge pour Pixar

Ce chapitre retrace l'histoire largement ignorée des coulisses de la cession des studios d'animation Pixar à la compagnie Walt Disney au début de 2006 et explique ce qui a poussé Steve Jobs à prendre cette décision alors que les relations entre les deux firmes étaient particulièrement tendues. Nous nous sommes basés sur les souvenirs de Bob Iger, le CEO de Disney, Edwin Catmull, le fondateur de Pixar, et John Lasseter, le moteur de la créativité de Pixar, pour raconter cette histoire qui n'est pas sans évoquer le scénario des films Pixar, où il est presque toujours question de l'évolution personnelle de personnages qui commettent parfois des erreurs. Ils ont eu tous les trois la gentillesse de nous accorder de longs entretiens au début de 2014.

Pour la toile de fond, nous nous sommes également basés sur deux livres : *Le Royaume enchanté* de James B. Stewart et *Steve Jobs* de Walter Isaacson.

Outre des fragments de mes rencontres avec Jobs, la plupart des citations directes de ce chapitre sont tirées des interviews que nous avons réalisées avec John Lasseter le 8 mai 2014, Tim Cook le 30 avril 2014, Edwin Catmull le 16 janvier 2014 et Bob Iger le 14 mai 2014

Chapitre 15 : *The whole widget*

Ce chapitre a plusieurs fils conducteurs qui reflètent la nouvelle complexité de la gestion de la société, qui prit le nom d'Apple Inc. lorsque ses activités et sa gamme de produits se diversifièrent. Entre la fin de 2004 et 2008, Apple créa l'iPhone, subit une relève de la garde dans les rangs de ses dirigeants et signa une nouvelle forme de partenariat avec AT&T alors même que les ventes et les effectifs de la firme triplaient presque. Parallèlement, Cupertino fit de nouveau l'objet de controverses suscitées par une enquête de la SEC sur des irrégularités dans les procédures d'attribution de stock-options à ses hauts responsables, le scandale soulevé par les conditions de travail dans les usines chinoises de son sous-traitant, les accusations de violation de la loi antitrust que constituaient ses ententes illicites avec d'une part les éditeurs, sur le prix des livres électroniques, et d'autre part divers employeurs de la Silicon Valley, afin de réduire le débauchage de talents.

Apple poursuivit son essor et, avec le succès fulgurant de l'iPhone, Jobs acheva son tiercé d'ordinateurs de référence. Et ce en dépit de son état de santé qui se dégradait visiblement. Nous avons pu bénéficier de longs entretiens avec d'actuels et d'anciens hauts responsables clés d'Apple, dont Tim Cook, le CEO, Jony Ive, le directeur du design, Eddy Cue, le vice-président senior chargé des services Internet, Katie Cotton, la vice-présidente de la communication, qui a depuis pris sa retraite, et Tony Fadell, le fondateur de

Nest Labs qui est désormais une filiale de Google. Nous nous sommes également basés sur les communiqués de presse, les comptes déposés auprès de la SEC et les archives judiciaires relatives à la controverse des stock-options.

Outre des fragments de mes rencontres avec Jobs, la plupart des citations directes de ce chapitre sont tirées des interviews réalisées avec Eddy Cue le 29 avril 2014, Fred Anderson le 8 août 2012, Avie Tevanian le 11 octobre 2012, Tim Cook le 30 avril 2014, Jon Rubinstein le 25 juillet 2012, Jony Ive le 6 mai et le 10 juin 2014, John Doerr le 7 mai 2014, Jean-Louis Gassée le 17 octobre 2012 et Marc Andreessen le 7 mai 2014.

En ce qui concerne les ressources en ligne, nous avons entre autres consulté Fastcodesign.com, le site du magazine *Fast Company* consacré au design, en date du 22 mai 2014, http://www.fastcodesign.com/3030923/4-myths-about-apple-design-from-an-ex-apple-designer, ainsi que le blog de l'ancien ingénieur d'Apple Don Melton, http://donmelton.com/2014/04/10/memories-of-steve/. Les comptes déposés par Apple auprès de la SEC nous ont par ailleurs fourni les chiffres de ventes unitaires des exercices 2000 à 2013.

Chapitre 16 : Œillères, rancunes et luttes sans merci

C'est un chapitre insolite car, au lieu d'expliquer une suite d'événements, nous essayons de remettre en perspective certains des traits de caractère et des modes de comportement de Jobs, en les resituant dans le contexte de la croissance fulgurante et du succès d'Apple et de la difficulté de vivre avec une maladie incurable. Certains actes, certaines décisions de Jobs donnèrent lieu à des actions en justice et des réprimandes des autorités de régulation fédérales. D'autres entraînèrent des problèmes gênants de relations publiques. D'autres encore reflétaient simplement le tempérament d'un homme qui refusait d'enrober ses opinions. Nous nous sommes basés sur les archives judiciaires et un certain nombre d'articles de journaux et de magazines et nous avons également demandé aux plus proches collaborateurs de Jobs ce qu'ils en pensaient. Nous ne voulons pas porter de jugement, particulièrement dans les cas où des procédures judiciaires sont encore en cours. Mais il nous a semblé important d'étudier dans quelle mesure ces problèmes reflètent des aspects de la personnalité et du tempérament de Jobs à l'apogée de sa réussite. Nous décrivons également certaines dynamiques relationnelles au sein de l'équipe dirigeante que Jobs avait réunie et la période de transition du milieu des années 2000, qui a vu le départ de plusieurs dirigeants clés.

Outre des fragments de mes rencontres avec Jobs au fil des années, la plupart des citations directes de ce chapitre sont tirées des interviews réalisées avec Tim Cook le 30 avril 2014, Eddy Cue le 29 avril 2014, Katie Cotton le 30 avril 2014, Fred Anderson le 8 août 2012, Jon Rubinstein le 25 juillet 2012, Avie Tevanian le 11 octobre 2012 et Bill Gates le 15 juin 2012.

En ce qui concerne les ressources en ligne, nous avons entre autres consulté un éditorial du *New York Times* intitulé « Talking Business: Apple's Culture

of Secrecy » de Joe Nocera, paru le 26 juillet 2008 sur http://www.nytimes.
com/2008/07/26/business/26nocera.html?_r=0, les archives des procédures
de la Securities and Exchange Commission consultables en ligne, où figure
la requête n° 20086 relative aux irrégularités de datation des stock-options,
sur https://www.sec.gov/litigation/litreleases/2007/lr20086.htm, les archives
disponibles en ligne du département américain de la Justice au sujet de la
plainte antitrust déposée contre Apple, Adobe, Google, Intel, Intuit et Pixar
les accusant d'entente illicite visant à empêcher la concurrence à l'embauche
des employés techniques, http://www.justice.gov/file/483451/download, et
la plainte contre Apple et plusieurs maisons d'édition pour avoir conclu une
entente visant à fixer le prix des ebooks, http://www.justice.gov/file/486691/
download, « Thoughts on Flash », une lettre ouverte de Steve Jobs expliquant les raisons pour lesquelles il n'avait pas autorisé le plugin multimédia Flash d'Adobe Corp. sur l'iPhone d'Apple sur http://www.apple.com/
hotnews/thoughts-on-flash/, les archives des communiqués de presse d'Apple
pour le détail des poursuites engagées contre Samsung, qui a été durant des
années le principal fabricant de Smartphones utilisant le système d'exploitation Android de Google, « How the U.S. Lost Out on iPhone Work » de
Charles Duhigg et Keith Bradsher, paru dans le *New York Times* le 21 janvier
2012 et disponible sur http://www.nytimes.com/2012/01/22/business/apple-
america-and-a-squeezed-middle-class.html, « In China, Human Costs Are
Built into an iPad » de Charles Duhigg et David Barboza paru dans le *New
York Times* le 25 janvier 2012, sur http://www.nytimes.com/2012/01/26/
business/ieconomy-apples-ipad-and-the-human-costs-for-workers-in-china.
html, « How Apple Sidesteps Billions in Taxes » de Charles Duhigg et David
Kocieniewski paru dans le *New York Times* le 28 avril 2012, http://www.
nytimes.com/2012/04/29/business/apples-tax-strategy-aims-at-low-tax-states-
and-nations.html, « Apple's Retail Army, Long on Loyalty but Short on
Pay » de David Segal paru dans le *New York Times* le 23 juin 2012, http://
www.nytimes.com/2012/06/24/business/apple-store-workers-loyal-but-short-
on-pay.html.

Nous avons également consulté *Dogfight: How Apple and Google Went
to War and Started a Revolution* de Vogelstein pour certaines informations
d'ordre général.

Chapitre 17 :
« Vous n'aurez qu'à leur dire que je me conduis comme un salaud »

Ce chapitre final couvre également un large spectre, de mes rapports personnels avec Steve les dernières années de sa vie aux circonstances particulières
de sa greffe du foie en 2009, aux critiques publiques sur les conditions de
travail du sous-traitant d'Apple en Chine, aux accusations de violation de la
loi antitrust dans les ententes conclues avec les éditeurs sur le prix des livres
électroniques et avec les autres employeurs de la Silicon Valley pour remédier au « débauchage » de leurs talents respectifs. Nous décrivons également

comment l'iPad s'est vendu à une vitesse jamais égalée par aucune autre nouveauté Apple. Le principal objectif de ce chapitre, cependant, est de mettre en perspective l'évolution de Steve Jobs et de voir comment le jeune entrepreneur téméraire des débuts est devenu un bâtisseur chevronné qui a su à la fois créer de nouvelles technologies et construire les infrastructures d'entreprise nécessaires pour pouvoir les développer et les soutenir. Pour cela, nous nous sommes largement basés sur les commentaires et l'expérience de ceux qui le connaissaient le mieux.

La description des obsèques privées nous a été donnée par plusieurs personnes qui étaient présentes mais ne souhaitent pas être mentionnées. La transcription de l'hommage que Laurene Powell Jobs a rendu lors de la cérémonie commémorative, le 16 octobre 2011, est publiée ici avec son autorisation.

Outre les fragments de mes rencontres avec Jobs, la plupart des citations directes de ce chapitre sont tirées des interviews réalisées avec Tim Cook le 30 avril 2014, Bob Iger le 14 mai 2014, Eddy Cue le 29 avril 2014, Lee Clow le 20 janvier 2014, Bill Gates le 15 juin 2012, Laurene Powell Jobs le 30 avril 2014, John Lasseter le 8 mai 2014, Jim Collins le 15 avril 2014 et Mike Slade le 23 juillet 2012.

Nous avons consulté les archives du conseil municipal de Cupertino pour obtenir les citations exactes de la présentation qu'a donnée Steve Jobs des plans du nouveau siège d'Apple, le 7 juin 2011, sur http://www.cupertino.org/index.aspx?recordid=463&page=26, et sur la vidéo des archives d'Apple pour l'hommage qu'ont rendu Bill Campbell et Jony Ive lors de la cérémonie organisée au siège d'Apple le 19 octobre 2011, http://events.apple.com.edgesuite.net/10oiuhfvojb23/event/

Bibliographie

Livres

Amelio, Gil, *On the Firing Line: My 500 Days at Apple*, New York, HarperBusiness, 1998.

Berlin, Leslie, *The Man Behind the Microchip: Robert Noyce and the Invention of Silicon Valley*, New York, Oxford University Press, 2005.

Brennan, Chrisann, *The Bite in the Apple: A Memoir of My Life with Steve Jobs*, New York, St. Martin's Press, 2013.

Catmull, Edwin, *Creativity Inc.: Overcoming the Unseen Forces That Stand in the Way of True Inspiration*, New York, Random House, 2014.

Collins, Jim, *De la performance à l'excellence : devenir une entreprise leader*, traduit par Agnès Prigent, Paris, Pearson, 2013.

Collins, James C., et Porras, Jerry I., *Bâties pour durer. Les entreprises visionnaires ont-elles un secret*, traduction de Marie-Pierre Gröndahl, préface et adaptation d'Alix Brijatoff, Paris, First-Management, 1996.

Deutschmann, Alan, *The Second Coming of Steve Jobs*, New York, Crown Business, 2001.

Esslinger, Hartmut, *Keep It Simple: The Early Design Years at Apple*, Stuttgart, Arnoldsche Verlaganstalt, 2014.

Grove, Andrew S., *Swimming Across: A Memoir*, New York, Grand Central Publishing, 2001.

Hertzfeld, Andy, *Revolution in the Valley: The Insanely Great Story of How the Mac Was Made*, Sebastopol, CA, O'Reilly Media, 2004.

Hiltzik, Michael A., *Dealers of Lightning: Xerox PARC and the Dawn of the Computer Age*, New York, HarperBusiness, 1999.

Isaacson, Walter, *Steve Jobs*, traduction de Dominique Defert et Carole Delporte, Paris, J.-C. Lattès, 2011.

Kahney, Leander, *Jony Ive : le génial designer d'Apple*, traduction d'Emmanuelle Burr-Campillo, Paris, Éditions First, 2014.

Krueger, Myron W., *Artificial Reality II*, Boston, Addison-Wessley Professional, 1991.

Lashinsky, Adam, *Inside Apple : de Steve Jobs à Tim Cook, dans les coulisses de l'entreprise la plus secrète au monde*, préface de Michel Ktitareff, traduction d'Erwan Jégouzo et Jean-Louis Clauzier, Paris, Dunod, 2013.

Levy, Steven, *La Saga Macintosh : enquête sur l'ordinateur qui a changé le monde*, traduction de Martine Leyris, Paris, Arléa, 1994.

Levy, Steven, *The Perfect Thing: How the iPod Shuffles Commerce, Culture, and Coolness*, New York, Simon & Schuster, 2006.

Linzmayer, Owen W., *Apple Confidential 2.0: The Definitive History of the World's Most Colorful Company*, San Francisco, No Starch Press, 2004.

Livingston, Jessica, *Founders at Work: Stories of Start-up' Early Days*, New York, Apress, 2009.

Lovell, Sophie, *Dieter Rams: As Little Design as Possible*, London, Phaidon Press, 2011.

McKenna, Regis, *En temps réel : s'ouvrir au client toujours plus exigeant*, traduction de Marie-France Pavillet, Paris, Village mondial, 1998.

Manes, Stephen, et Andrews, Paul, *Gates*, New York, Touchstone, 1994.

Markoff, John, *What the Dormouse Said: How the Sixties Counterculture Shaped the Personal Computer*, New York, Penguin, 2006.

Melby, Caleb, *The Zen of Steve Jobs*, New York, Wiley, 2012.

Moritz, Michael, *Le Jeu de la pomme : la Grande Aventure d'Apple Computer*, traduction Claire Demange, Paris, Denoël, coll. « Présence de la science », 1987.

Paik, Karen, *To Infinity and Beyond: The Story of Pixar Animation Studios*, San Francisco, Chronicle Books, 2007.

Paramahansa, Yogananda, *Autobiographie d'un yogi*, préface d'Evans Wenz, Paris, J'ai Lu, 2007.

Price, David A., *The Pixar Touch: The Making of a Company*, New York, Vintage, 2009.

Reid, T.R., *The Chip: How Two Americans Invented the Microchip and Launched a Revolution*, New York, Simon & Schuster, 1985.

Sculley, John, et Byrne, John A., *De Pepsi à Apple : un génie du marketing raconte son odyssée*, traduction de Joëlle et Alex-Serge Vieux, Paris, Grasset, 1988.

Segall, Ken, *Insanely Simple: The Obsession That Drives Apple's Success*, New York, Portfolio Hardcover, 2012.

Simpson, Mona, *A Regular Guy*, New York, Vintage, 1997.

Stewart, James B., *Le Royaume enchanté*, traduction de Barbara Schmidt, Paris, Sonatine, 2011.

Stross, Randall, *Steve Jobs and the NeXT Big Thing*, New York, Scribner, 1993.

Suzuki, Shunryu, *Esprit zen, esprit neuf*, préface de Huston Smith, traduit par Sylvie Carteron, Paris, Points, coll. « Points Sagesses », 2014.

Tedlow, Richard S., *Andy Grove: The Life and Times of an American*, New York, Penguin, 2006.

Vogelstein, Fred, *Dogfight: How Apple and Google Went to War and Started a Revolution*, New York, Sarah Crichton Books, 2013.

Wozniak, Steve, et Smith, Gina, *iWoz*, traduction de Lucie Delplanque, Paris, Éditions Globe, 2013.

Young, Jeffrey S., *Steve Jobs : un destin fulgurant*, Paris, Micro Application, 2002.

Articles de l'auteur

Schlender, Brenton R., « Jobs, Perot Become Unlikely Partners in Apple Founder's New Concern », *Wall Street Journal*, 2 février 1987.

— « Next Project: Apple Era Behind Him, Steve Jobs Tries Again, Using a New System », *Wall Street Journal*, 13 octobre 1988.

— « How Steve Jobs Linked Up with IBM », *Fortune*, 9 octobre 1989.

— « The Future of the PC: Steve Jobs and Bill Gates Talk About Tomorrow », *Fortune*, 26 août 1991.

— « What Bill Gates Really Wants », *Fortune*, 16 janvier 1995.

— « Steve Jobs' Amazing Movie Adventure », *Fortune*, 18 septembre 1995.

— « Something's Rotten in Cupertino », *Fortune*, 3 mars 1997.

— « The Three Faces of Steve », *Fortune*, 9 novembre 1998.

— « Apple's One-Dollar-a-Year Man », *Fortune*, 24 janvier 2000.

— « Steve Jobs' Apple Gets Way Cooler », *Fortune*, 24 janvier 2000.

— « Steve Jobs: Graying Prince of a Shrinking Kingdom », *Fortune*, 14 mai 2001.

— « Pixar's Fun House », *Fortune*, 23 juillet 2001.

— « Apple's 21st Century Walkman », *Fortune*, 12 novembre 2001.

— « Apple's Bumper Crop », *Fortune*, 3 février 2003.

— « What Does Steve Jobs Want? », *Fortune*, 23 février 2004.

— « Incredible: The Man Who Built Pixar's Innovation Machine », *Fortune*, 15 novembre 2004.

— « How Big Can Apple Get? », *Fortune*, 21 février 2005.

— « Pixar's Magic Man », *Fortune*, 17 mai 2006.

— « Steve and Me: A Journalist Reminisces », *Fortune*, 25 octobre 2011.

— « The Lost Steve Jobs Tapes », *Fast Company*, mai 2012.

Autres journaux et magazines

BusinessWeek/BloombergBusinessweek
Esquire
Fast Company
Fortune
New York Times
The New Yorker Newsweek
San Francisco Chronicle
San Jose Mercury News Time
Wall Street Journal
Wired

Sites Internet

allaboutstevejobs.com

apple.com

apple-history.com

Computer History Museum : www.computerhistory.org/atchm/steve-jobs/

cultofmac.com

donmelton.com/2014/04/10/memories-of-steve/

everystevejobsvideo.com

Fastcodesign.com, le site de *Fast Company* consacré au design, 22 mai 2014, http://www.fastcodesign.com/3030923/4-myths-about-apple-design-from-an-ex-apple-designer

Forbes, liste des milliardaires établie par le magazine sur deux décennies, 1982-2002, « Two Decades of Wealth », www.forbes.com/static_html/rich400/2002/timemapFLA400.html

foundersatwork.com, interview de Steve Wozniak, www.foundersatwork.com/steve-wozniak.html

Gartner Group, http://www.gartner.com/newsroom/id/2301715

Golden Gate Weather, http://ggweather.com/sjc/

National Cancer Institute : http://www.cancer.gov/types/pancreatic/hp/pnet-treatment-pdq

National Historic Trust for Historic Preservation : preservationnation.org (détails sur Jackling Mansion)

National Mining Hall of Fame, Leadville, Co. : http://www.mininghalloffame.org/inductee/jackling

news.cnet.com

paloalto.patch.com/groups/opinion/p/my-neighbor-steve-jobs

quora.com, www.quora.com/Steve-Jobs/What-are-the-best-stories-about-people--randomly-meeting-Steve-Jobs/answer/Tim-Smith-18.

The Ralston White Retreat, www.ralstonwhiteretreat.org/history.asp

The Seva Foundation, www.seva.org

Smithsonian Institution, archives « Oral and Video Histories », interview de Steve Jobs le 20 avril 1995, http://americanhistory.si.edu/comphist/sj1.html

Steve Jobs lors de la Macworld de Boston, le 6 août 1997, http://www.youtube.com/watch?v=PEHNrqPkefI

Steve Jobs, lettre ouverte « Thoughts on Flash » expliquant les raisons pour lesquelles il refuse d'autoriser le plugin multimédia Flash d'Adobe Corp. sur l'iPhone d'Apple, http://www.apple.com/hotnews/thoughts-on-flash/

U.S. Bureau of Economic Analysis, Comptes annuels par industrie, consultables sur https://www.bea.gov/scb/pdf/2005/01January/0105_Industry_Acct.pdf et http://www.bea.gov/index.htm.

https://www.vitsoe.com/us/about/dieter-rams, https://www.vitsoe.com/us/about/good-design.

Autres

Cupertino City Council, archive vidéo de la présentation donnée par Steve Jobs des plans du nouveau siège, 7 juin 2011, http://www.cupertino.org/index. aspx?recordid=463&page=26.

Dietz, Paul, et Leigh, Darren, « DiamondTouch: A Multi-User Touch Technology », livre blanc des Mitsubishi Electric Research Laboratories, octobre 2003, http://www.merl.com/publications/docs/TR2003-125.pdf.

Leonard, Devin, « Songs in the Key of Steve Jobs », *Fortune*, 12 mai 2003.

Securities and Exchange Commission S-1 prospectus déposé préalablement à l'introduction en Bourse de Netscape Communications Inc.'s le 9 août 1995.

Securities and Exchange Commission S-1 prospectus déposé préalablement à l'introduction en Bourse de Pixar le 29 novembre 1995 (dépôt en date du 11 octobre 1995).

Securities and Exchange Commission S-1 prospectus déposé préalablement à l'introduction en Bourse d'Apple Computer Inc. le 22 décembre 1980 (dépôt en date du 12 décembre 1980).

Securities and Exchange Commission requête n° 20086, *Securities and Exchange Commission v. Nancy R. Heinen and Fred D. Anderson, Case No. 07-2214-HRL*, 24 avril 2007, https://www.sec.gov/litigation/litreleases/2007/lr20086. htm.

« The Entrepreneurs », PBS, 1986.

Useem, Jerry, « Apple: America's Best Retailer », *Fortune*, 8 mars 2007.

Uttal, Bro, « The Fall of Steve », *Fortune*, 5 août 1985.

— « The Deal That Made Bill Gates, Age 30, $350 Million », *Fortune*, 21 juillet 1986.

Remerciements

Merci à Kris Dahl, notre agente, qui s'est montrée une alliée sûre et avisée et nous a accompagnés avec enthousiasme à mesure que notre idée de départ prenait forme pour donner ce livre. À notre éditeur chez Crown, Roger Scholl, qui a défendu ce projet dès la première heure, en nous offrant son indéfectible soutien à chaque étape. Nous n'aurions pas pu rêver meilleur guide tout au long du processus éditorial. À John Huey, à l'origine de notre tandem professionnel, qui a conduit à une profonde amitié et à cette collaboration. À Cathy Cook, qui est depuis des années notre prudente et sceptique conseillère et amie dans la Silicon Valley. Jenny Lyss nous a inspiré le titre durant un dîner, témoignant de la chaleur et de la générosité qui sont les siennes. Nombreux sont ceux qui nous ont aidés en chemin, mais nous tenons particulièrement à remercier Larry Brilliant, Annie Chia, Larry Cohen, Katie Cotton, Mia Diehl, Steve Dowling, Caroline Eisenmann, Heather Feng, Sadie Ferguson, Sarah Filippi, Veronica Garcia, Celine Grouard, Bill Joy, Ted Keller, George Lange, Kristen McCoy, Regis McKenna, Gretchen Menn, Doug Menuez, Michelle Moretta, Zenia Mucha, Terri Murphy, Karen Paik, Emily Philpott, Derek Reed, Abby Royle, Wendy Tanzillo, Allison Thomas, Fred Vogelstein et T. Waldrop.

Sans les citer individuellement, nous aimerions également remercier toutes les personnes proches de Steve Jobs – les membres de sa famille, ses amis de longue date, ses collaborateurs, ses mentors, ses rivaux et ses concurrents – qui ont bien voulu nous confier leurs souvenirs personnels, leurs impressions et leurs points de vue. La liste complète de tous ceux qui ont été interviewés figure dans les références. Nous leur savons gré de la générosité d'esprit dont ils ont fait preuve en partageant leurs réminiscences et leurs sentiments malgré leur réticence bien compréhensible.

— BS et RT

J'aimerais remercier ma famille. Lorna, ma femme depuis trente ans, qui a patiemment supporté les horaires, les changements d'humeur et les déménagements au-delà des océans que doivent parfois subir les conjoints de journalistes, ainsi que mes deux filles Greta et Fernanda qui font l'une et l'autre de brèves apparitions dans notre histoire et qui, comme leur mère, m'ont encouragé à oublier le traumatisme de ma maladie et à me lancer. Je dois également remercier ma mère, Charlotte, aujourd'hui décédée, qui était professeur de lettres et m'a appris combien il était important d'apprendre les racines grecques et latines de la plupart des termes et fait comprendre qu'il y a presque toujours un mot plus adapté – à moins qu'il n'y en ait pas. Et je tiens à remercier tout particulièrement mon père, Harold, un éternel artisan et bâtisseur de maisons qui a fêté ses quatre-vingt-dix ans le mois où ce livre a été publié. Il m'a appris dès mon plus jeune âge que les erreurs ont un triple prix : on perd tous les efforts entrepris et les matériaux utilisés, on doit démonter ce que l'on a gâché, et après cela, on doit tout refaire pour obtenir un résultat satisfaisant. Il m'a prouvé, par son exemple, qu'il n'est jamais trop tard pour relever les plus grands défis. Celui qu'il s'est lancé a été de restaurer un magnifique opéra historique dans ma ville de McPherson, au Kansas, qui a rouvert en grande partie grâce au dur labeur et à l'énergie qu'il a déployés à l'âge de quatre-vingt-cinq ans. Et enfin, je tiens à exprimer ma reconnaissance toute particulière à l'un de mes plus vieux et de mes plus chers amis, Rodney

Pearlman, un véritable esprit universel dont les suggestions pertinentes nous ont apporté une aide précieuse au dernier stade du manuscrit.

— *BS*

Bob Safian, le rédacteur en chef de *Fast Company*, a encouragé le projet et m'a laissé le loisir d'achever un travail qui nous a pris bien plus de temps que nous ne l'avions anticipé. Le monde a besoin de plus de leaders comme Bob – il va être embarrassé, mais c'est vrai. David Lidsky nous a apporté une aide inestimable lors de la lecture du premier jet. Je suis très reconnaissant à David, Lori Hoffman et Jill Bernstein d'avoir dirigé le service d'impression pendant que je m'étais absenté pour me consacrer à ce livre. À Frank Davis et Nancy Blecher Davis de m'avoir soutenu dans des moments critiques ; c'est la meilleure belle-famille qui soit. Christine Pierre est pour notre famille un modèle depuis des années et elle m'a davantage aidé qu'elle ne voudra jamais l'admettre. Mes frères, Bill et Chris, m'ont toujours prêté une oreille attentive, tout comme Adam Bluestein, Nicole Gueron, Carter Strickland et Steve Tager.

Mes enfants, Jonah, Tal et Anya, ont toujours manifesté leur curiosité d'esprit et leur affection malgré l'exaspération que leur inspirait parfois « ce bouquin ». Ils donnent du sens à toute ma vie et me rappellent à la fois la valeur et les limites de ce projet. Enfin, Mari, ma femme depuis dix-sept ans, s'est montrée la plus rigoureuse et la plus infatigable des lectrices ; chaque version du manuscrit a été influencée par les nombreux commentaires qu'elle laissait en marge. Elle nous a incités à être aussi clairs, aussi ambitieux et aussi minutieux que possible. Plus que tout, c'est ma meilleure amie et la meilleure compagne dont on puisse rêver. Qui aurait deviné que de parcourir à tes côtés soixante-cinq blocs pour te raccompagner chez toi changerait toute ma vie ? De toutes les belles choses qui me sont arrivées dans l'existence, je suis avant tout reconnaissant de t'avoir rencontrée et épousée.

— *RT*

Composition et mise en pages
Nord Compo à Villeneuve-d'Ascq

Pour l'éditeur, le principe est d'utiliser des papiers composés de fibres naturelles, renouvelables, recyclables et fabriquées à partir de bois issus de forêts qui adoptent un système d'aménagement durable.

En outre, l'éditeur attend de ses fournisseurs de papier qu'ils s'inscrivent dans une démarche de certification environnementale reconnue.

Photocomposition Nord Compo

Imprimé en France par CPI Brodard et Taupin
en septembre 2015
pour le compte des éditions Marabout (Hachette Livre)
58, rue Jean-Bleuzen, 92178 Vanves Cedex
Dépôt légal : octobre 2015
ISBN : 978-2-501-11012-9
1730281
N° d'impression : 3013296